suhrkamp taschenbuch 1148

D0589578

Max Frischs Tagebuch ist eine Bestandsaufnahme. Seine Berichte aus dem Europa der Jahre 1946 bis 1949, die Protokolle seiner Begegnungen in der Nachkriegszeit haben ebenso historische wie aktuelle Bedeutung. Darüber hinaus nimmt das Tagebuch eine zentrale Stelle in der Genese des dichterischen Werkes von Max Frisch ein. Es enthält bereits erzählerische Anläufe, Skizzen, Strukturmodelle, aus denen sich später die großen Dramen und Romane entwickeln konnten.

»Was auf allen ›Ebenen‹ dieses Tagebuchs beeindruckt und in vielen Passagen unsere Bewunderung fordert, ist die strahlende Intelligenz und die stilistische Bravour des Autors, welch Reichtum an Beobachtungen und Reflexionen, welche Fülle an Themen, welche Vielfalt an literarischen Formen.« *Rudolf Hartung*

Max Frisch, am 15. Mai 1911 in Zürich geboren, starb dort am 4. April 1991.

Max Frisch
Tagebuch 1946–1949

Suhrkamp

Der erste Teil dieses Tagebuchs ist im
Atlantis Verlag, Zürich,
unter dem Titel »Tagebuch mit Marion«
1947 erstmals erschienen.

15. Auflage 2016

Erste Auflage 1985
suhrkamp taschenbuch 1148
© Suhrkamp Verlag Frankfurt am Main 1950
Suhrkamp Taschenbuch Verlag
Druck: Druckhaus Nomos, Sinzheim
Printed in Germany
Umschlag: Göllner, Michels, Zegarzewski
ISBN 978-3-518-37648-5

Tagebuch 1946-1949

FÜR CONSTANZE

An den Leser

Der verehrte Leser – einmal angenommen, daß es ihn gibt, daß jemand ein Interesse hat, diesen Aufzeichnungen und Skizzen eines jüngeren Zeitgenossen zu folgen, dessen Schreibrecht niemals in seiner Person, nur in seiner Zeitgenossenschaft begründet sein kann, vielleicht auch in seiner besonderen Lage als Verschonter, der außerhalb der nationalen Lager steht – der Leser täte diesem Buch einen großen Gefallen, wenn er, nicht nach Laune und Zufall hin und her blätternd, die zusammensetzende Folge achtete; die einzelnen Steine eines Mosaiks, und als solches ist dieses Buch zumindest gewollt, können sich allein kaum verantworten.

Zürich, Weihnachten 1949

Zürich, Café de la Terrasse

Gestern, unterwegs ins Büro, begegne ich einem Andrang von Leuten, die bereits über den Randstein hinaus stehen, alle mit gestreckten Hälsen; manchmal ein Lachen aus der unsichtbaren Mitte –

Bis ein Gendarm kommt.

Er fragt, was geschehen sei, und da wir es nicht wissen, keilt er sich in den Haufen hinein, nicht barsch, aber von Amtes wegen entschieden. Das gehe nicht, sagt er mehrmals, das gehe nicht! Wahrscheinlich wegen des Verkehrs –

Und dann:

Ein junger Mensch steht da, groß, bleich, eher ärmlich was die Kleidung betrifft, aber kein Bettler, wie es scheint, heiter, unbefangen wie ein Kind; ein offener Koffer liegt neben ihm, und dieser Koffer, wie man nun sieht, ist voller Marionetten. Eine hat er herausgenommen und hält sie eben an den Fäden, so, daß das hölzerne Männlein gerade auf dem Pflaster spazieren kann; unbekümmert um den Gendarm, der einen Augenblick ratlos scheint:

»Was soll das?«

Der junge Mensch, keineswegs verdutzt, zeigt weiter, wie man die einzelnen Gliedmaßen bewegen kann, und einen Atemzug lang, lächelnd und den Daumen im Gürtel, schaut auch der Gendarm zu, der das liebe Gesicht eines Bienenzüchters hat.

»Was soll das?«

Der Mensch, indem er auf die Puppe schaut, lächelnd, da jedermann die Antwort sehen kann:

»Jesus Christus.«

Der Gendarm:

»Das geht nicht... Hier nicht... das geht nicht –.«

Andorra ist ein kleines Land, sogar ein sehr kleines Land, und schon darum ist das Volk, das darin lebt, ein sonderbares Volk, ebenso mißtrauisch wie ehrgeizig, mißtrauisch gegen alles, was aus den eignen Tälern kommt. Ein Andorraner, der Geist hat und daher weiß, wie sehr klein sein Land ist, hat immer die Angst, daß er die Maßstäbe verliere. Eine begreifliche Angst, eine lebenslängliche Angst, eine löbliche Angst, eine tapfere Angst. Zuzeiten ist es sogar die einzige Art und Weise, wie ein Andorraner zeigen kann, daß er Geist hat. Daher das andorranische Wappen: Eine heraldische Burg, drinnen ein gefangenes Schlänglein, das mit giftendem Rachen nach seinem eignen Schwanze schnappt. Ein schmuckes Wappen, ein ehrliches Wappen; deutet auf das Verhältnis zwischen Andorraner und Andorraner, welches ein leidiges ist wie meistens in kleinen Ländern.

Das Mißtrauen –.

Die andorranische Angst, Provinz zu sein, wenn man einen Andorraner ernst nähme; nichts ist provinzieller als diese Angst.

Marion hatte die Puppen geschnitzt, während er krank war. Weil er krank war; die viele Zeit. Er schnitzte sie aus Lindenholz, weil das Lindenholz am wenigsten splittert; es ist nicht hart, nicht eigensinnig, es hat keine Äste, wo das Messer stockt. Das ist die Gefahr, das Stocken bei den Ästen, und dann, plötzlich, springt das Messer davon, und alles ist wieder verdorben, die Nase weg. Lindenholz ist ein williges Holz, ein treues Holz, seine Helle, der Gleichmut seiner Jahrringe; man kann es wirklich loben.

Als er den dritten Nagel in die Wand schlug, um seine Puppe daran aufzuhängen, die dritte, da fragte ihn die Krankenschwester, was er mit diesen Dingern spielen wollte, was für ein Stück...

Das war die Frage.

Sie nahm die Puppe in die Hand:

»Der sieht wie Jesus Christus aus.«

Ja, dachte Marion, aber alle die andern?

Pontius Pilatus –

Judas –

Zuerst spielt Marion für die Armen des Dorfes. Wobei er keineswegs die Frage stellt, warum es Arme gibt und andere; ob darin ein Unrecht liegt oder nicht. Er tut es nicht aus Mitleid. Es genügt ihm, daß er Freude macht; was auch ihm wieder Freude macht. Er tut es ohne Anspruch, ohne Ehrgeiz, ohne Bewußtsein...

Eines Tages entdeckt ihn ein Kurgast.

Ein Herr mit Monokel –

Cesario, das Urteil von Andorra.

Zu erzählen wäre die rührende und auch wieder tröstliche Szene, wie Marion seiner alten Mutter erklären will, was das bedeutet, ein Brief von Cesario. Er liest ihn vor. Eine Einladung von Cesario. Er liest sie noch einmal vor. Und die Mutter zittert, wie sie eben immerfort zittert, die Arme, den lieben langen Tag:

»Wie heißt der Herr?«

O Grenze des Ruhmes!...

Aber es bleibt dabei, auch wenn die Mutter es nicht begreift: Marion fährt in die Stadt, Marion, der alles für bare Münze nimmt, was man ihm sagt. Er steht am offenen Wagenfenster und winkt, lange noch, es flattern seine Haare, es senkt sich der Rauch über die heimatlichen Felder, Wolken von Bernstein, denn es ist ein sonniger Morgen, und Marion fährt in die Stadt: mit Jesus Christus im Koffer.

Im Kaffeehaus, wo Cesario natürlich auf sich warten läßt, zeigt er seine Puppen einer Kellnerin. Andere treten hinzu; es macht ihnen Spaß, und Marion muß zeigen, wie so eine Puppe auf dem Boden geht –

Bis jener Gendarm kommt:

»Das geht nicht.«

Warum nicht?

Cesario ist es peinlich; er nimmt sein Monokel aus dem Auge, reibt es und tut, als könnte er nicht sprechen, wenn er das Monokel nicht hat, und Marion bleibt ohne Antwort auf seine Frage.

Sein Staunen darüber, wie jedermann sich ein wenig anders verhält, wenn andere am Tische sitzen. Man wird nicht klug aus den Leuten, und es ist wie ein Schachtraum, was Marion in den folgenden Wochen erlebt: jedesmal, da er eine Figur ergreifen will, hat sie soeben die Farbe gewechselt –

Marion schreibt in einem Brief:

»Oft möchte ich meinen, sie halten mich alle zum Narren, nichts weiter. Sie schnöden über einen Maler, den ich nicht kenne, sie nennen ihn einen Scharlatan und so weiter, und in der gleichen Woche, wenn ich ins Kaffeehaus gehe, treffe ich sie wieder: sie trinken und rauchen und unterhalten sich mit Geist, mit Ernst und vortrefflich. Was soll unsereiner da reden, damit er nicht immerfort schweigt? Ich schnöde auch über den Maler, den ich nur aus ihren eignen Worten kenne, und frage den Fremden, ob er den Scharlatan auch kenne, und der Fremde ist es selbst, und der Scharlatan bin ich.«

Sein wachsender Drang, nicht länger mitzumachen; er will den Menschen sagen, was er denkt, so offen als möglich, gleichviel, wer am Tische sitzt. Sein Irrtum besteht darin, zu meinen, daß er damit die anderen zwinge, ein gleiches zu tun...

Von einer sehr reichen Andorranerin, als sie starb, sagte die Welt: Sie hatte ein sehr gutes Herz. Nämlich sie hatte, sonst ohne Arbeit und Aufgabe, sehr viel Wohles getan, Geschenke und so weiter...

Marion hat die Dame gekannt.

»Sicher ist«, so denkt er: »sie hatte Anfälle von schlechtem Gewissen. Das aber, wer weiß, schon das wäre ein großes Lob für die Verstorbene; ich habe wenige Reiche getroffen, die es so weit brachten.«

Hat er es gesagt?

Und wem?

Und gleichviel, wer am Tische saß?

Und einmal, als sie bereits die Sessel wieder aufeinander bockten und Marion noch immer zwischen seinen Ellbogen saß, verloren in einer Sintflut des Herzens, erbarmte sich seiner eine Kellnerin.

Schön war es nicht –

Am andern Morgen sieht er sie hangen: Moses, die drei Könige, Christus aus Lindenholz.

Und nur der Judas fehlt noch immer.

Als kenne er ihn nicht.

Gesellschaft bei Cesario.

Jemand spielte eine Sonate, hinreißend, er mußte wiederholen, und als er sich zum letzten Male verbeugt hatte, lächelnd, gab es ein längeres Schweigen; die Damen saßen in langen Kleidern, die Herren in Schwarz. Man war ergriffen. Dann öffnete sich eine Türe, eine Schiebetüre, und man begab sich in ein anderes Zimmer, wo es belegte Brötchen gab, Wein oder Bier, auch Tee für die Damen –

Marion hatte Hunger.

»Ah!« sagte die Trebor und stellte ihre Tasse zurück: »Sie sind also ein Poet?«

Marion wurde rot.

»Sie sind also ein Poet – und im gleichen Augenblick nennen Sie sich einen armen Teufel, das verstehe ich nicht!«

»Nicht alle leben in einem solchen Landhaus –.«

»Sie meinen, weil sie nichts haben? Ich beneide Sie, Marion, wenn das wahr ist. Sie können, was wir nicht können: die Wahrheit denken, sogar die Wahrheit sagen.«

Marion zuckte die Achseln:

»Wer auf solchen Teppichen wohnt«, versetzte er: »kann sich die Armut sehr geistreich vorstellen, kein Zweifel.«

Sie blinzelte durch den Rauch ihrer Zigarette.

»Sehen Sie«, sagte die Trebor: »so viele behaupten, sie hätten nichts, und brüsten sich damit wie Sie, und am Ende haben sie doch immer das eine: Angst um all das, was sie haben möchten, Angst wie der reiche Mann, nur ohne Geld. Und ob das arme

Teufel sind! Aber dann ist man auch kein Poet, Marion. Ein Poet, dachte ich immer, darf überhaupt nichts haben – auch keine Angst.«

Sie lächelte, schaute ihn an:

»Wozu brauchen wir ihn sonst?«

Eine Fee mit bestrichenen Brötchen... .

Und dann, als es soweit war, lag Marion bereits im Bett, er hatte auch das Licht schon gelöscht: als der Entschluß ihn erreichte, keinerlei Angst mehr zu haben. Er mußte noch einmal aufstehen; er zog seinen Mantel an, es war Mitternacht vorbei, und er schrieb an die Trebor, alles, was er gehört hatte, wenn sie nicht zugegen war –.

Der nächste Abend fand nicht mehr statt.

Alles hat Folgen; Freundschaften gibt es, die jahrelang darauf bestanden haben, daß man sich von dem andern bewundert wähnte, eine Art von Versicherung, die man wiederum mit Bewunderung zahlte: ein offenes Wort, und weg ist sie. Und Marion ist an allem schuld; denn alles, was man in Wahrheit sagt, hat Folgen.

Auch gute vielleicht –

Eine Ehe geht in die Luft, zum Beispiel, mitsamt einem Haus und sieben Zimmern, Küche mit Kühlschrank: dafür eine Liebe, eine andere, die lange schon wartete wie ein Keim unter dem Stein, ein Mögliches, das plötzlich an die Sonne kommt, ein Lebendiges...

Marion hat einen Hund, das ist wichtig, das ist ein Geschöpf, das nicht anders tut, als es ist. Ein kleiner Hund, der im Zickzack über die Straße schnuppert; plötzlich wirbelt er ab, die Gosse entlang... und Marion wartet... Eines Tages wird auch dieser Hund ihn enttäuschen. Noch würde Marion es nicht glauben, wenn man es ihm sagte. Es ist ein Hundchen ohne Rasse, ohne Zucht, ohne Anstand und Adel, vor allem aber ohne jeden Anspruch auf all das, und eben darum hat Marion ihn genommen; ein Köter ohne Stammbaum, ein bräunlicher Knäuel, der immer wieder fast überfahren wird. Wie soll ein solcher Hund ihn enttäuschen können? Aber es liegt nicht am Hund, wenn es dazu kommt; es liegt an Marion, und es wird dazu kommen.

Anfang Februar zeigen sich die ersten Spuren von Irrsinn: die Menschen, die Marion sah, bewegten sich nicht mehr von innen heraus, wie ihn dünkte, sondern ihre Gebärden hingen an Fäden, ihr ganzes Verhalten, und alle bewegten sich nach dem Zufall, wer an diese Fäden rührte; Marion sah eine Welt von Fäden. Er träumte von Fäden...

Das war anfangs Februar.

Es drängte ihn dazu, daß er mit den Fäden spielte. Nämlich er wollte sich überzeugen, daß es doch nicht so war, das mit den Fäden. Er gab einen ganzen Tag dafür, noch einmal suchte er alle auf, die er kannte, Cesario zum Beispiel, der immer, gebildet wie er ist, an Hand von Kenntnissen redet: er redet von mittelalterlichen Puppenspielen –

Marion hört zu.

»Übrigens finden Sie eine verwandte Erscheinung, wenn Sie an die antike Maske denken; schon bei den alten Griechen –.«

Marion nickt. Und Cesario ist voller Wohlwollen wie am ersten Tag, als er den Puppenspieler entdeckte, ja, auch für den Puppenspieler bestellt er noch einmal einen Drink...

Was hat Marion getan?

Er hat genickt: gläubig und immerzu –

Weiter nichts.

»Ein kluger Bursche, ein heller Bursche! Habe ich es nicht auf den ersten Blick gemerkt? Ein begabter Bursche, und so bescheiden dabei, so bescheiden!...«

Und Marion seinerseits denkt:

»Wenn Cesario an mich glaubt, und wie habe ich diesem Manne doch Unrecht getan, indem ich ihn neulich einen eitlen Schwätzer nannte, nein wirklich, wenn Cesario an meine Puppen glaubt, Cesario, der Unbestechliche, er, dessen Urteil, wie jedermann weiß, so streng ist, aber gerecht, aber gerecht –«

Marion war wie benommen.

Er hatte spielen wollen; er hatte sich überzeugen wollen, daß es doch nicht so war, das mit den Fäden –

Aber es war so.

Auch bei ihm selber war es so.

Jetzt, in jedem Spiegel, sah er den Judas –

Am selben Abend erwürgte er den Hund. Man fand ihn später in der Garderobe, den Hund, und sich selber hatte er im Abort erhängt, nebenan, während die Leute auf dem blauen Polster saßen und über den kleinen Moses klatschten, über die drei Könige, über den Christus aus Lindenholz, über Pontius Pilatus.

Cesario, als er im Kaffeehaus davon hörte, zeigte sich betroffen und bereit, an der Bestattung teilzunehmen und allenfalls, wenn es verlangt wurde, einige Worte zu sprechen, obschon er es nicht überzeugend fand, daß Marion sich erhängt hatte; es war bedauerlich, gewiß, es war traurig, aber nicht ein auswegloses Muß, also nicht eine Tragödie im antiken Sinne, sondern nur die Geschichte eines vermeidbaren Irrtums, der darin bestand, daß Marion offenbar meinte, die Wahrheit irgendeines Mannes liege auf seinen Lippen oder in seiner Feder; er hielt es für Lüge, wenn die Menschen bald so, bald anders redeten; eines von beiden, meinte er, müsse eine Lüge sein.

Das verwirrte ihn.

Er erhängte sich aus Verwirrung –.

Café de la Terrasse

Ringsum die brandende Stadt, arbeitsam und rege, das Hupen der Wagen, das hohle Dröhnen von den Brücken – und hier diese grünende Insel der Stille, der Muße; es ist die erste am Tage, und ringsum läuten die Glocken, es hängt wie ein Summen über den Straßen und Plätzen, über den Alleen, über den Zinnen mit flatternder Wäsche, über dem See. Es ist Samstag. Es ist elf Uhr, die Stunde, wie ich sie liebe: alles in uns ist noch wach, heiter ohne Überschwang, fast munter wie das rieselnde Baumlicht über den marmornen Tischlein, nüchtern, ohne die Hast einer wachsenden Verzweiflung, ohne die abendlichen Schatten der Melancholie –

Alter zwischen dreißig und vierzig.

Nachtrag zu Marion

Marion und der Engel, der eines Abends neben ihm steht und ihn fragt, was eigentlich er möchte, und Marion, der sich an den Nacken greift:

»Was ich möchte?«

Es ist wirklich ein Engel! –

Marion:

»Wenn ich am abendlichen Ufer sitze, einmal möchte ich wandeln können über das Wasser, über die Tiefe voll perlmutterner Wolken, oder ich möchte, wenn ich auf dem Hügel stehe und meine Pfeife rauche, die Hände in den Hosentaschen, ich möchte die Arme von mir strecken, so wie man im Traume es kann, und niedergleiten über die Hänge, über die abendlichen Wipfel der Tannen, über Gehöfte und Dächer, über Kamine, über die Felder mit den Obstbäumen darin, mit Pflügen und dampfenden Rossen darin, über die Drähte voll tödlichen Stromes, über den Kirchhof hinweg, den geschlossenen – nicht einmal fliegen wie ein Vogel, der aufwärts steigt und sich erhebt, oh, ich bin es zufrieden, wenn du mich gleiten ließest, Engel, nur eine Weile lang: zurück in die Gefangenschaft unsrer Schwere!... Das alles aber, Engel, es soll nicht ein Traum sein. Ganz wirklich soll es sein, das Unglaubliche. Und niemals braucht es wiederzukehren. Und niemand, den ich im Ehrgeiz bedenke, niemand muß es erfahren und glauben. Es sei mir genug, wenn ich allein es weiß: Einmal bin ich über das Wasser gegangen, ganz wirklich. Und niemals brauchte es wiederzukehren!«

In der Straßenbahn treffe ich Kellermüller, zum erstenmal seit Jahren; nachher stehen wir noch fast eine Stunde zusammen, drüben beim Kiosk, und es fällt mir auf, wie oft er betont, daß er älter werde, immer wieder, als hätte man das Gegenteil vermutet. Aber er sei nicht traurig darüber, versichert er, mit nichten; er ist überzeugt, daß er die Dinge, die er bisher bedacht und beschrieben hat, vollkommen anders sehe, und nicht nur das! Er ist überzeugt, daß er sie zum erstenmal wirklich sieht. Darum ist er glücklich oder mindestens gelassen, obschon er alles, was er bisher geschrieben hat, als Mist betrachtet...

»Jedenfalls war es verfrüht.«

»Glauben Sie das im Ernst?«

»Ich meine nicht das handwerkliche Können, nicht das allein; sondern die Art, wie man den Menschen sieht –.«

Einmal wage ich es und sage:

»Gerade Ihre frühen Novellen mag ich besonders.«

Er schneuzt sich nur, und ich habe mehr und mehr das Gefühl, daß er sich Unrecht tut, wenn er die spätere Einsicht, nur weil sie auf alle früheren zurückschauen kann, für die bessere hält, die gerechtere –

Es ist nicht das Alter, was an Kellermüller auffällt, sondern die Anmaßung aller Gegenwart; sie zeigt sich schon darin, daß wir stets, wenn wir eine Sache oder ein Gesicht plötzlich anders erblicken, ohne Zögern sagen:

Ich habe mich getäuscht!

Ich habe...

Vielleicht täusche ich mich jetzt erst, oder sagen wir: heute noch mehr als damals.

Vom Sinn eines Tagebuches:

Wir leben auf einem laufenden Band, und es gibt keine Hoffnung, daß wir uns selber nachholen und einen Augenblick unseres Lebens verbessern können. Wir sind das Damals, auch wenn wir es verwerfen, nicht minder als das Heute –

Die Zeit verwandelt uns nicht.

Sie entfaltet uns nur.

Indem man es nicht verschweigt, sondern aufschreibt, bekennt man sich zu seinem Denken, das bestenfalls für den Augenblick und für den Standort stimmt, da es sich erzeugt. Man rechnet nicht mit der Hoffnung, daß man übermorgen, wenn man das Gegenteil denkt, klüger sei. Man ist, was man ist. Man hält die Feder hin, wie eine Nadel in der Erdbebenwarte, und eigentlich sind nicht wir es, die schreiben; sondern wir werden geschrieben. Schreiben heißt: sich selber lesen. Was selten ein reines Vergnügen ist; man erschrickt auf Schritt und Tritt, man hält sich für einen fröhlichen Gesellen, und wenn man sich zufällig in einer Fensterscheibe sieht, erkennt man, daß man ein Griesgram ist. Und ein Moralist, wenn man sich liest. Es läßt sich nichts machen dagegen. Wir können nur, indem wir den Zickzack unsrer jeweiligen Gedanken bezeugen und sichtbar machen, unser Wesen kennenlernen, seine Wirrnis oder seine heimliche Einheit, sein Unentrinnbares, seine Wahrheit, die wir unmittelbar nicht aussagen können, nicht von einem einzelnen Augenblick aus –.

Die Zeit?

Sie wäre damit nur ein Zaubermittel, das unser Wesen auseinanderzieht und sichtbar macht, indem sie das Leben, das eine Allgegenwart alles Möglichen ist, in ein Nacheinander zerlegt; allein dadurch erscheint es als Verwandlung, und darum drängt es uns immer wieder zur Vermutung, daß die Zeit, das Nacheinander, nicht wesentlich ist, sondern scheinbar, ein Hilfsmittel unsrer Vorstellung, eine Abwicklung, die uns nacheinander zeigt, was eigentlich ein Ineinander ist, ein Zugleich, das wir allerdings als solches nicht wahrnehmen können, so wenig wie die Farben des Lichtes, wenn sein Strahl nicht gebrochen und zerlegt ist.

Unser Bewußtsein als das brechende Prisma, das unser Leben in ein Nacheinander zerlegt, und der Traum als die andere Linse, die es wieder in sein Urganzes sammelt; der Traum und die Dichtung, die ihm in diesem Sinne nachzukommen sucht – Später, wie ich die Zeitung lesen möchte, erinnert mich ein Inserat daran, daß auch der Hellseher, wie mir scheint, in diesem Zusammenhang bemerkenswert wäre –

In Zürich lebte vor Jahren ein bekannter Professor, dessen Vorlesung ich noch besucht habe, ein ehemaliger Untersuchungsrichter, ein nüchterner und beherrschter Mann. Eines Tages war er verschollen. Ein Unglück, ein Verbrechen? Der Scharfsinn der Polizei, die einigermaßen zu seinen Werkzeugen gehörte, versagte vollkommen; sogar der Spürsinn ihrer Hunde. Tage vergingen, Wochen ohne Ergebnis. In einem Kabarett spielte unterdessen ein Hellseher, Abend für Abend, den wir wie jeden, der auftritt, für einen harmlosen Schwindler hielten. Man holte den Mann, führte ihn in das Arbeitszimmer unseres Professors, den er nicht kannte, und fragte ihn, was er über den Bewohner dieses Zimmers aussagen könnte. Der Mann mit der Mähne, so heißt es, setzte sich in Trance, nicht anders als im Kabarett. Als die Polizei ihn wieder fragte, gestand er, daß er nichts Genaues sagen könnte. Ich sehe die Mundwinkel der Polizei! Nur eines sehe er: Wasser, ja, und der Herr, der Bewohner dieses Zimmers, liege nicht allzu tief, kaum einen Meter unter Wasser, und zwar zwischen Schilf. Aber wo? Das konnte er nicht sagen, und damit war unser Seher wieder entlassen, er durfte wieder ins Kabarett. Man suchte die Ufer ab, wo es noch Schilf gibt. Am Obersee fanden sie nichts. Damit nichts unterlassen blieb, suchten sie auch am Greifensee: der Professor, der sich erschossen hatte, lag kaum einen Meter unter Wasser, und zwar zwischen Schilf –.

Und ein andrer Fall:

Auch Strindberg, wie es heißt, hatte die Gabe des Hellsehens. Seine Frau erzählt, wie er ihr einmal in wilder Eifersucht begegnete, Vorwürfe machte, die ihr haltlos schienen; er schilderte ihr genau, wie sie sich von einem fremden Mann hätte begleiten lassen, gestern, er wußte einzelne Straßen, die sie gegangen wären, Hausecken, wo sie stehen blieben, alles konnte er nennen. Nur stimmte alles nicht. Er war von seiner Eifersucht nicht abzubringen; für ihn stimmte es. Es waren wenige Monate vergangen, als die Frau mit Verwunderung feststellte, daß sie wirklich, als ein Herr sie begleitete, eben jenen Weg gegangen waren, den Strindberg schon damals hatte wissen wollen; es stimmte auf die Straßen genau, sogar die Hausecke, wo sie stehen blieben –.

Beide Fälle haben eines gemeinsam:

Der Hellseher sieht ein Bild, aber nicht den Ort oder nicht die Zeit, und wenn er sich darüber äußert, dann irrt er sich leicht, wie Strindberg, der für geschehen hält, was nur als Mögliches ist. Er sieht nicht das Nacheinander, und das scheint mir vor allem bemerkenswert: er sieht nicht Geschichte, sondern Sein, die Allgegenwart des Möglichen, die wir mit unserem Bewußtsein nicht wahrnehmen können, und offenbar müssen auch jene, damit sie aus dem Urganzen heraus sehen können, das Bewußtsein ausschalten, das unser Sein immer in Ort und Zeit zerlegt; sie brauchen die Trance.

Daß in früheren Zeiten, wie man immer wieder behauptet, das Seherhafte in höherem Grade vorkam, vor allem auch öfter, würde insofern nicht überraschen; es waren Zeiten minderen Bewußtseins.

Schön auch der Ausdruck: In dunkler Vorzeit. So beginnen die Sagen, die nicht Geschichte sind, sondern Bilder unseres Seins. Und daß es Vorzeit heißt: es ist überhaupt noch keine Zeit, es ist ein Davor, es gibt noch nicht das helle Bewußtsein, das zerlegt, und darum nennen wir die Vorzeit dunkel. Im Gegensatz zu unsrer eignen Zeit, die wir finster nennen. Wir sind wie die Leute, die ins Helle blicken; für alles, was neben dieser Helle unsres Bewußtseins ist, sind wir blind. So straucheln wir immerfort. Es fehlt uns die Hellsicht. Zur Not, oder eher zum Spaß, finden wir sie noch im Kabarett, wo sie allabendlich die Menschen erregt, obschon keiner daran glauben will, keine Packerin, kein Rechtsanwalt; sie sitzen ihrer eignen Seele wie einem Hokuspokus gegenüber, und wenn sie hinauskommen, kaufen sie das Morgenblatt, lesen das Ergebnis und wundern sich, woher es kommt –.

Eine Stunde droben beim Münster; die Vögel auf den einsamen Bänken, die kühle und vornehme Stille des alten Platzes, dessen Fassaden in einer dünnen Morgensonne stehen; das plötzliche Gefühl von fremder Stadt; der Rhein, wie er in silbernem Bogen hinauszieht, die Brücken, die Schlote im Dunst, die beglückende Ahnung von flandrischem Himmel –

Wie klein unser Land ist.

Unsere Sehnsucht nach Welt, unser Verlangen nach den großen und flachen Horizonten, nach Masten und Molen, nach Gras auf den Dünen, nach spiegelnden Grachten, nach Wolken über dem offenen Meer; unser Verlangen nach Wasser, das uns verbindet mit allen Küsten dieser Erde; unser Heimweh nach der Fremde –

Marion und das Gespenst

Einmal hat Marion, so wie man einen Schnupfen hat, plötzlich das alberne und hinderliche Gefühl, daß ein gewisser Andorraner ihm feindlich gesinnt sei. Nennen wir ihn Pedro. Dabei weiß Marion selber nicht, woher er dieses Gefühl eigentlich bezieht; er hat nie mit dem Menschen gesprochen. Höchstens könnte es sein, daß Marion sich einmal betroffen fühlte von einem Satz, den jener Pedro irgendwo geschrieben hat, und es ärgerte ihn, daß Pedro sich einbilden möchte, jener Satz hätte ihn zu Recht betroffen. Der Satz hieß ungefähr: Man kann auch eitel sein auf seine Bescheidenheit. Was übrigens nichts Neues ist! Dennoch verspürte Marion fortan einen Zwang, alles zu lesen, was jener Pedro, der obendrein ein emsiger Bursche ist, an Aufsätzen und Büchern in das andorranische Geistesleben warf, und es mag sein, daß unser armer Marion, der ihn von Herzen haßte, in jener Zeit sein treuester Leser war; es entging ihm kaum eine pedronische Zeile. Er las ihn mit der Ausdauer eines Gekränkten, mit der Sorgfalt eines Herzens, das nach Schadenfreude lechzt, mit einer Spannung, die ihn selbst ärgerte. Daß aber Pedro, wenn man auf der Straße an ihm vorüberging, nichts davon wußte, nicht einmal ahnte, wie Marion ihn las und an ihm litt, das machte ihn für Marion nicht liebenswerter. Im Gegenteil! Marion hätte ihm jedesmal eine herunterhauen können, allein schon wegen seiner gelassenen Art, wie er über die Straßen ging, und ein Hündchen hatte er auch noch, einen grünen Mantel mit Pelz, einen Stock. Und wie gesagt: ein Hündchen! Fast jeder Andorraner kannte ihn, und wo immer sein verhaßter Name erwähnt wurde, galt es für Marion, daß er die Würde wahrte, seine eigene, deren wir zu unserer Selbstachtung bedürfen; Marion war der letzte, der über den Namen herfallen durfte, er mußte es den andern überlassen, daß sie Mistfink sagten und anderes, was Marion auf der Zunge brannte. Marion schwieg. Nicht selten ging er sogar weiter; er wehrte sich für Pedro, und obschon man das Hündchen nicht bestreiten konnte, nahm Marion ihn in Schutz, und wäre es auch nur, damit er sich durch Anstand über ihn erhöbe. Der Genuß dieses eigenen Anstandes, der Pedro nicht vor den allgemeinen Vorwürfen retten konnte, der stille Genuß dieses eignen Edelmutes – man kann nicht sagen, daß er Marion mit seinem Widersacher versöhnte, das gerade nicht, aber es war Balsam, den man selber herstellen konnte, soviel man davon brauchte, und Marion brauchte damals sehr viel davon. Er hatte sich nun einmal in diesen Pedro verhaßt, und wie er später sehen konnte, hatte ihm dieser Haß fast alle Gedanken jener Zeit verhunzt; es kam eine Schärfe in alles, was er dachte und sagte, ein Drang nach Besserwissen, eine Bosheit, die unsere Worte immer spitzer, aber nicht überzeugender macht, ganz abgesehen davon, daß man zu gewissen Gedanken und Überzeugungen nur gelangt, weil man seinen Gegner, Pedro mit Namen, auf einem anderen Standpunkt wähnt. Es liegt in der Natur aller Polemik, daß Marion ihm stets, wenn er im stillen mit ihm haderte, den dümmeren Standpunkt überließ, jenen, den anzugreifen sein eigener Geist gerade noch genügte... An Siegen fehlte es Marion also nicht. Das Gespenst aber, denn um ein solches handelte es sich mehr und mehr, wurde er dennoch nicht los, obschon er immerfort recht behielt; es änderte nichts an dem Übel, es befreite Marion nicht von dem Zwang, weiterhin recht haben zu müssen, und das Übel, das wie ein Schnupfen begonnen hatte, wurde unabsehbar; es wurde fieberhaft. Marion gewahrte zum Beispiel, daß er bereits in gewissen Gesellschaften saß, nur weil er annehmen durfte, daß Pedro eine solche Gesellschaft nie anerkennen würde, und das bedeutete ja mit Sicherheit, daß die Gesellschaft, wenn sie darum wüßte, auch Pedro niemals anerkennen würde. Es war so eine Gesellschaft, wie es sie überall gibt; man traf sich jeden Monat zu einem Nachtessen, einem sehr andorranischen Nachtessen, nicht billig, aber vortrefflich, Marion war Gast, und das eigentlich Verbindende bestand offenbar darin, daß alle, die um den gedeckten und gesegneten Tisch saßen, sich gegenseitig schätzten. Man kannte sich zwar nicht allzu genau, Marion mußte mehr als einmal sagen, daß er nicht Rechtsanwalt, sondern Puppenspieler sei; immerhin wußte jedermann, welche Ehre es bedeutete, dieser Gesellschaft anzugehören, und man rechnete sich einfach, wenn auch in den schlichten Statuten nichts davon stand, gegenseitig zur geistigen Blüte von Andorra. Es gab sehr lustige Abende; denn es fehlte nicht an Wein, an Kirsch und Zigarren. Ob man es nun glauben will oder nicht, eines Abends, als Marion wieder seine Tischkarte suchte, linkisch wie er war, auch neugierig, zwischen welche Namen von welcher Bedeutung man ihn setzte, eines Abends also gewahrte er, daß er die Ehre hatte, linkerhand neben seinem Gespenst zu sitzen...

Marion stellte sich vor.

Pedro, der sich zum Überfluß ebenfalls vorstellte, war vollkommen unbefangen, und es lag ihm offensichtlich nicht daran, den erbitterten Streit fortzusetzen; er tat sogar, als wüßte er überhaupt nichts davon, redete über die andorranischen Wahlen, zerbröckelte Brot, betrachtete den alten Leuchter. Es behagte ihm in dieser Gesellschaft so wenig wie Marion; er sagte es rundheraus, nicht grob, nicht böse, aber deutlich, lächelnd, und Marion gab es sich selber zum erstenmal zu, wenigstens sich selber, daß er ebenso dachte wie Pedro. Überhaupt unterhielten sie sich vortrefflich. Pedro hatte zwar auch an diesem Abend sein verhaßtes Spitzbärtchen; aber er meinte es damit nicht böse, wenn man es aus der Nähe sah, nicht anmaßend. Auf dem Heimweg gingen sie sogar ein Stücklein zusammen, Marion und Pedro, der die drollige Geschichte von seinem Hündchen erzählte, das ihm in Paris einfach nachzulaufen begonnen hatte; er fand es unmöglich, daß ein Mann mit einem Hündchen durch die Straßen geht, konnte es dem fremden Hündchen aber nicht begreiflich machen, warum die Andorraner sich darüber erbitterten, und anderseits hatte er auch nicht die Nerven, das heimatlose Hündchen einfach umzubringen, nur weil es den andorranischen Geschmack nicht wittert. Sie standen unter einer späten Laterne; das Hündchen schnupperte in den Rinnsteinen, und Pedro erzählte noch andere Schnurren, die Marion weniger angingen; dennoch hörte er zu, dankbar, daß Pedro ihn endlich von dem albernen Gespenst befreit hatte –

Wer hätte es vermocht außer ihm?

Seither konnte Marion wieder lesen, ohne daß er an Pedro dachte, und er hatte es nicht mehr nötig, daß er in der Gesellschaft der Geistigen Blüte saß; neun Monate hatte das Gespenst ihn gekostet.

München, April 1946

München muß herrlich gewesen sein. Man spürt es noch; die grünen Inseln überall, Alleen und Parke, man denkt an goldene Herbste darin, heiter und leicht, an Dämmerungen nach einem sommerlichen Gewitter, wenn es nach Erde riecht und nassen Blättern. Ein großer Zug ist überall in dieser Stadt, eine Lebensfreude, die aus dem Süden heraufklingt; eine fast italienische Helle muß ihre Architektur umspielt haben –

Sonderbar anzusehen:

Ein Eroberer zu Pferd, der immer noch in die Leere eines vergangenen Raumes reitet, stolz und aufrecht auf einem Sockel von Elend, umgeben von Stätten des Brandes, Fassaden, deren Fenster leer sind und schwarz wie die Augenlöcher eines Totenkopfes; auch er begreift noch nicht. Aus einem Tor, das unter grünenden Bäumen steht, kommt eine erstarrte Kaskade von Schutt; es ist ein Tor von bezauberndem Barock, anzusehen wie ein offener Mund, der erbricht, der mitten aus dem blauen Himmel heraus erbricht, das Innere eines Palastes erbricht – und die bröckelnden Schwingen eines Engels darüber, einsam wie alles Schöne, fratzenhaft; das Schweigen ringsum, das Erstorbene, wenn es von der hellichten Sonne beschienen wird, das Endgültige. »Death is so permanent.«

Neger mit einem Mädchen, sie liegen an der Isar; der Neger döst gelassen vor sich hin, pflanzenhaft, während die kleine Blonde sich über ihn beugt, trunken, als wären vier Wände um sie –

Auch die Liebfrauenkirche ist ein offener Raum mit schwirrenden Vögeln darin. Wie ein Gast steht ein einzelner Pfeiler in der Mitte, wie ein Heimkehrer, der sich umschaut; irgendwo sieht man Ansätze eines Gewölbes, Fetzen einer Malerei, die an die Sonne kommt. Das Dach ist ein schwarzes Gerippe. Und auch hier sieht man wieder auf der andern Seite hinaus: Kamine sind stehengeblieben, eine Badwanne ganz in der Höhe, eine Wand mit verblaßten Tapeten, dazu die schwarzen Ornamente von Brand, die Zungen von Ruß, die Fenster voll Ferne und ziehendem Gewölk, voll Frühling. Oft blickt man von einer Straße in die andere hinüber, wenn auch durch ein Netz von rotem Rost; Reste einer niederhängenden Decke. Es ist eine Durchsicht, der kaum ein Haus widersteht; nur wenn man eine Straße hinunterschaut, gibt es nochmals den Anschein, wie es war, und man meint, nun habe man eine erhaltene Straße gefunden. Aber auch hier, wenn ich weitergehe, klafft es wieder nach beiden Seiten, und fast überall bleibt es das gleiche Bild, eine Stadt, aber geräumig und schütter wie ein Herbstwald. Wäre es ein Erdbeben gewesen, ein Werk der blinden Natur, man könnte es ebenso wenig begreifen; aber man könnte es hinnehmen ohne Begreifen –

Odeonsplatz:

Ein Krüppel bietet die ersten Spielsachen feil, Affen aus Stoff, die man über die menschliche Hand stülpen kann...

Morgen ist Ostern.

Du sollst dir kein Bildnis machen

Es ist bemerkenswert, daß wir gerade von dem Menschen, den wir lieben, am mindesten aussagen können, wie er sei. Wir lieben ihn einfach. Eben darin besteht ja die Liebe, das Wunderbare an der Liebe, daß sie uns in der Schwebe des Lebendigen hält, in der Bereitschaft, einem Menschen zu folgen in allen seinen möglichen Entfaltungen. Wir wissen, daß jeder Mensch, wenn man ihn liebt, sich wie verwandelt fühlt, wie entfaltet, und daß auch dem Liebenden sich alles entfaltet, das Nächste, das lange Bekannte. Vieles sieht er wie zum ersten Male. Die Liebe befreit es aus jeglichem Bildnis. Das ist das Erregende, das Abenteuerliche, das eigentlich Spannende, daß wir mit den Menschen, die wir lieben, nicht fertigwerden: weil wir sie lieben; solang wir sie lieben. Man höre bloß die Dichter, wenn sie lieben; sie tappen nach Vergleichen, als wären sie betrunken, sie greifen nach allen Dingen im All, nach Blumen und Tieren, nach Wolken, nach Sternen und Meeren. Warum? So wie das All, wie Gottes unerschöpfliche Geräumigkeit, schrankenlos, alles Möglichen voll, aller Geheimnisse voll, unfaßbar ist der Mensch, den man liebt –

Nur die Liebe erträgt ihn so.

Warum reisen wir?

Auch dies, damit wir Menschen begegnen, die nicht meinen, daß sie uns kennen ein für allemal; damit wir noch einmal erfahren, was uns in diesem Leben möglich sei –

Es ist ohnehin schon wenig genug.

Unsere Meinung, daß wir das andere kennen, ist das Ende der Liebe, jedesmal, aber Ursache und Wirkung liegen vielleicht anders, als wir anzunehmen versucht sind – nicht weil wir das andere kennen, geht unsere Liebe zu Ende, sondern umgekehrt:

weil unsere Liebe zu Ende geht, weil ihre Kraft sich erschöpft hat, darum ist der Mensch fertig für uns. Er muß es sein. Wir können nicht mehr! Wir künden ihm die Bereitschaft, auf weitere Verwandlungen einzugehen. Wir verweigern ihm den Anspruch alles Lebendigen, das unfaßbar bleibt, und zugleich sind wir verwundert und enttäuscht, daß unser Verhältnis nicht mehr lebendig sei.

»Du bist nicht«, sagt der Enttäuschte oder die Enttäuschte: »wofür ich dich gehalten habe.«

Und wofür hat man sich denn gehalten?

Für ein Geheimnis, das der Mensch ja immerhin ist, ein erregendes Rätsel, das auszuhalten wir müde geworden sind. Man macht sich ein Bildnis. Das ist das Lieblose, der Verrat.

Man hat darauf hingewiesen, das Wunder jeder Prophetie erkläre sich teilweise schon daraus, daß das Künftige, wie es in den Worten eines Propheten erahnt scheint und als Bildnis entworfen wird, am Ende durch eben dieses Bildnis verursacht, vorbereitet, ermöglicht oder mindestens befördert worden ist –

Unfug der Kartenleserei.

Urteile über unsere Handschrift.

Orakel bei den alten Griechen.

Wenn wir es so sehen, entkleiden wir die Prophetie wirklich ihres Wunders? Es bleibt noch immer das Wunder des Wortes, das Geschichte macht: –

»Im Anfang war das Wort.«

Kassandra, die Ahnungsvolle, die scheinbar Warnende und nutzlos Warnende, ist sie immer ganz unschuldig an dem Unheil, das sie vorausklagt?

Dessen Bildnis sie entwirft.

Irgendeine fixe Meinung unsrer Freunde, unsrer Eltern, unsrer Erzieher, auch sie lastet auf manchem wie ein altes Orakel. Ein halbes Leben steht unter der heimlichen Frage: Erfüllt es sich oder erfüllt es sich nicht. Mindestens die Frage ist uns auf die Stirne gebrannt, und man wird ein Orakel nicht los, bis man es

zur Erfüllung bringt. Dabei muß es sich durchaus nicht im gera-
den Sinn erfüllen; auch im Widerspruch zeigt sich der Einfluß,
darin, daß man so nicht sein will, wie der andere uns einschätzt.
Man wird das Gegenteil, aber man wird es durch den andern.

Eine Lehrerin sagte einmal zu meiner Mutter, niemals in ihrem
Leben werde sie stricken lernen. Meine Mutter erzählte uns jenen Ausspruch sehr oft; sie hat ihn nie vergessen, nie verziehen;
sie ist eine leidenschaftliche und ungewöhnliche Strickerin geworden, und alle die Strümpfe und Mützen, die Handschuhe, die
Pullover, die ich jemals bekommen habe, am Ende verdanke ich
sie allein jenem ärgerlichen Orakel!...

In gewissem Grad sind wir wirklich das Wesen, das die andern
in uns hineinsehen, Freunde wie Feinde. Und umgekehrt! auch
wir sind die Verfasser der andern; wir sind auf eine heimliche und
unentrinnbare Weise verantwortlich für das Gesicht, das sie uns
zeigen, verantwortlich nicht für ihre Anlage, aber für die Aus-
schöpfung dieser Anlage. Wir sind es, die dem Freunde, dessen
Erstarrtsein uns bemüht, im Wege stehen, und zwar dadurch,
daß unsere Meinung, er sei erstarrt, ein weiteres Glied in jener
Kette ist, die ihn fesselt und langsam erwürgt. Wir wünschen
ihm, daß er sich wandle, o ja, wir wünschen es ganzen Völkern!
Aber darum sind wir noch lange nicht bereit, unsere Vorstellung
von ihnen aufzugeben. Wir selber sind die letzten, die sie verwandeln. Wir halten uns für den Spiegel und ahnen nur selten,
wie sehr der andere seinerseits eben der Spiegel unsres erstarrten
Menschenbildes ist, unser Erzeugnis, unser Opfer –.

Zwischen Nürnberg und Würzburg

Ende eines Traums:

Unser heimatlicher See, Meerschiffe, die, wie ich behaupte,
von München kommen, eine Art von Überschwemmung, die offenbar steigt, während ich verreist bin, und immer noch steigt,
aber so, daß sie die Schiffe nicht hebt; sie ragen nur noch als

Maste heraus, als fahrende Wimpel, und ich frage mich, wie denn die Passagiere leben können. Aber niemand weiß Auskunft. Ich möchte nach Küsnacht wegen unserer Kinder. Überall Schilf, ein Wirbel mit vielen Ameisen drin, ein kreisendes Gewimmel, und später steigen wir auf einen Berg, hastig und voller Schrecken, es ist ein rötlicher Fels, der unter uns zerbröckelt, Steinschlag unter jedem Schritt, unvermeidbar, es sind lauter Backsteine, in munteren und immer größeren Sätzen springen sie hinunter über den Hang, bis sie ins Meer fallen –

Beim Erwachen vollkommen zerschlagen.

Draußen, soviel ich durch das verbretterte Fenster sehe, wieder ein zerstörter Bahnhof –

Mondschein.

Der andorranische Jude

In Andorra lebte ein junger Mann, den man für einen Juden hielt. Zu erzählen wäre die vermeintliche Geschichte seiner Herkunft, sein täglicher Umgang mit den Andorranern, die in ihm den Juden sehen: das fertige Bildnis, das ihn überall erwartet. Beispielsweise ihr Mißtrauen gegenüber seinem Gemüt, das ein Jude, wie auch die Andorraner wissen, nicht haben kann. Er wird auf die Schärfe seines Intellektes verwiesen, der sich eben dadurch schärft, notgedrungen. Oder sein Verhältnis zum Geld, das in Andorra auch eine große Rolle spielt: er wußte, er spürte, was alle wortlos dachten; er prüfte sich, ob es wirklich so war, daß er stets an das Geld denke, er prüfte sich, bis er entdeckte, daß es stimmte, es war so, in der Tat, er dachte stets an das Geld. Er gestand es; er stand dazu, und die Andorraner blickten sich an, wortlos, fast ohne ein Zucken der Mundwinkel. Auch in Dingen des Vaterlandes wußte er genau, was sie dachten; sooft er das Wort in den Mund genommen, ließen sie es liegen wie eine Münze, die in den Schmutz gefallen ist. Denn der Jude, auch das wußten die Andorraner, hat Vaterländer, die er wählt, die er kauft, aber nicht ein Vaterland wie wir, nicht ein zugeborenes, und wiewohl er es meinte, wenn es um andorranische Belange ging, er redete in ein Schweigen hinein, wie in Watte. Später begriff er, daß es ihm offenbar an Takt fehlte, ja, man sagte es ihm einmal rundheraus, als er, verzagt über ihr Verhalten, geradezu leidenschaftlich wurde. Das Vaterland gehörte den andern, ein für allemal, und daß er es lieben könnte, wurde von ihm nicht erwartet, im Gegenteil, seine beharrlichen Versuche und Werbungen öffneten nur eine Kluft des Verdachtes; er buhlte um eine Gunst, um einen Vorteil, um eine Anbiederung, die man als Mittel zum Zweck empfand auch dann, wenn man selber keinen möglichen Zweck erkannte. So wiederum ging es, bis er eines Tages entdeckte, mit seinem rastlosen und alles zergliedernden Scharfsinn entdeckte, daß er das Vaterland wirklich nicht liebte, schon das bloße Wort nicht, das jedesmal, wenn er es brauchte, ins Peinliche führte. Offenbar hatten sie recht. Offenbar konnte er überhaupt nicht lieben, nicht im andorranischen Sinn; er hatte die Hitze der Leidenschaft, gewiß, dazu die Kälte seines Verstandes, und diesen empfand man als eine immer bereite Geheimwaffe seiner Rachsucht; es fehlte ihm das Gemüt, das Verbindende; es fehlte ihm, und das war unverkennbar, die Wärme des Vertrauens. Der Umgang mit ihm war anregend, ja, aber nicht angenehm, nicht gemütlich. Es gelang ihm nicht, zu sein wie alle andern, und nachdem er es umsonst versucht hatte, nicht aufzufallen, trug er sein Anderssein sogar mit einer Art von Trotz, von Stolz und lauernder Feindschaft dahinter, die er, da sie ihm selber nicht gemütlich war, hinwiederum mit einer geschäftigen Höflichkeit überzuckerte; noch wenn er sich verbeugte, war es eine Art von Vorwurf, als wäre die Umwelt daran schuld, daß er ein Jude ist –

Die meisten Andorraner taten ihm nichts.

Also auch nichts Gutes.

Auf der andern Seite gab es auch Andorraner eines freieren und fortschrittlichen Geistes, wie sie es nannten, eines Geistes, der sich der Menschlichkeit verpflichtet fühlte: sie achteten den Juden, wie sie betonten, gerade um seiner jüdischen Eigenschaften willen, Schärfe des Verstandes und so weiter. Sie standen zu ihm bis zu seinem Tode, der grausam gewesen ist, so grausam und ekelhaft, daß sich auch jene Andorraner entsetzten, die es nicht berührt hatte, daß schon das ganze Leben grausam war. Das heißt, sie beklagten ihn eigentlich nicht, oder ganz offen gesprochen: sie vermißten ihn nicht – sie empörten sich nur über jene, die ihn getötet hatten, und über die Art, wie das geschehen war, vor allem die Art.

Man redete lange davon.

Bis es sich eines Tages zeigt, was er selber nicht hat wissen können, der Verstorbene: daß er ein Findelkind gewesen, dessen Eltern man später entdeckt hat, ein Andorraner wie unsereiner –

Man redete nicht mehr davon.

Die Andorraner aber, sooft sie in den Spiegel blickten, sahen mit Entsetzen, daß sie selber die Züge des Judas tragen, jeder von ihnen.

Du sollst dir kein Bildnis machen, heißt es, von Gott. Es dürfte auch in diesem Sinne gelten: Gott als das Lebendige in jedem Menschen, das, was nicht erfaßbar ist. Es ist eine Versündigung, die wir, so wie sie an uns begangen wird, fast ohne Unterlaß wieder begehen –

Ausgenommen wenn wir lieben.

Frankfurt, Mai 1946

Wenn man in Frankfurt steht, zumal in der alten Innenstadt, und wenn man an München zurückdenkt: München kann man sich vorstellen, Frankfurt nicht mehr. Eine Tafel zeigt, wo das Goethehaus stand. Daß man nicht mehr auf dem alten Straßenboden geht, entscheidet den Eindruck: die Ruinen stehen nicht, sondern versinken in ihrem eigenen Schutt, und oft erinnert es mich an die heimatlichen Berge, schmale Ziegenwege führen über die Hügel von Geröll, und was noch steht, sind die bizarren Türme eines verwitterten Grates; einmal eine Abortröhre, die in den blauen Himmel ragt, drei Anschlüsse zeigen, wo die Stockwerke waren. So stapft man umher, die Hände in den Hosentaschen, weiß eigentlich nicht, wohin man schauen soll. Es ist alles, wie man es von Bildern kennt; aber es ist, und manchmal ist man erstaunt, daß es ein weiteres Erwachen nicht gibt; es bleibt dabei: das Gras, das in den Häusern wächst, der Löwenzahn in den Kirchen, und plötzlich kann man sich vorstellen, wie es weiterwächst, wie sich ein Urwald über unsere Städte zieht, langsam, unaufhaltsam, ein menschenloses Gedeihen, ein Schweigen aus Disteln und Moos, eine geschichtslose Erde, dazu das Zwitschern der Vögel, Frühling, Sommer und Herbst, Atem der Jahre, die niemand mehr zählt –

In einer Anlage, als ich erwache und die Augen aufmache: die spielenden Kinder, die mich geweckt haben, ihre Kleidchen, ihre sehr dünnen Gesichter und der Gedanke daran, daß sie noch nie eine ganze Stadt erblickt haben, dann der Gedanke, daß sie nichts dafür können: weniger als irgendeiner von uns. Zuzeiten ist es das einzige, was außer Zweifel steht; Zuversicht und Auftrag. Über die dringende Hilfe hinaus, die sie vor dem Hunger retten muß so wie alle andern Kinder, geht es vor allem darum, daß sie keine Verdammten sind, keine Verfemten, gleichviel, wer ihre Väter und ihre Mütter sein mögen; wir schulden ihnen mehr als Erbarmen: wir dürfen sie nicht einen Augenblick lang anzweifeln oder es wird unsere Schuld, wenn sich alles wiederholt.

Am Bahnhof:
Flüchtlinge liegen auf allen Treppen, und man hat den Eindruck, sie würden nicht aufschauen, wenn mitten auf dem Platz ein Wunder geschähe; so sicher wissen sie, daß keines geschieht. Man könnte ihnen sagen, hinter dem Kaukasus gebe es ein Land, das sie aufnehmen werde, und sie sammelten ihre Schachteln, ohne daß sie daran glaubten. Ihr Leben ist scheinbar, ein Warten ohne Erwartung, sie hangen nicht mehr daran; nur das Leben hangt noch an ihnen, gespensterhaft, ein unsichtbares Tier, das

hungert und sie durch zerschossene Bahnhöfe schleppt, Tage und Nächte, Sonne und Regen; es atmet aus schlafenden Kindern, die auf dem Schutte liegen, ihren Kopf zwischen den knöchernen Armen, zusammengebückt wie die Frucht im Mutterleib, so, als wollten sie dahin zurück.

Zur Schriftstellerei

Im Grunde ist alles, was wir in diesen Tagen aufschreiben, nichts als eine verzweifelte Notwehr, die immerfort auf Kosten der Wahrhaftigkeit geht, unweigerlich; denn wer im letzten Grunde wahrhaftig bliebe, käme nicht mehr zurück, wenn er das Chaos betritt – oder er müßte es verwandelt haben.

Dazwischen gibt es nur das Unwahrhaftige.

Harlaching, Mai 1946

Seit zwei Wochen wohne ich bei jungen Deutschen, die ich vorher nicht einmal dem Namen nach kannte. Ihre Gastfreundschaft, ganz ohne Gewicht, erinnert an glückliche Reisen von früher und wiederholt die Erfahrung, daß jedes andere Volk, was Gastfreundschaft betrifft, begabter scheint als das unsere. Vielleicht hangt es mit den geringen Entfernungen zusammen, die in unserem Lande vieles bestimmen; vor allem aber mit dem Umstand, daß wir aus der Gastfreundschaft, die zu den schönsten Regungen gehört, ein Gewerbe machen mußten. Jedenfalls fühle ich mich in diesem Hause leichter und freier, selbstverständlicher, als wenn ich bei Landsleuten wohne. Nur beim Essen hat man Hemmungen, und es fällt auf, daß die Leute alles, was sie bekommen, sofort verbrauchen; wer weiß, was morgen ist?

Gestern sprachen wir wieder eine halbe Nacht lang; später erschien auch noch der alte Herr, der nebenan nicht schlafen konnte. Sein gestreiftes Pyjama, sein nackter Hals erinnern an Bilder, die man kennt; in der Tat, wie ich zum ersten Mal erfahre, ist er sechs Jahre in Dachau gewesen. Aber nicht davon erzählt er, sondern von der Zeit davor, von den Ursachen.

»Darüber waren wir uns im Lager einig, daß es nicht die Schuld unsrer Söhne gewesen ist, und wenn sie siebenmal dabei waren –.«

Um drei Uhr ins Bett.

Heute, als ich in die Stadt will, stehe ich plötzlich vor einem Stacheldraht, der sich um das ganze Quartier zieht; ein Geschenk der Nacht. Ein paar feldgraue Gefangene, die unter Aufsicht arbeiten, verknüpfen gerade noch die letzten Rollen; daneben stehen die Wachen mit Gewehr. Überall andere Gerüchte, Erregung und Erbitterung, Schweigen vor den Panzerwagen, Maschinengewehre mit blanken Gurten –.

Der junge amerikanische Offizier:

»Wenn mir einer an die Gurgel springt und ich schlage ihn zu Boden, so tue ich es nicht, weil ich mich als seinen Lehrmeister betrachte, weil ich mir einbilde, ich könnte ihn ändern, oder weil ich ihm beweisen will, daß ich selber keine Fehler habe – sondern ich tue es, damit er mich nicht erwürgt.«

Noch einmal habe ich den Mann gesucht, dem ich Grüße und anderes bringen sollte; die Adresse, die genaue, führt mich auf ein Podest, wo es plötzlich keine Stiegen mehr gibt, und wenn man hinaufschaut, ist es wieder die Bläue mit ziehenden Wolken darin. Es riecht nach Aborten, die vermutlich keinen Anschluß mehr haben, aber benutzt werden; offenbar ist die Ruine doch bewohnt. Einmal klopfe ich an eine Türe, und da sich niemand meldet, drücke ich auf die verstaubte Klinke, öffne und sehe neuerdings auf die Straße hinaus; eine Runse von Schutt, Balken darin, und da ich es betrachtet habe, ziehe ich die Türe wieder zu, versuche es bei der nächsten, wo wirklich jemand erscheint, ein älterer Herr, der mich mit Formen empfängt, die den Gestank vergessen lassen. Leider hat er keine Ahnung; nicht einmal den Namen kennt er –.

Später wieder an die Isar.

Das Gefühl, daß es nie stimmt, wenn wir von ganzen Völkern sprechen, und daß alle Einsichten, die man in dieser Art verallgemeinert, mehr Unheil stiften als anderes – wo könnte es wacher sein als in der Nähe einer jungen Frau, die ein Kind erwartet, in der Gegenwart eines Geschöpfes, das überhaupt noch ohne Gesicht ist? Leider verraten meine Schuhe und meine Aussprache, daß ich aus der Schweiz komme; immerhin ergibt sich ein Gespräch; gelegentlich erzählt sie von Frankreich, wo sie zwei Jahre mit der Wehrmacht weilte, erzählt wie von einer Ferienreise, im Ton: Das war noch ein Leben. Da ich schweige, bricht sie ab, und kurz darauf folgen ihre bitteren Worte über die Besatzung, die eben im Jeep vorbeirast, über die Amerikaner ganz allgemein, die sie als Barbaren bezeichnet. Da ich ihr nicht beistimme, scheint sie ein wenig erschrocken; kurz darauf erhebt sie sich, schroff und ohne Gruß, wie man einen Angeber verläßt.

Auf einer Wiese, draußen an der Isar, spielen sie Fußball, alle mit bloßem Oberkörper. Andere sitzen am Ufer, reihenweise wie die Möwen. Werktag. Sogar die Zeit erscheint wie Ramsch; ohne Eigentümer wie der Helm, den ich in einem Trichter mit Schutt und verrosteten Büchsen finde. Was soll man schon sehen daran! Er ist leer, und die Form, die ich in der Hand habe, kennen wir von hundert Bildern, die jahrelang an unseren Kiosken hingen und gekauft wurden, jahrelang mit lachenden und singenden Siegern darin –

Eine alte Frau mit einem Bein.

Endlich gebe ich die Büchsen, die einem Verschollenen bestimmt waren, und hoffe, daß der Spender, ein Flüchtling, einverstanden wäre.

Zur Schriftstellerei

Was wichtig ist: das Unsagbare, das Weiße zwischen den Worten, und immer reden diese Worte von den Nebensachen, die wir

36

eigentlich nicht meinen. Unser Anliegen, das eigentliche, läßt sich bestenfalls umschreiben, und das heißt ganz wörtlich: man schreibt darum herum. Man umstellt es. Man gibt Aussagen, die nie unser eigentliches Erlebnis enthalten, das unsagbar bleibt; sie können es nur umgrenzen, möglichst nahe und genau, und das Eigentliche, das Unsagbare, erscheint bestenfalls als Spannung zwischen diesen Aussagen.

Unser Streben geht vermutlich dahin, alles auszusprechen, was sagbar ist; die Sprache ist wie ein Meißel, der alles weghaut, was nicht Geheimnis ist, und alles Sagen bedeutet ein Entfernen. Es dürfte uns insofern nicht erschrecken, daß alles, was einmal zum Wort wird, einer gewissen Leere anheimfällt. Man sagt, was nicht das Leben ist. Man sagt es um des Lebens willen. Wie der Bildhauer, wenn er den Meißel führt, arbeitet die Sprache, indem sie die Leere, das Sagbare, vortreibt gegen das Geheimnis, gegen das Lebendige. Immer besteht die Gefahr, daß man das Geheimnis zerschlägt, und ebenso die andere Gefahr, daß man vorzeitig aufhört, daß man es einen Klumpen sein läßt, daß man das Geheimnis nicht stellt, nicht faßt, nicht befreit von allem, was immer noch sagbar wäre, kurzum, daß man nicht vordringt zu seiner letzten Oberfläche.

Diese Oberfläche alles letztlich Sagbaren, die eins sein müßte mit der Oberfläche des Geheimnisses, diese stofflose Oberfläche, die es nur für den Geist gibt und nicht in der Natur, wo es auch keine Linie gibt zwischen Berg und Himmel, vielleicht ist es das, was man die Form nennt?

Eine Art von tönender Grenze –.

Unterwegs, Mai 1946

Schönes deutsches Land! Nichts als ein Wogen von fruchtbarer Weite, Hügel und weiße Wolken darüber, Kirchen, Bäume, Dörfer, die Umrisse nahender Gebirge; dann und wann ein Flugplatz, ein Glitzern von silbernen Bombern, die in langen Reihen stehen, einmal ein zerschossener Tank, der schräg im

Graben liegt und mit seiner Kanone in den Himmel zeigt, einmal ein verbogener Propeller in der Wiese –

In Landsberg ist Alarm:

Unser Jeep muß stoppen, wir werden geprüft, Wachen mit Helm und Pistole, Gurten mit glänzenden Patronen, es wimmelt von verwahrlosten Menschen, die mit den Händen fuchteln; ihre Sprache verstehe ich nicht, und auch am Ausgang des lieblichen Städtleins steht ein Panzerwagen, Kanone ohne Mündungskappe.

Dann wieder die offenen Felder, die Allee, die uns seit Stunden begleitet, wieder das Wogen von gelassenen Hügeln, Wolken und Wäldern und wieder Baracken; ein Lager im gerodeten Wald, der Boden ist grau und kahl, pflanzenlos, es erinnert mich an eine Farm mit Silberfüchsen oder so, alles umzäunt und ordentlich und schnurgerade, ein Schachbrett hellichter Verzweiflung, Menschen, Wäsche, Kinder, Stacheldraht.

Bregenz:

Alles trieft von französischen Farben. Übermaß an Flaggen, das nie überzeugt, wie immer ihre Farben auch sind. Wir fahren gerade in einen Aufmarsch mit Trommeln, in eine Musik von aufpeitschender Eleganz, klar und leidenschaftlich, heiter, durchsichtig, frech und unwiderstehlich. Endlich kommen sie aus einer Gasse hervor, Gesichter voll Mittelmeer, die Haut wie schöner Lehm, Sammetaugen. Sie schreiten auf den Platz hinaus, wo die Linden stehen, linksum und rechtsum, Trommeln, sie stehen, abermals Trommeln, sie schwingen die Clairons, und jedesmal, wenn sie das wieder machen, blinkt es in der Abendsonne wie Stricknadeln. Ich betrachte ihre weißen Gamaschen, ihre weißen Gürtel, ihre weißen Handschuhe; Marseillaise am Bodensee. Und abermals Trommeln, abermals Fanfaren, abermals Stricknadeln, eine Hochzeit zwischen Operette und Kaserne, vorzüglich, aber unwahrscheinlich.

Erst in Zeiten, wo die Arbeit uns wieder verlassen hat, zeigt es sich deutlicher, warum man, wenn irgend es geht, überhaupt arbeitet; es ist das einzige, was uns am Morgen, wenn man jäh und wehrlos erwacht, vor dem Schrecken bewahrt; was uns in dem Labyrinth, das uns umgibt, weitergehen läßt; es ist der Faden der Ariadne –.

Ohne Arbeit:

Das sind die Zeiten, wo man kaum durch die Vorstädte gehen kann, ohne verbraucht zu werden von dem Anblick ihrer formlos wuchernden Versteinerung. Die Art, wie ein Mensch ißt oder lacht, einer, der uns nichts angeht; die Art, wie einer in der Straßenbahn jedesmal vor der Türe stehenbleibt, wenn andere aussteigen wollen, es kann uns an der Menschheit verzweifeln lassen, und irgendein nächster Fehler, ein eigner, bringt uns vollends um die Zuversicht, daß es ein Gelingen jemals geben kann. Das Große und das Kleine unterscheiden sich nicht mehr; beides ist einfach nicht leistbar. Das Maßlose der Angst. Erschlagen stehen wir vor jeder Nachricht von Elend, von Unordnung, von Lüge, von Unrecht –

Anderseits:

Wenn auch nur die Form eines einzelnen Satzes gelingt, der scheinbar nichts mit allem gemein hat, was ringsum geschieht – wie wenig das Uferlose uns anhaben kann, das Gestaltlose im eigenen Innern und rings in der Welt! Das menschliche Dasein, plötzlich erscheint es lebbar, ohne weiteres, wir ertragen die Welt, sogar die wirkliche, den Blick in den Wahnwitz: wir ertragen ihn in der wahnwitzigen Zuversicht, daß das Chaos sich ordnen lasse, fassen lasse wie ein Satz, und die Form, wo immer sie einmal geleistet wird, erfüllt uns mit einer Macht des Trostes, die ohnegleichen ist.

Etliche, als der Puppenspieler sich erhängt hat, nennen ihn einen
Ästheten, weil er so sehr des Spieles bedurfte, der Form, um leben zu können – weil er so nahe am Chaos wohnte.

Nachtrag zur Reise

Im großen ganzen, wenn man an die einzelnen Begegnungen zurückdenkt, ist die Kluft doch größer, als man erwartet und erhofft hat, und zugleich überbrückbarer, sobald man auf der anderen Seite ein menschliches Gesicht sieht. Es gibt einzelne, die
uns jede Grenze vergessen lassen; man sitzt sich nicht als Deutscher und als Schweizer gegenüber; man ist dankbar, daß man
die gleiche Sprache hat, und schämt sich jeder Stunde, da man
diese einzelnen vergessen hat. Die Mehrzahl freilich sind solche,
die diese Versuchung wieder beschwören, die sich rechtfertigen
und uns, ob wir wollen oder nicht, zum Richter setzen, der frei-
sprechen soll, und wenn wir uns dazu nicht entschließen können,
sondern schweigen oder an gewisse Dinge erinnern, die man
nicht vergessen darf, trifft uns der stumme oder offene Vorwurf,
daß wir richterlich sind –

Das Erbarmen – kann es den Sinn haben, unser Urteil aufzulösen? Oder hat es nicht eher den Sinn, daß das Erbarmen uns über
das Urteil, ohne es aufzulösen, hinausführte zum zweiten Teil
der Aufgabe: zum Handeln, und wie sollte ein Handeln, das
nicht aus einem Urteil kommt, jemals eine wirkliche Hilfe sein?
Hilfe bedeutet Veränderung im Sinne einer Erkenntnis; beides
im Maße unseres Vermögens –

Oft die Empfindung, daß die einzige Zukunft, die möglich ist,
wirklich bei den Verzweifelten liegt; aber es fragt sich dann immer, wieweit der Selbstekel, der zum Anhören ebenso erschütternd wie peinlich ist, fruchtbar werden kann, wieweit er ein

Vorbote wirklicher Erkenntnis ist, die wir als Verzweifelte eigentlich schon haben, aber noch nicht annehmen; sondern wir übertreiben sie ins Maßlose: damit sie uns selbst unglaubhaft wird. Das aber wäre wieder die Ausflucht in einen Überschwang, der uns nie verändert.

Vor allem ist es natürlich das Elend, das jede Veränderung, noch wo sie möglich wäre, mehr und mehr verhindert. Wenn ich in tödlicher Lungenentzündung liege und man meldet mir, daß mein Nachbar gestorben sei, und zwar durch mein Verschulden, mag sein, ich werde es hören, ich werde die Bilder sehen, die man mir vor die Augen hält; aber es erreicht mich nicht. Die tödliche Not, die eigene, verengt mein Bewußtsein auf einen Punkt. Vielleicht sind manche Gespräche darum so schwierig; es erweist sich als unmenschlich, wenn man von einem Menschen erwartet, daß er über seine eigenen Ruinen hinaussehe. Solange das Elend sie beherrscht, wie sollen sie zur Erkenntnis jenes anderen Elendes kommen, das ihr Volk über die halbe Welt gebracht hat? Ohne diese Erkenntnis jedoch, die weit über die bloße Kenntnis hinausgeht, wird sich ihre Denkart nie verwandeln; sie werden nie ein Volk unter Völkern, was unsrer Meinung nach das eigentliche Ziel ist. Für ein Volk, das nur sich selber sieht, gibt es bloß zweierlei: Weltherrschaft oder Elend. Die Weltherrschaft wurde versucht, das Elend ist da. Und daß es gerade dieses Elend ist, was eine Erlösung aus jener Denkart abermals verhindert, das als das Trostlose –.

Was geschehen müßte?

Das erste ist Nahrung, die allerdings auch bei den Siegern teilweise fehlt, und das andere, was man vorschlagen möchte, wäre die Erlaubnis für junge Deutsche, daß sie für einige Zeit in andere Länder reisen können. Viele sind zwar schon draußen gewesen; sie kennen die Normandie und den Kaukasus, aber nicht Europa; sie lernten alles nur als Sieger kennen. Jedenfalls ist es nicht möglich, daß sie in ihrem Land, selbst wenn sie das Verlangen danach haben, zu einer Übersicht gelangen können; es fehlen ih nen nicht nur die Nachrichten, es fehlt die Entfernung; sie sehen die Besatzung, deren Fehler sie als eigenes Alibi verwenden, und fast niemand, der dort lebt, entgeht diesen augenscheinlichen Verwechslungen von Ursache und Folge. Anderseits zeigt es sich fast ohne Ausnahme, daß junge Deutsche, die ein halbes oder ein ganzes Jahr in einem andern Land sind, vieles anders sehen, und sicher können es nur Deutsche sein, die es den Deutschen sagen.

Zu Marion

Einmal geht Marion durch eine Ausstellung, betrachtet die Bilder eines Malers, den er kennt, und kaum hat er die kleine Galerie verlassen, will es der Zufall, daß er eben diesem Maler begegnet. Es ist jener Mann, den sie den Scharlatan nennen. Er fordert Marion zu einem schwarzen Kaffee, und so sitzen sie denn unter den vertrauten Bögen, rauchen vor sich hin und plaudern allerlei, dieweil die Leute vorübergehen. Es ist später Nachmittag, die letzte Sonne; das lichte Glühen der Ziegel, der Duft von frischem Kaffee, das alles wäre sehr schön, sehr lebenswert. Der Maler aber weiß, daß Marion gerade aus der Galerie kommt, weiß, daß Marion seine neuen Arbeiten betrachtet hat, und das Peinliche besteht darin, daß die Dinge, die man mit Vorsicht beschweigt, immer lauter werden. Es läßt sich nicht aufhalten. Ob sie trinken und über die braune Tasse hinaus auf die Gasse blicken, ob sie abermals rauchen oder lachen oder von einem ernsthaften Geschwür sprechen, im Grunde tun sie nur eines:

Sie schweigen über die Ausstellung.

Der Scharlatan vermutet natürlich, daß Marion seine neuen Arbeiten nicht mag, und das Schweigen geht ihm nachgerade auf die Nerven, was Marion durchaus spürt, sogar versteht, zumal er manchmal auch die andere Rolle spielt, und zwar an diesem selben Tischlein, wenn man seine Puppen beschweigt. Man denkt: So rede doch schon! Es ist nicht angenehm, eine Verneinung auszusprechen. Man fürchtet, daß man dem anderen weh tut; in gewissem Grad wird es auch so sein, und dennoch wäre

42

es unumgänglich, denkt Marion, und sogar ausführbar, sofern wir zu seiner Arbeit auch nur einmal ein bejahendes Verhältnis hatten, irgendwo. Fast nicht anzubringen ist es natürlich, wenn man alles, was der Scharlatan macht, ablehnen muß; sogar seine Bemühungen, seine Ziele. So aber, wie Marion sich früher über die Aquarelle äußerte, gäbe es viele Wege, die augenblickliche Verneinung auf eine annehmbare Weise auszusprechen.

»Übrigens«, so könnte Marion sagen: »habe ich eben Ihre neuen Arbeiten gesehen –.«

Und er könnte dazu eine Zigarette anbieten.

»Für meine Person, ich muß es gestehen, habe ich Ihre kleinen Aquarelle lieber. Ich weiß nicht, wie Sie sich selber dazu stellen? Vor allem erinnere ich mich an ein Blatt –.«

Das ließe sich anhören. Wenn auch nicht wie Engelsharfen... Aber Marion bietet nur die Zigarette an, und was sich kaum an-hören läßt, ist das vollkommene Schweigen, es ist nicht selbst-verständlich, es ist ein Krampf, jedenfalls, und das Quälende be-steht für den Scharlatan letztlich nicht darin, daß man Furcht hat vor dem bekannten Schmerz, den jede Verneinung verursacht, vor allem natürlich die treffende; das eigentlich Quälende kommt daher, daß Marion ihre menschliche Beziehung für eine so schwache Brücke hält, die mit keinem Schmerzchen belastet werden könnte; für eine Beziehung, die nur am Spalier des Lobes gedeiht, und einmal mehr ist es der plötzliche Schrecken, daß ei-ner sich einsamer sieht, als er eben noch meinte; diesmal der Scharlatan.

Unterdessen ist auch die Sonne verschwunden – Marion er-zählt von der Trebor. Wozu! Nur damit er sein Schweigen nicht hört, sein eigenes; denn je länger dieses Schweigen nun dauert, um so unentrinnbarer wird der weitere Verdacht, daß Marion die eben betrachtete Arbeit nicht offenherzig verneinen kann, weil auch das Ja, das er einmal zu früheren und anderen Arbeiten gab, plötzlich nicht stimmt. Es gibt jenes kleine Blatt nicht, das ihm lieber wäre. Obschon er es damals lobte. Er erinnert sich sehr deutlich daran; aber es war eine Lüge, die ihm vielleicht jetzt erst bewußt wird, jetzt, wo er darauf bauen sollte, und es gibt offen-

43

bar nichts zwischen ihnen, worauf man bauen könnte, nichts ohne Lüge –

Dann aber:

Wozu reden sie über alles andere, über Gott und die Welt, indem sie einander Zigaretten anbieten; wozu urteilen sie zusammen über andere Menschen?

Und noch eins! Auch das Schweigen, ob wir wollen oder nicht, wird zu einer Aussage, die im Grunde von erstaunlicher Anmaßung ist; man verschweigt sein Urteil, weil man es platterdings für ein Todesurteil hält, unbedingt und gültig in einer Weise, die dem armen Scharlatan, dessen Bilder uns mißfallen, keine Hoffnung mehr läßt auf ein höheres Gericht. Nimmt man seine Meinung nicht zu wichtig? Auf jeden Fall, denkt Marion, wäre es besser gewesen, man hätte gesprochen.

Aber wie?

Nach einem Flug

Ein Flug über die Alpen, der nach einem anfänglichen Kitzel eine gewisse Leere hinterließ, beschäftigt mich doch immer wieder. Es sind vierzehn Jahre seit dem letzten Flug, der damals vom Bosporus nach Griechenland führte. Die Erinnerung von damals, verschüttet von den eignen Erzählungen, die man wie eine Platte immer wieder vorspielte, bis man sich nur noch an die eignen Worte, aber nicht mehr an das Erlebnis erinnerte, erfaßte mich als erstes, kaum sind wir in der Luft; das Dröhnen der Motoren, das fast zur Stille wird und uns von allem Erblickten sonderbar trennt, dazu der lautlose Flügel, der über die Äcker und die Dächer schwankt, hin und wieder ein kleines Luftloch, das genügt: man könnte, während wir gerade über die allernächste Heimat fliegen, vom Schwarzen Meer erzählen wie zum erstenmal, von den Dardanellen, von Troja, von der Stunde über dem küstenlosen Meer; hinter der anekdotischen Erstarrung, der fast alle unsere Erinnerungen verfallen, ist alles noch da...

Der Blick auf den See:

Die weißen Segelchen erscheinen wie auf eine Glasscheibe gesetzt, das Wasser nicht als tragende Masse, die Durchsicht in die
grüne Seichte, überhaupt das Röntgenhafte dieser Aufsicht – ich
erinnere mich an ein versenktes Kriegsschiff, das wir damals in
den Dardanellen unter Wasser sahen; – hier ist es vor allem die
Nagelfluhkante, die man deutlich verfolgen kann, jener jähe Ab-
sturz, der schon so manchem Nichtschwimmer zum plötzlichen
Verhängnis wurde; fast komisch wirken die säuberlichen Gärtlein, deren Insassen sich an einer lauteren Wasserhelle wähnen;
aus der Höhe zeigt sich, daß wir an einer traumhaft-trüben
Wildnis von Schlamm und Schlingzeug wohnen, harmlos und
ahnungslos wie unserem Unbewußten gegenüber. Das Röntgenhafte auch auf dem Land: die ockerbleiche oder schwarze
Zeichnung in den Äckern, die wie eine Geheimschrift zum Vorschein kommt. Teilweise sind es alte Bachläufe, die ohne weiteres
sich lesen lassen; anderes bleibt rätselhaft. In England, höre ich
von einem Kollegen, hat man verschüttete Ursiedlungen entdeckt, die sich in der Magerkeit der Wiesen oder Wälder verrie-
ten; gewissermaßen wie ein geometrisches Wasserzeichen.

Das einzige, was mich für Augenblicke erschreckt, ist das fast
unverschämte Gefühl von Sicherheit, das sich auch bei leichtem
Sacken nicht verliert, im Gegenteil; die Luft als spürbarer Stoff;
das natürlich-sichere Gefühl eines Schwimmers; es geht bis zum
Bedauern, daß man in dieser Kajüte hocken muß, daß man nicht
an einem Leiterchen auf den breiten Flügel hinausgehen kann.
Man sieht das saubere Muster seiner Nieten. Ein regloses Rohr,
das vermutlich als Auspuff dient, die blechernen Laschen, die
frische Luft fangen, alles ist so, wie man es im Hangar sehen
kann; ohne Bezug auf den Augenblick und auf den Ort, wo es
sich befindet; es erfüllt eine errechnete Pflicht, ob es im Windka-
nal oder über dem Titlis ist; ich sage mir selber: Das ist doch
selbstverständlich. Was soll dieses geschwungene Blech schon
machen? Dennoch blicke ich immer wieder darauf; die Ruhe des
Gegenstandes hat etwas Aufreizendes. Der Gedanke, im Fall-

schirm abzuspringen, ergibt sich ohne jeden Aufwand an Mut;
so gänzlich ist man schon aus dem menschlichen Maßstab gelöst –

Es ist herrlich!

Aber etwas bleibt luziferisch.

Über einem Städtchen, das wie unsere architektonischen Modelle anzusehen ist, entdecke ich unwillkürlich, daß ich durchaus
imstande wäre, Bomben abzuwerfen. Es braucht nicht einmal
eine vaterländische Wut, nicht einmal eine jahrelange Verhet-
zung; es genügt ein Bahnhöflein, eine Fabrik mit vielen Schloten,
ein Dampferchen am Steg; es juckt einen, eine Reihe von
schwarzen und braunen Fontänen hineinzustreuen, und schon
ist man weg; man sieht, wie sich das Dampferchen zur Seite legt,
die Straße ist wie ein Ameisenhaufen, wenn man mit einem
Zweiglein hineinsticht, und vielleicht sieht man auch noch die
Schlote, wie sie gerade ins Knie brechen und in eine Staubwolke
versinken; man sieht kein Blut, hört kein Röcheln, alles ganz
sauber, alles aus einem ganz unmenschlichen Abstand, fast lustig. Nicht ohne eigene Gefahr; das meine ich nicht, daß es
harmlos sei; ich denke auch die weißen Wölkchen, die jetzt
ringsum aufplatzen, eine Staffel von Jägern, die hinter uns auftauchen und größer werden mit jedem Atemzug, lautlos, dann
das erste Splittern in einer Scheibe, ein Gejaul wie in den Schei-
benständen, verfolgt von einem verspäteten und verwehten Ge-
ratter. Das alles inbegriffen! Ich meine nur den Unterschied, der
darin besteht, ob ich Bomben streue auf ein solches Modell, das
da unter den jagenden Wolken liegt, halb rührend, halb langweilig und kleinlich, oder ob ich ebenfalls dort unten stehe, mein
Sackmesser öffne und auf einen Menschen zugehe, einen einzigen, dessen Gesicht ich sehen werde, beispielsweise auf einen
Mann, der gerade Mist verzettelt, oder auf eine Frau, die strickt,
oder auf ein Kind, das barfuß in einem Tümpel steht und heult,
weil sein papiernes Schifflein nicht mehr schwimmt. Das letztere
kann ich mir nicht zutrauen. Beim ersteren, das ist der Unterschied, bin ich durchaus nicht sicher.

Im Egmont gibt es eine Stelle, wo die biederen Bürger über ihren Helden und Liebling sprechen, der sie eben auf der Straße verlassen hat.

»Ein schöner Herr!«

Und unwillkürlich sagt einer:

»Sein Hals wäre ein rechtes Fressen für einen Scharfrichter –.«

»Bist du toll? was kommt dir ein?«

»Dumm genug«, murmelt er: »daß einem so etwas einfällt. Es ist mir nun so. Wenn die Burschen schwimmen, und ich seh einen nackten Buckel, gleich fallen sie mir zu Dutzenden ein, die ich habe mit Ruten streichen sehn. Die verfluchten Exekutionen! man kriegt sie nicht aus dem Sinn.«

Das verlorene Raumgefühl in der Kurve: man empfindet sich, da die Schwerkraft uns gewissermaßen an die Schwungkraft verliert, immerfort in der gleichen Lage, und scheinbar ist es die Erde, die auf der Waage schaukelt, die zur Linken plötzlich versinkt, während das andere Fenster voll Wald ist, voll See –

Wir kreisen irgendwo.

Zum Bewußtsein kommt, wie gering eigentlich die Zone ist, die den Menschen ernährt und gestaltet; schon kommen die letzten Matten, schon beginnt die Vereisung. Zweitausend oder dreitausend Meter genügen, und unsere Weltgeschichte ist aus. Gewisse Kessel, die wir sehen, könnten auch auf dem Mond sein. Die vielleicht einzig vorkommende Gunst von Umständen, die irgendwo im Weltall ein menschliches Geschlecht ermöglicht hat, liegt als ein ganz dünner Hauch in den Mulden, und es genügt die geringste Schwankung der Umstände; eine Vermehrung des Wassers, eine Verdünnung der Luft, eine Veränderung der Wärme. Unser Spielraum ist nicht groß. Wir nisten in einem Zufall, dessen empfindliche Zuspitzung, wenn sie uns manchmal zum Bewußtsein kommt, beklemmend wird, zugleich begeisternd. Die Menschheit als Witz oder als Wunder; die paar Jahrtausende, die sie haben mag, sind nichts gegenüber der Unzeit, die sie umgibt, und dennoch mehr als diese Unzeit. Was es heißt, diesem Augenblick anzugehören –.

Wir sind eine Gruppe von Malern und Schriftstellern; jeder darf einmal in die Laterne, wo der Pilot sitzt. Einmal fliegen wir ganz nahe an den Gipfel des Finsteraarhornes. Die Entfernung zwischen dem Felsen und unserem Flügel, sagt der Pilot, habe keine dreißig Meter betragen. Jedenfalls wird das Gestein wieder greifbar. Die plötzliche Lust zum Klettern, überhaupt die Gier, den Dingen wieder näherzukommen. Nicht aus Angst vor dem Schweben; wir fühlen uns ja, wie gesagt, unverschämt sicher in unserem Polster, und der Gedanke, dort drüben auf dem schwärzlichen Grat zu stehen, gibt erst wieder ein Gefühl von Gefahr, aber auch von Wirklichkeit. Es geht gegen sieben Uhr abends, eine Stunde, wo ich noch nie auf einem solchen Gipfel war; es ist wunderbar für das Auge, aber vermischt mit der Unruhe eines verspäteten Klettrers; die Täler im Schatten, violett, die letzte Sonne auf einer Gwächte, grünlich durchschimmert; erst durch den unwillkürlichen Kniff, daß man sich in die Lage eines Klettrers versetzt, wird alles wieder ernsthaft und erlebbar, wirklich und schrecklich. Überhaupt sind die Augenblicke, wenn plötzlich ein Grat oder ein Firn zu uns emporkommt, durchaus stärker als die Viertelstunden, da man einfach schwebt; plötzlich sieht man die Körnung im Schnee, die bekannten Spuren von kleinen Rutschen und von Steinschlag; man ist froh darum, jedesmal, wie um ein Erwachen. Leider zwingen die Wolken, daß wir uns wieder aus dem Aletschkessel heben; Jungfrau und Eiger rauchen wie Vulkane, über dem Lötschtal ballt sich ein kommendes Gewitter –

»Das ist der Märjelensee!«

»Die Sphinx!«

»Der Staubbach –.«

»Die Grimselmauer –.«

Auch unser fast schülerhaftes Bedürfnis, sich immerfort die Namen aufzusagen, deute ich mir als ein Bedürfnis, das zerrissene Verhältnis wieder herzustellen, zurückzukehren in einen erlebbaren Maßstab. Jeder Name bedeutet: Das ist wirklich, da bin ich schon einmal gewesen, das gibt es, diesen Firn habe ich einmal erlebt, er ist sechs Stunden lang. Warum rufen sie uns plötzlich ans andere Fenster? Warum der Lärm?

»Eine Spur! Dort über der langen Spalte!«

»Wo?«

»Natürlich ist das eine menschliche Spur!«

Es erregt sie wie einst den Robinson.

Was nochmals die Bomben betrifft: –

Ohne die Entbindung aus dem erlebbaren Verhältnis, die uns die Technik in zahllosen Spielarten ermöglicht, wäre es vermutlich, ohne daß die Leute besser sein müßten, nicht so leicht, Heere von solcher Größe aufzustellen, gehorsam und jederzeit marschbereit. Nicht alle von uns eignen sich zum Schlächter, aber fast alle zum Soldaten, der an der Kanone steht, auf die Uhr schaut und die Leine abzieht. Es ist sonderbar, daß die räumliche Entfernung, die man in Metern messen kann, eine solche Bedeutung haben soll; daß unsere Vorstellung nicht stärker ist. Vielleicht ist sie es für Augenblicke, aber nicht auf die Dauer. Daß wir die Menschen, die wir nicht mit dem Auge und dem Gehör und den anderen sinnlichen Antennen erfassen, bald nicht mehr ernstnehmen können, zeigt sich ja auch sonst; das bekannte Erlöschen unsrer Briefwechsel, wenn eine Wiederbegegnung unwahrscheinlich wird; eine Weile zwingt uns noch der Anstand, der Stolz, der Wille zur Würde, die hehre Meinung, daß wenigstens unser Geist und unser Herz keiner räumlichen Schranke unterworfen seien. Es stimmt mindestens nicht für das Herz. Natürlich reicht es über unsere Sinne hinaus, aber nicht unbeschränkt; es reicht nicht um die Erde; wir sprechen von Zeiten des Friedens, wenn der Krieg in China ist. Es ist ganz offenbar, daß das menschliche Erleben, auch wenn wir uns außermenschliche Leistungen entlehnen können, mehr oder minder an den Bereich gebunden bleibt, den wir mit eignen Kräften bewältigen können. Oder mit den Kräften eines anderen natürlichen Körpers; beispielsweise eines Pferdes. Auch das Segeln bleibt noch im erlebbaren Verhältnis; der Wind ist eine außermenschliche Kraft, die wir aber nicht selber entfesseln, und gehört zu unsrer natürlichen Umwelt, die unsere körperliche Eigenschaft bildet: im Gegensatz zu den Kräften, die wir aus schweigenden Naturstoffen umsetzen, speichern und nach unsrer Willkür entfesseln. Sie erst bringen uns in Lagen und in ein Tempo, das die Natur uns nicht zudachte, und wenigstens bisher sehen wir kein Anzeichen, daß unsere Natur sich wesentlich anpaßt; die bekannte Leere bei unseren Ankünften; weil unser Erleben, wenn ein gewisses Tempo überschritten wird, nicht mehr folgen kann; es wird dünn und dünner. Zwar nennen wir es noch lange Erlebnis, wo es bloß noch Kitzel ist, ein Abenteuer der Leere, ein Rausch, sich selber aufzuheben, eine Art von Wollust, daß man sich so weit verdünnen kann, bis man ohne jedes Erlebnis durch einen ganzen Erdteil kommt. Genau vor hundert Jahren fuhr die erste Eisenbahn in unserem Land; dreißig Kilometer in der Stunde. Es ist klar, daß es dabei nicht bleiben konnte. Das Kennzeichen dafür, daß wir unser Tempo überschritten haben, ist das Ungenügen, das wir jedesmal empfinden, wenn ein andrer Wagen uns vorfährt; zwar fahren wir selber schon so, daß mein Erlebnis nicht mehr folgt; in der Hoffnung aber, das verlorene Erlebnis einzuholen, geben wir nochmals Gas. Es ist das luziferische Versprechen, das uns immer weiter in die Leere lockt. Auch der Düsenjäger wird unser Herz nicht einholen. Es gibt, so scheint es, einen menschlichen Maßstab, den wir nicht verändern, sondern nur verlieren können. Daß er verloren ist, steht außer Frage; es fragt sich nur, ob wir ihn noch einmal gewinnen können und wie?

Am meisten, wenn ich an unseren Flug denke, bleibt mir eigentlich die letzte halbe Stunde, das Durchfliegen der Gewölke. Plötzlich ist man in einer grauen Blindnis. Der Flügel ist noch da, alles wie zuvor, auch der runde Motor mit den blechernen Laschen, die libellenhafte Scheibe unseres linken Propellers. Nebel schlägt sich nieder; das Muster der Nieten überzieht sich mit wandernden Tropfen; aber die Nieten bleiben. Daß wir uns bewegen, läßt sich denken und behaupten, aber nicht zeigen. Es ticken die Uhren. Die zitternden Zeiger für Brennstoff, die Meßnadeln für alles Wissenswerte. Manchmal geht es ein Stockwerk hinunter, aber ganz weich, dann wieder wie auf einer Schaukel empor. Unerschütterlich bleibt das Gefühl der Sicherheit. Der junge Pilot, die Hand am dünnen Rad, fängt den Wind mit den seitlichen Klappen, die er hebt oder senkt; er raucht; wir sind jedenfalls höher als die Gipfel, man plaudert über dies und das, und unversehens sind wir wieder in der Sonne. Ringsum ein Gebirge von glühendem Gewölk. Man sieht nicht mehr auf die Erde. Graue und blaue Strahlen brechen durch ein Gebräu, das an den ersten Schöpfungstag denken läßt. Sagenhaft türmt sich ein sommerliches Gewitter in der letzten Abendsonne, die es von unten bescheint; Ballen von Gips oder Elfenbein; die Ränder aber zerschmelzen in gleißendes Silber. Über uns der makellose Himmel; im Osten hat er schon die kühle Dämmerblässe. Wir fliegen über Wolken, die den violetten Schatten andrer Wolken tragen; es ist, als brodle der Raum, und das Licht, unwahrscheinlich wie das Licht der Offenbarung, stürzt von Grotte zu Grotte. Man sieht Schatten, die sich nirgends niederschlagen; sie hangen wie seidene Soffitten; nur einmal, ganz flüchtig, sehe ich hinunter in ein verdämmerndes Tal; die letzte Spiegelhelle in einem schlängelnden Fluß. Dann sind wir über die Wolken hinaus, ganz und gar, und der Raum, der eben noch ein Gewucher von Geheimnissen war, wird zum All. Er wird mehr als ein Geheimnis; er wird unvorstellbar. Irgendwo hangt ein Gestirn, das glüht, und anderswo hangt der Mond, blasser, aber beide nicht anders als sonst; anders empfinden wir nur die Erde, die unsichtbare, die unter den verlöschenden und aschenhaften Wolken ist: auch sie hangt; auch sie steigt in unser Bewußtsein als ein rollender Ball, der ins Leere stürzt immerzu, ohne aufzuschlagen, ein Gestirn unter Milliarden, ein langsam erkaltendes –.

Höflichkeit

Wenn wir zuweilen die Geduld verlieren, unsere Meinung einfach auf den Tisch werfen und dabei bemerken, daß der andere zusammenzuckt, berufen wir uns mit Vorliebe darauf, daß wir halt ehrlich sind. Oder wie man so gerne sagt, wenn man sich nicht mehr halten kann: Offen gestanden! Und dann, wenn es heraus ist, sind wir zufrieden; denn wir sind nichts anderes als ehrlich gewesen, das ist ja die Hauptsache, und im weiteren überlassen wir es dem andern, was er mit den Ohrfeigen anfängt, die ihm unsere Tugend versetzt.

Was ist damit getan?

Wenn ich einem Nachbarn sage, daß ich ihn für einen Hornochsen halte – vielleicht braucht es Mut dazu, wenigstens unter gewissen Umständen, aber noch lange keine Liebe, so wenig wie es Liebe ist, wenn ich lüge, wenn ich hingehe und ihm sage, ich bewundere ihn. Beide Haltungen, die wir wechselweise einnehmen, haben eines gemeinsam: sie wollen nicht helfen. Sie verändern nichts. Im Gegenteil, wir wollen nur die Aufgabe loswerden…

Offenbar fragt er sich, was Marion mit seiner Wahrhaftigkeit eigentlich will, die als solche, ohne Bezug auf den andern, nicht mehr als eine schöne Nase ist. Will er sich selber gefallen, indem er wahrhaftig ist, oder will er helfen? Wenn er das letztere will, so wird er besorgt sein, daß man seine ehrlichen Ausbrüche annehmen kann, daß man sie verwerten und verwirklichen kann, und das heißt:

Er wird höflich sein.

Der Wahrhaftige, der nicht höflich sein kann oder will, darf sich jedenfalls nicht wundern, wenn die menschliche Gesellschaft ihn ausschließt. Er darf sich nicht einmal damit brüsten, wie es zwar üblich ist, je mehr er nämlich unter seinem Außenseitertum leidet. Er trägt eine Gloriole, die ihm nicht zukommt. Er übt eine Wahrhaftigkeit, die stets auf Kosten der andern geht –.

Das Höfliche, oft als leere Fratze verachtet, offenbart sich als eine Gabe der Weisen. Ohne das Höfliche nämlich, das nicht im Gegensatz zum Wahrhaftigen steht, sondern eine liebevolle

Form für das Wahrhaftige ist, können wir nicht wahrhaftig sein und zugleich in menschlicher Gesellschaft leben, die hinwiederum allein auf der Wahrhaftigkeit bestehen kann – also auf der Höflichkeit.

Höflichkeit natürlich nicht als eine Summe von Regeln, die man drillt, sondern als eine innere Haltung, eine Bereitschaft, die sich von Fall zu Fall bewähren muß –

Man hat sie nicht ein für allemal.

Wesentlich, scheint mir, geht es darum, daß wir uns vorstellen können, wie sich ein Wort oder eine Handlung, die unseren eigenen Umständen entspringt, für den anderen ausnimmt. Man macht, obschon es vielleicht unsrer eignen Laune entspräche, keinen Witz über Leichen, wenn der andere gerade seine Mutter verloren hat, und das setzt voraus, daß man an den andern denkt. Man bringt Blumen: als äußeren und sichtbaren Beweis, daß man an die andern gedacht hat, und auch alle weiteren Gebärden zeigen genau, worum es geht. Man hilft dem andern, wenn er den Mantel anzieht. Natürlich sind es meistens bloße Faxen; immerhin erinnern sie uns, worin das Höfliche bestünde, das wirkliche, wenn es einmal nicht als Geste vorkommt, sondern als Tat, als lebendiges Gelingen –

Zum Beispiel:

Man begnügt sich nicht damit, daß man dem andern einfach seine Meinung sagt; man bemüht sich zugleich um ein Maß, damit sie den andern nicht umwirft, sondern ihm hilft; wohl hält man ihm die Wahrheit hin, aber so, daß er hineinschlüpfen kann.

Warum so viel Erkenntnis, die meistens in der Welt ist, meistens unfruchtbar bleibt: vielleicht weil sie sich selber genügt und selten auch noch die Kraft hat, sich auf den andern zu beziehen –

Die Kraft: die Liebe.

Der Weise, der wirklich Höfliche, ist stets ein Liebender. Er liebt den Menschen, den er erkennen will, damit er ihn rette, und nicht seine Erkenntnis als solche. Man spürt es schon am Ton. Er wendet sich nicht an die Sterne, wenn er spricht, sondern an die Menschen. Man denke an die chinesischen Meister.

Nicht der Kluge, nur der Weise hilft.

»Im Deutschen lügt man, wenn man höflich ist.«
Ein gräßliches Wort, wenn einer es als Auszeichnung nimmt; das Bekenntnis eines Mannes, der kein Maß hat, der nicht mehr echt ist, wenn er Maß hält, und somit unerträglich für die andern, sobald er echt ist –.

Mephisto liefert übrigens die Antwort schon in dem Augenblick, da er das Stichwort gibt, das bekannte: Du weißt wohl nicht, mein Freund, wie grob du bist. Wichtig ist nicht, daß er grob ist. Dafür genügt der Nebensatz. Wichtig ist vor allem, daß er es nicht weiß, und das heißt: daß er sich nicht auf die andern beziehen kann. Er empfindet es selber als Lüge, wenn er nach unserem Befinden fragt, wenn er höflich ist. Das ist ein ehrliches Bekenntnis, gewiß! Nur ist es wieder jenes Poltern mit einer Tugend, die auf Kosten der andern geht und nicht genügt, da sie nur ihm genügt.

Unsere Schablone vom Künstler:
Daß ein Mensch, der innerlich ist, nicht höflich sein kann oder darf; das Innerliche und das Höfliche als unvereinbare Gegensätze; das Unbändige als Zeichen eines echten Menschen; der Künstler als Außenseiter – und zwar nicht darum, weil er eine andere Art von menschlicher Gesellschaft erstrebt, sondern einfach darum, weil ihn die menschliche Gesellschaft nichts angeht, und zwar auf keinen Fall, so daß er sie auch nicht verändern muß –
Punktum!
Es fragt sich, ob diese romantische Schablone jemals stimmte, ob sie für einzelne Völker stimmte, beispielsweise das deutsche, ob sie für uns und unsere Zukunft stimmt. Jedenfalls stimmt sie nicht für den griechischen Künstler, der sich seiner Polis verpflichtet wußte; nicht für Dante, den die Verbannung traf; nicht für Goethe; nicht für Gottfried Keller, der Staatsschreiber wird und seine Mandate zum eidgenössischen Bettag schreibt; nicht

für Gotthelf; nicht für die modernen Franzosen, die Dichter bleiben, auch wenn sie staatliche Ämter bekleiden.

Ziel ist eine Gesellschaft, die den Geist nicht zum Außenseiter macht, nicht zum Märtyrer und nicht zum Hofnarren, und nur darum müssen wir Außenseiter unsrer Gesellschaft sein, insofern es keine ist –

Höflich zum Menschen. Aber nicht zum Geld.

Verpflichtet an eine Gesellschaft der Zukunft: – wobei es für die Verpflichtung belanglos ist, ob wir selber diese Gesellschaft noch erreichen, ob sie überhaupt jemals erreicht wird; Nähe oder Ferne eines Zieles, solange es uns als solches erscheint, ändern nichts an unsrer Richtung.

Café de la Terrasse

Jemand berichtet aus Berlin: Ein Dutzend verwahrloste Gefangene, geführt von einem russischen Soldaten, gehen durch eine Straße; vermutlich kommen sie aus einem fernen Lager, und der junge Russe muß sie irgendwohin zur Arbeit führen oder, wie man sagt, zum Einsatz. Irgendwohin; sie wissen nichts über ihre Zukunft; es sind Gespenster, wie man sie allenthalben sehen kann. Plötzlich geschieht es, daß eine Frau, die zufällig aus einer Ruine kommt, aufschreit und über die Straße heranläuft, einen der Gefangenen umarmt – das Trüpplein muß stehen bleiben, und auch der Soldat begreift natürlich, was sich ereignet hat; er tritt zu dem Gefangenen, der die Schluchzende im Arm hält, und fragt:

»Deine Frau?«

»Ja –.«

Dann fragt er die Frau:

»Dein Mann?«

»Ja –.«

Dann deutet er ihnen mit der Hand:

»Weg – laufen, laufen – weg!«

Sie können es nicht glauben, bleiben stehen; der Russe marschiert weiter mit den elf andern, bis er, einige hundert Meter später, einem Passanten winkt und mit der Maschinenpistole zwingt, einzutreten: damit das Dutzend, das der Staat von ihm verlangt, wieder voll ist.

Zum Theater

Heute wieder einmal an einer Probe, und da ich eine Stunde zu früh war, verzog ich mich in eine Loge, wo es dunkel ist wie in einer Beichtnische. Die Bühne war offen, zum Glück, und ohne Kulissen, und das Stück, das geprobt werden sollte, kannte ich nicht. Nichts ist so anregend wie das Nichts, wenigstens zeitweise. Nur gelegentlich ging ein Arbeiter über die Bühne, ein junger Mann im braunen Overall; er schüttelt den Kopf, bleibt stehen und schimpft gegen einen andern, den ich nicht sehen kann, und es ist eine ganz alltägliche Sprache, was auf der Bühne ertönt, alles andere als Dichtung – kurz darauf erscheint eine Schauspielerin, die gerade einen Apfel ißt, während sie in Mantel und Hut über die leere Bühne geht; sie sagt dem Arbeiter guten Morgen, nichts weiter, und dann wieder die Stille, die leere Bühne, manchmal ein Poltern, wenn draußen eine Straßenbahn vorüberfährt. Die kleine Szene, die sich draußen auf der Straße tausendfach ergibt, warum wirkte sie hier so anders, so viel stärker? Die beiden Leute, wie sie eben über die Bühne gingen, hatten ein Dasein, eine Gegenwart, ein Schicksal, das ich natürlich nicht kenne, dennoch war es da, wenn auch als Geheimnis, es hatte ein Vorhandensein, das den ganzen großen Raum erfüllte. Ich muß noch bemerken, daß es ein gewöhnliches Arbeitslicht war, ein Licht wie Asche, ohne jeden Zauber, ohne sogenannte Stimmung, und die ganze Wirkung kam offenbar daher, daß es ein anderes als diese kleine Szene überhaupt nicht gab; alles andere ringsum war Nacht; ein paar Atemzüge lang gab es nur eins: einen Bühnenarbeiter, der schimpft, und eine junge Schauspielerin, die gähnt und in die Garderobe geht, zwei Menschen, die sich im Raume treffen, die gehen können und stehen, aufrecht, die eine tönende Stimme haben, und dann wieder ist alles vorbei, unbegreiflich, wie wenn ein Mensch verstorben ist, unbegreiflich, daß er gewesen ist, daß er vor unseren Augen gestanden hat, gesprochen hat, alltäglich und belanglos, dennoch erregend –

Etwas an dem kleinen Erlebnis scheint mir wesentlich, erinnert auch an die Erfahrung, wenn wir einen leeren Rahmen nehmen, und wir hängen ihn versuchsweise an eine bloße Wand, und vielleicht ist es ein Zimmer, das wir schon jahrelang bewohnen: jetzt aber, zum erstenmal, bemerken wir, wie eigentlich die Wand verputzt ist. Es ist der leere Rahmen, der uns zum Sehen zwingt. Zwar sagt uns der Verstand, daß der Putz, den ich umrahme, nicht anders erscheinen kann als auf der ganzen Wand; er ist ja nicht anders, in der Tat, nicht um ein Korn; aber er erscheint, er ist da, er spricht. Warum werden Bilder denn gerahmt? Warum wirken sie anders, wenn wir sie aus dem Rahmen lösen? Sie heben sich nicht mehr von den Zufällen der Umgebung ab; sie sind, einmal ohne Rahmen, plötzlich nicht mehr sicher; sie beruhen nicht mehr auf sich allein; man hat die Empfindung, sie fallen auseinander, und man ist etwas enttäuscht: sie scheinen schlechter, plötzlich, nämlich schlechter als sie sind. Der Rahmen, wenn er da ist, löst sie aus der Natur; er ist ein Fenster nach einem ganz anderen Raum, ein Fenster nach dem Geist, wo die Blume, die gemalte, nicht mehr eine Blume ist, welche welkt, sondern Deutung aller Blumen. Der Rahmen stellt sie außerhalb der Zeit. Insofern ist ein ungeheurer Unterschied zwischen der Fläche, die innerhalb eines Rahmens liegt, und der Fläche überhaupt, die endlos ist. Gewiß wären es üble Maler, die darauf vertrauen, daß sie es mit dem Rahmen retten können; gemeint ist nicht, daß alles, nur weil es innerhalb eines Rahmens stattfindet, die Bedeutung eines Sinnbildes bekomme; aber es bekommt, ob es will oder nicht, den Anspruch auf solche Bedeutung. Was sagt denn ein Rahmen zu uns? Er sagt: Schaue hieher; hier findest du, was anzusehen sich lohnt, was außerhalb der Zufälle und Vergängnisse steht; hier findest du den Sinn, der dauert, nicht die Blumen, die verwelken, sondern das Bild der Blumen, oder wie schon gesagt: das Sinn-Bild.

All dies gilt auch vom Rahmen der Bühne, und natürlich gäbe es noch andere Beispiele, die den erregenden Eindruck, den schon die leere Bühne macht, wenigstens streckenweise erläutern; man denke an die Schaufenster, die ganze Lager zeigen, Schaufenster, die uns niemals fesseln, und an die anderen, die sich auf ein bescheidenes Guckloch beschränken: eine einzige Uhr liegt da, ein einziges Armband, eine einzige Krawatte. Und das Seltene erscheint uns schon von vornherein wertvoll. Es gibt solche Fensterlein, die manchmal wie kleine Bühnen sind, man steht gerne davor, guckt in eine andere Welt, die mindestens den Anschein von Wert hat. Und das Verwandte zur wirklichen Bühne läge darin: auch auf der Bühne sehe ich nicht Tausende von Narren, sondern einen, den ich noch lieben kann, nicht Tausende von Liebenden, deren Liebe, ins Gattungshafte wiederholt, widerlich wird, sondern zwei oder drei, deren Schwüre wir ernstnehmen können wie unsere eigenen. Es lohnt sich hinzuschauen. Ich sehe Personen; ich sehe nicht Millionen von Arbeitern, wobei ich dann keinen einzigen mehr sehe, leider Gottes, sondern ich sehe diesen einzigen, der die Millionen vertritt und einzig wirklich ist: ich sehe einen Bühnenarbeiter, der schimpft, und eine junge Schauspielerin, die einen Apfel ißt und guten Morgen sagt. Ich sehe, was ich sonst nicht sehe: zwei Menschen.

Café de la Terrasse

In allen Zeitungen findet man die Bilder von Bikini. Etliche Stunden, nachdem die Atombombe losgegangen ist, steht der Rauch wie ein schwarzer Blumenkohl. Mit einer gewissen Enttäuschung vernimmt man, daß die Kreuzer und Zerstörer, die in dem Atoll verankert lagen, noch ziemlich vorhanden sind, also nicht so, daß man sie aufs Brot streichen kann. Die Ziegen, die für diesmal die Menschen vertraten, leben sogar und käuen ihr Futter, als wäre nichts geschehen; die Affen vertragen es schon weniger. Das alles ändert nichts an der grundsätzlichen Freude, die dieses Ereignis auslöst. Bei Hiroshima, als Hunderttausende daran starben, war solche Freude nicht möglich. Diesmal ist es nur eine Hauptprobe. Auch die Palmen stehen noch. Aber das alles, kein Zweifel, wird sich verbessern lassen, und der Fortschritt, der nach Bikini führte, wird auch den letzten Schritt noch machen: die Sintflut wird herstellbar. Das ist das Großartige. Wir können, was wir wollen, und es fragt sich nur noch, was wir wollen; am Ende unseres Fortschrittes stehen wir da, wo Adam und Eva gestanden haben; es bleibt uns nur noch die sittliche Frage. Vielleicht dürfte man nicht von Freude reden; es tönt nach Zuversicht oder Hohn, und eigentlich ist es keines von beidem, was man beim Anblick dieser Bilder erlebt; es ist das erfrischende Wachsein eines Wandrers, der sich plötzlich an einer klaren und deutlichen Wegkreuzung sieht, das Bewußtsein, daß wir uns entscheiden müssen, das Gefühl, daß wir noch einmal die Wahl haben und vielleicht zum letztenmal; ein Gefühl von Würde; es liegt an uns, ob es eine Menschheit gibt oder nicht.

Zum Theater

Natürlich müßte man, wenn man vom Rahmen spricht, auch von der Rampe sprechen, die ein Teil jenes Rahmens ist, und zwar der entscheidende. Eine Bühne, die keine Rampe hat, wäre ein Tor. Und gerade das will sie offenbar nicht sein. Sie läßt uns nicht eintreten. Sie ist ein Fenster, das uns nur hinüberschauen läßt. Beim Fenster nennen wir es Brüstung, und es gibt eine ganze Reihe von Einrichtungen, die einem gleichen Zwecke dienen. Alle Arten von Sockel gehören auch dazu. Immer geht es um die Trennung von Bild und Natur. Es gibt eine Gruppe von Rodin, die bekannten Bürger von Calais, die ohne Sockel gedacht waren; die Absicht bestand offenbar darin, daß man das Bild, das jene opfermutigen Bürger von Calais zeigt, als Vorbild hineintragen möchte in den Alltag, indem man es auf den gleichen Boden stellt wie die Lebenden, die ihm folgen sollen, auf das Pflaster eines öffentlichen Platzes. Das ist ein Sonderfall, der eben dadurch, daß er den Sockel vermeiden wollte, in seiner Weise bezeugt, wie wirksam und wichtig diese Einrichtung ist. Auch die antiken Tempel stehen bekanntlich auf einem Sockel von drei oder fünf oder sieben Stufen; Stufen sind ja gerade zum Betreten gemacht, könnte man einwenden, zum Überwinden der Höhe; erst wenn man es versucht, zeigt es sich, daß jene Stufen viel zu hoch sind; man kann hinaufkraxeln, aber ein würdevoller Gang ist nicht möglich, ein Gang, wie man sich einem Tempel nähert, und diese Näherung ist ja auch das Gegenteil dessen, was der Sockel will. Er trennt den Tempel von uns; aber nicht nur von uns, sondern auch vom Gelände, von den Zufällen der Landschaft; er kümmert sich nicht um das Gefälle, wie wir es beispielsweise tun, wenn wir ein Landhaus bauen. Dort ist es unser Ziel, das Haus ganz in das besondere Gelände einzuschmiegen, so, wie es nicht irgendwo und überall stehen kann, sondern nur an diesem einmaligen Ort. Das heißt: wir anerkennen die Bedingtheit, wir schlüpfen geradezu in sie hinein. Es gibt einen einzigen griechischen Tempel aus der großen Zeit, der sich dem Gelände anpaßt, der mit den Höhenunterschieden spielt, das Erechtheion auf der Akropolis. Alle anderen aber haben den Sockel, der sich über das Gelände hinwegsetzt, der den Tempel herauslöst aus allen Zufällen eines einmaligen Geländes, der ihn erhöht über alle irdischen Bedingungen, der ihn in einen anderen Raum stellt: in einen Raum des Unbedingten.

Geht es nicht überall um das gleiche?

Immer wieder gibt es Dichter, welche die Rampe überspielen; es fehlt nicht an Beispielen, wo die Schauspieler aus dem Parkett heraufsteigen, oder sie treten an die Rampe und sprechen ins Parkett, als wäre da nicht eine Kluft, wofür die Rampe nur ein schwaches Sinnbild ist; ich denke an Thornton Wilder, wo Sabine sich einmal an die Zuschauer wendet mit der leidenschaftlichen Bitte, sie möchten auch ihre Sessel hinaufgeben zum Feuer, das die Menschheit retten soll. Auch hier, wie bei der Skulptur von Rodin, soll ein Vorbild hinausgetragen werden ins wirkliche Leben, indem sich das Kunstwerk auf das gleiche Pflaster stellt, wo sie selber stehen und gehen. Es fragt sich, ob das Vorbild dadurch wirksamer wird, wenn es auf die Entrückung verzichtet. Es hat, wenn wir an den Anruf jener Sabine denken, jedenfalls den kurzen Gewinn einer Überraschung; daß er nur kurz sein kann, hat auch Wilder gewußt: sofort danach läßt er den Vorhang fallen. Es trägt sich als Ausnahme, nicht als Grundsatz. Jede Gebärde, welche die Rampe überspielt, verliert an Magie. Sie öffnet die Schleusen, was aufregend ist; aber es ist kaum so, daß darum die künstlerische Gestalt hinausströmt ins Chaos, das sie verwandeln möchte, sondern das Chaos stürzt hinein in den Raum, den wir einen andern genannt haben, in den Raum der Dichtung, und der Dichter, der die Rampe niederreißt, gibt sich selber auf.

Aus Mode?

Aus Verzweiflung?

Vielleicht ist es kein Zufall, daß uns als Beispiel gerade jene Sabine einfiel, welche die Menschheit retten will mit ihrem Aufruf über die Rampe: die Selbstaufgabe der Dichtung, die ihre Ohnmacht erkennt, ihre Ohnmacht zeigt, hat etwas von einem letzten Alarm, der ihr möglich ist –.

Aus der Zeitung

Ein Mann, der als braver und getreuer Kassier schon zwei Drittel seines Daseins erledigt hat, erwacht in der Nacht, weil ein Bedürfnis ihn weckt; auf dem Rückweg erblickt er eine Axt, die aus einer Ecke blinkt, und erschlägt seine gesamte Familie, inbegriffen Großeltern und Enkel; einen Grund für seine ungeheuerliche Tat, heißt es, könne der Täter nicht angeben; eine Unterschlagung liege nicht vor –.

»Vielleicht war er ein Trinker.«

»Vielleicht...«

»Oder ist es doch eine Unterschlagung, der man erst später einmal auf die Spur kommt.«

»Hoffen wir es...«

Unser Bedürfnis nach dem Grund: als Versicherung, daß eine

solche Verwirrung, die das Unversicherte menschlichen Wesens offenbart, unsereinen niemals heimsuchen kann –

Warum reden wir so viel über Deutschland?

Am See

Oft am Morgen, wenn ich an die Arbeit fahre, steige ich vom Rad, erlaube mir eine Zigarette; das Rad schließe ich nicht ab, damit ich nicht zu lange verweile, hier wo das Wasser um die Ufersteine spielt. Eigentlich ist es ein Lagerplatz, nicht eine Anlage; zuweilen stapeln sie Kuchen von schwarzem Teer, Berge von Kies, den sie mit Lastwagen bringen und holen, und dann wieder ist alles leer; nur die hölzernen Schuppen bleiben, die großen Bruchsteine, die Eidechsen, das verrostete Blech, natürlich auch die Gruppe der Birken, das verwilderte Gras, der See und die Verbotstafel, die mich jahrelang abschreckte; die offene Weite dahinter. Jetzt ist der Platz, wo man auch baden kann, zur täglichen Zuflucht geworden, und ob ich auf dem Heimweg bin, verbraucht von einem grämlichen Tag, oder ob es wieder an die Arbeit geht, die ebenso grämlich sein wird wie gestern und vorgestern, immer fühle ich mich voll Zuversicht und Erwartung, solange ich gegen das Wasser fahre. Einmal wird auch hier ein Gendarm kommen, der nach einem Ausweis fragt; Ordnung muß sein! Es ist das letzte natürliche Ufer in unsrer Gegend; manchmal stinkt es. Ein paar verfaulte Schuhe liegen im Wasser, Scherben von Tassen und Flaschen, anderswo schimmert die weiße Rundung von einem zerbrochenen Klosett, und unter dem Sandstein, den ich mir zurecht rücke, wimmelt es von Asseln. Es ist noch Sommer, aber die Morgen sind herbstlich. Mit versponnener Sonne, mit verblauenden Ufern. Birken und Buchen hangen über den See; violett und märchenhaft verzweigen sich ihre Schatten auf dem lichten Kieselgrund, überschillert von grünlicher Kühle. Man könnte stundenlang hinschauen. Das Wasser, ob es eine Quelle ist, ein stürzender Bergbach oder ein Fluß, ein zahmer und friedlicher See, immer hat es das Gefälle zum Meer, zur Größe, und es ruht nicht, bevor es teilhat an der Größe, an der wässernen Wölbung unseres Gestirnes. Vielleicht ist es das, was zum Wasser lockt; unter anderem. Und dann das grüne Licht unter einer Barke, die an der Boje liegt; Schattenwasser, aber durchleuchtet von der Sonne, die jenseits der Barke in die Tiefe sinkt; hin und wieder sieht man ein Rudel von kleinen Fischen darin, schattengrau, plötzlich entblößt von der tarnenden Spiegelung. Wieder kommen die beiden Schwäne, lautlos, aufrecht, hastlos und herrlich, und über der wässernen Spiegelung zittert der Lärm der nahen Stadt; das Rollen einer Straßenbahn, das Dröhnen der Brücke, das Rasseln eines Krans, das unbestimmbar Geschäftige. Schon lange hat es acht Uhr geschlagen; man denkt an die Hunderttausend, die jetzt an ihren Pültchen sitzen, und das schlechte Gewissen, ich weiß, es wird mich erfassen, sobald ich das Rad wieder besteige. Am Wasser aber fühle ich mich frei, und alles, was auf dem Land sich tut, liegt hinter mir und nicht auf meinem Weg; ich weiß genau um meine Versäumnisse, die sich mehren mit jedem Glockenschlag; aber die Schwäne sind wirklicher, das plötzliche Geräusch der Wellen und das blinkende Gekringel auf dem Kieselgrund, das Kreischen der Möwen, die auf den Bojen sitzen. Oft, während ich hier sitze, immer öfter wundert es mich, warum wir nicht einfach aufbrechen –

Wohin?

Es genügte, wenn man den Mut hätte, jene Art von Hoffnung abzuwerfen, die nur Aufschub bedeutet, Ausrede gegenüber jeder Gegenwart, die verfängliche Hoffnung auf den Feierabend und das Wochenende, die lebenslängliche Hoffnung auf das nächste Mal, auf das Jenseits – es genügte, den Hunderttausend versklavter Seelen, die jetzt an ihren Pültchen hocken, diese Art von Hoffnung auszublasen: groß wäre das Entsetzen, groß und wirklich die Verwandlung.

Geld: das Gespenstische, daß sich alle damit abfinden, obschon es ein Spuk ist, unwirklicher als alles, was wir dafür opfern. Dabei spürt fast jeder, daß das Ganze, was wir aus unseren Tagen machen, eine ungeheuerliche Schildbürgerei ist; zwei Drittel aller Arbeiten, die wir während eines menschlichen Daseins verrichten, sind überflüssig und also lächerlich, insofern sie auch noch mit ernster Miene vollbracht werden. Es ist Arbeit, die sich um sich selber dreht. Man kann das auch Verwaltung nennen, wenn man es sachlich nimmt, oder Arbeit als Tugend, wenn man es moralisch nimmt. Tugend als Ersatz für die Freude. Der andere Ersatz, da die Tugend selten ausreicht, ist das Vergnügen, das ebenfalls eine Industrie ist, ebenfalls in den Kreislauf gehört. Das Ganze mit dem Zweck, der Lebensangst beizukommen durch pausenlose Beschäftigung, und das einzig Natürliche an diesem babylonischen Unterfangen, das wir Zivilisation nennen: daß es sich immer wieder rächt.

Der Graf von Öderland

Hütte eines Holzfällers; am Herd steht ein Kind, ein junges Mädchen, und eine Mutter stellt die Teller auf den Tisch.

»Die Suppe ist fertig. Wenn Vater nicht kommt, nachher ist alles wieder kalt, und dann schimpft er wieder.«

»Immer das gleiche...«

»Vater?«

»Er hat es schon lange gehört. Schöpf nur!«

Das Kind schöpft, und nach einer Weile hört man den Vater, wie er die Schuhe an der Schwelle abschlägt. Dann steht er in der offenen Türe, schlägt sich den letzten Schnee von den Schultern, und nachdem er die Türe geschlossen hat, stellt er die Axt an die Wand. Er ist der Mann, der die Bäume fällt und das Holz macht, das die andern in Papier verwandeln werden, und natürlich ist er sehr arm. Die Mutter betet:

»Komm, Jesus Christ, sei unser Gast und segne, was Du uns bescheret hast.«

Der Vater löffelt.

»Amen.«

Sie essen wortlos.

»Was ist das für ein Kerl«, sagt endlich der Vater: »der draußen herumstreicht?«

»Wo?«

»Was das für ein Kerl ist, frage ich.«

»Immer schaust du mich an!« sagt das Kind. »Wie soll ich es wissen?«

»Mir streicht er nicht nach.«

»Ich weiß nicht, wen du meinst, ich habe seit Wochen keinen Menschen gesehen.«

»Salz ist auch nicht da –.«

Die Mutter holt es.

»Gestern schon, als ich die Knüppel machte, Stunden lang steht er droben im Wald, die Hände in den Manteltaschen, schaut mir zu, stundenlang, während es schneit.«

»Und was will er denn?« fragt die Mutter.

»Das möchte ich auch wissen. Einmal wird er mich schon fragen, dachte ich. Ich habe Zeit –«

»Wie sieht er denn aus?«

»Mit einer Ledermappe –.«

»Ein Herr?«

»Jetzt steht er draußen bei der Säge.«

Die Mutter tritt ans Fenster, aber es dämmert schon, und offenbar sieht sie nichts. Es schneit. Man hört den Vater, der die Suppe schmatzt. Das Mädchen löffelt nicht weiter, sondern schaut über den Teller hinweg und spricht ins Leere:

> »So ist unser Leben.
> Abend für Abend.
> Es tickt unsre Uhr,
> und ich weiß nicht,
> wer spricht
> hier aus der Runde,
> mir aus dem Munde;
> ich höre es nur...«

Der Vater:

> »Was glotzest du wieder?«

Das Kind:

>>Sie hören mich nicht,
es schreit meine Seele umsonst;
sie glauben es nicht,
bis es geschieht,
bis jedermann sieht...<<

Der Vater ißt weiter:

>>Sie denkt wieder an ihren Grafen, tagein und tagaus.<<

Das Kind:

>>So ist unser Leben.
Eines Morgens aber,
wenn ich die Knüppel bringe
wie immer und immer,
wenn alles von vorne beginnt:
da steht er im Zimmer,
plötzlich,
der Graf von Öderland!
Da steht er und hat eine Axt in der Hand,
und wenn mein Vater mich schimpft
wie immer und immer,
dann spaltet er ihn wie ein Scheit.
Wir gehen hinaus in die Welt.
Und jedermann fällt,
der uns die Wege verstellt;
Graf Öderland kommt mit der Axt in der Hand.<<

In der Türe, die sich unterdessen langsam öffnete, ist ein fremder Mensch erschienen, ein Herr in Mantel und Hut, auch hat er wirklich eine Ledermappe. Er steht lange, bis man ihn in dem Dämmerlicht bemerkt. Und auch da, als man sich gegenseitig anschaut, geht es noch eine Weile, bis der Vater sagt:

>>Wollen Sie zu uns?<<

>>Wenn ich störe, sagen Sie es –<<

>>Wen suchen Sie?<<

>>Wir sind grad beim Essen<<, sagt die Mutter: >>Wenn Sie einen Teller Suppe haben wollen –<<

>>Gerne, ja, sehr gerne.<<

»Bring einen Teller!«

Das Kind geht hinaus, und man weist dem Fremden eine kleine Bank, wo er sich setzen kann. Er tut es. Seinen Hut legt er weg, aber die lederne Mappe behält er auf den Knien, als wären wichtige Akten darin, die man um nichts in der Welt verlieren darf, und der Vater schöpft sich selber noch einmal Suppe; wieder löffelt er eine ganze Weile, bevor er sagt:

»Sie sind schon lang in der Gegend?«

»Ich habe Sie gesehen, ja, droben im Holz, wo sie die Föhren fällen –.«

Schweigen.

»Eine einsame Gegend ist das.«

»Ja«, sagt die Mutter: »da hat sich schon mancher verirrt! Besonders im Winter!«

»Ich glaubs.«

»Da können Sie noch ordentlich gehen, wenn sie ins Dorf wollen. Aber jetzt, wo es gepfadet ist – ich meine, Sie verstehen mich recht, wir schicken Sie nicht fort! Ich weiß ja nicht, ob Sie wirklich ins Dorf wollen, aber zu uns selber, wissen Sie, zu uns ist noch keiner gekommen –.«

»Nein?«

»Was soll er hier?«

Der Vater nickt:

»Da gibt es nichts zu holen! meint meine Frau. Eine Säge, ein altes Haus, das zwei Monate im Winter überhaupt keine Sonne hat, Kaninchen und Hühner, ja, das schon – eine Küche, zwei Kammern im Estrich, das ist alles.«

»Es ist keine Schande«, sagt die Mutter: »wenn man arm ist.«

»Einmal ist einer gekommen –«

Das ist eine alte Geschichte, und die Mutter will nicht, daß der Vater davon erzählt; überhaupt ärgert sie die Art, wie sich der Vater gegenüber dem Fremden benimmt, und sie macht sich selber um so höflicher:

»Es tut mir leid, daß es so lange geht mit dem Teller –.«

»Ich bin froh, daß ich an der Wärme bin.«

»Der andere Teller, müssen Sie wissen, wir brauchen nie einen vierten Teller, und drum haben wir ihn manchmal bei den Hühnern, da muß das Kind ihn erst waschen, aber er wird gleich kommen! Ich stelle die Suppe nochmals auf den Herd –«

Sie tut es.

»Einmal ist einer gekommen«, sagt der Vater: »Das war vor neunzehn Jahren, als ich im Krieg war. Der hat meinen Vater erschlagen und meine Mutter dazu, ein Wahnsinniger; keinen Groschen hat er genommen! Mit einer Axt, wissen Sie. Mein Vater war Holzfäller, die Säge kam erst später hinzu.«

»Warum erzählst du das wieder!?«

»Es geschieht hier nicht viel – sonst.«

Der Fremde:

»Fürchten Sie nicht, daß ich ein Mörder sei.«

»Ich fürchte mich nie.«

»Ich wollte, ich dürfte das gleiche sagen…«

In diesem Augenblick kommt endlich das Kind, das den gewaschenen Teller bringt; die Mutter nimmt ihn, wischt ihn nochmals mit dem Ärmel und füllt ihn mit Suppe, fragt ihn, ob er auch Dickes wolle, es wären zwar nur Kartoffeln.

»Es ist mir nicht recht«, sagt der Fremde: »daß ich einfach komme, aber ich habe wirklich Hunger.«

»Dann essen Sie!«

»Ja«, sagt er mit dem Teller in der Hand: »es ist nicht meine Art – sonst…«

Eine Weile ist es, als besinne er sich darauf, was eigentlich seine Art gewesen sei, sonst – er löffelt die Suppe, bevor er sich auf das Gesuchte erinnert, und das Kind schneidet ihm Brot, das er mit Dank entgegennimmt; als er weiterlöffelt, sagt das Kind:

»Ich bin froh, daß Sie endlich gekommen sind.«

Er schaut sie an –

»Erschrecken Sie nicht!« sagt das Kind, »man hört uns nicht. Sie sind der einzige in dieser Küche, der hören kann, was ich denke. Sagen Sie kein Wort zu mir! Ich bin froh, daß Sie endlich gekommen sind, bevor ich alt bin. Sagen Sie kein Wort zu mir! Aber morgen, wenn alles wieder von vorne beginnt, nehmen Sie mich fort von hier.«

In einem Kerker, und es ist am selben Tag, steht der Mörder, der auf die letzte Verhandlung des Gerichtes wartet; auf seiner Pritsche sitzt der Anwalt, Doktor Hahn, während er selber durch das kleine Gitterfenster schaut, die Hände auf dem Rükken.

»Lebenslänglich?«

»Wenn Sie keine Antwort geben auf meine Frage, wie soll ich Ihnen helfen? Ich frage nicht als Oberrichter, vergessen Sie das nicht: ich bin Ihr Anwalt. Ich tue, was ich kann.«

»Also lebenslänglich –.«

Der Mörder geht dreimal an der grauen Mauer hin und her, bis er wieder vor dem Gitterfenster stehen bleibt; er raucht eine Zigarette, die der Anwalt ihm gab, bläst den Rauch von sich.

»Was haben Sie gedacht oder empfunden, als Sie damals, ich spreche vom vierten Februar des vergangenen Jahres, auf dem Abort saßen?«

»Schnee...«

»Wie meinen Sie das?«

»Schnee! sage ich. Nichts als Schnee, meine ich, von Morgen bis Abend...«

»Wir müssen bei der Sache bleiben. In einer Stunde beginnt unsere letzte Sitzung, unsere Zeit ist kostbar.«

»Das ist sie, lieber Doktor!«

Doktor Hahn schaut ihn an, sieht aber nur seinen Hinterkopf, der so ist wie die meisten Hinterköpfe, so, daß man kein Gesicht dazu erraten kann. Auch das Gesicht unseres Oberrichters, denkt Doktor Hahn, könnte zu diesem Hinterkopf gehören. Zugleich erinnert er sich, daß sie bei der Sache bleiben müssen, und schaut auf seine Akten, beherrscht wie immer.

»Warum haben Sie an jenem Abend, als Sie von dem besagten Ort kamen, die Axt in die Hand genommen?«

»Das fragen Sie seit sieben Wochen –.«

»Erinnern Sie sich!«

»Das ist leicht befohlen, lieber Doktor –«

»Was dachten Sie? Was empfanden Sie? Sie gingen auf den Abort, heißt es –«

»Wie manchmal noch?«

»Ich stütze mich auf die Akten.«

»Mit der Zeit, fürchte ich, ist auch das nicht mehr wahr –«

»Wieso?«

»Wenn es wahr ist, was in Ihren sauberen Akten steht, man könnte meinen, ich verbrachte mein ganzes Leben auf dem besagten Ort.«

»Was in den Akten steht, sind Ihre eignen Aussagen, nichts mehr und nichts weniger.«

»Ich weiß.«

»Also?«

»Mag sein«, sagt der Mörder nach einigem Besinnen, »daß es wahr ist, gewissermaßen –«

»Was?«

»Daß ich mein Leben so verbrachte, gewissermaßen... Ich erinnere mich, manchmal hatte ich durchaus dieses Gefühl. Auf der Bank, wo ich arbeitete –«

»Daß Sie stets die Arbeitszeit dafür verwendet haben, das sagten Sie schon. Das ist ein Witz, worüber die Geschworenen lachten, und es ist gut, wenn man die Geschworenen zum Lachen bringt; aber wesentlich ist das nicht. Das machen fast alle Angestellten.«

»Dieses Gefühl hatte ich auch, lieber Doktor, daß es nicht wesentlich ist... auch wenn ich vor dem Spiegel stand und mich schabte, zu Hause, wenn ich die Schuhe nestelte, jeden Morgen, wenn ich an meinen Schalter trat, jeden Morgen, und so –«

»Was wollen Sie sagen?«

»Im Frühjahr wäre ich Prokurist geworden.«

»Das wissen wir...«

»Auch das, Sie haben recht, hätte nichts verändert. Es fällt mir so ein; die Prokuristen haben einen eigenen Abort – und überhaupt, wenn ich an die Bank denke, die ganze Organisation war musterhaft... der Hauswart hatte einen Kalender, wo er eintrug, wann er die Flügeltüren zum letztenmal ölte. Ich habe diesen Kalender mit eignen Augen gesehen. Da gab es keine girrende Türe und nichts. Das muß man sagen.«

Doktor Hahn beißt seine Lippe, wie er es öfter tut, wenn er zeigt, daß er sich beherrscht; er verliert nie seinen Ton:

»Um auf unsere Frage zurückzukommen: –«

»Ja!« sagt der Mörder: »Was ist wesentlich?«

»An dem betreffenden Tag gingen Sie in eine Bar, die Sie nach einer halben Stunde wieder verließen. Sie gingen zu Fuß nach Hause, nüchtern, um neun Uhr gingen Sie schlafen –«

»Manchmal war man sehr müde.«

»Nach einigen Träumen, deren Sie sich nicht mehr erinnern können, erwachten Sie und kleideten sich abermals an, Sie gingen abermals in die Stadt, abermals zu Fuß, und meldeten sich auf der Bank. Als der Hauswart öffnete, erklärten Sie ihm, Sie müßten auf den Abort –«

»Ja, darum kommen wir nicht herum.«

»Weiter...!«

»Vielleicht wäre alles anders gekommen, wenn ich mehr vom Geld verstanden hätte.«

»Wie meinen Sie das?«

»Ich verstehe nichts vom Geld«, sagt der Mörder: »Millionen gingen durch meine Hände, hinein und hinaus, und es hat immer gestimmt, aber im Grunde, wissen Sie, verstand ich überhaupt nichts davon.«

Doktor Hahn versteht.

»Sie meinen«, sagt er langsamer: »wenn Sie gerissener gewesen wären, wenn Sie es selber weiter gebracht und mehr verdient hätten und so, dann wäre es nicht dazu gekommen?«

Der Mörder schweigt.

»Das ist ein heikles Argument! Wir dürfen nie vergessen: es ging Ihnen, und darauf fußt ja unsere ganze Verteidigung, nicht um das Geld –«

»Nein.«

»Daran müssen wir festhalten. Das sagte ich vom ersten Tage an. Sie hätten eine Million unterschlagen können, ohne daß Sie einen alten Abwart mit der Axt umbringen mußten. Es ist ein Mord, aber kein Raubmord, und das setze ich durch!«

Pause.

»Ich meine es auch nicht so, lieber Doktor...«

»Sondern?«

»Wenn ich das Geld verstanden hätte, meine ich, vielleicht hätte ich mich nicht so gelangweilt. Verstehen Sie, wenn man jeden Morgen hinter einem solchen Schalter steht –«

Doktor Hahn bleibt stehen:

»Wollen Sie dem Gericht vielleicht sagen, daß Sie den alten Hauswart aus purer Langweile erschlagen haben?«

»Sie verstehen mich nicht ganz.«

»Nein!«

»Natürlich nicht«, lächelt der Mörder: »sonst hätten Sie schon lange ein gleiches gemacht –.«

Er zertritt seine Zigarette.

»Wenn Sie in einer Stunde so sprechen vor den Geschworenen, so wird es heißen, daß Sie jede Reue vermissen lassen, aber auch jede, und ich sage Ihnen immer wieder, was die Reue für eine Rolle spielt, und zwar gerade bei den Geschworenen!«

Der Mörder zieht die Brauen:

»Reue...«

Sein Fuß, der die Zigarette zertreten hat, dreht noch immer auf dem Stummelchen herum, und beide, der Anwalt und der Mörder, blicken auf diesen Fuß während der letztere sagt:

»Ich verstehe nicht, warum sich plötzlich die ganze Menschheit um diesen Hauswart kümmert, alle, die ihn mit keinem Blick bemerkten, wenn er ihnen die lautlose Flügeltüre hielt –.«

»Mensch ist Mensch.«

»Ja –.«

»Es ist nicht zum Lachen!«

»Nein – gehen Sie hinaus und sagen Sie das der Welt: Mensch ist Mensch. Nichts weiter! Aber tragen Sie sich Sorge, daß Sie nicht verzweifeln, lieber Doktor, und daß Sie in der Verzweiflung nicht zur ersten besten Axt greifen...«

Es klopft.

»Herein!«

Es ist ein Gendarm, der das liebe Gesicht eines Bienenzüchters hat, zwei alte und zugleich kindliche Augen, die immer ein bißchen wässern, als hätte er Schnupfen, und eine bläuliche Nase dazwischen, die wie eine weiche Feige anzufühlen wäre; er hat einen rauhen, aber gedämpften Baß:

»Herr Doktor Hahn.«

»Unsere Zeit ist noch nicht um.«

»Ein Brief –.«

»Für mich?«

»Es eilt. Wenigstens steht es drauf.«

»Danke«.

Der Gendarm geht und Doktor Hahn reißt sofort den Umschlag auf, nachdem er die Schrift offenbar erkannt hat; er liest, während der Mörder wieder an das Gitterfenster getreten ist und hinausschaut, wie es schneit.

»Das Gericht ist vertagt –.«

Es schneit ohne Unterlaß.

»Haben Sie gehört?«

Das Weitere, was die Überraschung mit einer anderen Überraschung erklärt, sagt er mit jener Art von plötzlicher Anbiederung, wie sie sich gerne bei erregenden Ereignissen einstellt:

»Der Oberrichter seit vorgestern verschwunden und verschollen, ohne jede Spur, ohne jede Vermutung –«

Er schaut auf den Hinterkopf:

»Verschwunden und verschollen!«

Während er den Brief noch einmal liest, sagt der Mörder am Gitterfenster, als ginge ihn diese Nachricht überhaupt nichts an:

»Sie haben keine Ahnung, lieber Doktor, wie vertraut mir der Anblick ist, wenn ich durch dieses Gitter schaue – Schnee... und immer diese fünf Stäbe davor! Warum soll ich den Geschworenen meine Reue zeigen? So war es auch auf der Bank, jeden Morgen –.«

Doktor Hahn packt seine Akten zusammen. Die Gattin des

Verschollenen, die ihm den Brief geschrieben hat, erwartet ihn dringend.

»Wir sprechen uns wieder am Montag.«

Dritte Szene

Am andern Morgen, als der Fremde erwacht, sieht er sich in der Hütte des Holzfällers, erinnert sich wenigstens, daß er schon am Abend in dieser Küche gesessen hat. Auch die lederne Mappe ist noch da, und das beruhigt ihn, obschon er nicht weiß, was eigentlich darin ist. Am Herd steht das Mädchen, das eben die Knüppel gebracht hat, und vielleicht ist er daran erwacht. Lange schaut er sie an, ihre starken und hohen Backenknochen, die irgendwie mongolisch wirken, ihr helles Haar, wie es Lettinnen haben, ihre wassergrauen Augen und die beiden Schneidezähne, die bei jedem noch so verhaltenen Lächeln auffallen, weil sie einen ziemlich großen Zwischenspalt offenlassen... Auch das Mädchen sieht ihn an, lange und wartend; dann sagt es:

»Nehmen Sie mich fort von hier.«

»Warum...«

»Sehen Sie es nicht?«

»Ja – schon...«

»Es ist traurig hier. Wenn Sie zehn Jahre in dieser Küche sitzen, es ist nicht anders. Es kommt nichts dazu. In einer halben Stunde wissen Sie alles.«

»Ich kenne das...«

Er fährt sich über die Stirne, als möchte er weiter erwachen, und plötzlich von der Angst befallen, daß man ihn fragen könnte, stellt er selber die Frage:

»Wie heißen Sie eigentlich?«

»Inge.«

»Ein schöner Name...«

»Warum blicken Sie mich so an?«

Er wollte das nicht; er löst seinen Blick von ihrem jungen Gesicht und schaut anderswohin, vielleicht auf den Herd, wo das

74

Feuer brennt, oder auf das kleine Fenster oder draußen auf den Schnee, der immer noch fällt; fast unwillkürlich sagt er nach einer Weile:

»Wenn ich nur eines wüßte: –«

»Was denn?«

»Wie ich selber heiße...«

Er lächelt sofort:

»Manchmal schon, früher, hatte ich dieses Gefühl, es ist eigentlich das einzige, woran ich mich erinnere, so ein blödes Gefühl, daß man irgendwo erwartet werde, anderswo, und daß man irgend etwas ganz Bestimmtes machen müßte!«

»Was denn?«

»Keine Ahnung...«

Inge lacht.

»Früher wußte ich es aber«, sagt er, ohne daß er das verlorene Wissen wirklich zurückwünscht: »Oder ich meinte wenigstens, daß ich es wüßte, nur stimmte es nie, verstehen Sie, ich konnte machen, was ich wollte, was immer meine Pflicht war, das blöde Gefühl wurde ich nicht los...eigentlich nie –.«

Das Kind bläst ins Feuer.

»Erzählen Sie weiter.«

Sie hockt vor dem Herd, bis es wieder lodert, dann wirft sie neue Knüppel hinein, und ihr Haar hat einen Rand von roter Glut.

»Ich hatte so Angst«, sagt der Fremde: »als ich gestern den Holzfäller erblickte. Nicht wegen der Axt, wissen Sie. Eigentlich vor jedem Menschen, der mir begegnen würde – am wenigsten vor Ihnen.«

»Mein Vater ist nicht so bös, wie er redet.«

»Sie sind ein Mensch, der nicht fragt, das ist so wunderbar! Denken Sie nicht, ich sei verliebt in Sie, weil Sie sehr jung sind, Inge, und sehr schön...«

»Das bin ich nicht.«

»Und wie Sie es sind!« sagt er: »Ich habe eigentlich nicht schlafen wollen, damit ich Sie nicht vergesse, wissen Sie, es ist gräßlich, wenn man alles vergißt: ich habe einen Beruf, aber plötzlich stehe ich am Waldrand, meine Ledermappe in der Hand, und es ist eine Gegend, die ich noch nie erblickt habe, nicht einmal auf Bildern, und man zittert vor jedem Menschen, weil ich nicht weiß, wie ich heiße. Verstehen Sie das? Da, hinter mir, plötzlich ist es weg – ein Wald voll Schnee, nichts weiter, Stämme und nichts als Stämme, dazu die hallenden Schläge einer Axt...«

Am Fenster:

»Und zu denken, daß es ein weiteres Erwachen nicht gibt, nie wieder, nie wieder!«

Sie blickt auf seinen Hinterkopf:

»Ich weiß nicht, was Ihnen fehlt.«

Später, indem er eine Zigarette in den Mund steckt, unwillkürlich wie man das macht, wendet er sich mit einem plötzlichen Lächeln:

»Der Teller aus dem Hühnerhof?«

»Wie meinen Sie das?«

»Sehen Sie!« sagt er zufrieden, fast vergnüglich, und zündet seine Zigarette an: »Ich bin froh um alles, was mir wieder einfällt...«

Dann raucht er, und Inge blickt wie ein Kind, das selber noch nie geraucht hat, blickt mit glücklicher Verwunderung auf seine Gebärden, die einen Herrn verraten, einen Herrn von Welt; die weiße Zigarette, scheint es, gibt ihm eine gewisse Zuversicht zurück, eine selbstverständlich überlegene Art; er lächelt über ihre strahlende Verwunderung, womit sie an ihm hinaufblickt, jung und ernst.

»Inge heißest du?«

»Ja –«

»Woher kennen wir uns eigentlich?«

»Alle Menschen kennen einander...«

»Meinst du?«

»Wenn sie sich selber kennen.«

»Vielleicht, ja –.«

Dann schlägt er die erste Asche ab, wozu er, als gäbe es einen Teppich auf dem Boden, ein wenig gegen den Herd geht, so daß

76

das Mädchen für einen kurzen Augenblick allein steht und ihm nachschaut.

»Im Ernst«, sagt er schon wieder mit einem Schatten von Kümmernis: »oft kommt es einem wirklich vor – wie soll ich sagen... im Grunde sind es drei oder fünf Menschen, denen wir ein Leben lang begegnen, immer die gleichen, und wenn man um die Erde liefe, da ist immer ein Mädchen, ein Gesicht wie das deine, jung, ernst, schüchtern und verwegen zugleich, wartend, gläubig, fordernd, und da ist immer ein Gendarm, der wissen muß, wie man heißt, wohin man geht, und immer, wenn man gehen will und nichts als gehen, gibt es Stäbe...«

»Was gibt es?«

»Stäbe und Schranken, Zöllner, Gitter, Stäbe; wie die Stämme im Wald, die man fällen möchte, wenn man eine Axt hätte –«

Er lacht plötzlich; wirft die Zigarette, bevor sie zu Ende geraucht ist, auf den Boden der Küche, dreht seinen Fuß auf dem Stummelchen herum, nachdem es lange schon erloschen ist, und abermals wechselt sein Ton, so daß Inge nicht weiß, ob er sie zum besten hält wie ein Onkel, der mit einem Kind plaudert, oder ob er selber glaubt, was er erzählt.

»Einmal war ich Kapitän auf einem Schiff, es hatte drei Maste, der Bug hatte einen Schnabel, den ich heute noch zeichnen könnte, und wir fuhren nach allen Küsten dieser Erde, kreuz und quer, wir lebten von Fischen und Früchten, die wir an den Küsten holten, wir lebten von der Jagd, und wenn wir das Nötige hatten, segelten wir weiter... ja – und dann!«

»Und dann?«

»Dann, plötzlich, war es ein Spielzeug: so groß –«

Er zeigt es.

»Man konnte es in die Hand nehmen, mein Schiff, wo ich Kapitän darauf war; man konnte es auf einen Tisch oder eine Truhe stellen.«

»Gräßlich!«

»Ja«, lächelt er hämisch: »aber so ging es mir immer...«

Dann kommt der Vater herein; er sagt nicht guten Morgen, sondern schaut nur auf das Kind mit stummer Frage, ob die

Suppe bereit sei, halb schon mit Vorwurf, und erst wie er den Fremden bemerkt, sagt er:

»Da wäre die Axt, wenn der Herr noch Lust haben – bei diesem Wetter... Holz hat es genug, wie ich gestern schon sagte –.«

»Danke.«

»Ich heiße Jens.«

»Freut mich.«

»Und Sie...?«

Der Fremde steht mit der Axt, die er eben in die Hand bekommen hat, betroffen von der Frage, ebenso betroffen von dem Mädchen, das für ihn antwortet und sagt:

»Graf von Öderland.«

»Graf –«

»Warum starren Sie mich so an?« sagt der Fremde, »Sie sagten doch gestern, Sie fürchten sich nie –.«

»Graf von Öderland??«

Der Vater weicht langsam von dem Fremden zurück, der da steht mit der Axt in der Hand, so, daß gewissermaßen ein Raum entsteht um diese Axt, die auch ihrem Träger, der sie kaum anzusehen wagt, mit jedem Atemzug gegenwärtiger wird –

Inge spricht über den Herd:

>»Eines Morgens aber,
> wenn ich die Knüppel bringe,
> wenn ich die Hühner füttern soll,
> wie immer und immer,
> wenn alles von vorne beginnt:
> da steht er im Zimmer,
> plötzlich,
> der Graf von Öderland!
> Da steht er und hat eine Axt in der Hand,
> und wenn mein Vater mich schimpft
> wie immer und immer,
> dann spaltet er ihn wie ein Scheit:
> wir gehen hinaus in die Welt,
> und jedermann fällt,

der uns die Wege verstellt,

Graf Öderland kommt mit der Axt in der Hand.«

Vielleicht singt sie es sogar; der Vater aber, der auf die Knie bricht, schreit plötzlich wie ein Tier, beide Fäuste vor dem Gesicht –.

Vierte Szene

Wir sehen das Arbeitszimmer des verschollenen Oberrichters. Zwei Wände davon sind voller Ordner, alle schwarz und alle mit weißer Etikette. Außer dem Schreibtisch, der schräg im Raume steht, gibt es eine behagliche Ecke mit Ständerlampe und gediegenen Polstersesseln; auch an einem schönen Teppich fehlt es nicht... Es stehen drei Leute in diesem Raum: die Gattin des Verschollenen, schlank, eine nervöse Eleganz, und Doktor Hahn, der sich abseits hält und eine Zigarette raucht, als lausche er nicht über seine Schulter zurück auf jedes Wort, das gesprochen wird; der dritte nämlich, der mitten im Raume steht, ist eine sonderbare Gestalt, ein kleiner und häßlicher Mann mit einer theatralischen Mähne, die man nicht berühren möchte, und seine Hände, da die Rockärmel zu kurz sind, wirken wie Flossen, wenn er sie in die Hüften stemmt, oder manchmal nimmt er sie auch ans Kinn, als prüfe er, ob er ordentlich geschabt ist; mit einem Lächeln, das ebenso zerstreut wirkt wie seine Gebärden, sagt er mehrmals:

»Aha... aha... aha...«

Wenn er dann ein paar Schritte geht, weicht die Gattin jedesmal zurück, damit die Entfernung bleibt; sein Gang hat etwas Tänzelndes, wenigstens in seinen kurzen Beinen, wogegen der Rücken senkrecht bleibt; er steht nun endlich vor einer Wand, die er betrachtet, als schaue er da durch ein Fenster, und man sieht ihn von hinten, wieder mit seinen Flossen über den Hüften.

»Das also war sein Arbeitszimmer?«

»Ja.«

»Aha...«

»Wie gesagt.«

»Und das sind lauter Ordner?«

»Ja.«

»Fälle?«

»Wie meinen Sie?«

»Fälle meine ich, Mord, Überfall, Notzucht, Erpressung, Unterschlagung, Ehebruch –«

»Jaja«, sagt die Dame: »jaja.«

Er schaut auf die Etiketten:

»Sehr ordentlich, sehr ordentlich.«

Dann wendet er sich weiter...

»Daß mein Mann sehr ordentlich war«, sagt die Dame mit dem scharfen Lächeln einer Gekränkten: »das ist nichts Neues; das ist in der ganzen Stadt bekannt.«

»Und was ist das?«

»Was?«

»Hier auf dem Schrank?«

»Ach«, sagt die Dame mit der nervösen Eleganz: »nichts Besonderes...«

»Ein Schiff?«

»Eine Spielerei, ein Familienstück, ein Nippzeug...«

»Aha.«

»Das findet man oft.«

»Eine Art von Wikingerschiff?«

»Vielleicht...«

»Mit Segeln aus Pergament.«

Dann wendet er sich:

»Und was für Räume sonst?«

Die Dame geht quer durch das Zimmer; ihr Gang ist immer rasch, immer leicht, und man sieht die gehenden Oberschenkel unter dem anliegenden Kleid; auch ihre Oberarme, scheint es, bleiben stets an den schmalen Körper geschmiegt, und nur vom Ellbogen an heben sich ihre geschlossenen Ärmel, wenn sie beispielsweise raucht; zierlich spielt ihr goldenes Armband; ihr Mund, auch wenn sie nicht mehr raucht, bleibt meistens mit jenen offenen Lippen, wie sie den Rauch aushaucht, rund und laß und so, daß man ihren feuchten warmen Glanz sieht ... Sie öffnet die Türe, die ebenfalls von Ordnern umrahmt ist:

»Bitte«, sagt sie: »Hier war sein Schlafzimmer –.«

»Aha.«

»Man hat nichts verändert.«

»Wenn es gestattet ist ...«

»Bitte.«

Der Sonderbare, als die Dame ihm die Türe hält, macht eine kleine Verbeugung, als spüre er, wie schwer ihr seine plötzliche Nähe fällt, die durch die enge Türe verursacht wird.

»Aber vielleicht wollen Sie hier lieber allein sein –«

»Wenn das möglich ist?«

»Aber bitte!«

Die Türe zu.

Doktor Hahn und die Gattin blicken sich an wie zwei Leute, deren heimliches Einverständnis endlich wieder einen unbewachten Augenblick hat. Noch sagen sie nichts; noch spüren sie die Türe hinter dem Rücken. Sie geht zu einem Polstersessel, setzt sich, zieht ihre Augenbrauen und nimmt eine neue Zigarette, worauf Doktor Hahn, der sich näherte, in die Tasche greift und ein Feuerchen aufschnappen läßt.

»Du glaubst im Ernst, das alles hat einen Sinn?«

»Es ist unsere Pflicht, Elsa, daß wir alles versuchen, und wenn es ein Hellseher ist –«

»Ein Hellseher aus dem Kabarett!«

»Wo findet man sie sonst?«

»Gräßlich, gräßlich ...«

»Unsere eignen Nachforschungen, du weißt es, sind ohne jedes Ergebnis. Bisher. Die Spürhunde bleiben hilflos wie unser Verstand.«

»Jetzt sind es bereits drei Tage, seit er verschwunden ist –«

»Wenn der Schnee nicht wäre –«

»Ich weiß, ich weiß.«

»Keine Fußspur, nichts, keine Witterung, kein Mensch, der ihn gesehen hat –«

Es klopft. Man schaut sich an. Dann:

»Herein?«

Es ist das Dienstmädchen, das eine weiße Schürze trägt, ein Kind mit starken und auffallend hohen Backenknochen, die fast mongolisch wirken, dazu sehr helles Haar und wassergraue Augen, die weit gegen die Schläfen sitzen; der Blick hat stets etwas Lächelndes, etwas Lauerndes, und da er nicht verrät, was das Hirn dahinter denkt, neigt man schließlich, damit man seine Ruhe hat, zu der Annahme, daß es überhaupt nichts denkt, daß die Person einfach dumm ist. Die Dame sagt:

»Was gibt es denn?«

»Die Post, gnädige Frau –.«

Wenn sie spricht, sieht man die beiden Schneidezähne, die durch einen ziemlich großen Zwischenspalt auffallen; ihre ganze Art, wie sie immer noch dasteht, ist halb schüchtern, halb frech; ihre Neugier nach den letzten Nachrichten, betreffend das Unglück mit dem Hausherrn, mag natürlich sein, aber sie trägt diese Neugier wie ein heiliges Anrecht und geht nicht hinaus, bis die Dame, ohne sie anzusehen, mit Betonung sagt:

»Danke.«

Sie knickst. Und geht...

Die Dame öffnet Briefe:

»Ich kann die Person nicht ausstehen –«

»Warum?«

»Hast du sie nicht angesehen...«

»Schon.«

Sie öffnet immer weitere Briefe.

»Die Dienstmädchenfrage«, sagt Doktor Hahn, »das ist auch so eine Sache, die in der Luft liegt...«

Er schneidet sich eine Zigarre.

»Nichts?«

»Nichts«, sagt Elsa: »nichts von ihm, nichts über ihn, Rechnungen, Einladungen, Drucksachen, Erlasse und Vorschriften, Empfehlungen, Aufrufe gegen die Trunksucht, Einladungen –«

Er zündet seine Zigarre an:

»Am vorigen Freitag habe ich ihn zum letztenmal gesprochen, wie gesagt, gerade nach der Verhandlung, aber es war nichts Besonderes, er nahm mich in den Wagen, und wir sprachen noch über die Rechtsbelehrung für die Geschworenen –«

Er raucht.

»Und dir ist auch nichts aufgefallen –.«

»Natürlich hörte ich genau, wie er sich ankleidete«, sagt sie. »Er war immer sehr rücksichtsvoll, machte überhaupt kein Licht, so genau wußte er, wo seine Sachen sind, seine Schuhe, seine Krawatte –«

»Um welche Zeit war das?«

»Zwei Uhr vielleicht, drei Uhr –«

»Und du hast ihn nicht gefragt, ich meine, warum er sich ankleidete, wohin er ginge?«

»Wohin schon? Ins Arbeitszimmer, dachte ich; er machte das ja oft –«

»Mitten in der Nacht?«

»Wenn er viel Arbeit hat – vor allem vor den Verhandlungen – daran ist nichts Besonderes, er macht sich einen schwarzen Kaffee, geht in sein Arbeitszimmer, liest seine Akten oder so, und am Morgen, wenn ich zum Frühstück komme, dann ist er natürlich schon weg...«

»Ja.«

»Und dann, ach Gott, es war in der letzten Zeit so viel... auch sonst –«

»Wie meinst du das?«

»Schließlich schämt man sich auch, nachzuforschen, wo der Mann seine Nächte verbringt –«

Als Doktor Hahn, um sein tiefes Verständnis darzustellen, die Hand auf ihr Haar legt, genügt es, damit sie plötzlich weint, tonlos, aber man sieht es ihren schmalen Schultern an, daß sie schluchzt; Doktor Hahn streicht ihr immer noch das Haar:

»Nicht doch... nicht doch...«

Er legt die Zigarre weg.

»Elsa...!«

Sie nimmt sein Taschentuch.

»Glaubst du«, sagt sie unter langsam nachlassendem Schluchzen: »daß er es gewußt hat – wegen uns beiden...?«

Es klopft.

Nach einer ratlosen Weile, als beide darauf warten, daß es nicht stimmt, was sie hörten, und daß das Klopfen nicht wiederkommt, klopft es abermals, und Elsa schiebt das Taschentuch in den Ärmel, es ist Wut, was sie aufrichtet; entschlossen geht sie zur Türe:

»Jetzt ist es aber wirklich genug –«

Sie öffnet die Türe, wo vorher das Dienstmädchen erschienen ist, die Person, die sie nicht ausstehen kann, und scharf und böse kommen ihre Worte:

»Diese schamlose Schnüffelei, glauben Sie eigentlich, ich lasse mir das noch lange gefallen – Inge?... Inge? Inge?«

Doktor Hahn sagt:

»Vielleicht war es an der andern Türe –«

Es klopft zum drittenmal.

»Herein?«

Der Hellseher, als er aus dem Schlafzimmer kommt, macht die gleiche Verbeugung wie zuvor, ebenso überflüssig und ebenso theatralisch, indem er seine Flossen reibt:

»Entschuldigen Sie –«

»Nichts zu entschuldigen!«

»Ich sehe eben, daß es sieben ist. Wenn es stimmt? Um acht Uhr habe ich Vorstellung –«

»Sie müssen gehen?«

»Es tut mir leid«, sagt er und schaut nach seinem Mantel: »aber wir haben eigentlich gesehen, was man sehen kann –«

Schweigen voll mißtrauischer Erwartung.

»Sehr ordentlich, sehr ordentlich –.«

Dann zieht er seinen Mantel an, der über einem Sessel gehangen hat, und die beiden andern sind so voll Frage, daß sie ihm nicht mit einer einzigen Gebärde helfen, obschon er sich lange genug mit dem zweiten Ärmel herumwürgt.

»Am meisten«, sagt er: »Am meisten sehe ich ihn hier – hinter diesen Wänden...«

»Lebend?«

»Ja, das schon...«

Elsa setzt sich:

»Lebend.«

»Ja, sogar sehr...«

»Aber?«

»Ich sehe nicht wo.«

Doktor Hahn beißt sich die Lippe, wie er es öfter tut, wenn er sich in einem lächerlichen Verhör beherrschen muß:

»Schade«, sagt er höflich: »sehr schade.«

Dann ist der Mantel angezogen.

»Ich sehe nur, wenn Sie gestatten, daß ich das sage – ich sehe den Herrn Oberrichter... aber Sie müssen nicht erschrecken, wenn ich das sage; ich habe den Herrn Oberrichter sonst noch nie gesehen –.«

»Nun?«

»Wie soll ich sagen...?«

Er tastet sein Kinn:

»Jedenfalls sehe ich ihn mit einer Axt in der rechten Hand –.«

Elsa blickt nach ihrem Freund:

»Mit einer Axt?«

»Ja, das sehr deutlich...«

»Mit einer Axt? Das ist ja lächerlich! Karel mit einer Axt in der Hand? In unserem ganzen Hause gibt es keine Axt...!«

»Vielleicht gerade drum, Frau Oberrichter.«

Elsa scheint erleichtert:

»Was macht er denn mit der Axt?« lächelt sie: »Bäume fällen?«

Der Hellseher nimmt den Hut:

»Hoffen wir es –.«

Das also ist alles, Kabarett, wie man erwarten konnte, und obschon es geschmacklos ist, obschon man überhaupt kein Ergebnis in der Hand hat, empfindet es Elsa als eine eigentliche Erleichterung, daß man nicht wirklich durch die Wände sehen kann; ihre Lustigkeit, die sie nicht zeigen darf, verwandelt sie, indem sie den Hellseher hinausbegleitet, in eine Höflichkeit von bezaubernder Eleganz; eine ganze Weile noch hört man sie draußen im Flur, ohne daß man ihre Worte versteht... Doktor Hahn, als er sich allein im Zimmer seines verschollenen Freundes befindet, öffnet ein kleines Schränklein, nimmt zwei Gläser heraus und einen Cognac, dem man glauben wird, daß es ein alter ist. Bevor er aber eingießt, dreht er noch das Radio an, das eine leise verschwommene Musik gibt, und als auch die Ständerlampe leuchtet, haben wir eine Ecke, wie man sie gemütlicher und gediegener nicht wünschen kann.

Das Radio spricht:

»Beim dritten Ton ist es genau neunzehn Uhr – zehn Minuten – dreißig Sekunden… Sie hören die Nachrichten aus dem Inland: –«

Elsa, die mit einem wortlos lächelnden Einverständnis zurückkommt, fast lustig und beschwingt, so daß man wieder die gehenden Oberschenkel unter ihrem anliegenden Kleide sieht, findet ihn gerade, wie er die beiden Gläschen füllt; sie sagt nichts, nimmt eine Zigarette in ihre runden und lassen Lippen, wirft ihr Haar aus der Stirne, und überhaupt gibt ihr die Erleichterung einen fast jugendlichen Zauber, einen Reiz, der die Eleganz schon nicht mehr brauchte, und man beneidet den Mann, der sich mit dieser Frau unter die Ständerlampe setzen wird… Das Radio spricht:

»Ferner wird das Folgende gemeldet:«

Hahn gibt ihr den Cognac.

»Ein schweres Verbrechen ereignete sich gestern an unserer Grenze. Drei Zöllner, die ihren gewohnten Dienst versahen, wurden mit der Axt erschlagen. Vom Täter fehlt bisher jede Spur. Es ist anzunehmen, daß der Täter auf einem Pferde reitet, das einem Bauern gestohlen worden ist…«

Fünfte Szene

Inge, da sie ihr Haar nun gelöst hat, ist kaum wiederzuerkennen; es fliegt im Wind; ihre wassergrauen Augen, die über den starken Backenknochen und weit außen an den Schläfen sitzen, funkeln wie nie zuvor, und niemand, wären nicht die beiden Schneidezähne, würde ihr ein solches Gelächter zutrauen, wenn sie die Arme emporwirft und ruft:

»Herrlich sind wir und frei!«

Alle sind betrunken, und ihre Schnapsflaschen sind leer, es sind die Köhler, welche das schwarze Holz machen, es sind die Taglöhner, die den Lehm stechen, es sind die Heizer, die beim Ofen schwitzen, es sind die Arbeiter, welche die Röhren brennen, es sind die Weiber, welche die Kinder haben, immer neue Köhler und Taglöhner und Heizer und Arbeiter, die um der Röhren willen leben, und ein alter Handlanger, der nicht mehr stehen kann, hebt sein leeres Glas und ruft aus einem Mund, der fast ohne Zähne ist:

»Lang lebe der Graf!«

»Er lebe«, rufen sie: »Er lebe!«

»Lange lebe die Gräfin!«

»Sie lebe«, rufen sie: »Sie lebe!«

Der Graf auf dem Pferd:

»Und es lebe ein jeder, der es versteht; lang ist die Nacht, kurz ist das Leben; verflucht ist die Hoffnung auf den Feierabend, heilig ist der Tag, und es lebe ein jeder, solang die Sonne scheint; herrlich ist er und frei...«

Jubel ohne Ende.

Der Graf lächelt vom Pferd:

»Es ist das letztemal, Brüder, daß wir zusammen getrunken haben –«

»Nicht doch!«

»Das soll er nicht sagen, Herr Graf, er hat uns versprochen, daß es immer so geht!«

»Warum das letztemal?«

»Ich habe versprochen: Es fließt euch die Milch, solang ihr nicht fragt, woher sie kommt, und es fließt euch der Honig, solang ihr nicht fragt. Nehmt alles zusammen, so habe ich gesagt, und bringt es hieher, wir wollen es essen, trinkt euren Branntwein zur Feier des Tages, und wenn ihr den letzten Tropfen bringt, den letzten Tropfen im Dorf, und keiner fragt, was nachher wird –«

»Der letzte Tropfen im Dorf!« lacht einer von den Köhlern: »Da hat er ihn, Herr Graf, der letzte –.«

Und er wirft sein leeres Glas.

»Ich habe versprochen, ich werde euch die Freude bringen, solang ihr nicht fragt, und war es nicht da, was ich versprochen habe?«

»Aus unseren Kellern, ja –.«

»Ich frage: War die Freude nicht da?«

Sein Pferd schüttelt die Mähne; er muß die Zügel reißen, damit es auf der Stelle bleibt, damit es nicht plötzlich durch die murrende Menge springt, und nochmals ist es der alte Handlanger, der aufzustehen versucht:

»Der Graf hat recht«, lallt er: »es war eine Woche, wie sie hierzulande noch keiner erlebt hat... sagt, was ihr wollt – Es lebe der Graf!«

Schweigen.

»Ich hielt mein Versprechen, solang ihr das eure gehalten; ich habe nach unseren Gütern geschickt, damit wir euch speisen, solange ihr lebt; ich habe nach Kleidern geschickt, wie ihr sie noch niemals erschaut habt, meine Brüder, nach seidenen Tüchern für eure Weiber und Mädchen –«

»So war es ausgemacht, das ist wahr.«

»Ich habe nichts von seidenen Tüchern gesehen«, ruft einer, »und wenn ich noch so viel Branntwein hätte –«

»Auch das ist wahr, Herr Graf, wie unsre leeren Keller und Kasten!«

Der Graf auf dem Pferd:

»Warum hat man gefragt, wer ich bin? Warum ist man in das Nachbardorf gegangen, um nachzuforschen, ob ich dort mein Wort gehalten habe? Warum verstreut ihr Gerüchte, daß ich das Nachbardorf in Brand gesteckt? Warum glaubt ihr mir nicht? Warum hocken Leute unter euch, die ein Netz nach mir werfen?«

Sie schweigen.

»Es wird ihnen nicht gelingen.«

Der Handlanger:

»Ich verstehe kein Wort...«

Das Pferd, das als erstes den Rauch riecht, läßt sich nicht mehr halten, und der Graf, als es sich aufbäumt mit rutschenden Hufen, kann nur noch die Worte rufen:

»Löscht eure Häuser!«

Nach einer Stunde noch, wenn sie zurückschauen, sehen sie die glühenden Wolken über dem Dorf, das betrunken ist; wie rote Fahnen weht es auf den Dächern; mit Augen, die vom Rauch entzündet sind, stehen die wehrlosen Köhler und Taglöhner und Arbeiter und Handlanger.

»Verschwunden ist er.«

»Wir sind verraten und verlumpt.«

Inge lacht:

»Warum schaust du zurück?«

»Es ist der Himmel, der die Heide rötet.«

»Es ist die Heide, die den Himmel rötet.«

»Was habe ich getan?«

»Weiter, Freund, weiter...«

»Ich weiß nicht, was geschehen ist. –«

»Der Weg ist offen, Graf von Öderland, herrlich bist du und frei!«

»Herrlich bin ich und frei; aber wo, meine Seele, wo führst du mich hin?«

Sechste Szene

Der Mörder in der Zelle:

»Ich liege auf der Pritsche, die der Staat mir gibt, und weiß nicht, ob es Montag ist oder Freitag. Warum soll ich Reue zeigen, wenn ich sie nicht fühlen kann? Vielleicht ist heute gerade Montag, und wenn ich hinauskäme, weil ich Reue zeige, was wäre verändert? Wenn ich diese Mauern sehe, manchmal meine ich, man müßte sich nur erheben, und die Mauern fielen uns wie Staub von den Schultern. Aber wohin soll ich gehen? Was hätte ich gewonnen? Das Schönste, was ich erlebte, war der Freitag. Wenn man wußte: morgen ist Samstag. Am Samstag arbeitete man und wußte: morgen ist Sonntag. Am Sonntag war jedesmal ein Fußballspiel, aber schon in der Pause war es gräßlich, das wußte ich, schon in der Pause war die Angst auf den Montag, und wenn man nach Hause ging, sah man die Menschen, wie sie Gebäck und Kuchen kauften. Das Schönste, glaube ich wirklich, war der Freitag, wenn es gegen Abend ging. Einmal wurde ich geliebt. Es war ein sehr junges Mädchen, das eben aus der Schule entlassen war, und auch damals wußte ich nicht, ob es Montag ist oder Freitag, genau wie jetzt. Jeden Abend wartete sie vor dem Ausgang unserer Bank. Das ging fast ein Jahr. Dann hatte sie genug von mir, denn sie war sehr viel jünger und hatte einen andern, so daß ich eifersüchtig wurde und häßlich, und das ist eigentlich das einzige, was ich bereue. Ihren Namen werde ich niemals sagen. Sonst bringt man sie vor das Gericht, wo sie mich ansehen muß, und wenn ich dann in Reue zusammensacke, miß-verstehen sie es. Auch ein Hauswart ist ein Mensch; wer zwei-felte daran? Aber wieviel wert ist der Mensch? Zeitweise im Ge-richt, wenn ich die vielen Leute sehe, vor allem die dreizehn Geschworenen, die ihren Laden und ihre Werkstatt verlassen haben, damit Recht geschieht, empfinde ich es wie einen Trost: daß ihnen der Mensch so viel wert ist, wenn er erschlagen ist. Es war nicht zu erwarten, solange er die Türe bediente. Es war nicht zu sehen...«

Er horcht, dann springt er auf, und zwar so, daß der eine Fuß auf dem Boden steht, der andere auf der Pritsche; hinter ihm die graue Wand und das vergitterte Fenster, das gerade Morgen-sonne hat. So steht er und horcht, man sieht die Kette von Hand-gelenk zu Handgelenk:

»Wer da? Wer da...?«

Es vergeht eine ziemliche Weile mit Schlüssellärm, mit Stim-men, die vor der Türe gedämpft werden. Endlich öffnet sich die Türe; es erscheint ein Herr im Mantel, und der Mörder fragt:

»Wer sind Sie?«

Der Herr im Mantel, der von dem Mörder keinerlei Notiz nimmt, wendet sich in die Türe zurück und sagt seinerseits:

»Darf ich die Herren bitten?«

Sie treten ein, nicht ohne Umstände, indem einer dem andern den Vortritt überlassen will; einzelne tragen eine schwarze Melone, und auch ein General ist dabei; nach und nach sind es zwölf oder dreizehn Personen, so daß die Zelle allerdings voll ist, und der Herr, der als erster eingetreten ist, sagt:

»Meine Herren, Sie haben den Tatort gesehen, Sie haben die Axt gesehen, Sie befinden sich nun in der Zelle des Mörders. Auch hieher haben wir Sie bemüht, damit Sie sich persönlich überzeugen können, ob die Angaben, die Sie aus der letzten Note unserer Regierung kennen, zutreffen oder nicht. Der Mörder bewohnt diese Zelle seit acht Monaten. Außer den Stunden, da man ihn zu den Verhandlungen führte, hat er die Zelle nicht verlassen. Gesprochen haben mit ihm: sein Anwalt, der Oberrichter, ferner die Wächter, die wir Ihnen ebenfalls noch vorstellen werden. Das einzige Fenster, das Sie sehen, blickt nach dem Himmel; Zeichen auf die Straße hinaus sind nicht möglich, abgesehen davon, daß noch die Mauer dazwischen wäre; auch davon können sich die Herren überzeugen.«

Einzelne blicken sich um.

»Was ich noch beifügen darf: der Mörder weiß bisher nichts von den Vorfällen an der Grenze, ebensowenig von den Ereignissen der letzten Woche, welche die hohe Regierung unseres Nachbarlandes zu dem schweren Verdacht veranlaßt haben. Außer dem Umstand, daß sämtliche dieser Verbrechen mit einer Axt vollbracht worden sind, sehen wir keinerlei Zusammenhänge, die auf eine verschwörerische Einmischung in die inneren Angelegenheiten unseres Nachbarlandes schließen lassen; der Vorwurf, der die freundliche Beziehung zwischen unseren Völkern gefährdet, wird von unserer Regierung auf das entschiedenste zurückgewiesen. Unsere Regierung ist glücklich, daß sie Ihre zahlreiche Delegation hat empfangen dürfen, insbesondere auch die Herren aus dem Ministerium des Innern, aus dem Ministerium für Volkswirtschaft, aus dem Ministerium für Landesverteidigung. – Ich bitte nun die Herren, Ihre allfälligen Fragen an den Häftling persönlich vorzubringen.«

Der Mörder steht wie zuvor, reglos, das linke Bein auf dem Boden, das andere auf der Pritsche, so wie er aufgesprungen ist; die Kette von Handgelenk zu Handgelenk. Man wartet auf die

Fragen. Es sind durchaus keine komischen Figuren, im Gegenteil; komisch ist höchstens, wo sie das Übel suchen.

Siebente Szene

Es könnte in der Bretagne sein, vielleicht auch im Süden: durch eine Türe, die offensteht, sieht man das Meer, und das Schiff, das vor Anker liegt, ist das bekannte Wikingerschiff. Im übrigen ist es eine Hotelhalle, wie sie eben sind; vor einem Brett, wo die Schlüssel hangen, und vor einem Gestell, wo die Briefe warten, steht ein Concierge, der ein schwarzes Buch aufgeschlagen hat, und vor dem Buch steht ein Gendarm, der die Nase rümpft:

»Graf von Öderland?«

»Mit Gräfin – ja.«

»Seit drei Wochen? Und keine Meldung, keine Papiere, nichts?«

»Natürlich hat er Papiere...«

»Wo?«

»Wir sind ein Grand Hotel, sage ich noch einmal, nicht eine Kneipe für Landstreicher!«

»Sie wissen, daß Sie strafbar sind?«

»Strafbar ist man immer... Herrgott nochmal, soll ich die Herrschaften denn überfallen? Oder wie? Schon am ersten Abend sagte ich, der Herr Graf möge uns gelegentlich die Pässe geben –«

»Gelegentlich.«

»Kaum sind die Leute da, kaum haben sie verschnauft –«

»In drei Wochen: kaum verschnauft, das muß eine anstrengende Reise gewesen sein, gewissermaßen ein Galopp...«

Der Gendarm, als der andere nicht lacht über seinen entgegenkommenden Spaß, nicht einmal lächelt, kann nicht anders, als daß er sich ganz auf den amtlichen Ton zurückzieht, und zwar endgültig:

»Wenn die Papiere bis morgen nicht in unserer Hand sind, spätestens bis morgen um diese Zeit –«

»Aber natürlich!« sagt der Strafbare: »Ich werde die Herrschaften bitten, sobald sie vom Golf zurückkommen, das ist ja klar, aber ich kann doch nicht mit dem Buch auf die Golfwiese gehen, ganz abgesehen davon –«

Der Gendarm ohne Mütze:

»Ein vorbildliches Hotel!« lacht er und trocknet den Schweiß aus seiner Mütze: »Das möchte ich auch einmal erleben, wahrhaftig – da kann einer kommen und sagen, ich heiße Graf von Sowieso, und alles ist gut, drei Wochen sitzt er in den besten Zimmern, die man hat, man bringt ihm das Frühstück ans Bett – kein Papier und nichts, keine Unterschrift... und jedermann glaubt ihm, daß er kein Landstreicher ist –«

»Landstreicher spielen nicht Golf.«

»Das möchte ich auch einmal erleben!«

»Offen gestanden«, tröstet ihn der Concierge, vertraulicher, da er plötzlich einen Menschen ohne Mütze sieht: »eine Zeitlang haben wir uns selber Sorge gemacht, so in der zweiten Woche, muß ich sagen –«

»Wegen der Papiere?«

»Wegen der Rechnung –«

Der Gendarm setzt die Mütze wieder auf:

»Die hat er auch nicht bezahlt?«

»Wenn einer sich eine Yacht kaufen kann, wissen Sie – man hört so allerlei, wenn man den ganzen Tag in dieser Halle stehen muß – und überhaupt, seit er Golf spielt, sind wir beruhigt; sie sagen sogar, er spiele vortrefflich, und ob einer ein wirklicher Graf ist oder nur so tut, ob einer verheiratet ist oder nur so tut, uns kümmerts, daß er zahlen kann!«

»Uns kümmern die Papiere, nichts weiter, ob er zahlt oder nicht.«

»Papiere...!«

Der Gendarm grüßt mit der Hand an der Mütze, zum Gehen entschlossen, bevor die Plauderei seine amtliche Haltung zersetzt.

»Herrgott nochmal«, wehrt sich der Concierge gegen die neue Bedrohung: »wie soll einer hieherkommen, wenn er keine Papiere hätte? Heutzutage! Wie soll er über alle die Grenzen und Zonen kommen, wie sollte ein Mensch, der keine Papiere hat, bis zu dieser Schwelle gelangen? Heutzutage! Es ist ja lächerlich!«

»Das stimmt auch wieder – ja...«

»Ich meine!«

»Daß es lächerlich ist, das muß mir keiner sagen! Ich kenne das: ich habe es bis da... Haben Sie die Geschichte gelesen neulich in der Zeitung? Daß einer die Zöllner erschlagen hat, weil er keine Papiere hatte –.«

»Erschlagen?«

»Mit der Axt.«

»Schauderhaft! Schauderhaft!«

»Ich verstehe das –«

Man hört ein weibliches Gelächter, und sie treten zurück, wie über einem verbotenen Gespräch ertappt: es kommen Inge und der Graf, der stets seine Ledermappe bei sich hat, beide sind in sommerliches Weiß gekleidet, und Inge hat die Hand in seinen Arm gelegt... Der Concierge verbeugt sich:

»Guten Morgen den Herrschaften!«

»Post?«

»Bedaure, Herr Graf, bedaure!«

»Noch immer nichts...«

»Die Herrschaften wegen der Yacht lassen sagen, sie erwarten die Herrschaften nebenan in der Bar.«

Der Graf wirkt zerstreut:

»Immer noch nichts«, murmelt er: »man könnte wirklich meinen, alle Welt habe uns vergessen...«

»Die Herrschaften wegen der Yacht lassen sagen, sie erwarten die Herrschaften nebenan in der Bar«.

»Danke, danke...«

Der Concierge begibt sich gegen die Bartüre, beflissen, dann aber zögernd, da der Graf noch stehenbleibt.

»Was ich noch fragen wollte«, beginnt er langsam und in der gelassenen Art eines Menschen, der gewohnt ist, daß jedermann auf seine Worte wartet: »was ich noch fragen wollte – Sie sind doch Gendarm?«

»Allerdings.«

»Mein Mann meint immer, er kenne Sie!«

»Mich?«

»Im Ernst«, lächelt der Graf: »aber ich erinnere mich nicht –«

»Ich auch nicht.«

»Waren Sie einmal bei uns in Öderland?«

»Öderland?«

»Siehst du!« sagt Inge: »Er kennt es nicht einmal dem Namen nach.«

»Sie haben eine sehr großè Ähnlichkeit mit einem sehr ähnlichen Menschen, der einmal lange Zeit bei mir gedient hat –«

»Auf unserem Gut, verstehen Sie!«

»Als Bienenzüchter, glaube ich.«

»Ich?«

»Oder als Reitmeister vielleicht?«

»Reitmeister?« sagt der Gendarm und scheint von dem bloßen Wort schon benommen: »Das käme mir nicht ungelegen, muß ich sagen, Reitmeister oder so...!«

Er lacht unsicher.

»Sie sind nicht gerne Gendarm?«

»Offen gestanden, Herr Graf, offen gestanden –«

»Ich verstehe das.«

Unterdessen hat der Concierge, damit die Herrschaft sich nicht länger mit dem Gendarmen aufhalten muß, die Schiebetüre geöffnet, die zur Bar führt; man hört Musik, die aus einem Radio kommt, eine leise verschwommene Musik, und die Herrschaften wegen der Yacht, die in der Bar warten, sitzen in gediegenen Polstersesseln; sie rauchen eine Zigarette; sie trinken einen Cognac; es sind Elsa und Doktor Hahn... Aber der Graf, der von einer unaufdringlichen und gewinnenden Leutseligkeit ist, redet noch immer mit dem Gendarm, der ihn an einen Bienenzüchter erinnert.

»Und warum sind Sie denn Gendarm?«

»Ja, Herr Graf, wenn unsereiner tun und lassen könnte, was er möchte!«

»Warum nicht?«

»Ja – warum nicht…«

»Kurz ist das Leben«, sagt der Graf mit einem halben Lächeln und so, wie man ein sehr bekanntes Zitat sagt: »groß ist die Nacht, verflucht ist die Hoffnung auf den Feierabend, heilig ist der Tag, solang die Sonne scheint, und es lebe ein jeder, solang die Sonne scheint, herrlich ist er und frei.«

Der Gendarm schweigt ihn an.

»Im Ernst gesprochen –«

»Herr Graf haben ganz recht!« nickt der Gendarm: »Auch unsereiner möchte lieber auf einer Yacht herumfahren –.«

Der Graf blickt auf Inge:

»Dann soll er doch mit uns kommen, meine ich, als Matrose oder Koch oder so?«

Inge nickt.

»Das heißt, wenn Sie dazu Lust haben?«

»Lust?«

»Wir fahren morgen oder übermorgen.«

»Meinen Herr Graf das im Ernst?«

»Warum nicht.«

Der Gendarm, nicht gefaßt auf die Gelegenheit, die er ein Leben lang erwartet hat, erschrocken vor dem bloßen Gedanken, daß es sich erfüllen könnte, blickt bald auf den Grafen, bald auf die Gräfin; er möchte lachen, als machten sie nur einen Scherz, aber das Lachen verstummt ihm im offenen Mund, und es läßt sich nicht aufhalten, daß er selber daran glauben muß; befremdet von seinem eigenen Glauben, fast entsetzt, daß es möglich ist, sucht er nach Hindernissen:

»Ja, wenn man bloß Urlaub hätte –.«

»Nichts leichter als das.«

»Und die Erlaubnis zur Ausreise –.«

»Nichts leichter als das.«

»Meinen Sie?«

»Im Ernst, nehmen Sie eine Axt.«

»Wie der in der Zeitung, ja…«

Inge unterbricht:

»Man sollte mit diesen Dingen nicht scherzen –«

Der Gendarm hält zum Mann:

»Herr Graf haben aber ganz recht! Manchmal kommt man wirklich auf solche Gedanken, auch wenn es nicht in der Zeitung stünde, aber zum Glück hat man nicht immer eine Axt in der Hand –.«

»Ich habe immer eine.«

»Aber Karel!«

»Hier in der Mappe.«

Der Gendarm lacht.

»Ich könnte nie einen Menschen töten«, sagt der Graf: »aber einen Zöllner ohne weiteres, einen Gendarm ohne weiteres...«

Der Gendarm lacht noch mehr.

»Überlegen Sie es sich bis morgen, das wegen der Yacht. Ob Sie ein Mensch sein wollen oder ein Gendarm, ob Sie leben wollen oder nicht. Spätestens bis morgen um diese Zeit.«

Sie gehen in die Bar.

Die Musik wird lauter, doch bleibt sie verschwommen, ein Lullen, das die Worte mit einer sinnlichen Stimmung umschwemmt, wie man das kennt: man kann lauter banale Worte reden, hat aber das Gefühl, man rede ganz aus der Tiefe eines vollen Herzens; auch das Gespräch geht wie auf einem weichen Teppich...

Der Gendarm draußen:

»Humor hat der Mensch!«

»Und die Papiere?« fragt der Strafbare: »Warum haben Sie ihm nicht die Papiere verlangt?«

»Bienenzüchter! Reitmeister!«

»Ich frage nach den Papieren –«

»Wenn man so denkt, was man anfangen könnte mit seinem Leben, Matrose auf einer Yacht, die rings um die Erde segelt, und was man in Wirklichkeit ist – hier...«

»Ein Gendarm –«

»Ein Arschloch mit Mütze, ja.«

»Pscht!«

»Aber Humor hat der Mensch...«

Unterdessen haben sich die Herrschaften begrüßt, wie sich

fremde Leute begrüßen, die gleicherweise in einem Grand Hotel wohnen; eine gewisse Übereinkunft ist von vornherein da, und käme sie auch nur daher, daß man die gleiche Kost genießt. Gestern gab es Hummer beispielsweise, und wäre er schlecht gewesen, so hätte er die Herrschaften, woher sie auch immer kommen mögen, gemeinsam vergiftet. Irgendwie gehört man zusammen. Übrigens war der Hummer nicht schlecht. Viel Elend ist in der Welt, gewiß, aber es gibt Oasen, und ein Anflug von schlechtem Gewissen, worüber man nicht spricht, wirkt ebenfalls verbindend. Man weiß: das Schicksal, wie es auch verlaufen mag, wird uns ähnlich behandeln. Irgendwie gehört man einfach zusammen, was sich schon in den gleichen Manieren verrät, und ein gewisses Gefühl, daß man sich irgendwie schon kenne, kann also nicht verwundern...

Sie setzen sich.

Das Gespräch geht um die Yacht, die man draußen vor Anker liegen sieht, und um den Vertrag, den der Graf unterzeichnen soll, damit die Yacht fortan sein Eigentum wird; er hat bereits seine Füllfeder aus der Tasche genommen, der Graf, öffnet sie und hält sie in der Hand, indem er von der Südsee erzählt, als wäre er mehrmals dort gewesen:

»Sie kennen die Südsee nicht?«

»Nein –«

»Ich finde sie das Schönste, was ich auf Erden gesehen habe...«

Dann, bevor er unterschreibt, wirft er noch einmal einen kurzen Blick auf den Vertrag, übrigens zum erstenmal, und es bleibt fraglich, ob er wirklich den Text liest; seine Gebärde kommt nicht aus eigentlichem Interesse, sondern mehr aus Höflichkeit.

»Eine gewisse Schwierigkeit«, sagt er: »besteht vielleicht darin, daß wir die Summe, die ich weiter nicht bereden möchte, leider nur in unserer Währung bezahlen können – in öderländischen Kronen... Wegen der Ausweise, welche die Hafenbehörde verlangt, müssen Sie sich keine Sorgen machen; ich werde die Ausreise schon bekommen –.«

»Sind Sie sicher?«

»Sobald ich die Yacht habe, o ja.«

»Man ist heutzutage sehr streng.«

»Nichts leichter als das!« lächelt der Graf: »Wenn Sie keine Papiere haben, nehmen Sie eine Axt – haben Sie nicht die Zeitungen gelesen?«

Sie schauen ihn an.

»Ich habe immer eine bei mir...«

»Aber Karel!«

»Im Ernst«, sagt der Graf: »wo käme man hin ohne Axt? Heutzutage! In dieser Welt der Papiere, in dieser Welt der Grenzen und Marken, der Gesetze und Schranken und Steuern –«

Das alles sagt er ganz beiläufig, wie man einen alten Witz erzählt, plaudernd, während er den Vertrag unterzeichnet, er tut es in der Art eines Mannes, der sehr viel unterzeichnet hat; er schraubt seine Füllfeder zu, schaut, ob die Schrift schon trocken sei – das Schiff, das er mit dieser Unterschrift erworben hat, befindet sich nicht mehr im Hafen, wo man es vor Anker liegen sah, sondern es steht auf dem Tisch, wohin der andere es unterdessen gestellt hat, und als der Graf aufblickt, indem er gerade die Füllfeder einsteckt, sieht er das bekannte Wikingerschiff mit den pergamentenen Segeln... er schweigt, reglos blickt er auf das Ding; man sieht nur, wie er atmet.

Das Radio spricht:

»Beim dritten Ton ist es genau zwölf Uhr – zehn Minuten – zwanzig Sekunden... Sie hören die Nachrichten aus dem Ausland: –«

Langsam hebt er seinen Blick; er betrachtet die beiden, die ihm gegenüber sitzen, und endlich sagt er:

»Doktor Hahn?«

»Ja –.«

»Also doch«, wendet er sich zu Inge: »Ich hatte oft den Verdacht, daß die beiden ein Verhältnis haben –«

Elsa kann sich nicht halten:

»Du mußt etwas sagen, gerade du, der mit dem Dienstmädchen herumreist!«

Hahn faßt ihren Arm:

»Darum geht es jetzt nicht.«

»Sondern?«

Der Graf erklärt es ihr:

»Man will mich verhaften –«

Dabei nimmt er seine Ledermappe:

»Aber es wird nicht gelingen.«

Ohne besondere Hast nimmt er die Axt heraus, so wie man Akten herausnimmt, gelassen und schon gelangweilt von der Gewöhnung; zwei oder drei Atemzüge lang schauen sie ihm zu, als glaubten sie es nicht; dann springen sie auf, wie von ihrem eigenen Schrei emporgerissen –

Inge sagt:

»Warum zögerst du wieder?«

Das Radio sagt:

»Aus Haifa wird gemeldet, daß ein weiteres Schiff mit jüdischen Einwandrern, die nach Palästina wollen, an der Einfahrt verhindert werden mußte. Das Schiff liegt mit leichter Schlagseite auf offener See. Infolge dieser Nachricht sind neue Unruhen ausgebrochen; jüdischen Terroristen ist es gelungen, einige Öltanks mit Bomben anzugreifen; das Feuer, das bisher nicht einzudämmen war, nimmt immer größeren Umfang an.«

Doktor Hahn ruft nach dem Gendarm –

Das Radio sagt:

»In mehreren deutschen Städten sind die Grubenarbeiter neuerdings in den Hungerstreik getreten; die Zufuhr von Kartoffeln soll beschleunigt werden, soweit die Verkehrswege es gestatten; falls es zu weiteren Ausschreitungen kommen sollte, sähen sich die Behörden gezwungen, das Standrecht anzudrohen.«

Doktor Hahn ruft nach dem Gendarm –

Das Radio sagt:

»Aus den Vereinigten Staaten kommt die Nachricht, daß die Neger weiterhin zu Versammlungen aufrufen, die an die Hunderttausende gehen; in einzelnen Gegenden soll die drohende Haltung, welche die Neger einnehmen, bereits zu blutigen Zusammenstößen geführt haben.«

Doktor Hahn ruft den Gendarm –

Inge:
»Graf Öderland geht um die Welt,
Graf Öderland geht mit der Axt in der Hand,
Graf Öderland geht um die Welt!« Usw.

Genua, Oktober 1946

Endlich wieder einmal das Meer! Wir sind selig. Wir haben ein
Zimmer im obersten Stock und es fehlt nicht der Mond, der uns
das Meer beglänzt, damit wir es um Mitternacht noch sehen
können. Wir haben sogar, wie ich später entdecke, einen kleinen
Balkon. Als ich hinaustrete, um einmal hinunterzuschauen in die
nächtlichen Gassen von Genua, hinunter in diese Schluchten voll
lärmender Stadt, gewahre ich erst die Leere, die neben uns klafft:
die Trümmer sind gänzlich geräumt, vorbildlich, man sieht bis
in den Keller hinunter, und leider sage ich es Constanze, wie es
aussieht jenseits der Wand, die mit blumiger Tapete, sogar mit
Bildern geschmückt, zu Häupten unseres Schlafes steht –.

Der Brief eines Freundes rührt einmal mehr an die Frage, ob es
zur Aufgabe irgendeiner künstlerischen Arbeit gehören kann,
sich einzulassen in die Forderungen des Tages. Daß es zur bürgerlichen und menschlichen Aufgabe gehört, daran läßt sich
kaum zweifeln. Das Kunstwerk aber, schreibt er, müßte sich
darüber erheben. Vielleicht hat er recht; aber das entschiedene
Nein, das er auf seine Frage gibt, ist nicht minder gefährlich als
das Ja. Die beste Antwort, die mir in dieser immer wieder be-
drängenden Frage bekannt ist, stammt von Bert Brecht:
    »Was sind das für Zeiten, wo das Gespräch über Bäume fast
ein Verbrechen ist, weil es ein Schweigen über so viele Untaten
einschließt.«
    Am andern Morgen, um das Meer auch aus der Nähe wieder-
zusehen, gehen wir hinunter in den Hafen, der ebenfalls ziemlich
zerstört ist. Ein versenktes Schiff, das nur mit Schlot und Masten
aus den Wellen ragt, erinnert an den Traum damals in der Nacht
um Würzburg. Fast eine Stunde schauen wir zu. Man ist dabei,

es zu heben; eine riesenhafte Arbeit. Später hören wir, daß es ein Flugzeugträger sei.

Portofino Mare, Oktober 1946

Alles in allem ist es wie ein Spuk, man fährt sich über die Stirne, und wenn man aufschaut: das Meer – es brandet und tost, aber es ist zehn Jahre später, und man sieht es der Brandung nicht an, dem Wind nicht in den silbernen Oliven –

Das Kirchlein ist zerstört.

Wir sitzen lange auf einem deutschen Bunker, Ginster blüht um die rostenden Geschütze, eine Eidechse guckt aus der finsteren Mündung, und ohne Unterlaß rauscht es um die steilen Felsen. Es ist unser erster Abend, und draußen beim Leuchtturm, wo wir sitzen, sehen wir nichts als einen Horizont voll Wasser. Einmal kommt ein kleiner Kutter mit Fischern, die heimkehren; er rattert und pufft, und mit pendelndem Mast torkelt er unten an den Felsen vorbei. Das Meer erscheint wie dunkle Tinte, je tiefer die Sonne sinkt; mit gleißenden Schäumen rollen die Wellen über ihre eigenen Schatten –.

Café Delfino

Im Grunde geht es wahrscheinlich darum, was wir eigentlich als Geist bezeichnen. Eine Kunst, die nach oben ausweicht, ist sicher nicht, was dieser Brief meint. Aber die Angst vor einer solchen Kunst, die das Höchste vorgibt und das Niederste duldet, ist vielleicht der Grund, warum ich einem solchen Brief nicht beistimmen kann, sooft ich ihn auch lese. Diese Angst ist nicht aus der Luft gegriffen. Ich denke an Heydrich, der Mozart spielte; als Beispiel einer entscheidenden Erfahrung. Kunst in diesem Sinne, Kunst als sittliche Schizophrenie, wenn man so sagen darf, wäre jedenfalls das Gegenteil unsrer Aufgabe, und überhaupt bleibt es fraglich, ob sich die künstlerische und die menschliche Aufgabe trennen lassen. Zeichen eines Geistes, wie wir ihn brauchen, ist nicht in erster Linie irgendein Talent, das eine Zugabe darstellt, sondern die Verantwortung. Gerade das deutsche Volk, dem es nie an Talenten fehlte und an Geistern, die sich der Forderung des gemeinen Tages enthoben fühlten, lieferte die meisten oder mindestens die ersten Barbaren unseres Jahrhunderts. Müssen wir davon nicht lernen?

Am Strand

Jeden Morgen, wenn wir an den Strand gehen, kommen wir an den Arbeitern vorbei, die den Mörtel mischen oder die Ziegel tragen; sie haben rote Kopftücher, vom Staub in ein blasses Rosa verwandelt. Ein Kind, das den Eimer kaum über den Boden heben kann mit seinen kurzen Armen, bringt ihnen das nötige Wasser. Es geht um die Mole, die von zwei oder drei Bomben zerstört ist; nicht um die Arbeit als Tugend und Lebenszweck. Sie kommen sich nicht besser vor als die andern, die unter den Bögen stehen und schwatzen. Es ist nicht der letzte Sinn ihres Tages, was sie da machen, und sie machen es vortrefflich, aber immer so, wie man vielleicht eine Sonnenblume bindet oder einen Gartensessel flickt, immer im Hinblick auf das Leben, das man sich einrichtet und schmückt, ein Leben, das sich lohnt. Nicht einen Augenblick bringen wir es auf das verwegene Gefühl, daß wir, weil wir gerade Ferien machen, freier wären als diese Leute, reicher an Leben, glücklicher als irgendeiner, der an uns vorbeigeht, barfuß-lautlos, zerlumpt, aufrecht und gelassen, ein Mensch, herrlich und gegenwärtig, ein König an Zeit –.

Manches erklären vielleicht schon die Früchte, die schwarzen Oliven, die auf der Erde liegen, die letzten Feigen, überreif und violett. Man hat den Eindruck, hier reifen die Früchte nicht als Lohn, sondern als Geschenk, und es verwundert nicht, daß hier der Mensch entstanden ist. Hier lebt er nicht aus Trotz gegen eine Schöpfung, die er täglich überlisten muß, damit sie ihn nicht vertilgt; er lebt nicht aus Mut, nicht aus der schalen Freude an täglicher Überwindung, nicht aus Tugend, sondern aus Freude am Dasein, harmloser und heiter. Das Geschenk, das hierzulande an den Bäumen wächst: die Erlösung von der Angst, die Zuversicht für morgen, die Erlaubnis zur Muße.

Das Meer ist warm, aber es geht schon ein frischer Wind, man sucht die Sonne, wenn man geschwommen ist. Auch der Sand, wenn man sich eingraben möchte, erinnert an Herbst; er bleibt an der Haut, kühl und feucht, und die Luft ist so, daß man plötzlich, wenn man mit geschlossenen Augen liegt, an unsere braunen und roten Wälder denkt. Bereits sind sie dabei, die bunten Kabinen abzubrechen, und die Barken sind auf den Sand gezogen. Jeder Tag kann der letzte sein. Nur zwei fremde Mädchen sind noch da. Ich weiß nicht einmal, welche Sprache sie reden. So mächtig lärmt das Meer, wenn es seine Wogen mit rollendem Donner auf den Strand wirft. Stundenlang schaue ich auf ihr zischelndes Verkräuseln, jedesmal spiegelt der Sand, blinkend vor Nässe, die langsam wie ein Löschblatt vermattet, und wieder bleiben die leeren Muscheln zurück, meistens andere, sie sickern in den Sand, es bilden sich die kleinen Grübchen, bis die nächste Woge kommt, sich aufbäumt und höhlt, so daß die Sonne sie durchleuchtet, und mit gischtender Krone zusammenbricht, stampfend, klatschend, kichernd. Und draußen liegt noch ein ganzes Meer voll solcher Wogen, die unter der Sonne tanzen. Einmal kriecht ein schwarzer Frachter über den Horizont; seinen Rauch sieht man einen halben Morgen lang.

Beim Lesen

Was zuweilen am meisten fesselt, sind die Bücher, die zum Widerspruch reizen, mindestens zum Ergänzen: – es fallen uns hundert Dinge ein, die der Verfasser nicht einmal erwähnt, obschon sie immerzu am Wege liegen, und vielleicht gehört es überhaupt zum Genuß des Lesens, daß der Leser vor allem den

Reichtum seiner eignen Gedanken entdeckt. Mindestens muß ihm das Gefühl erlaubt sein, das alles hätte er selber sagen können. Es fehlt uns nur die Zeit, oder wie der Bescheidene sagt: Es fehlen uns nur die Worte. Und auch das ist noch eine holde Täuschung. Die hundert Dinge nämlich, die dem Verfasser nicht einfallen, warum fallen sie mir selber erst ein, wenn ich ihn lese? Noch da, wo wir uns am Widerspruch entzünden, sind wir offenbar die Empfangenden. Wir blühen aus eigenen Zweigen, aber aus der Erde eines andern. Jedenfalls sind wir glücklich. Wogegen ein Buch, das sich immerfort gescheiter erweist als der Leser, wenig Vergnügen macht und nie überzeugt, nie bereichert, auch wenn es hundertmal reicher ist als wir. Es mag vollendet sein, gewiß, aber es ist verstimmend. Es fehlt ihm die Gabe des Gebens. Es braucht uns nicht. Die anderen Bücher, die uns mit unseren eigenen Gedanken beschenken, sind mindestens die höflicheren; vielleicht auch die eigentlich wirksamen. Sie führen uns in den Wald, wo sich die Wege in Sträuchern und Beeren verlaufen, und wenn wir unsere Taschen gefüllt sehen, glauben wir durchaus, daß wir die Beeren selber gefunden haben. Oder haben wir nicht? Das Wirksame solcher Bücher aber besteht darin, daß kein Gedanke uns so ernsthaft überzeugen und so lebendig durchdringen kann wie jener, den uns niemand hat aussprechen müssen, den wir für den unseren halten, nur weil er nicht auf dem Papier steht –.

Natürlich gibt es noch andere Gründe, warum die vollendeten Bücher, die nur noch unsere Bewunderung zulassen, nicht jederzeit unsere liebsten sind. Wahrscheinlich kommt es darauf an, was wir im Augenblick dringender brauchen, Abschluß oder Aufbruch, Befriedigung oder Anregung. Das Bedürfnis wechselt wohl von Mensch zu Mensch, ebenso von Lebensalter zu Lebensalter, und auf eine Weise, die man gern ergründet sähe, hängt es jedenfalls auch mit dem Zeitalter zusammen. Mindestens ließe sich denken, daß ein spätes Geschlecht, wie wir es vermutlich sind, besonders der Skizze bedarf, damit es nicht in übernommenen Vollendungen, die keine eigene Geburt mehr bedeuten, erstarrt und erstirbt. Der Hang zum Skizzenhaften, der unsere Malerei schon lange beherrscht, zeigt sich auch im Schrifttum nicht zum erstenmal; die Vorliebe für das Fragment, die Auflösung überlieferter Einheiten, die schmerzliche oder neckische Betonung des Unvollendeten, das alles hatte schon die Romantik, der wir zum Teil so fremd, zum Teil so verwandt sind. Das Vollendete: nicht gemeint als Meisterschaft, sondern als Geschlossenheit einer Form. Es gibt, so genommen, eine meisterhafte Skizze und eine stümperhafte Vollendung, beispielsweise ein stümperhaftes Sonett. Die Skizze hat eine Richtung, aber kein Ende; die Skizze als Ausdruck eines Weltbildes, das sich nicht mehr schließt oder noch nicht schließt; als Scheu vor einer förmlichen Ganzheit, die der geistigen vorauseilt und nur Entlehnung sein kann; als Mißtrauen gegen eine Fertigkeit, die verhindert, daß unsere Zeit jemals eine eigene Vollendung erreicht –.

Cesario sagt:

»Jede Ruine hat als solche einen Reiz, der außerkünstlerisch ist, also für den ernsten Künstler nicht statthaft. Man macht keine Ruinen, anständigerweise, und alles Skizzenhafte, alles Aphoristische ist eine Ruine nach der Zukunft. Denken wir an die Akropolis, gewiß, auch sie wie jede Ruine spielt mit der Wehmut, daß sie einmal ein Ganzes war; aber die Akropolis kann nichts dafür, daß sie eine Ruine ist. Ganz anders eure Skizzenkunst! Ihr spielt nicht mit der Wehmut, aber mit dem Gegenteil – mit der Hoffnung, mit dem Versprechen eines Ganzen, das da kommen soll und das ihr in der Tat nicht leisten könnt!«

Hat Cesario nicht recht?

Aphoristik als Ausdruck eines Denkens, das nie in einem wirklichen und haltbaren Ergebnis endet, es mündet immer ins Unendliche, und äußerlich endet es nur, weil es müde wird, weil die Denkkraft nicht ausreicht, und aus bloßer Melancholie, daß es so ist, macht man Kurzschluß, das Ganze als eine Taschenspielerei, um ein Unlösbares loszuwerden, indem man sich einen Atemzug lang verblüfft, damit man einen Atemzug lang nicht weiterfragt, und wenn man es später bemerkt, daß man nichts in der Hand hat als einen Knall, dann ist der Taschenspieler schon nicht mehr da – allenfalls bleibt noch die Verblüffung, daß das Gegenteil seiner Aussage, die uns eben verblüfft hat, nicht minder überzeugt; natürlich gibt es auch Aphorismen, die nicht einmal stimmen, wenn man sie umkehrt.

Und noch eins:

Der Aphorismus gibt keine Erfahrung. Er entspringt wohl aus einer Erfahrung, die er ins Allgemeine überwinden möchte; der Leser aber, der bei der Erfahrung nicht dabei war, vernimmt nur dieses Allgemeine, das sich für gültig erklärt, und obschon man nun meinen könnte, gerade das Allgemeine ginge also jeden an, zeigt es sich, daß der Leser, will er mehr als einen Kitzel haben, es seinerseits wieder auf ganz bestimmte Fälle und Personen bezieht, nämlich auf solche, die er gerade kennt. Dabei genießt er natürlich den Umstand, daß ein Wort, je allgemeiner es gefaßt ist, sich um so leichter nach allen Winden drehen läßt; der Aphorismus steht meistens zu unseren Gunsten. In einen hohlen Kopf geht viel Wissen! lese ich bei Karl Kraus, der wohl ein Meister der Aphoristik ist, und schon habe ich eine Geißel in der Hand, knalle mit bübischem Vergnügen und zwicke nach allen Bekannten, deren größeres Wissen mich immer beschämt. Wer hindert mich daran? Jedenfalls nicht der Aphorismus, der selber nicht sagt, wen er meint: also genießen wir ihn von seiner eigentlichen Schwäche her, die eben darin besteht, daß er nur Ergebnisse liefert, aber keine Erfahrung. Wer Aphoristik macht, ohne daß wir sein Leben kennen, gibt nichts als die obersten Blumenköpfe, so wie Kinder sie rupfen, keine Wurzeln daran, welche die Blüten nähren, keine Erde dazu, und die bunten Blumenköpfe bleiben eine Verblüffung, die bald verdorrt – darum die Erzählung, die auch die Wurzel liefert, ganze Klumpen von Erde daran, Mist und Dünger in Fülle.

Erzählung: aber wie?

Marion:

»Was aber, Maestro, wäre statthaft? Schauen wir auf die andorranische Kunst unsrer Tage; wir schreiben Romane, als stünde noch immer eine Sanduhr neben uns, als hätten wir nach allem, was an unheimlicher Erkenntnis zugestoßen ist, einen durchaus handlichen und sicheren Begriff von der Zeit, einen unerschütterten Glauben an Ursache und Wirkung; wir schreiben Sonette, die aufgehen, wie unser Denken leider nicht aufgeht, Sonette, als wüßte der Schreiber auf die Zeile genau, wo der Mensch aufhört, wo der Himmel beginnt, wie Gott und der Teufel sich reimen; auf alles reimt sich sein Sonett, nur nicht auf sein Erlebnis, und vielleicht kommt es daher, daß es ihm so leicht fällt. Ich weiß nicht, Maestro, ob ich sagen kann, was ich leide. Wir haben eine Quantenlehre, die ich nicht verstehe, und keiner ist aufzutreiben, der alles zusammen versteht, keiner, der unsere ganze Welt in seinem Kopf trüge; man kann sich fragen, ob es überhaupt eine Welt ist. Was ist eine Welt? Ein zusammenfassendes Bewußtsein. Wer aber hat es? Wo immer ich frage, es fallen die Wände ringsum, die vertrauten und sicheren, sie fallen einfach aus unserem Weltbild heraus, lautlos, nur die Andorraner schreiben noch immer auf diese Wände, als gäbe es sie, immer noch mit dem Anschein einer Vollendung, die in der Luft hängt. Wie aber, Maestro, wäre das statthaft und löblich? All unsere Kunst, je mehr sie in diesem Sinne gelingt, ist es nicht immer, als hätte sie ein archaisches Lächeln über sich selbst? Ich meine, Maestro, der Teufel hole die andorranische Mumie –«

Cesarios letztes Wort:

»Ich meine, nun hat der Teufel ihn geholt.«

Mindestens bleibt es fraglich, ob der Hang zum Skizzenhaften, der vorhanden ist, sich mit persönlichem Mangel erklären läßt. Die Frage nach dem Können, dem handwerklichen, verwandelt sich für jeden, der ihr sein Leben opfert, früher oder später in eine Frage nach dem Dürfen; das heißt: die handwerkliche Sorge verschwindet hinter der sittlichen, deren Verbindung wahrscheinlich das Künstlerische ergibt, und darum kann niemand machen, was er an den Alten bewundert: weil er es bestenfalls machen, aber nicht erfüllen kann, und wer mehr macht, als ihm gemäß ist, erweist sich als Stümper. So könnte es Zeiten geben, wo nur noch Stümper sich an die Vollendung wagen. Noch ist es nicht soweit. Ein Katholik beispielsweise, der sich in einer geschlossenen Ordnung glauben kann, hat natürlich die Erlaubnis zur Vollendung; seine Welt ist vollendet. Die Haltung der meisten Zeitgenossen aber, glaube ich, ist die Frage, und ihre Form, solange eine ganze Antwort fehlt, kann nur vorläufig sein; für sie ist vielleicht das einzige Gesicht, das sich mit Anstand tragen läßt, wirklich das Fragment.

Portofino Monte

Hoch über dem Meer! Sein Horizont ist mit uns gestiegen, höher und höher, und nur die Buchten sind unten geblieben. Das Meer, wenn man in die Buchten hinunterschaut, erscheint finster wie die Nacht. Ein Netz von silbernen Wellen darüber. Wie glitzernder Brokat liegen sie unter der Sonne, lautlos, und nur die Brandung verrät, daß sie einen Lauf haben; der weiße Gischt an den Felsen.

Glück als das lichterlohe Bewußtsein: Diesen Anblick wirst du niemals vergessen. Was aber erleben wir jetzt, solange er da ist? Wir freuen uns auf eine Reise, vielleicht jahrelang, und an Ort und Stelle besteht die Freude größtenteils darin, daß man sich um eine Erinnerung reicher weiß. Eine gewisse Enttäuschung nicht über die Landschaft, aber über das menschliche Herz. Der Anblick ist da, das Erlebnis noch nicht. Man gleicht einem Film, der belichtet wird; entwickeln wird es die Erinnerung. Man fragt sich manchmal, inwiefern eine Gegenwart überhaupt erlebbar ist. Könnte man unser Erleben darstellen, und zwar ohne unser Vorurteil, beispielsweise als Kurve, so würde sie sich jedenfalls nicht decken mit der Kurve der Ereignisse; eher wäre es eine Welle, die jener anderen verwandt ist, die ihr vorausläuft und wieder als Echo folgt; nicht die Ereignisse würden sich darstellen, sondern die Anlässe der Ahnung, die Anlässe der Erinnerung. Die Gegenwart bleibt irgendwie unwirklich, ein Nichts zwischen Ahnung und Erinnerung, welche die eigentlichen Räume unseres Erlebens sind; die Gegenwart als bloßer Durchgang; die bekannte Leere, die man sich ungern zugibt.

»Gehe fort, damit ich bei dir sei!«

Einer Landschaft gegenüber gestehen wir es noch am ehesten. Man ist nie da, wo man ist, und dennoch kann es nicht gleichgültig sein, wo man ist; der Ort, wo man ist, gibt den Angelpunkt, damit wir die Ferne in unser Erleben heben können. Wenn man jederzeit auf unsrer Stirne lesen könnte, wo unsere Gedanken sind, kein Mensch möchte mit uns die Gegenwart teilen. Zu Unrecht! Nur wenn er da gewesen ist, können wir zu ihm zurückkehren.

Später der Mond –

Wie er aufgeht über den rötlichen Bergen, nicht als Scheibe, sondern als Kugel, als Ball aus blassem Elfenbein; das Violette ringsum, das andere, was außer ihm ist, das Nichts zwischen ihm und uns, das All, die Nacht, der Tod. Und der Tag und das Licht, das vor diesem Raum hängt, wie dünn es wieder ist, ein Schleier von Seide, der jederzeit zerreißen kann. Man sollte nicht schlafen an der Sonne. Man erwacht mit schmerzenden Adern, mindestens mit einer leiblichen Empfindung, daß man Blut und Adern hat, mit einem jähen Bewußtsein von vergehender Zeit, und der Abend, der uns noch einmal aufnimmt mit blühendem Ginster und glitzerndem Meer, er ist so erschreckend wie herrlich, jedesmal, voll plötzlicher Durchsicht ins Unsichtbare.

Mailand, Oktober 1946

Man ist immer noch ein Nationalist! Wenn ich von einem Landsmann lese, daß er den Nobelpreis bekommen oder daß ihn der Kaiser von China empfangen habe, verbiete ich mir jeden Stolz, weil wir zur Genüge erfahren haben, wohin diese Art von Herdenstolz, wenn er sich nicht auf den Sportplätzen erledigt, in der Geschichte der Völker führen muß, und es gelingt mir auch einigermaßen. Aber das Gegenteil, das übrigens öfter vorkommt, wirft meine weltbürgerliche Pose jedesmal über den Haufen; wenn ich hier meine Landsleute sehe, wie sie mit ihrer Währung die italienischen Läden plündern, ärgere ich mich bleich –

Warum eigentlich?

Die offenbare Enttäuschung verrät unsere heimliche Annahme, daß das eigene Volk, nur weil wir ihm selber gerade angehören, schließlich doch ein Mustervolk sei, und somit würde es also genügen, wenn man sich über sich selber ärgerte.

»Die Chinesische Mauer«

Heute an der Hauptprobe. Ich sehe das Stück zum erstenmal. Ein Schock etwa folgender Art: du kommst nach China, wo du noch nie gewesen bist, kommst auf einen öffentlichen Platz, wo viele Chinesen stehen, und schaust einem Tänzer zu, dessen Getue dich teilweise verwundert oder gar entzückt, teilweise auch ekelt, und alle sagen, dieser Tänzer bist du. Niemand anders als du! Im Augenblick, wo ich es zwar nicht begreife, aber glaube, hinnehme und zugebe, begreife ich überhaupt nicht mehr, was da gespielt wird, keinen Satz, keine Szene, alles Fremdsprache, keine Ahnung, ob es etwas heißt –

Übermorgen ist Premiere.

Das Theater als ein fürchterlicher Zerrspiegel, aber am fürchterlichsten, wo es das nicht ist; denn das Fremdeste, was man erleben kann, ist das Eigene einmal von außen gesehen.

Kalendergeschichte

Ich versichere bei meiner Ehre, daß ich an jenem Tag, also am zweiten September dieses Jahres, zum erstenmal nach Prag gekommen bin. Am Vorabend, nach einem kurzen Gewitter, hatten wir Kolin erreicht. Da sie uns kein annehmbares Zimmer geben wollten, beschloß ich, zumal die Wolken sich lichteten, unsere Reise fortzusetzen; wir kippten unseren Branntwein, und Ivo, mein Bursche, fluchte über meinen kurzen Entschluß. Gegen Mitternacht kamen wir abermals in ein Gewitter. Ich erinnere mich an alte Bäume, alle tosend, alle wie schwarze und zerrissene Fahnen. In einem böhmischen Dorf, dessen Namen ich vergessen, mußten wir die Pferde wechseln. Ich blieb in der Karosse. Draußen regnete es wieder in Strömen. Wir hatten einen langen Tag hinter uns, staubig und schwül; ich ärgerte mich über den offenen Mund eines Schläfers, den ich nicht wecken konnte, da ich selber es war. Ich träumte allerlei verworrenes Zeug, erwachte über dem Schrecken, daß ich die herzogliche Botschaft, die ich in meiner linken Brusttasche trug, verloren hätte. Auch von Anja hatte ich geträumt. Unterdessen waren wir, wie der Bursche behauptete, schon wieder eine Stunde gefahren, und ich dachte noch lange an Anja. Der Regen war verstummt. Langsam graute es, man sah die Tümpel in der schlechten Straße, und ich fühlte mich heiter: der Gedanke an das schöne Prag, die Freude, daß ich durch meinen kurzen Entschluß einen ganzen Tag gewonnen hatte, das alles machte mich fast übermütig; unwillkürlich sang ich vor mich hin, Lieder aus unsrer Husarenzeit. In der Ferne erkannte man schon die ersten Türme, und plötzlich, droben auf einem Hügel, erschienen die langen Fassaden des Hradschin, anzuschauen wie eine Burg aus Silber und Asche, das Ziel meiner Reise – jetzt erst versicherte ich mich, daß ich die herzogliche Botschaft nicht wirklich verloren hätte, wie Anja mir im Traum hatte einreden wollen, griff in meine linke Brusttasche, und in der Tat, ich griff ins Leere...

So kam ich nach Prag.

Es mochte vier Uhr morgens sein oder später, als wir über das fremde Pflaster ratterten, und ich war natürlich starr, nicht wegen der herzoglichen Botschaft, daran dachte ich noch kaum, während ich in der Karosse saß, meine Hand noch immer in der linken Brusttasche, wo ich nichts als das Klopfen meines Herzens fand. Wo ist deine Botschaft? hat Anja gesagt; lachend, ihre

Hand auf meiner Brust: Wo ist deine Botschaft? Noch habe ich niemals erlebt, daß sich ein Traum verwirklicht hätte, und das alles, dünkte mich, war nur geschehen, damit Anja, die Verstorbene, mich noch einmal erschrecken konnte –.

Unterdessen hielten wir bereits vor der Gesandtschaft.

Bleich wie eine Leiche, so vermute ich, verließ ich die Karosse. Man war wegen meiner frühen Ankunft ziemlich verwirrt. Ich befahl, daß man meinetwegen niemanden weckte, und das verwirrte noch mehr. Der alte Diener, mein Gepäck in der Hand, betrachtete mich wie ein Gespenst, als er hörte, daß ich überhaupt nichts wünschte, keinen Tee und nichts. Allein in dem Zimmer, das mit dem üblichen Bildnis unsrer Durchlaucht geschmückt war, zog ich meine Handschuhe aus, warf sie auf den Tisch, ebenso den Hut; auch die Pistole legte ich ab; ich trat an die schweren Vorhänge, die ich sofort öffnete, und einen Augenblick überlegte ich mir, ob ich mich gleich erschießen sollte oder warten, bis die Sonne noch einmal aufginge. Auch hier war das Gewitter gewesen, ich sah die nassen Dächer, ich dachte, während ich so stand, an alles Mögliche und Unmögliche, nur nicht daran, wie ich die herzogliche Botschaft wiederfinden könnte. Ich stand und blickte über die fremde Stadt, unsicher, ob ich nicht immer noch träumte, unsicher, ob es das Dorf in der Nacht, wo ich die Botschaft verloren haben mußte, überhaupt gab. Ich war übermüdet… Natürlich dachte ich auch wieder an Anja, an unsere ganze Geschichte von damals, vor allem an die Nacht, wie ich sie zum letztenmal gesehen hatte, bevor ich auf die Residenz ging; achtzehn oder neunzehn Jahre waren das her; wir hatten einander wirklich lieb; meine Verdienste im Feld, der plötzliche Tod unseres Vaters, das überraschende Angebot seiner herzoglichen Durchlaucht, die mich zum Botschafter erkor, das alles hatte ich Anja erklärt, ganz offen und ehrlich; Anja sagte kaum ein Wort, wir saßen damals eine ganze Nacht, und ob Anja wirklich begriff – ich erklärte ihr eindringlich genug, wie unsinnig es unter diesen Umständen wäre, das Kind zur Welt zu bringen –, weiß ich nicht; sie hörte mir nur zu; sie blickte mich nur an, und das einzige, was sie einzuwenden wußte, war natürlich der liebe

Gott, der stets die letzte Karte ist, wenn man keine Gründe mehr weiß...

Einmal, als bereits die Sonne schien und ich immer noch stand, wurde ein Fensterladen aufgestoßen, es war gerade gegenüber, und ich sah ein Mädchen, eine junge Frau mit offenem Haar; sie hatte einen blauen Überwurf, den sie oberhalb der Brust, während sie in die Gasse schaute, mit der linken Hand zusammenraffte. Sie hatte mich offenbar bemerkt; jedenfalls zog sie sofort die Vorhänge. Ich sah ihre nackten Füße auf dem besonnten Zimmerboden, wußte, daß sie mich durch die Vorhänge betrachtete. Ich spürte, wie es in meinen Schläfen hämmerte. Ohne jede Ahnung, was ich eigentlich erwartete, blieb ich stehen, und als sie abermals den Vorhang öffnete, um mich trotzig anzusehen, nickte ich. Es war mir, als müßte ich sie kennen. Sie nickte ebenfalls. Ich trat in das Zimmer zurück, schnallte endlich meinen Degen los und war entschlossen, den Tag nicht wegzuwerfen, den ich mir durch meinen eigenen Entscheid geschenkt hatte. Meine Ankunft wurde erst für morgen erwartet. Bis morgen hatte ich jedenfalls Zeit. Noch ein ganzer Tag gehörte mir, ein beinah wolkenloser; noch eine ganze Nacht, und ich dachte, was eine Nacht alles sein kann...

Endlich klingelte ich dem Diener.

Er sollte mir das Gepäck bringen, und zwar sofort, damit ich meine Pistole einschließen konnte für den Fall, daß mich der Mut wieder verließe, und zugleich bestellte ich Wasser, stieß meine verschmutzten Stiefel ab, öffnete den Rock, meine Krause war ein grauer Lappen, und ich freute mich auf das frische Zeug. Im Grunde, wenn ich es an der Sonne betrachtete, konnte ich den nächtlichen Vorfall, der mich auf so schmähliche und lächerliche Weise vernichten wollte, einfach nicht glauben; noch war mir nichts mißlungen, soweit ich mich entsinnen kann, und schließlich, so sagte ich mir, hat man immer noch seinen eigenen Kopf.

Graf von U., unser Gesandter, ließ mich zu einem Frühstück bitten; er begrüßte mich mit einer Miene, als trüge er die ganze Welt auf seinen schmalen Schultern. Ratlos saß er meiner glänzenden Laune gegenüber. Er schilderte mir, da er mich auszuforschen kein Anrecht hatte, die drohende Lage, die wachsende Spannung zwischen unseren Ländern. Ich hörte zu, was alles an feindseligen Vorfällen schon geschehen war, aß und trank, als erzählte er von vergangenen Zeiten; nur einmal, zwischen zwei Bissen, sagte ich:

»Ich habe eine Botschaft an die Böhmische Krone; morgen werde ich auf dem Hradschin empfangen.«

»Wir sind unterrichtet.«

Nur die genaue Stunde war noch nicht bestimmt; ich bat ihn, auch dies im Verlaufe des Tages abzuklären –

Er blickte mich an:

»Glaubt man unsererseits, daß sich der Krieg vermeiden läßt?«

Darauf antwortete ich nicht. Ich erkundigte mich nach einem guten Pferd, äußerte meine morgendliche Lust, auszureiten, lobte die herbstliche Jahreszeit und fragte, welche Pfade er mir besonders empfehlen möchte. Nicht allzuviel offenes Feld; ich erkläre ihm meine Vorliebe für lockere Wälder. Er schwieg. Offenbar war er über meinen Leichtsinn erbittert, und als er weiterhin von bösen Vorzeichen erzählte, konnte ich nicht umhin, ich fragte ihn rundheraus, wer eigentlich jenseits dieser Gasse wohne. Er machte nur ein Gesicht, das ich aber nicht verstand. Wir erhoben uns ohne weitere Antwort seinerseits, und ich bat, daß man mich in die Stallung führte, wo ich mir ohne Zögern eine erfreuliche Stute erkor, einen Schimmel, und unverzüglich satteln ließ –.

Die Erde, als ich zu Fuß ans Ufer ging, war finster und moorig, es federte unter jedem Tritt, und in jeder Stapfe, die man hinterließ, sammelte sich ein braunes Wasser, ein Tümpel mit Bläschen. Über den Wellen, die unter der Sonne blinkten, und über den weiten Wäldern, die jenseits der Moldau sich erhoben, über dem ganzen Tag, der vor mir lag, schwebte der blaue Herbst, und jedesmal, wenn ich stehenblieb und horchte, hörte ich ringsum ein Quaken. Ein Reiher flog über das Moor. Sonst war ich allein, und hätte ich meine Pistole nicht zu Hause gelassen, es hätte nicht an Schnepfen gefehlt. Am liebsten hätte ich allerdings geschlafen, die Reise und die letzte Nacht lagen mir ordentlich in den Gliedern, aber es reute mich die Zeit, oder ich hatte auch eine gewisse Scheu, daß mir abermals träumte. Ich sammelte Kiesel, die ich in einen stillen Kumpen warf, und betrachtete die munteren Wellen, die es jedesmal gab. Nur einmal erschrak ich über die Vorstellung, meine Stute könnte verschwunden sein. Jedenfalls war es mir, als hätte ich stundenlang kein Wiehern mehr vernommen, und fast wagte ich nicht, mich umzudrehen. Ich hatte mich ziemlich entfernt mit meinem Kieselsuchen. Ich stapfte durch das Moor zurück, so rasch es ging, langsam genug für meinen Schrecken. Die Esche fand ich wieder. Es war die einzige in der Gegend. Und als ich näher kam, stand auch die Stute noch dabei; nur hatte sie schon lange keine Sonne mehr, es streckten sich die Schatten aus dem Wald, und das Tier hatte schon ziemlich gefroren –

Im Palais unsrer Gesandtschaft, als ich wieder dahin zurückkam, erwartete mich Graf von U. mit einer Miene, die mich zu fragen zwang, was vorgefallen sei; jedenfalls spürte ich, daß er nicht von meinem herrlichen Ritte hören wollte, und ich sagte, indem ich die Handschuhe auszog:

»Krieg?«

Er empfing mich mit der Nachricht, daß ich morgen, Freitag den dritten September, auf dem Hradschin empfangen würde, und zwar von Seiner Exzellenz persönlich, morgen um zehn Uhr –

»Gut«, sagte ich. »Gut.«

Schon im Begriff, die Treppe hinanzusteigen, blieb ich nochmals stehen, so zufällig als möglich, und erkundigte mich, ob sonst nichts hinterlassen worden sei...

»Sonst?«

»Ein Billett oder so?«

Der Graf blickte auf den Lakai –

Der Lakai auf den Grafen –

Nichts. –

Wir trafen uns dennoch.

»Sprechen Sie schon!« sagte sie: »Seit einer Woche stellen Sie mir nach –«

»Ich?«

Ihr Lächeln war voll Hohn.

»Das ist nicht möglich«, sagte ich: »gestern nacht bin ich erst angekommen –.«

Sie glaubte mir kein Wort, und umsonst besann ich mich auf einen Beweis. Unterdessen erzählte sie eine ganze Geschichte, wie ich sie verfolgt hätte und wo und wann. Obschon es natürlich ein Unsinn war, was sie redete, wagte ich kaum zu widersprechen. Sie glaubte allen Ernstes daran. Fast zärtlich, als wäre mein Schweigen schon ein Geständnis, sagte sie:

»Warum das alles?«

Eine Weile war ich wirklich verwirrt. Vielleicht machte es auch die Art, wie wir einander getroffen hatten. Stundenlang hatte ich nach ihrem Fenster geschaut, umsonst ein Zeichen erwartet, und als die Dämmerung es erlaubte, hatte ich es sogar an der Türe versucht, die ich verschlossen fand. Enttäuscht und überzeugt, daß ich ihr morgendliches Nicken offenbar mißdeutet hätte, ging ich schließlich in die Stadt und wieder hinunter an die Moldau, ich weiß nicht warum. Eine gewisse Erregung, die mich seit der vergangenen Nacht nicht mehr verlassen wollte, mochte dazu beitragen, daß ich mir plötzlich einbildete, ich sehe Anja über die Gasse gehen. Natürlich war es ein bloßes Hirngespinst. Immerhin ging ich ihr nach, um durch den Anblick ihres Gesichtes, das ich jedenfalls sehen wollte, meine alberne Einbildung loszuwerden. Sie ging, kaum spürte sie meine Verfolgung, sofort über die nächste Brücke, und ich folgte ihr durch immer einsamere Gassen, bis sie an einer Ecke plötzlich stehenblieb, sich wendete und fragte, was ich wollte. Als ich guten Abend sagte, lächelnd über ihren Zorn, zweifelte ich noch einen Augenblick, ob es wirklich das Mädchen wäre, das nebenan wohnte; sie ist jünger, als ich am Morgen gemeint habe, fast noch ein Kind, aber auch häßlicher.

»Ich verstehe Sie nicht«, sagte sie: »ich habe Ihnen nie ein

Zeichen gegeben, ich habe mich immer sehr garstig benommen, ich weiß, auch vorgestern, als wir in dieser gleichen Gasse standen –«

»Vorgestern?«

»Oh, ich habe Ihre Schritte schon gehört, wenn Sie an meinem Versteck vorübergingen, jedesmal – ganz deutlich – und einmal haben Sie sogar meinen Namen gerufen.«

»Ich?«

»Warum leugnen Sie es?«

Sie lächelte nur, sooft ich ihr die Wahrheit erklärte; ich erzählte ihr meine Reise im Gewitter, meine Ankunft im Morgengrauen; sie lächelte nur, noch wenn ich es beschwor, wie über eine Ausrede.

»Übrigens weiß ich nicht, vielleicht waren auch Sie die ganze Nacht in dieser fürchterlichen Gegend, vorgestern, obschon Sie sich nicht mehr gezeigt haben. Das war sehr vornehm von Ihnen! Ich wußte nicht, daß sie die Brücke schließen, wenn es Nacht wird.«

»Welche Brücke?«

»Es war die erste Nacht, die ich im Freien verbracht habe –«

Ich verstand kein Wort, aber wir waren unversehens ein paar Schritte gegangen, langsam, und das genügte, daß sich dadurch unsere Beziehung irgendwie veränderte. Es war nun, als gingen wir zusammen. Es war eine Übereinkunft. Das Mädchen mußte es ebenfalls empfunden haben; ihr Ton war vertraulicher:

»Ich habe gewußt, daß Sie nochmals kommen, schon gestern habe ich Sie erwartet, obschon das Gewitter war –«

»Und darum hast du genickt?«

»Genickt?«

»Heute morgen, meine ich.«

Sie weinte, und natürlich wollte ich sie trösten, wußte aber nicht ihren Namen; als ich sie danach fragte, drehte sie sich um, zeigte mir ihren schmalen Rücken, dem man das Schluchzen ansah.

»Ich will nicht«, sagte sie: »ich will nicht –«

Ich legte die Hand auf ihre Schulter, aber im gleichen Augenblick und mit einem lauten Nein riß sie sich los, und bevor ich begriff, was das solle, war sie verschwunden... Einen Augenblick zögerte ich, ob ich ihr nachgehen sollte, unterließ es aber... Unterdessen war es Nacht geworden; die Häuser standen schwarz und tot, als wohnte kein Mensch darin, und die Brücke, wie ich später feststellen mußte, war wirklich geschlossen. Fast eine Stunde, so schätze ich, saß ich unten an der Moldau. Es wurde die zweite Nacht, da ich nicht zum Schlafen kam, und ich dachte, was unser Graf für eine Miene machen würde, wenn ich einfach nicht heimkehrte. Gegen die Frühe wurde es immer kälter. Ich dachte an das fremde Mädchen, das nur ein dünnes Kleid trug. Man mußte gehen, damit man nicht schlotterte. Daß ihr Gang mich an Anja erinnert hatte, ich sagte mir selber, es ist nicht verwunderlich, wenn man gerade von der Erinnerung an einen bestimmten Menschen erfüllt ist; es ist eine Täuschung, nichts weiter, eine Einbildung, die nichts bedeutete. Immerhin drängte es mich, das fremde Mädchen noch einmal aufzusuchen; ihre Verwirrung tat mir leid, obschon ich nichts dafür konnte, und ich hätte viel darum gegeben, wenn sie noch einmal an der öden Straßenecke gestanden hätte; wenn sie mir bloß ihren Namen gesagt hätte. Bei jedem Geräusch blieb ich stehen, horchend, ob es nicht ihre Schritte wären; natürlich war es nur das Laub, das von den Bäumen fiel, das Knarren eines Tores, wenn der Wind ging, oder es war das Echo meiner eigenen Tritte, und je länger ich durch die nächtlichen Gassen streifte, um die Unbekannte wiederzufinden, und je aussichtsloser mein Suchen sich erwies, um so verrückter wurden meine Gedanken. Die Nacht schien endlos. Ich erwog allen Ernstes, ob das fremde Mädchen, dessen Gang mich an Anja erinnert hatte, nicht unser eigenes Kind hätte sein können. Nach den Jahren hätte es stimmen können. Ich hörte das Blut in meinen Schläfen. So genommen, sagte ich mir, stimmt es auch mit hunderttausend andern. Daß Anja noch lebte und daß sie ihr Kind, das ich damals nicht haben wollte, dennoch geboren hätte, es war möglich, gewiß, aber nicht wahrscheinlich, und ich konnte es eigentlich nicht glauben, nicht ernsthaft, ich spielte nur so mit dem Gedanken, während mir der Schweiß auf der Stirne stand, und ich ging nochmals den Häusern entlang, tastete in die Finsternis ihrer Nischen und Türen, wo das Mädchen sich versteckt halten mochte, wie vorgestern, als sie meine Tritte hörte, wenn ich vorbeiging.

»Anja?« sagte ich: »Anja?«

Ich lief immer schneller, und je lauter ich zu rufen wagte, um so toter erschienen die Gassen, um so schneller rief ich:

»Anja?... Anja?... Anja?...«

Natürlich war alles umsonst.

Das Mädchen habe ich nie mehr gesehen, obschon ich sie suchte, bis die ersten Vögel zwitscherten. Vielleicht war sie noch über die Brücke gekommen, bevor man sie geschlossen hatte. Das weiß ich nicht. Beim Morgengrauen kehrte ich in unser Palais zurück, das ich zur gleichen Stunde wie am Vortag betrat. Ich war hundemüde. Das Ganze, bei Tag betrachtet, erschien mir nun selber als ein lächerliches Hirngespinst, geschmacklos und dumm. Warum sollte Anja gerade in diese Stadt gegangen sein? Ich hätte mich selber auslachen können. Warum sollte ihr Kind, wenn es überhaupt ein solches gab, gerade in dieser Gasse wohnen? Vielleicht lag das Mädchen, dem ich diese verrückte Nacht verdankte, schon stundenlang in ihrem Bett. Ich öffnete meine Vorhänge wie einer, der auf seine Verhöhnung gefaßt ist. In der Gasse hörte man schon die ersten Menschen. Ihre Vorhänge hingen wie am Vorabend, das Fenster stand offen, das Zimmer war leer, die Sonne schien auf den Boden. Die Angst, es könnte ihr ein Unglück geschehen sein, machte mich noch einmal unsicher –.

Schlag zehn Uhr, wie vereinbart, war ich auf dem Hradschin; ich trat an ein hohes Fenster, meine Hände auf dem Rücken, und blickte hinunter auf den großen Hof; unsere Karosse stand beim Tor, schon von etlichen Menschen umringt, die das Wappen unserer herzoglichen Durchlaucht bemerkten, und ihre Haltung schien nicht gerade freundlich –

Endlich die Türe!

Man führte zwei Herren herein, die sich förmlich verbeugten, ein Geistlicher und ein andrer, der mit leiser Stimme von einer Ertrunkenen erzählte, die man eben, da er über die Brücke gefahren, aus der Moldau gezogen hätte. Natürlich drehte ich mich sofort um, wußte aber nicht, wie ich meine Frage fassen sollte. Offenbar war es ein Geistlicher, der aus den Gefängnissen kam und Seiner Exzellenz, so vermutete ich, ein Gesuch um Begnadigung vorzulegen hatte. Zur eigentlichen Frage aber, die ich stellen wollte, kam ich nicht mehr; ich sah mich, kaum hatte ich die beiden Fremden angesprochen, in einer Gasse von böhmischen Gardisten, erwartet von einer offenen Flügeltüre, die mich, indem ich sie durchschritt, zum Zwerg verwandelte: – Seine Exzellenz, wie ich auf dem Teppich stehenblieb und als Soldat grüßte, war nicht allein. Er fragte mich, ob die Gegenwart seines Schatzkanzlers stören würde, fragte es, indem er ein Schreiben unterzeichnete und das Siegel betrachtete, nicht mich, und da ich meinerseits schwieg und mit Absicht stehenblieb, blickte er mich neuerdings an, fragte, ob ich lieber allein sein möchte. Ich antwortete, es wäre wertvoll, und setzte mich, damit mein weiteres Stehen nicht als Trotz, mein Wunsch nicht als Forderung erschiene. Der Schatzkanzler, seinerseits nicht minder höflich, entfernte sich in einer Weise, als hätte er ohnehin gehen wollen, und also waren wir allein, saßen einander gegenüber, nur noch durch einen großen Schreibtisch getrennt, der leer war. Während unseres ganzen Gespräches blickte ich geradezu auf einen französischen Gobelin, der die ganze Wand bedeckte, weiß aber nicht mehr, was er darstellte; Seine Exzellenz, die vor diesem Gobelin saß, ist ein Mann mit grauem Haar, mit einer langen und schmalen Nase, mit einem weißen Spitzbart, kaum anders, als ich mir den lieben Gott auszumalen beliebte. Sogar mit den knabenhaften Lippen stimmte es. Er lächelte:

»Sie bringen uns eine Botschaft, betreffend die Zwischenfälle an der Grenze. – Wir sind bereit, Sie anzuhören.«

Ich sagte, was bisher in allen Botschaften unsrer Durchlaucht gestanden hat, versicherte, daß wir nichts als den Frieden wünschten, nicht einen Augenblick daran dächten, die böhmische Krone anzugreifen, daß wir alles dafür tun wollten, damit die Zwischenfälle, die man uns vorwarf, sofort untersucht würden, ja, wir wären sogar bereit, Vertreter der böhmischen Krone einzuladen, damit sie sich von der Wahrheit überzeugen konnten, und so weiter... Das alles hörte er an, wie ich es nicht anders erwartet hatte, nämlich gelassen und höflich und gleichgültig, wortlos, als eine verlorene Viertelstunde für beide. Nach einem längeren Schweigen, das er mit einem schwachen Lächeln hinnahm, ließ ich es darauf ankommen, bevor er mich nach der schriftlichen Botschaft fragen würde; ich erhob mich.

»Weiter haben Sie nichts auszusagen?«

»Nichts.«

Darauf erhob er sich ebenfalls.

»Es sei denn«, fügte ich hinzu: »man würde ganz offen über die Dinge reden –.«

Er schaute mich an:

»Warum tun Sie es nicht?«

Während ich redete, sah ich nichts mehr von dem französischen Gobelin, und ich weiß nicht, wie lange ich eigentlich redete. Was ich sah, war nur noch der böhmische Reiter, wie er damals das Kind bei den Füßen nahm und mit dem Kopf gegen den Türpfosten schmetterte, bis man nur noch die Mutter hörte, die alles das ansehen mußte, weil sie unser Versteck nicht hatte verraten wollen...

»Exzellenz«, sagte ich: »wir wissen es wohl, daß unsere Botschaft keine Hoffnung hat, und wenn wir hundertfach beweisen können, daß die Zwischenfälle nicht unsere Schuld sind. Warum diese bösen Zwischenfälle geschehen müssen, wer weiß es besser als die böhmische Krone? Warum geschehen sie zur Zeit, da unsere Ernte unter Dach ist? Exzellenz wissen es auch ohne unsere Botschaft, daß das böhmische Heer, das vor unseren Grenzen liegt, viermal stärker ist als das unsere. Was sollen wir beweisen? Wir liefern Recht, und was die böhmische Krone braucht –«

»Nun?«

»Nennen wir es Getreide –.«

»Auch.«

»Nennen wir es Erz –.«

»Auch.«

»Und wenn wir es lieferten, Getreide und Erz, hätten wir damit den Frieden erkauft? Wir wissen wohl, daß es nicht um das Recht geht, aber auch nicht um das Getreide und das Erz; was die böhmische Krone braucht, das ist ein Sieg.«

Er nickte:

»Auch –.«

Darauf war ich nicht gefaßt.

»Exzellenz«, sagte ich: »Sie nicken zu einem Mord? Wenn es dazu kommt, dann gibt es keinen andern Namen dafür: es ist ein Mord von Frauen und Kindern, Exzellenz, ein Mord von schwachen und hilflosen Geschöpfen –.«

Er stand noch immer am Fenster.

»Glauben Sie«, sagte er: »daß Sie selber nicht morden, wenn Sie wissen, daß es Ihnen einen Vorteil bringt und daß Sie jedenfalls der Stärkere sind, daß Sie es ohne Strafe können? Ich meine, können Sie es schwören?«

Er blickte mich an:

»Der liebe Gott, ja, ich weiß...«

Er setzt sich wieder, zog die Brauen und lächelt über mein Schweigen, während er eine Schublade öffnete, als suchte er ein Dokument; es war aber nur ein Messerchen aus Elfenbein, das er offenbar vermißt und zufällig, indem er die Schublade zog, wieder gefunden hatte. Wie von ungefähr, indem er die schwere Lade wieder zuschob, erinnerte er sich an meine Person und fragte:

»Was haben Sie sonst vorzubringen?«

Draußen hatte sich bereits eine ziemliche Menge versammelt und belagerte unsere Karosse. Die Wachen öffneten das große Tor, machten ihren Salut, während ich durch die offene Gasse schritt, die mich zur Karosse führen sollte, und plötzlich spürte, daß mir jemand ins Gesicht gespuckt hatte. Ich blieb stehen, und alles wartete, was ich nun täte. Ich wartete ebenfalls. Die Wachen verharrten in ihrem feierlichen Salut. Ich spürte den eklen Speichel, der mich unter dem linken Auge getroffen hatte, spürte, wie er langsam über meine Wange herunterrann, wie er auf meine weiße Krause tropfte, und die Meute wartete nur darauf, daß ich ihn abwischte, wartete, um in wildes Gelächter auszubrechen. Das alles dauerte kaum zehn Atemzüge. Dann war ich weitergegangen, setzte mich in die Karosse, und erst später, als wir schon eine Weile gefahren waren, wischte ich mich ab, in Gedanken schon lange bei der Ertrunkenen, die zu sehen ich vorhatte.

In der Gesandtschaft fragte der Graf:

»Krieg oder Frieden?«

Ich antwortete nichts, ließ sofort das Gepäck verladen und befahl, daß man mich nach dem gemeinen Leichenhaus führte. Ich war auf alles gefaßt. Wie ich die gemeine Leichenhalle betrat, gräßlich schon der Geruch, zweifelte ich nicht, daß ich die Leiche, die mit einem üblen Tuch bedeckt war, erkennen würde. Diese Gewißheit, daß mich nichts mehr überraschen konnte, war mein einziger Halt. Fast gelassen wartete ich auf den Wächter. Auch das dauerte übrigens nur wenige Augenblicke, und schon war das Tuch entfernt. Es war aber nicht das Mädchen, das nebenan wohnte, bei aller Entstellung, die möglich ist, konnte es schon wegen der Farbe ihres Haares nicht stimmen. Und es war auch nicht Anja; ganz eindeutig nicht. Es war eine Fremde, eine junge Schwangere, mit offenen Augen, und ich weiß nicht, wie ich in die Karosse kam. Wir verließen die Stadt, während die Glocken läuteten, und wieder fuhren wir über Kolin, hatten einen herbstlichen Tag, wie er zum Reisen nicht schöner hätte sein können; ich wußte genau, daß unsere Sache übel stand –

Gestern erklärten sie den Krieg.

Ich übernehme ein Regiment der Herzoglichen Husaren, lauter junge und verwegene Burschen, die ihr Vaterland über alles lieben; in einer Stunde, beim ersten Morgengrauen, verlassen wir die Residenz –

Ich glaube nicht, daß es anders gekommen wäre, auch wenn ich die Botschaft, die ich später in meiner rechten Brusttasche fand, hätte auf den Tisch legen können; zweimal las ich ihren Inhalt, bevor ich sie heimlich in einem Kamin verbrannte; sie enthielt nichts, was ich nicht aus eignem Munde sagte, nichts, was die böhmische Krone hätte hindern können; der liebe Gott – ich mußte fast lachen, als ich es las – was kann er uns helfen gegenüber einer Exzellenz, die auch nicht an ihn glaubt?

Café Odeon

Diskussion mit der Studentenschaft beider Hochschulen. Der Waagsaal erweist sich als viel zu klein, so daß wir dann durch die Stadt ziehen, um uns in einem größeren Lokal niederzulassen zu Verhör und Gericht, und ich will nicht verhehlen, daß mich solcher Zustrom, gleichviel was folgt, als Zeichen von Interesse ebenso überrascht wie erfreut. Auch die Studenten, zeigt sich bald, erwarten von einem Schauspiel, daß es eine Lösung liefere. Das kommt immer wieder; Bedürfnis nach Führung. Und wenn man eine liefern würde? Zum Beispiel: Geht hin und verschenkt, was ihr besitzt, verzichtet auf eure Vorrechte, zieht hinaus und tut, wie Franziskus getan hat. Was würde geschehen? Nichts. Was wäre gewonnen? Man wüßte: der Autor ist offenbar ein Christ. Schön von ihm; im übrigen ist das natürlich seine Sache. Und in der Tat, das ist es auch! Die Lösung ist immer unsere Sache, meine Sache, eure Sache.

Henrik Ibsen sagte:

»Zu fragen bin ich da, nicht zu antworten.«

Als Stückschreiber hielte ich meine Aufgabe für durchaus erfüllt, wenn es einem Stück jemals gelänge, eine Frage dermaßen zu stellen, daß die Zuschauer von dieser Stunde an ohne eine Antwort nicht mehr leben können – ohne ihre Antwort, ihre eigene, die sie nur mit dem Leben selber geben können.

Das allgemeine Verlangen nach einer Antwort, einer allgemeinen, das oft so vorwurfsvoll, oft so rührend ertönt, vielleicht ist es doch nicht so ehrlich, wie der Verlangende selber meint. Jede menschliche Antwort, sobald sie über die persönliche Antwort hinausgeht und sich eine allgemeine Gültigkeit anmaßt, wird anfechtbar sein, das wissen wir, und die Befriedigung, die wir im Widerlegen fremder Antworten finden, besteht dann darin, daß wir darüber wenigstens die Frage vergessen, die uns belästigt – das würde heißen: wir wollen gar keine Antwort, sondern wir wollen die Frage vergessen.

Um nicht verantwortlich zu werden.

Pfannenstiel

Noch einmal eine Reihe von goldenen Tagen, die letzten des Jahres. Die Morgen, wenn ich mit dem Rad an die Arbeit fahre, sind kalt und feucht, das Laub klebt auf den Straßen, der See ist silbergrau, und man sieht nur die Bojen, die im Uferlosen schweben, einsam und ohne Boote, spiegellos, und die weißen Möwen auf dem Geländer. Meistens um elf Uhr, wenn auch die Glocken läuten, entscheidet es sich. Noch findet man keinen Schatten, der die Sonne verrät; aber man spürt sie; es blinken die Zifferblätter an den Münstern. Der Nebel, wenn man gegen den Himmel schaut, flimmert wie bronzener Staub; plötzlich gibt es nur noch die Bläue; plötzlich ein Streifen zager Sonne, der über das Reißbrett fällt –

Noch einmal ist alles da: der Most und die Wespen, die in der Flasche brummen, die Schatten im Kies, die goldene Stille der Vergängnis, die alles verzaubert, die gackernden Hühner in der Wiese, das Gewimmel der braunen Birnen, die auf der Landstraße liegen, die Astern, die über einen Eisenzaun hangen, Sterne eines blutigen Feuers, das ringsum verrinnt, die bläuliche Luft unter den Bäumen; es ist, als nehme alles Abschied von sich selbst; das rieselnde Laub einer Pappel, der metallische Hauch auf dem gefallenen Obst, der Rauch von den Feldern, wo sie die Stauden verbrennen. Drunten, hinter einem Gitter von Reben, glimmert der See. Die Sonne verrostet schon im Dunste des mittleren Nachmittags, und dann der Heimweg ohne Mantel, die Hände in den Hosentaschen, das feuchte Laub, das nicht mehr

rascheln will, die Gehöfte mit einer Trotte, die tropfenden Fässer
in der Dämmerung, die roten Laternen einer Schifflände im Nebel –.

Entwurf eines Briefes

Sie schreiben mir als Deutscher, als junger Obergefreiter, der vor
Stalingrad war, und Sie schreiben sehr höhnisch; es empört Sie,
daß ein Ausländer, ein verschonter, vom Tod schreibt.

Was kann ich Ihnen antworten?

Sie haben nämlich recht, ich habe nie gesehen, wie ein Soldat
fällt, und es fehlte denn auch, wie Sie aus dem kleinen Vorwort
wissen, nicht an eigenen Bedenken, ob uns eine Aussage überhaupt anstehe. Als kleiner Bub mußte ich meiner Großmutter
eine Nelke in den offenen Sarg legen, es war mir widerlich, und
schon größeren Eindruck machte mir ein sterbendes Pferd, das
einmal vor unserem Hause lag; später dann, als ich Ihres Alters
war, stand ich vor dem verzinkten Sarg einer jungen Frau, die
ich liebte, übrigens war es eine Deutsche, und die Erinnerung an
sie, der ich so viel verdanke, hat mich oft gesondert, wenn man
die Deutschen haßt. Das alles und vieles andere, ich gebe es zu,
war nur ein Anblick des Todes, oder wie Sie sehr spöttisch sagen,
ein bloßes Schauspiel. Ich frage mich, was es ändern würde,
wenn ich sehen könnte, wie ein Soldat fällt; für mich, der ich ihn
überlebe, wäre es wiederum nur ein Anblick, und ich hätte, wie
Sie mir beweisen, abermals nichts erlebt. Einmal stand ich vor
einem Kinderbett und vor einem ganz kleinen Kind, das über
Nacht erstickt war, und draußen war es ein herrlicher Morgen,
während ich die junge Mutter halten mußte, die immer wieder
versuchte, ob sich die bläulichen Ärmchen nicht wecken lassen.
Oder wir standen an einem friedlichen Bahnhof, schöpften Tee
und gaben ihn den Skeletten, die damals gerade aus deutschen
Lagern kamen; man konnte darauf warten, daß ihnen der laue
Tee, den sie nicht mehr halten konnten, sofort wieder zum After
hinauslief, und es ließe sich noch vieles erzählen, was ich für ein

Erlebnis hielt. Doch es änderte nichts daran, daß Sie irgendwie recht haben. Es gibt noch eine andere Seite des Todes, eine ungewöhnliche, die nur der Krieg zeigt: ich habe noch niemals schießen müssen, und vielleicht liegt darin das Entscheidende, was Sie erlebt haben, was Sie anders erlebt haben –

Warum sprechen Sie nicht davon?

»Die einzigen, die uns raten und helfen können, werden letzten Endes nur wir selber sein. Die Erfahrungen haben uns gelehrt. Ich glaube, daß wir, die diese Erlebnisse hinter uns haben, eher dem Ausland helfen können als umgekehrt, ausgenommen vielleicht in materieller Hinsicht.«

Dennoch bitten Sie um eine Antwort, und je öfter ich Ihren leidenschaftlichen Brief lese, der mich bald eine Woche beschäftigt, um so ratloser bin ich; das alles haben Sie in bitterer Kälte geschrieben, hungrig, und ich sitze in einer kleinen warmen Dachstube; Sie sind für mich der junge Deutsche, und ich bin für Sie das bekannte Ausland, und Sie antworten auf Vorwürfe, die ich nicht erhoben habe:

»Es ist nicht wahr, daß das deutsche Volk all diese abscheulichen Dinge kannte, wie das Ausland meint, wohl hat mancher Vereinzelte um solche Erschießungen gewußt oder sie als Soldat selber mitgemacht, aber alle seine Kameraden, alle seine Freunde, seine Eltern und Bekannten wußten nichts davon und waren fürchterlich entsetzt, wenn ihnen davon berichtet wurde; nur die wenigsten schenkten solchen Berichten überhaupt Glauben –.«

Wenn Sie solche Sätze wiederlesen, haben Sie nicht selber den Eindruck, daß Sie im Kreise herumschlagen, daß Sie sich immerzu wehren und nicht wissen, wogegen Sie sich eigentlich wehren, und daß es wahrscheinlich genügen würde, wenn Sie selber es wüßten. Was Sie zuvor über Rat und Hilfe sagten, glaube ich auch, wenigstens zum Teil; das Stück (»Nun singen sie wieder«) ist nicht aus der vermessenen Absicht entstanden, dem deutschen Volk zu raten, sondern einfach aus dem Bedürfnis, eine eigene Bedrängnis loszuwerden.

»Was Ihr alter Pope über die Liebe sagt: sie sei schön, denn

sie wisse, daß sie umsonst sei, und dennoch verzweifle sie nicht
– woher wissen Sie das?«

Ich weiß es nicht.

Eine Deutung, die jemand versucht, ist kein Befehl, daß Sie
sich dieser Deutung unterwerfen müssen. Ich werde mich auch
der Ihren nicht unterwerfen, wenn Sie eine solche äußern, sondern wir müßten versuchen, ob ich Sie begreifen kann. Das bedeutet vorerst: ob ich hören kann, was Sie sagen möchten. Im
weiteren müßte ich prüfen, wieweit Ihre andere Deutung, die aus
Ihren anderen Erlebnissen hervorgeht, auch für mich gilt, wieweit sie meine bisherige Deutung erweitern, umstürzen, beschränken oder vertiefen kann. Das Ganze wäre dann ein Gespräch, und es wäre noch immer schwierig genug, daß wir
zusammen über diese Dinge sprechen, die mindestens unseren
ganzen Erdteil angehen und die wir an so verschiedenen Orten
natürlicherweise sehr verschieden erlebt haben. Ihr Verhalten,
das ein Gespräch so erschwert, kommt vielleicht daher, daß Sie
bisher nur das Gehorchen und das Befehlen üben mußten, aber
noch keine eigene Ansicht haben von den Dingen, die Sie aus
nächster Nähe sahen; jedenfalls äußern Sie keine, sondern
schreiben zum Schluß:

»Ich möchte übrigens betonen, daß alles, was ich Ihnen da
schreibe, nichts mit einer politischen Ansicht zu tun hat!«

Wäre das eine Schande?

Es ist nicht unmöglich, daß wir uns in den nächsten Monaten
einmal in München treffen. Jedenfalls will ich Ihre Adresse bewahren. Vielleicht kommt mehr zustande, wenn wir mündlich
über diese Dinge sprechen; solange ich kein Gesicht sehe, spüre
ich mehr und mehr, daß ich nicht mit Ihnen rede, sondern mit
allen deutschen Briefen, die bisher gekommen sind, und es ist
eine ordentliche Schachtel voll. Fast alle, obschon sie uns wertvoll sein müßten, haben eine Arroganz, die keine Antwort mehr
zuläßt, und aus dem empfindlichen Unwillen, daß man abermals
den Krieg verloren hat, wuchert es von hastigen Mißverständ-
nissen, mehr als man jemals berichtigen kann, und in der ganzen
Schachtel ist fast kein Gedanke, den man nicht als Schablone

schon kennt. Ich sage mir dann selber: Das ist der Hunger, die Kälte, das Elend. Aber warum soll ich, und das fordern so viele, eben dieses Elend anbeten? Elend bringt Reife; hin und wieder mag das stimmen, und jedenfalls fehlt es unsrer Zeit nicht an Elend. Daß es auch Elend gibt ohne sittlichen Ertrag, Elend, das sich auch in Geist und Seele nicht lohnt, darin besteht wohl das eigentliche Elend, das hoffnungslos ist, tierisch und nichts als dies, und jede Verbeugung davor schiene mir schamlos, eine Weihung der Bomben, eine literarische Ehrfurcht, die immer noch auf eine Vergötzung der Kriege hinausläuft, also auf das Gegenteil unsrer Aufgabe, die darin besteht, daß wir das Elend bekämpfen: mit Brot, mit Milch, mit Wolle, mit Obst und nicht zuletzt eben damit, daß wir das Elend nicht als solches bewundern, daß wir vor dem Elend nicht in die Knie sinken und in Andacht verstummen, und zwar auch dann nicht, wenn die Leidende selber diesen Anspruch an uns stellt. Man kann sich, so schauerlich es ist, auch mit dem Elend brüsten; schon das spräche gegen den sittlichen Wert des Elendes. Daß es den Durchschnitt der Menschen verwandle und vertiefe und erhöhe, wenn sie auf Schutt und Asche leben, das bleibt eine Hoffnung, die wir aus der Belletristik kennen. Eine gefährliche Hoffnung, die vielleicht auch Sie bestimmt: Sie sind nicht mehr der Sieger, aber der Mann, der dabei war, und als solcher erhaben über alle andern, die nichts erlebt haben, weil sie nicht den Krieg erlebt haben; Ihr armes Volk ist nicht mehr das herrenhafteste, aber das Volk, das auf dieser Erde am meisten leidet, sofern wir die Juden und die Polen und die Griechen und alle anderen vergessen; es ist das Volk, das von Gott am meisten geprüft wird, woraus hervorgeht, daß Gott mit diesem Volk am meisten vorhat. Ihre besten Dichter finden Worte dafür: Völker der Welt, wir leiden für euch und eure Verschuldungen mit! Als ob es an den eignen Verschuldungen nicht genügte, als ob niemand gelitten hätte in den Jahren, da Ihre eignen Kameraden und Eltern und Bekannten, wie Sie sagen, solchen Berichten überhaupt keinen Glauben schenkten. Warum ist es niemals ein Volk unter Völkern? Das ist es, was ich vorhin mit der Arroganz meinte, und ich bitte Sie, daß Sie mich das böse Wort zurücknehmen lassen. Ich habe, solange ich in dieser warmen Dachstube sitze, weniger Anrecht als Sie, einem empfindlichen Unwillen nachzugehen. Immer wieder sehe ich Ihren handschriftlichen Nachsatz, der dringend um Antwort bittet. Was aber soll ich antworten können, solange Sie eine menschliche Gleichberechtigung, die uns selbstverständlich scheint, anzunehmen sich nicht begnügen?

Zweiter Entwurf

Sie schreiben mir als Obergefreiter, der vor Stalingrad war, und ich habe schon einmal eine Antwort versucht; Ihr Brief hat mich betroffen, und zwar, wie ich glaube, in einem Bereich, wo es nicht darum geht, daß wir verschiedene Vaterländer haben. Anfang dieses Jahres war ich einen Monat in Deutschland; auch dort verging kein Tag, ohne daß ich urteilte, bald so, bald anders, es reißt einen hin und her, und was alles noch mühsamer macht: man macht sich Vorwürfe, daß man überhaupt urteilt. Und ich meine das ganz allgemein; irgendwie ist man immer ein Ausländer. Wie können wir über eine Frau urteilen, da wir niemals ein Kind gebären werden? Wie können wir über einen Vater urteilen, dessen Lebensalter wir noch nicht erfahren haben? Wie können wir überhaupt urteilen über einen Menschen, der immer ein anderer sein wird? Jedes Urteil bleibt eine Anmaßung, und darin hat Ihre Empörung wahrscheinlich recht, gleichviel, daß auch die Deutschen, wie Sie wissen, stets über andere Völker urteilen.

Was tun?

Niemand möchte ein Pharisäer sein, nur das nicht; vielleicht ist man aber wirklich einer, vielleicht nicht immer, mindestens aber dann, wenn ich besorgt bin um den guten Anschein der eignen Person, nicht um das Elend, das wir vor Augen haben, nicht um die Erkenntnis seiner Gründe. Auch das Verzeihen, das sich als nächster Ausweg anbietet, setzt natürlich schon eine Verurteilung voraus; es ist eigentlich kein Unterschied in der Anmaßung, es kommt nur noch die Angst hinzu, daß man sich einer

Anmaßung schuldig mache, und man ist also feige obendrein, man greift nicht zum Messer, weil man sich nicht ins eigene Fleisch schneiden will, indem man urteilt. Man schweigt und kommt sich christlich vor, indem man sein eigenes Erbarmen genießt, eine Art von Erbarmen, das nichts verändert; der bloße Verzicht, sich in das Wagnis eines Urteils einzulassen, ist ja noch keine Gerechtigkeit, geschweige denn Güte oder sogar Liebe. Er ist einfach unverbindlich, weiter nichts. Nun ist aber gerade die Unverbindlichkeit, das Schweigen zu einer Untat, die man weiß, wahrscheinlich die allgemeinste Art unsrer Mitschuld –

Dritter Entwurf

Sie schreiben mir als Obergefreiter, der vor Stalingrad war, und da ich Sie, je öfter ich den Brief lese, immer weniger begreifen kann, bleibt vielleicht nichts anderes übrig, als daß ich von unserem Standort berichte, wenn Sie dafür Interesse haben. Die Frage nach unsrer Zuständigkeit, die Sie aufwerfen, gehört tatsächlich zu den Fragen, die uns schon während des Krieges, als unsere Verschonung durchaus nicht sicher war, bis zur Verwirrung beschäftigt haben. Wer in jenen Jahren schrieb und zu den Ereignissen schwieg, die uns zur Kenntnis kamen und manches teure Vertrauen erschütterten, am Ende gab natürlich auch er eine deutliche und durchaus entschiedene Antwort dazu; er begegnete der Zeit nicht mit Verwünschungen, nicht mit Sprüchen eines Richters, sondern mit friedlicher Arbeit, die versucht, das Vorhandensein einer andern Welt darzustellen, ihre Dauer aufzuzeigen. Er äußerte sich zum Zeitereignis, indem er es nicht, wie andere fordern, als das einzig Wirkliche hinnahm, sondern im Gegenteil, indem er ihm alles entgegenstellte, was auch noch Leben heißt. Vielleicht wäre das, sofern es nicht zur bloßen Ausflucht wird, sogar die dringendere Tat, die eigentlich notwendende. Die Gefahr allerdings, daß sie zur bloßen Ausflucht wird, liegt bei den Verschonten aller Art immer in nächster Nähe. Die Dichter eines Kriegslandes sind durch ein Feuer gegangen, ein öffentliches, ein allgemein sichtbares, und was zu sagen ihnen noch bleibt, hat jedenfalls eine Probe bestanden. Auch in unseren Augen, vor allem in unseren Augen erscheinen sie mit der Gloriole eines Geläuterten. Natürlich kamen auch falsche Gloriolen, und sie haben, wie erwartet, Helvetier auf Knien gefunden. Halten wir uns aber an die wirklichen. Was haben, verglichen mit ihnen, die Schaffenden unseres Landes auszusagen?

Die Frage scheint bedrängend.

Wir haben den Krieg nicht am eignen Leib erlitten, das ist das eine, und anderseits haben natürlich auch wir ein gewisses Erleben von Dingen, die unser Schicksal bestimmen. Daß der Krieg uns anging, auch wenn er uns nochmals verschonen sollte, wußte jedermann. Unser Glück blieb ein scheinbares. Wir wohnten am Rande einer Folterkammer, wir hörten die Schreie, aber wir waren es nicht selber, die schrien; wir selber blieben ohne die Tiefe erlittenen Leidens, aber dem Leiden zu nahe, als daß wir hätten lachen können. Unser Schicksal schien die Leere zwischen Krieg und Frieden. Unser Ausweg blieb das Helfen. Unser Alltag, den wir auf dieser Insel verbrachten, war voll fremder Gesichter: Flüchtlinge aller Art, Gefangene und Verwundete. Wir hatten, ob wir mochten oder nicht, einen Anblick dieser Zeit, wie er für ein Volk, das außerhalb des Krieges steht, nicht aufdringlicher hätte sein können. Wir hatten sogar, was die Kriegsländer nicht haben: nämlich den zwiefachen Anblick. Der Kämpfende kann die Szene nur sehen, solange er selber dabei ist; der Zuschauer sieht sie immerfort. Zwar hatten wir durchaus unsere leidenschaftlichen Wünsche, aber nicht die Not des Kämpfers: nicht die Versuchung zur Rache. Vielleicht liegt darin das eigentliche Geschenk, das den Verschonten zugefallen ist, und ihre eigentliche Aufgabe. Sie hätten die selten gewordene Freiheit, gerecht zu bleiben. Mehr noch! Sie müßten sie haben. Es ist die einzig mögliche Würde, womit wir im Kreise leidender Völker bestehen können –

(Nicht abgeschickt.)

Über Marionetten

Gestern wieder einmal in einem Puppenspiel, und nachdem alles zu Ende war, durften wir sogar hinter das Bühnchen treten. Es ist ein enger Raum mit verbrauchter Luft, verwundert betrachten wir die hangenden Puppen, irgendwie ungläubig, ob es wirklich die gleichen sind, die uns eben bezaubert haben. Auch der Teufel hangt nun an der Latte, schäbiger als man erwartet hat. Während des Spieles wirken sie immerfort anders, je nach der Szene, je nach den Worten, die sie selbst nicht sprechen und hören. Man begründet es mit dem wechselnden Einfall des Lichtes, mit den verschiedenen Haltungen ihres Kopfes und so weiter. Irgendwie bleibt man enttäuscht, während der Puppenvater sich die Hände seift, spült, trocknet und von weiteren Plänen erzählt. Oder wenigstens ist man im stillen betroffen, wie die Puppen plötzlich ins Leere starren, leblos, geistlos, als kennen sie uns nicht wieder...

Was jedesmal auffällt:

Wie leicht es den Marionetten gelingt, auch außermenschliche Wesen darzustellen, einen Erdgeist, einen Kobold, Ungeheuer und Feen, Drachen, Geister der Lüfte und was das Herz begehrt. Auch auf der großen Bühne kann es sich ja geben, daß solche Gestalten erscheinen müssen, die Meerkatzen oder ein Ariel; dort besteht immer die Gefahr, daß es peinlich wird, und bestenfalls gelingt es dem Schauspieler, daß sie nicht lächerlich werden; die erhoffte Wirkung jedoch, nämlich ein letztes Grauen oder eine überirdische Wonne, die von solchen außermenschlichen Wesen ausgehen sollten, kann die Bühne kaum erreichen, solange sie mit wirklichen Menschen darstellt. Die Marionetten können es. Viel liegt schon an dem Umstand, daß die Puppe, die hier einen Menschen darstellt, und die andere Puppe, die einen Erdgeist gibt, aus dem gleichen Stoff sind. Das bedeutet: daß die Marionette, die uns den Erdgeist vorstellt, ebenso glaubhaft oder unglaubhaft ist wie die andere, der wir den Menschen glauben sollen. Auf der großen Bühne, meine ich, können wir den Erdgeist nicht glauben, weil er gegenüber dem Menschen nicht aufkommt: weil der Mensch, der ihm gegenübertritt, wirklich ein Mensch ist, eine Natur aus Fleisch und Blut. Das andere dagegen, der Erdgeist, bleibt ein Bild, ein Zeichen. Und damit spielt die Szene, wie vortrefflich sie auch gespielt werde, von vornherein auf zwei verschiedenen Ebenen, die nicht auf die gleiche Art glaubhaft sind. Beim Puppenspiel sind sie es. Auch beim antiken Maskenspiel: wenn Athene und Odysseus gleicherweise eine Maske tragen, wenn sie gleicherweise unwahrscheinlich und zeichenhaft bleiben, können wir auch die Göttin glauben.

Ein anderes, was an den Marionetten begeistert, ist ihr Verhältnis zum Wort. Ob man will oder nicht, das Wort im Puppenspiel ist immer überhöht, so, daß es sich nicht verwechseln läßt mit der Rede unsres Alltags. Es ist übernatürlich, schon weil es von der Puppe getrennt ist, gleichsam über ihr lebt und webt; dazu ist es größer, als es jemals ihrem hölzernen Brustkorb entspräche. Es ist mehr als jenes begleitende Geräusch, das uns täglich aus dem Munde kommt. Es ist das Wort, das im Anfang war, das eigenmächtige, das alles erschaffende Wort. Es ist Sprache. Das Puppenspiel kann sich keinen Augenblick lang mit der Natur verwechseln. Es ist ihm nur eines möglich, nämlich Dichtung; sie bleibt sein einziger Spielraum.

Der Vergleich mit dem antiken Theater, das ebenfalls diese starren Masken hatte, drängt sich noch in mancher Hinsicht auf. Beide Theater, das größte und das kleinste, wirken durch das Mittel eines veränderten Maßes. Dort ist es die Maske, womit man die Figuren vergrößert, und später auch noch der Kothurn; beim Puppenspiel machte man sie kleiner. Und die Wirkung ist wesentlich die gleiche: wir können uns nicht mehr neben die handelnden Figuren stellen, nicht Schulter an Schulter, und wir sollen es auch nicht, im Gegenteil, der veränderte Maßstab verbietet jegliche Anbiederung: Wir sind hier, und sie sind dort, und was sich auf der Szene ereignet, sehen wir aus einer unüberbrückbaren Distanz, gleichviel, ob diese durch Vergrößerung oder Verkleinerung erreicht wird. Mit Staunen erleben wir dann, daß die Marionetten, je länger ihr Spiel gelingt, auf eine zwingende Weise lebendig werden; zuweilen vergessen wir ganz, daß sie kleiner sind als wir, Zwerge und sogar Zwerge aus Holz, die wir mit unsrer Hand umfassen und aus dem Spiele werfen könnten; wir entdecken, wir erfahren das Verhältnismäßige aller äußeren Größen, auch der unseren, und solange ihr Spiel nicht gestört wird durch irgendeine Tücke, durch einen Zufall der Gebärden, die aus dem Rahmen fallen und eben dadurch den Rahmen verraten, so lange ist der Geist an keine Größenmaße gebunden. Die hölzernen Zwerge, indem sie spielen, übernehmen gewissermaßen unser Leben. Sie werden wirklicher als wir, und es kommt zu Augenblicken eigentlicher Magie; wir sind, ganz wörtlich, außer uns.

Und nachher:
Wie schäbig sie an der Latte hangen, jetzt, wenn sie unser Leben nicht mehr haben, wenn wir wieder in uns sind.
Christus als Puppe?
Übrigens erinnere ich mich, daß wir als Studenten einmal ein Puppenspiel sahen, welches das Abendmahl darstellte. Es war erschütternd. Es war heilig in einem Grade, wie es mit einem menschlichen Darsteller, der uns einen Christus vortäuschen will, nie möglich wäre. Ein Christus aus Lindenholz, wie Marion ihn macht: man denke an ein Kruzifix, und auch dort wird es nicht als Lästerung empfunden; die Puppe, im Gegensatz zum leiblichen Schauspieler, begegnet uns von vornherein als Gestaltung, als Bild, als Geschöpf des Geistes, der allein das Heilige vorstellen kann. Der Mensch, auch wenn er ein Bild spielt, bleibt immer noch aus Fleisch und Blut. Die Puppe ist Holz, ein ehrliches und braves Holz, das nie den verfänglichen Anspruch erhebt, einen wirklichen Christus vorzustellen, und wir sollen sie auch nicht dafür halten; sie ist nur ein Zeichen dafür, eine Formel, eine Schrift, die bedeutet, ohne daß sie das Bedeutete sein

will. Sie ist Spiel, nicht Täuschung; sie ist geistig, wie nur das Spiel sein kann –.

Davos

Ein köstlicher Tag, alles voll Sonne, klar und gewiß, und wir stehen kaum hundert Schritte unter dem weißen Gipfelkreuz, das die scharzen Dohlen umkreisen – plötzlich ein Krach in der blauen Luft oder unter dem glitzernden Schnee, ein kurzer und trockener Ton, fast zart, fast wie der Sprung in einer Vase; einen Augenblick weiß man nicht, ob es aus der Ferne oder aus der nächsten Nähe gekommen ist. Als wir uns umblicken, bemerken wir, wie sich der ganze Hang, er ist steil, bereits in ein wogendes Gleiten verwandelt hat. Alles geht sehr rasch, und zugleich ist es so, als wären Jahrzehnte vergangen seit den Ferien, die wir eben begonnen haben und die keine Erinnerung mehr erreicht; der Gipfel, dessen weißes Kreuz in den wolkenlosen Himmel ragt, scheint ferner als noch vor einem Atemzug. Ringsum ein Bersten, lautlos zuerst, und der Schnee geht uns bereits an die Knie. Allenthalben überschlagen sich die Schollen, und endlich begreife ich, daß auch wir in die Tiefe gleiten, unaufhaltsam und immer rascher, mitten in einem grollenden Rollen. Dabei ist man vollkommen wach. Zum Glück hatten wir unsere Bretter auf den Schultern; ich rufe Constanze, die ich für Augenblicke wiedersehe, rufe ihr, was sie machen soll. Hinter uns kommt immer mehr. Schnee, Wind, Gefühl des Erstickens. Das eigene Entsetzen ist groß und gelassen zugleich, irgendwie vertraut, als wäre es nicht die erste Lawine.

Unterwegs

Seit Straßburg, dessen Münster sich nur noch in der Dämmerung zeigte, haben wir Schlafwagen, und da wir am Morgen erwachen, sehen wir gerade die zerbombten Geleise von Karlsruhe. Ein wolkenloser Tag. Oft erscheint die Landschaft hinter einem Gitterwerk, das sich minutenlang hinzieht; es sind lauter verbrannte Eisenbahnwagen, ein Gestrüpp von rotem Rost. Später öffnen wir das Fenster im Korridor; wir sind in Pforzheim, wo man kaum noch ein Dach sieht, nichts als verzackte Mauern, Ruinen voll Schnee. Irgendwo raucht es aus einem Keller, und Kinder stehen auf einer verschneiten Straße, blicken zu uns. Constanze fährt zum erstenmal durch Deutschland; sie schüttelt den Kopf, als sie das sieht:

»Vollkommen kaputt –.«

Ein Sieger, ein junger Offizier, der gerade durch den Korridor kommt und in den Speisewagen will, blickt sie an:

»Gott sei Dank, Madame –«.

An Maja

Du bist eine Frau, vielleicht ein Mädchen, und im stillen fragst du manchmal, was ich möchte; einen ganzen Nachmittag sind wir gewandert, zu weit für deine schmalen Schuhe, und gesprochen haben wir nichs Besonderes. Du gabst deine Hand, während wir die Hänge hinuntergingen; wir sagen uns du, und am andern Morgen erwache ich, wie man am Meer erwacht. Meine Hand bleibt voll von der deinen. Aber nimm es nicht schwer; kein Brief soll dich rufen, wenn du gehst. Du bist jung, und ich bin froh, daß es dich gibt. Die Erde, die du betreten hast, ist wieder eine Erde zum Wandern, und alles Vorhandene bist du. Ich sehe die blühenden Zweige, die du vom Baume brichst, und ich sehe die Hunde, die nach deinen Steinen springen. Die Früchte, die du zum Munde nimmst, das alles ist rund und vorhanden und voll, wie deine Stirne voll ist und jung und ohne Durchsicht; du bist die Gegenwart hinter allem. Es ist, als blühen die Felder aus dir, hier, wo du noch nie gegangen bist, und die Luft ist voll Glanz deiner Augen. Ich möchte erzählen können, was alles ich sehe, die Landschaft mit Kiefern und Ulmen und fremden Giebeln darin, mit Flüssen und endlosen Wäldern und Schlössern, deren Fenster in der Abendsonne blinken, mit Brücken und Trümmern von Brücken, mit Domen, die aus zerstörten Städten steigen. Du bist es, was die Bilder hält, die Farben vor der Nacht, und alles Licht, das die Sonne vergeudet, es fiele ins Finstere, wenn es nichts gäbe, was man liebt –

Prag, März 1947

Ich wußte nicht, daß Theresienstadt, das wir gestern auf unsrer Durchreise besucht haben, eine alte historische Anlage war, benannt nach Maria Theresia. Um das ganze Städtlein ziehen sich die hohen und schweren Wälle aus rötlichem Ziegelstein, ebenso ein breiter Graben mit allerlei Unkraut und Wasser, das in braunen Tümpeln versumpft. Außerhalb der kleinen Stadt, die als Ghetto diente, befindet sich das Fort; das eigentliche Todeslager. Eine schöne und alte Allee verbindet die beiden Anlagen; daneben ein Feld von hölzernen Kreuzen, die man später gemacht hat. Im ersten Hof, wo die deutschen Mannschaften wohnten, gibt es noch Bäume; es war ein warmer und märzlicher Tag, es zwitscherten die Vögel, und auf den rötlichen Wällen, die uns plötzlich von aller Umwelt trennen und von aller Landschaft, wippen die einzelnen Halme, die letzte Natur. Über dem inneren Hof, wo nun die Häftlinge waren, thront ein Häuslein mit Scheinwerfer und Maschinengewehr; die Zellen reihen sich wie Waben; sie sind aus Beton; die Pritschen darin erinnern an Flaschengestelle, und am Ende dieses Hofes, wo wir die Kugellöcher bemerken, fanden jene besonderen Hinrichtungen statt, denen sämtliche Häftlinge beizuwohnen hatten. Das Ganze, so wie es sich heute zeigt, vermischt die Merkmale einer Kaserne, einer Hühnerfarm, einer Fabrik und eines Schlachthofes. Immer weitere Höfe schließen sich an. Durch das sogenannte Todestor, eine Art von Tunnel, kommen wir zu einem Massengrab von siebenhundert Menschen; später benutzte man die Öfen einer nahen Ziegelei. Hier steht der Galgen, ein einfacher Balken mit zwei Haken, wo die Häftlinge sich selber den Strick einhängen mußten, und darunter zwei hölzerne Treppenböcke. Auch hier sehen wir nichts als die rötlichen Wälle, die wippenden Halme darauf. Unweit von dem Galgen, dessen einfache Machart fast lächerlich ist, befindet sich der Platz für die reihenweisen Erschießungen; vorne ein Wassergraben, der die Schützen und die Opfer trennt, und hinten eine gewöhnliche Faschine, damit die Erde, welche die Kugeln fängt, nicht mit der Zeit herunterrutscht. Es ist Platz für zehn oder zwölf Menschen. In einer Dekkung, wie wir sie als Zeigermannschaft in einem Feldschießen kennen, befand sich der sogenannte Leichentrupp, ein Grüpplein von Juden, welche die Erschossenen abräumen, nötigenfalls für ihren gänzlichen Tod sorgen mußten. Wir gehen weiter; jenseits des Walles, aber immer noch inmitten unseres Lagers, stehen wir plötzlich vor einem tadellosen Schwimmerbecken, und an der Böschung jenes Walles, dessen Gegenseite wir eben betrachtet haben, gibt es sogar ein Alpinum, ein Gärtlein mit schönen Steinen und Pflanzen, das heute allerdings verwildert ist; hier haben die deutschen Wachen ihre sommerliche Freizeit verbracht zusammen mit ihren Frauen und Kindern. In dem nächsten Hof, wo die Häftlinge zu jeder Führerrede antreten mußten, sind es einmal nicht die rötlichen Wälle, die uns umgeben, sondern alte Stallungen. Eine davon betreten wir. Hier war die Folterkammer. Im steinernen Boden sind zwei eiserne Ringe verschmiedet, an der Decke ist ein Flaschenzug, und genau darunter, eingelassen in die steinerne Bodenplatte, befindet sich ein eiserner Dorn in der Größe eines Zeigefingers. Es ist ein Raum mit alten Gewölben, und zwischen den Pfeilern hängt ein Vorhang aus dünnem Sacktuch, ein Schleier, der die Zuschauer verbarg. Indem wir auf der andern Seite aus der Stallung hinausgehen, stehen wir auf einer Brücke, also wieder im Freien, und blicken in den sogenannten Judengraben. Zwischen zwei besonders hohen Wällen, so daß man wieder nur den Himmel sieht und nichts als den Himmel, befindet sich ein Kanal mit grünem Wasser, ein Wiesenbord zu beiden Seiten. Ferner ist noch eine hölzerne Leiter da. Zehn Juden wurden hinuntergeschickt, versehen mit Heugabeln und mit dem Versprechen, daß die beiden letzten, die ihre Kameraden überlebten, in die Freiheit entlassen würden. Von der eisernen Brücke, wo die Zuschauer standen, blickt man wie in einen Bärenzwinger. Die Freiheit für die beiden Letzten, sagt uns ein begleitender Insasse, bestand in einem Genickschuß. Endlich kommen wir an den letzten Ort. Wir stehen vor den Urnen. Es ist das erstemal, daß ich die menschliche Asche sehe; sie ist grau, aber voll kleiner Knöchelchen, die gelblich sind. Die Urnen sind aus Sperrholz, neuerdings, während das deutsche Modell, das wir in die Hand bekommen, einfacher und sparsamer war, eine Düte aus starkem Papier, jede mit einer handschriftlichen Nummer versehen, wenn sie gefüllt ist. Das Lager von Terezin, als es befreit wurde, hatte einen Vorrat von zwanzigtausend solchen Düten. Natürlich nehmen wir den Hut in die Hand, aber ich würde lügen, wenn ich von Erschütterungen spräche; der Anblick dieser Urnen, die man öffnen kann, verbindet sich mit nichts; sie reihen sich wie Büchsen in einer Drogerie, sie reihen sich wie Töpfe in einer Gärtnerei. Was mich an diesem Ort am meisten beschäftigte, waren die beiden Bildnisse, die über den namenlosen Urnen hingen: Benesch und Stalin.

Der Tag geht weiter.

Wir fuhren nach Leitmeritz, wo wir einen Imbiß nahmen, und in einer Amtsstube, die uns wieder die gleichen Bildnisse zeigt, lassen wir uns unterrichten, warum man die Sudetendeutschen, insgesamt drei Millionen, aus dem Lande verschickt hat und was mit ihren Häusern geschieht, mit ihren Feldern. Man zeigt uns die Pläne. Vor allem aber bleibt es die Amtsstube, die mich bedrückt wie alle Amtsstuben der Welt. Tod oder Hochzeit oder Geburt, was spielt es für eine Rolle; was gilt es für den Staat, der nicht ein Mensch ist und dennoch mit einer behaarten Menschenhand arbeitet? Ich sehe die wechselnden Bildnisse an der Wand, die Kaiser und Feldherren und Erlöser, die dem Staat, damit es nicht bei der behaarten Hand bleibe, ein menschliches Gesicht leihen wollen, und dennoch bleibt alles Menschliche, was man in solchen Amtsstuben vorzubringen hat, unwirklich wie die gelbliche Asche, die wir eben gesehen haben; man fühlt sich beklommen noch da, wo man nichts will. Die Pläne, die man auf dem Tisch entrollt, sind voll Vernunft und Willen, daß alles besser wird. Während wir jedesmal auf die französische Übersetzung warten, denke ich an die Flüchtlinge in Frankfurt, damals vor einem Jahr; ich denke an den Waggon in München, der bei der Ankunft, als man ihn öffnete, einfach voll Tod war, und ich denke an die beiden Ringe im steinernen Boden, an den Flaschenzug, an den eisernen Dorn; auch daran. Es ist wichtig, daß man vieles zusammensieht. Da ich nichts sage, vielleicht erscheint es wie Mißtrauen, was nur Besorgnis ist; es täte mir leid; von Herzen wünsche ich dem arbeitsamen Mann, daß der Rotstift, womit er auf seiner Landkarte zeichnet, nicht das Blut seiner Söhne bedeutet –.

Was am meisten bleibt, wenn ich an das Lager denke, und was gleichsam immer näher kommt, während man es an Ort und Stelle kaum bemerkte, jedenfalls nicht mehr als alles andere: die wippenden Halme auf den rötlichen Wällen, und daß man überall, wo immer wir standen, nichts als den Himmel sieht.

Prag

Gestern die Aufführung in tschechischer Sprache. Ich verstehe natürlich kein Wort, ich sehe die Gänge, den Wechsel der Gruppen, alles als Pantomime, ich sehe Farbe, Gestalt und Gebärde, Bewegung, alle Arten sinnlichen Ausdruckes, den das Theater nur haben kann, dazu höre ich eine Sprache sozusagen ohne Wörter, Sprache als Klang, als Rhythmus – das Entscheidende eines Stückes: wer tritt wem gegenüber, wer geht weg, wer kommt hinzu, wer kehrt zurück und so weiter, all dies wird plötzlich ganz offenkundig, lesbar wie ein Röntgenbild.

Morgen eine öffentliche Diskussion; ich werde deutsch sprechen, was den Veranstaltern einige Sorge bereitet. Ihr Haß gegen diese Sprache. Es ist aber, das sehen sie ein, auch eine Sprache unseres Landes, so gut wie Französisch oder Italienisch, und unmöglich, dem Haß gegen eine Sprache, welche auch immer, recht zu geben – ohne denen recht zu geben, die wir in allen Sprachen und mit Recht hassen: den Nationalisten.

Ein weiteres, was diese Aufführung für mich so erregend macht: die Sprache nicht als Sprache schlechthin, sondern als eine unter anderen. Napoleon und Brutus sprechen tschechisch, was ebenso drollig ist, wie wenn sie deutsch sprechen; aber hier wird es mir bewußt: wie selbstverständlich beides ist... Die besondere Sprache, die uns beschränkt und vereinsamt, und die Sprache in der Kunst, die immer zur Sprache schlechthin wird, zur menschheitlichen. Ich habe Macbeth gesehen: Englisch gedichtet, was wir deutsch empfinden, slawisch gesprochen, so daß ich kein Wort verstehe, nur bestürzt bin, wie geschwisterlich wir sind, oder bestürzt, wie oft man das vergißt.

Hradschin

Die Möwen, die auf dem gleißenden Eis der Moldau sitzen; die steinernen Heiligen, die finster auf der langen Brücke stehen, und die Bläue eines kommenden Frühlings darum; die tropfenden Bäume überall; die Straßen mit schmelzendem Schnee, der in der Sonne blendet; die vermooste Mauer droben beim Hradschin, wo man die Beine baumeln läßt, vor sich die Weite voll grünlicher Kuppeln einer fremden Stadt: das alles war schon einmal. Vor dreizehn Jahren, als ich auf dieser Mauer saß und keine Ahnung hatte, wohin es weiterging, war es auch März; es war die erste fremde Stadt in meinem Leben, und wenn ich zum Spaß daran denke, daß ich alles, was diese dreizehn Jahre brachten, noch einmal leben müßte: der Reihe nach, so wie es war, ohne Verändern und ohne Überspringen, das Häßliche, das Holde, das Belanglose, so wie es war, genau so, nur ohne die Hoffnung auf das Ungewisse, die immer einen Schritt voranging –

Wer möchte es? Wer könnte es?

Unsere Abreise hat sich nochmals verschoben, da es wieder Morgen wurde über unserem Gespräch. Wir saßen mit den jungen Schauspielern in der Garderobe, wo es Kerzenlicht gab und schwarzen Kaffee, Lieder dazu, wie das Volk sie hierzulande singt, Lieder der Schwermut, Lieder der Leidenschaft, Lieder der Freude. Wir hatten noch einen Rest von guten Zigaretten; jemand brachte Wein, und eine Handorgel gab es hier auch. Einmal nach Mitternacht hörte man Schritte; es kam ein verschlafener Hauswart, der den Schein unsrer Kerze bemerkt hatte; er blickte über seinen Zwicker, nickte und verschwand. Die Bühne, wenn man gelegentlich hinausging, stand finster und leer, und in den hohen Gängen wimmelte es von fürstlichen Leuchtern, von Trommeln, die brummen, wenn man anstößt, oder man stolpert an marmorne Treppen und Säulen, die hohl sind; an den Wänden, die gerade in den tastenden Schein unsrer Taschenlampe kommen, blinkt es von Schwertern und Rüstungen; anderswo sind es Fahnen, die aus umrißloser Dämmerung herniederhangen, Fahnen unsrer ganzen abendländischen Geschichte.

Verändern wollen wir alle – darin sind wir uns einig, und es geht jedesmal nur darum, wie die Veränderung möglich sein soll; es ist nicht die erste Nacht, die wir dieser Frage opfern. Die einen glauben, es bleibe uns nur noch die Entdeckung der menschlichen Seele, das Abenteuer der Wahrhaftigkeit, und sie sehen keine anderen Räume der Hoffnung. Die anderen dagegen sind überzeugt, daß sich der Mensch in dieser Welt, so wie sie ist, nicht verändern kann; also müssen wir vor allem die Welt verändern, die äußere, damit der Mensch, der ihnen als Erzeugnis dieser äußeren Welt erscheint, sich seinerseits erneuern kann. Ihnen geht es um die Entdeckung einer neuen Wirtschaft; der neue Geist, sagen sie, folgt in dem Augenblick, wo er möglich wird, und sie glauben so gänzlich daran, so zweifellos, daß sie bereit sind, die Veränderung der äußeren Ordnung, die den Menschen befreien soll, allenfalls mit Gewalt herzustellen. Damit kommen wir dann jedesmal auf die andere Grundfrage. Gibt es einen

Zweck, – der unsere Mittel heiligen kann? Darf ich die anderen fesseln und allenfalls töten, die verhindern wollen, was mir als das Heil erscheint? Errichte ich damit das Heil, das ich sonst nicht errichten kann? Ich kam in der Meinung, daß man darüber nicht mehr nachdenken müßte, und sehe, daß ich auch darüber zu wenig denken kann; sonst könnte ich sie überzeugen, zumal wir auch über das Ziel, das wir unsrer Veränderung setzen, durchaus einig sind. Wir wollen die Würde aller Menschen. Daran müssen wir uns immer wieder erinnern, damit unser Gespräch sich nicht verliert. Die Würde des Menschen, scheint mir, besteht in der Wahl. Das ist es, was den Menschen auch vom Tier unterscheidet; das Tier ist stets nur ein Ergebnis; das Tier kann nicht schuldig werden, so wenig wie es frei werden kann; das Tier tut stets, was es muß; und es weiß nicht, was es tut. Der Mensch kann es wissen, und sogar Gott, der Allmächtige, läßt ihm die Wahl, ob er seinen guten oder seinen bösen Engeln folgen will; weil Gott uns nicht als Tiere will. Erst aus der möglichen Wahl gibt sich die Verantwortung; die Schuld oder die Freiheit; die menschliche Würde, die man manchmal gerne für das leichtere Dasein einer Möwe gäbe. Meine Freunde sagen: Es geht um die Freiheit. Und damit meinen sie wohl das gleiche; die Freiheit als einen Teil der Würde. Warum verneinen wir gemeinsam die wirtschaftliche Ordnung, die herrschende? Weil sie einem Menschen oder einer Gruppe von Menschen oder der Mehrzahl aller Menschen schlechterdings keine Wahl läßt; weil sie gegen die Würde des Menschen verstößt. Das Tierische liegt nicht allein in der Not, wo sie sich als Armut darstellt und sichtbar wird, indem einer in schlechten Schuhen gehen muß oder sogar barfuß; das ist bitter. Aber das Bittere ist nicht der leibliche Schmerz. Niemand wird im Ernst annehmen, daß diese äußeren Dinge nicht wichtig sind für den Geist; sie sind ein Zwang, eine Verhinderung. Der Hungernde hat keine Wahl. Sein Geist kommt nicht, woher er will, sondern er kommt aus dem Hunger. Aber es braucht nicht einmal den Hunger, um die herrschende Ordnung anzuklagen. Wenn der Vater ein gerechter Arbeiter ist und der Sohn wieder ein Arbeiter werden muß, weil man sich andere Versuche einfach nicht leisten kann, so liegt das Unwürdige nicht in der Arbeit, nicht in der Art der Arbeit, sondern darin, daß der Sohn überhaupt keine Wahl hat. Woher soll er die Verantwortung nehmen gegenüber einer Gesellschaft, deren wirtschaftliche Ordnung ihn vergewaltigt? Er ist ein Opfer, auch wenn er keinen Hunger leidet. Er wird nicht, was er werden kann, und niemals wird er wissen, was er kann; vielleicht kann er wirklich nichts anderes. Wie kann man es entscheiden, bevor man ihn prüft? Andere können werden, was sie sind, manchmal sogar mehr: weil das Können so selten ist, weil Millionen von Geburten vergeudet werden. Darum möchten wir eine Ordnung, die niemanden der Wahl beraubt, und meine Freunde glauben allerdings, daß sie den Entwurf einer solchen Ordnung haben; vieles an ihrem Entwurf ist begeisternd, und wenn wir vom Ziel sprechen, sind wir immer wieder einig. Wenn aber dieses Streben, daß alle in ganzen Schuhen gehen und daß keiner durch die wirtschaftliche Ordnung gezwungen und somit um die Wahl und somit um die Würde betrogen wird; wenn dieses große und unerläßliche Streben dazu führen sollte, daß man es mit einem Staat versucht, der meinem Denken fortan keine Wahl mehr läßt, was haben wir erreicht? Wir hätten das Mittel verwirklicht, nicht das Ziel. Die Würde des Menschen, wie wir dieses Ziel nennen, ist die Wahl; nicht die Badewanne, die der Staat ihm liefert, wenn er nicht am Staate zweifelt. Wie soll ich glauben können, wenn man mir keine Wahl läßt? Allein die Gewalt, die mir den Zweifel verbietet, nimmt mir den Glauben noch da, wo ich ihn schon hatte –

Frage:

»Dürfen wir annehmen, daß die Tyrannei sich in einen Segen verwandelt, wenn unsere eignen Hände nach ihr greifen?«

Antwort:

»Es handelt sich höchstens um einen Übergang.«

Frage:

»Kennen wir in der menschlichen Geschichte einen solchen Übergang, eine Tyrannei, die nicht in die Luft flog, sondern in natürlichem Wachstum sich als ihr Gegenteil entpuppte?«

Antwort:
»Darüber reden wir in hundert Jahren.«
Gelächter...

Kinder an den Bahndämmen, besonders wo die Züge wegen
Zerstörungen etwas langsamer fahren; sie warten, daß wir etwas
Eßbares hinauswerfen. Das Peinliche, es zu tun, wenn andere es
sehen. Warum eigentlich? Auch Frauen, die an einer Barriere
stehen oder auf freiem Feld; ohne Gebärde, stumm, graublaß
und hager. Die Verlumpung erreicht einen Grad, den ich bisher
nur in Serbien gesehen habe. Sechs Schienenarbeiter teilen sich
in die Brote, die unsere tschechischen Freunde gestrichen haben.
Wir sind froh, nichts mehr zu haben, nicht mehr unterscheiden
zu müssen. Krach auf dem Bahnsteig; jemand hat Zigaretten geworfen. Der Jüngling, der sie gewinnt: Schwindsucht, Wehr-
machtsmütze, Schwarzhandel, Faustrecht, Syphilis.

Zuhause

Ursel hat große Freude an der tschechischen Puppe, auch an dem
Bilderbuch, das wir gebracht haben; daß die Kinder, die man auf
den reizenden Bildern sieht, ganz anders reden und daß auch wir
nicht lesen können, was geschrieben steht, läßt ihr keine Ruhe;
seit zwei Tagen fragt sie immer wieder. Auch Peter, der kleinere,
steht ganz unter dem Eindruck der Reise, die er nicht gemacht
hat; er ist jetzt im Alter, da die Eisenbahn über alles geht, und
kostet die Erfahrung, daß man in der Eisenbahn sogar schlafen
kann, daß man sie überhaupt nicht mehr verlassen muß. Das
meiste wissen sie schon aus den Briefen, die Constanze ihnen jedesmal zeichnet; nichts steht in diesen Bilderbriefen, was nicht
stimmt, und jedesmal, wenn ich sie den Kindern wieder erklären
muß, bin ich verblüfft, wieviel Lebenswertes auf unserem Wege
war –.

Was auffällt, wenn man draußen gewesen ist: das Verkrampfte unsrer Landsleute, das Unfreie unseres Umganges, ihre Gesichter voll Fleiß und Unlust; nicht auszuhalten, wenn sie von ihrem bescheidenen Wesen reden; in Wahrheit, sobald gewisse Hemmungen fallen, zeigt sich das Gegenteil; es fehlt nicht an gestautem Ehrgeiz, der auf Weltmeisterschaften lauert, und in besseren Kreisen sind es Pestalozzi, Gotthelf, Burckhardt, Keller und andere Verstorbene, die man sich ins Knopfloch steckt; man erschrickt oft über sich selber, über die fast krankhafte Empfindlichkeit, wenn ein andrer nicht begeistert ist von uns. Irgendwie fehlt uns das natürliche Selbstvertrauen. Immer wieder auffallend ist die Art, wie sie mit ihren einheimischen Künstlern umgehen, wie sie ihnen auf die Schulter klopfen bestenfalls mit dem Ton einer warnenden Anerkennung, eine Aufmunterung, eine wirkliche, eine Erwartung, die nicht unter Bedenken röchelt, kommt meistens von einem Ausländer; zum Glück hatten wir in der Zeit, da wir die Türen schließen mußten, wenigstens die Emigranten im Haus. Dabei wäre die nüchterne Zurückhaltung unsrer Landsleute, wenn sie stimmt, geradezu wunderbar; was sie fragwürdig macht, ist der bedenkenlose Kniefall vor allem Fremden. Der erwähnte Mangel an Selbstvertrauen, der sich so und so verrät, macht unsere Künstler nicht bescheiden, was jedenfalls ein Gewinn wäre; sondern unsere Landsleute, wenn wir auf sie angewiesen sind, machen uns nur kleinmütig, und die unvermeidliche Kehrseite davon ist das Anmaßende, also wiederum eine Verkrampfung. Anderseits hat es auch wieder seinen Segen, wenn man einem Volk angehört, das seine Künstler niemals durch Verwöhnung verdirbt, und zwar ohne jede Ironie: der deutsche und vielleicht abendländische Irrtum, daß wir Kultur haben, wenn wir Sinfonien haben, ist hierzulande kaum möglich; der Künstler nicht als Statthalter der Kultur; er ist nur ein Glied unter anderen; Kultur als eine Sache des ganzen Volkes; wir erkennen sie nicht allein auf dem Bücherschrank und am Flügel, sondern ebensosehr in der Art, wie man seine Untergebenen behandelt. Sofern man Kultur in diesem Sinne meint, der mir der zukünftige scheint, müßten wir in keiner Weise erschrecken, wenn sie uns gelegentlich einen Anachronismus nennen; ich meine weniger die Verwirklichung, sondern die Idee der Schweiz, die ich vor allem liebe, und wenn ich noch einmal aus freien Stücken wählen könnte, was die Geburt schon entschieden hat, möchte ich trotzdem nichts anderes als ein Schweizer sein; nach der Idee, die unsere eigentliche Heimat ist, sind es natürlich auch einzelne Landschaften, die man liebt, aber erst in zweiter Linie; am wenigsten weiß ich, ob ich unsere Landsleute liebe – sicher nicht mehr als die entsprechenden Gesichter aus anderen Völkern, und es erschiene mir nicht einmal als Ziel, im Gegenteil; Liebe zum Vaterland, so verstanden, wird zum Verrat an der Heimat; unsere Heimat ist der Mensch; ihm vor allem gehört unsere Treue; daß sich Vaterland und Menschheit nicht ausschließen, darin besteht ja das große Glück, Sohn eines kleinen Landes zu sein.

Pfannenstiel

Schon wieder die ersten Knospen! Die langen Weidenzweige hangen wir grüne Perlenschnüre, sie erinnern an die klingelnden Schleier in gewissen Wirtschaften, und allenthalben zwitschern die Vögel, Bläue schwimmt durch das spröde Gezweig, die Sonne scheint überall hin, Büsche und Sträucher sind wie ein Sieb. Irgendwie ist es zuviel, vor allem das Zwitschern der Vögel; wenigstens riecht es nach Jauche, wenn man über die Felder wandert, und in den Gehöften gackert es von weißen Hühnern. Manchmal kommt eine Wolke, und man ist froh um den Mantel, aber herrlich flattert die Wäsche, die draußen über den grünen Wiesen hängt, sie knallt wie eine Peitsche, und es glitzert der Brunnen, sein verwehtes Wasser plätschert über den Trog. Die vertrauten Fassaden unsrer Bauernhäuser, man bemerkt sie stärker als sonst; es blinken ihre niedren Fensterreihen, ihre Scheiben voll kleiner Sprossen, die noch von keinen Blumen umrankt sind, von keinem Weinlaub überschattet; die Spaliere sind nichts als ein Gitter von schlanken und bläulichen Schatten, eine schwebende Arabeske über verblaßtem Vitriol ihrer Mauern. Flieger über sich am Himmel. In den Schulhäusern, wenn man durch die Dörfer geht, singen sie bereits bei offenem Fenster, chorweise, daß es hallt über den öden Platz mit Recken und gestutzten Platanen, und irgendwo aus einem Tobel jault eine Sägerei, daß es durch Mark und Bein geht, und auf den Friedhöfen, wo die ersten Blumen wachsen, verrechen sie den Kies. Stundenlang wandere ich über gelassene Hügel. Die Wege sind weich, man muß auf dem Rande gehen; wie gläserne Scherben liegen die Tümpel darin, Räderspuren und Hufe, die den Himmel spiegeln. Man stapft durch Wälder, die fast ohne Schatten sind; nur selten gibt es noch ein Loch mit verschmutztem Schnee, körnig und grau und von Tannennadeln übersät; über einer Kiesgrube sehe ich den ersten Schmetterling. Man kann sich kaum verirren, so durchsichtig ist alles, und wenn man wieder hinauskommt, wogt es weiter mit Hügeln und braunen Mulden, Birken stehen am Rande eines Moores, und auf finsterem Acker dampfen die Rosse, sie ziehen den Pflug, die Egge, oder man verzettelt den Mist; immer bleibt die verblauende Ferne hinter schwarzen Apfelbaumzweigen. Gebirge hangen jenseits über Räumen voll silbernem Dunst, ein Gleißen von schmelzendem Schnee; die Luft ist voll Verheißung, die Luft ist voll Ostern, und es ist mir, als wäre gestern erst Frühling gewesen –.

Wenn es stimmt, daß die Zeit nur scheinbar ist, ein bloßer Behelf für unsere Vorstellung, die in ein Nacheinander zerlegt, was wesentlich eine Allgegenwart ist; wenn alles das stimmt, was mir immer wieder durch den Kopf geht, und wenn es auch nur für das eigene Erleben stimmt: warum erschrickt man über jedem Sichtbarwerden der Zeit?

Als wäre der Tod eine Sache der Zeit.

Ein Mädchen und ein junger Mann haben zusammen ihre Jugend verbracht, bis es nicht mehr ging, und das alles ist lange her. Daß eine Liebe einfach verenden kann, es war nicht hinzunehmen; beide hielten es für eine Schuld, daß die Liebe sie verließ, und aus der Heuchelei, die ihre Zuflucht wurde, wucherten die wirklichen Verschuldungen. Da war das Versprechen der Ehe, das sich nicht halten ließ; man kann sich nicht aus Anstand heiraten. Das Mädchen, als sie endlich und zum letztenmal auseinandergingen, sank an der Haustüre zusammen, bewußtlos, so daß er sie tragen mußte, und als sie wieder zum Bewußtsein kam, stand er noch immer da, zum letztenmal entschlossen, daß sie heiraten werden. Er wollte kein Schuft sein, nicht diesen einzigen Menschen gegenüber, den er geliebt hatte wie noch keinen andern, und er war ein Schuft, was immer er sagte; er konnte es nicht halten. Das Gehen war Verrat, das Bleiben war Verrat. Das alles kostete viel Irrtum und Blut; es war eine häßliche Zeit, wüst und wirr... Einmal, viele Jahre später, schreibt er einen Brief. Er weiß nicht, was er eigentlich schreiben soll. Er weiß, daß seine Verschuldungen sich nicht verjähren, und es soll keine Abbitte sein, keine Wehmut. Die Verschuldungen, die wir begehen, bleiben unsere Sache. Nur ein Gruß soll es sein. Es drängt ihn so klar, und er weiß nicht, warum er dieses Drängen töten soll. Er schickt den Brief, der fraglos ist, und erwartet nichts. Aber noch damit erwartet er zuviel. Die Antwort, die dennoch kommt, ist heftig und bitter und voll Rechthaberei. Es gibt eine männliche Rechthaberei, die stur und tumb ist und vielleicht gewaltsam, und es gibt eine weibische Rechthaberei, die anders ist, eifernd und kleinlich. Als er den Brief gelesen hat, steht er mit der Beschämung eines Menschen, der durch eine falsche Türe getreten ist und eine Entblößung sehen muß, die ihn nichts angeht; er steckt den Brief in einen neuen Umschlag und schickt ihn zurück. Sich selber nennt er einen Esel; es wäre die erste Frau gewesen, die großmütig bleibt, wo sie nicht mehr liebt, und in dem Alter, das er unterdessen erreicht hat, dürfte ihn diese Erfahrung nicht mehr überraschen –

Wieder vergehen Jahre.

Einmal, es ist in einer andern Stadt, geht er eine Treppe hinunter, zerstreut und ohne Blick; er fühlt nur, daß jemand, der eben die Treppe heraufkommt, plötzlich stehenbleibt und ihm den Weg verstellt. Es ist eine Frau, die ihn offen und betroffen anschaut, und eine Weile, während er ihrem Gesicht gegenübersteht, weiß er nicht sicher, wer es ist. Er sucht umsonst. Natürlich kennt man sich; es ist ein Gesicht, das ihn duzt, auch wenn es schweigt, ein gutes und reifes und warmes Gesicht, das über seinem ratlosen Suchen langsam zu lächeln beginnt und auf diese Weise vergißt, daß es selber betroffen war, und endlich, als er begreift, geben sie einander die Hand. Was sollen sie sprechen? Er will nicht fragen, und über das Wetter sprechen können sie auch nicht; er sagt:

»Es geht dir gut...«

»Und dir?«

»Du hast Kinder...«

»Ja!« sagt sie fröhlich: »Und du auch.«

Das Gespräch ist ganz leicht und frei. Nur der Umstand, daß ihm noch immer nicht ihr Name auf die Zunge kommt, stellt alles wie hinter einen Schleier. Daß sie ihm noch einmal von vorne begegnet, er hätte damit rechnen müssen. Ebensowenig wie an ihren Namen, den er durch ein namenloses Du ersetzt, kann er sich im Augenblick erinnern, wie sich eigentlich die Geschichte mit dem Brief verhielt: ob er ihn wirklich zurückschickte damals, oder dachte er nur daran, wollte er es nur –

»Das ist meine Frau«, sagt er: »Und das ist Annemarie.«

Jetzt hat er auch den Namen, und überhaupt ist er es, der fortan redet, während die beiden Frauen, ohne daß sie die Augen dazu brauchen, einander anschauen. Irgendwie bleibt es unwahrscheinlich, daß es zwei sind. Als man weitergeht, sagt Annemarie genau, was er selber hätte sagen wollen; er sagt nur:

»Leb wohl!«

Sie sagt:

»Ich bin so froh, daß wir uns noch einmal gesehen haben.«

Das tönt fast, als wäre ein Sterben in Sicht; sicher dachte sie durchaus nicht an Tod, es war nur das Gefühl eines Endgültigen, das auch ihn über die Treppe hinunter begleitet, und all die müßigen Gedanken, die nachher kommen, Gedanken, ob es möglich wäre, daß unser Leben hätte anders verlaufen können, am Ende sind sie nichts anderes als Wellen, die um das Endgültige branden, das wir anders nicht begreifen.

Wenn ich heute, während ich wandere oder unter einem laublosen Waldrand sitze, manchmal daran denke, bleibt vor allem das Frohe, das Leichte, das dieser Begegnung vergönnt war; dann wieder das Sonderbare, das sich mit jedem Du verbindet. Sie mögen noch so anders sein nach Alter, Herkunft, Art und Aussehen, unsrerseits empfinden wir sie wie Schwestern, die einander kennen müßten. Das ist wunderbar und schrecklich. Irgendwie werden sie, sobald sie uns näherkommen, immer so wie wir, und es ist anzunehmen, daß sie einem andern gegenüber ganz anders sind, so, wie ich sie niemals kennen kann, immer so wie er... Lange sitze ich an diesem Waldrand, rauche, sehe den Weg, den ich vor sieben Wochen mit Maja ging, und es ist nicht verwunderlich, daß ihre Gesichter, so verschieden sie für das Auge sind, fast wie eines werden, je näher sie dem Herzen kommen. Es ist immer unser Du. Es ist unsere eigene Einsamkeit, die uns letztlich immer das gleiche Gesicht zeigt, unser Gesicht, das endgültig ist, und über dieses Du hinaus kommen wir nie. Es ist nur so, daß manchmal ein Mensch in dieses Du hineinkommt, kürzer oder länger.

Was man die Untreue nennt: unser Versuch, einmal aus dem eigenen Gesicht herauszutreten, unsere verzweifelte Hoffnung gegen das Endgültige.

Nie werde ich über den Pfannenstiel wandern, ohne daß ich länger oder kürzer an den Dichter denke, den ich von allen zeitgenössischen Landsleuten am meisten liebe, nämlich an Albin Zollinger, der diese Landschaft ein für allemal dargestellt hat. Es war Herbst und vor sechs Jahren, ich hatte eben sein jüngstes Buch gelesen, und Constanze mußte viel darüber hören, als wir diesen Weg hinuntergingen, zum ersten Male zusammen. Ich führte

Constanze in die kleine Wirtschaft, die ich schon von mancher Wanderung kannte; es gibt dort einen kleinen Tisch aus Nußbaum, der in einer Fensterecke steht, wo man zusammensitzen und plaudern kann und wunderbar über das Land sieht; ich freute mich, daß ich dieses Tischlein wußte, und da es auch Werktag war, zweifelte ich nicht, daß es uns gehören würde. Groß war die Enttäuschung, als wir die Stube betraten; das Tischlein war bereits von einem Paar besetzt, und natürlich war ich überzeugt, daß sie das Tischlein weniger verdienten als wir. Es schien schon ein reiferes Paar; sie tranken Wein und aßen Schinken, und mein Unmut drängte mich, die Leute zu mustern. Der Mann, der sehr unscheinbar wirkte, aber einen bemerkenswerten Kopf über seinem schlanken Körper trug, konnte niemand anders als Zollinger sein. Wir bestellten ebenfalls Schinken. Da ich ihn immer wieder anzusehen versuchte, kamen wir selber zu keinem Gespräch, sein Gesicht war hart und entschieden, männlich, zart und schüchtern zugleich. Er redete sehr leise. Ich spürte, wie mein Herz klopfte über dem Gedanken, ob ich ihn ansprechen sollte oder nicht. Ihre Teller waren leer, und jeden Augenblick konnte es sein, daß sie aufbrachen. Er trug einen Pullover unter der Jacke; seine ganze Kleidung erinnerte an einen Dorflehrer. Wenn er mit der Wirtstochter abrechnete, hatte er den vertraulichen Ton eines kleinen Mannes, der aus der Nachbarschaft kommt, der es nicht gewohnt ist, daß man ihn bedienen muß; irgendwie ist es ihm nicht recht. Er bat um ein Papier, damit er den restlichen Schinken einpacken konnte; es war in den Kriegsjahren. Unterdessen überlegte ich mir immerzu, was ich ihm, wenn ich ihn anspräche, überhaupt zu sagen hätte. Anderseits hatte ich eine Stunde lang über eben diesen Menschen gesprochen, dessen Werk mich begeisterte; warum sollte ich es ihm verschweigen? Er fragte bereits, wie lange man zum Bahnhof gehe; alles sehr unauffällig. Einmal hatte ich ihn in einer Vorlesung gesehen; irgendwie schien er mir kleiner, da ich ihn aus der Nähe sah, auch jünglingshafter und wie einer, der hinter seiner Verschüchterung jubelt und tanzt, ohne daß die Welt es sehen soll; er kam mir vor wie ein Rumpelstilz, der durch die

Wälder geht und meint, niemand kenne seinen Namen, niemand kenne seine Visionen. Als er dann den letzten Schluck aus seinem Gläschen kippte, hörte ich plötzlich mich selber sagen:

»Verzeihen Sie –«

Befremdet wendet er sich um.

»Sie sind doch Albin Zollinger –«

»Ja«, sagte er: »Warum?«

Jubel und Tanz schienen aus seinen Augen verschwunden; das Verschüchterte, das er mindestens seit unserem Eintreten hatte, steigerte sich fast zur Abwehr, mindestens zur Miene eines lauernden Mißtrauens. Ich sagte, daß ich eben sein letztes Buch gelesen hätte. Seine Miene wartete ohne viel Zuversicht. Es sah nicht ermunternd aus. Aber irgendwie mußte ich ja fortfahren, und da ich schon einmal über ihn geschrieben hatte, sagte ich ihm, wie ich heiße. Das Peinliche, daß ich als der Jüngere, der seinerseits nichts vorzuweisen hatte, den reifen Mann auszeichnete, wurde mir durchaus bewußt, und irgendwie begriff ich seinen Irrtum, daß er mich beharrlich als Herr Doktor anredete. Was den Augenblick rettete, war seine rührende Freude; er blickte wie ein Jüngling, der zum erstenmal ein ganzes Lob vernimmt, oder mindestens schien er glücklich, daß ihm nicht eine grobe Mißdeutung begegnete. Er redete dann über Thomas Mann, den er als Meister der Akkuratesse bezeichnet, über die Grenzen sprachlichen Ausdrucks, über die erschreckende Erfahrung, daß jeder Versuch, sich mitzuteilen, nur mit dem Wohlwollen der andern gelingen kann. Er klagte nicht über das mangelnde Wohlwollen; er glühte nur vor Verlangen, daß er einmal in seinem Leben, wie er sagte, eine Seite schreiben könnte, die niemand mißdeuten kann. Leider unterbrach er das Gespräch, als er bemerkte, daß nur wir Männer es führten; er wolle mich der jungen Dame nicht wegnehmen, sagte er und bat um meine Adresse, daß wir uns in der Stadt treffen können. Auch war es ja Zeit, wenn sie den Zug noch erreichen wollten. Als er sich verabschiedete, bedankte er sich. Da ich darauf nichts sagen konnte, fragte er nochmals, ob es mir recht wäre, daß wir uns in den nächsten Tagen einmal treffen. Plötzlich kam er sich zudringlich vor. Seine sonderbare und fast zierliche Höflichkeit, die uns um so linkischer machte, war wie eine Schranke, die er vor seinem strömenden Herzen aufrichten mußte; eine andere Art seiner Verschüchterung. Allein in der Wirtsstube, die er verlassen hatte, fühlte ich mich glücklich wie ein Verlobter, der einem sicheren Glück entgegenlebt. Durch das Sprossenfenster sahen wir gerade noch, wie sie den kleinen Rebberg hinuntergingen. Es dämmerte bereits. Ich war froh, daß ich ihn angesprochen hatte; unser Heimweg war voll Übermut –

Das Nächste, was ich von ihm hörte, war die Nachricht seines Todes. Er starb an einem Herzschlag, im Alter von siebenundvierzig Jahren und mitten aus einem stürmischen Schaffen heraus, das jedesmal, wenn man seine Sprache wiederhört, jene Art von Begeisterung auslöst, die Mut gibt in die Verzweigungen unseres eigenen Lebens hinein, Zuversicht und Freude an allem, was dem menschlichen Herzen begegnen kann.

Am abendlichen See, wo die Buben auf den Pfosten hocken und fischen zwischen grünen Algenbärten, warte ich auf das Dampferchen; die Sonne ist bereits hinter Wolken versunken, aber der See glimmert noch wie das Innere einer Muschel, ein Schillern zwischen Messing und Seide und bläulichem Rauch; so schwebt er noch einmal über den grünenden Gründen voll Tang, ein spiegelnder Tag mit elfenbeinernen Wolken darin; in einer halben Stunde, wenn das Dampferchen kommt, wird es aussehen wie Schlacke und Asche –

Bereits leuchten die Laternen.

Ringsum läuten die Kirchen.

Vielleicht müßte man unterscheiden zwischen Zeit und Vergängnis: die Zeit, was die Uhren zeigen, und Vergängnis als unser Erlebnis davon, daß unserem Dasein stets ein anderes gegenübersteht, ein Nichtsein, das wir als Tod bezeichnen. Auch das Tier spürt seine Vergängnis; sonst hätte es keine Angst. Aber das Tier hat kein Bewußtsein, keine Zeit, keinen Behelf für seine Vorstellung; es erschrickt nicht über einer Uhr oder einem Kalender, nicht einmal über einem Kalender der Natur. Es trägt den Tod als zeitloses Ganzes, eben als Allgegenwart: wir leben und sterben jeden Augenblick, beides zugleich, nur daß das Leben geringer ist als das andere, seltener, und da wir nur leben können, indem wir zugleich sterben, verbrauchen wir es, wie eine Sonne ihre Glut verbraucht; wir spüren dieses immerwährende Gefälle zum Nichtsein, und darum denken wir an Tod, wo immer wir ein Gefälle sehen, das uns zum Vergleich wird für das Unvorstellbare, irgendein sichtbares Gefälle von Zeit: ein Ziehen der Wolken, ein fallendes Laub, ein Wachsen der Bäume, ein gleitendes Ufer, eine Allee mit neuem Grün, ein aufgehender Mond. Es gibt kein Leben ohne Angst vor dem andern; schon weil es ohne diese Angst, die unsere Tiefe ist, kein Leben gibt: erst aus dem Nichtsein, das wir ahnen, begreifen wir für Augenblicke, daß wir leben. Man freut sich seiner Muskeln, man freut sich, daß man gehen kann, man freut sich des Lichtes, das sich in unsrem dunklen Auge spiegelt, man freut sich seiner Haut und seiner Nerven, die uns so vieles spüren lassen, man freut sich und weiß mit jedem Atemzug, daß alles, was ist, eine Gnade ist. Ohne dieses spiegelnde Wachsein, das nur aus der Angst möglich ist, wären wir verloren; wir wären nie gewesen...

Marion und der Engel

Marion und der Engel, der immer wieder fragt, was eigentlich er möchte, und Marion, der an die Brüstung lehnt oder an ein Geländer, während vielleicht die Glocken läuten, und hinunterschaut in das nächtliche Wasser:

»Was ich möchte?«

Es ist schon das dritte Mal, daß er es dem Engel erklärt, das Unglaubliche, und immer ist es der gleiche Engel, der das gleiche fragt:

»Warum kommst du nicht?«

»Über das Wasser...?«

Marion weiß nicht, was er denken soll, wenn er den

Engel sieht, und ob es wirklich ein Engel ist, der so zu ihm redet:

»Warum kommst du nicht?«

Marion fragt:

»Wo, wenn du ein Engel bist, führst du mich hin?«

»Zu dir –.«

Und zum letzten Male:

»Warum kommst du nicht?«

Letzigraben, August 1947

Endlich ist es soweit, daß wir mit unserem Bau beginnen. Die ersten Arbeiter sind auf dem Platz; ihre braunen Rücken glänzen von Schweiß, und um die Baracke, wo unsere Pläne warten, wimmelt es von leeren Bierflaschen; irgendwo werfen sie Bretter aufeinander, daß es hallt; die ersten Lastwagen sind da, und heute, wie ich auf diese Baustelle komme, ist es schon ein ganzer Berg von brauner Erde; ein Bagger frißt die Wiese weg mitsamt den Stauden. In zwei Jahren, die mir sehr lang erschienen, soll die Anlage eröffnet werden; ein Freibad für das Volk. Vor hundert Jahren war hier der Galgenhügel; der Aushub wird nicht ohne Schädel sein, wie sie Hamlet in die Hand genommen hat, und weiter drüben ist es das alte Pulverhaus, das sie eben abbrechen; fast lautlos stürzen die alten Mauern, verschwinden in einer Wolke von steigendem Staub –

Wären es die Pulverhäuser aller Welt!

Portofino, September 1947

Wir wunderten uns schon, warum die Limousinen alle unter den Palmen bleiben; niemand mag ausfahren. Überall wird Kaffee getrunken, in italienischen Zeitungen geblättert. In Genua und anderen Städten, heißt es, soll heute der große Streik beginnen. Jemand spielt Pingpong. Sonderbare Luft zwischen Alarm und

Langeweile. Leider herrscht immer noch die sommerliche Hitze, keine Lust zum Wandern, nicht einmal zum Schwimmen; das Meer ohne jede Brandung, lautlos, glatt wie Glas, es bewegt sich kein Segel, kein Halm.

Gestern habe ich den Umbruch meines bisherigen Tagebuches bekommen, das ist immer eine leidige Sache, Arbeit nach rückwärts. Sich selber lesen! Ich brauche viel Cinzano dazu. Was nicht sagen soll, daß das Schreiben kein Vergnügen sei! Ich werde es nicht lassen. Aber hin und wieder, einen Umbruch in der Hand, fragt man sich doch, was für ein Interesse das haben soll für andere, nimmt sich eine Zigarette und schielt hinüber zu den andern Tischlein, betrachtet die Leute, die eben über die Piazza schlendern, mustert sie – es gibt so vielerlei Leute auf der Welt; ein Sportler und Weltmann, der das einzig mietbare Segelschiff vor meiner Nase wegzuschnappen pflegt, sobald ein Windlein kräuselt, ein gesunder und netter Mann, aber kein Leser, glaube ich, sowenig wie die sieben Fischer, die barfuß mit gekrempelten Hosen über die Piazza gehen; sowenig wie das Dämchen, das jene Hosenart nachahmt, oder das ältliche Ehepaar, der lungernde Wechsler und Schwarzhändler mit dem antikischen Gesicht, die beiden Verliebten, die sich immer um die Hüften halten... Seinen Leser, glaube ich, muß man sich denken; das ist schon ein Teil unsrer Arbeit, die Erfindung eines Lesers, eines sympathischen, nicht unkritischen, eines nicht allzu überlegenen, auch nicht unterlegenen, eines Partners, der sich freut, daß wir an ähnlichen Fragen herumwürgen, und nicht ärgerlich wird, wenn unsere Ansichten sich kreuzen, nicht herablassend, wenn er es besser weiß, nicht blöde, nicht unernst und nicht unspielerisch, vor allem nicht rachsüchtig. Unser Leser: ein Geschöpf deiner Vorstellung, nicht unwirklicher und nicht wirklicher als die Personen einer Erzählung, eines Schauspiels; der Leser als die ungeschriebene Rolle. Ungeschrieben, aber nicht unbestimmt, ausgespart durch das Geschriebene; ob es die Rolle eines Schulbuben ist, der belehrt wird, oder die Rolle eines Richters, der es genießt, wenn er uns eines Widerspruchs überführen kann, die

Rolle eines Jüngers, der uns anzuwundern hat, die Rolle eines Götzen, dessen Gunst wir erschmeicheln, oder die Rolle einfach eines Partners, eines Mitarbeiters, der mit uns sucht und fragt und uns ergänzt, eines menschlichen Gefährten, es liegt an mir, dem Schreiber, und von niemand kann ich verlangen, daß er die Rolle, die ausgesparte, übernimmt; ich kann mich nur freuen, wenn einer es tut oder eine – irgendwo in der Sonne oder unter einer Lampe, in einer Eisenbahn, in einem Kaffeehaus, in einem Wartesaal des Lebens – und besonders, wenn jemand es mit Begabung tut.

Santa Margherita.

Ein Fischkutter bringt seine Wochenbeute. Kistchen voll Tintenfisch, alles triefend, das grüne und violette Glimmern, schleimig wie der Glanz von Eingeweide. Das Hin und Her der kleinen Barken; mindestens eine ist immer unterwegs zwischen dem ankernden Kutter und der Mole, die im vorigen Jahr noch zerstört war. Die Fischer sind einheitlich-schmutzig, ölig, fröhlich und müde, ein wenig auch stolz: der Mann, der erbeutet, und die Weiber, die die Beute in Empfang nehmen, alles weitere für die häusliche Verwertung tun. Markt unter schattigen Bögen. Sie schütten die wässerige Beute auf steinerne Tische, die mit Feigenblättern und Farnkraut wie zu einem Fest geschmückt sind; sofort beginnt der Verkauf, das Gefeilsch mit singenden Rufen und Gebärden. Ganze Hügel von Schuppensilber. Natürlich stinkt es. Pracht der Farben: das fleischliche Rosa, das Graue, das wie ein Schleier ist, das Grünliche und Bläuliche, alles unter einem Schillern unsäglicher Übergänge. Schön sind die langen Aale mit den weißen Bäuchen, den grünen und braunen Rücken, den schwarzen Flossen. Oder der herrliche Schwung eines Schwanzes, der über den steinernen Tisch hangt. Dann das Messer, das sie aufschlitzt, und die nassen, roten, dicken Weiberhände, die es auf die Waage werfen; dann wechseln sie das papierne Geld. Signore? rufen sie. Niente! Schon ruft die Nächste: Signore? Ein Seestern ist auch dabei, an der Luft hat er seinen ganzen Glanz verloren, nur noch ein grauer Teig, gräßlich mit der Vielzahl seiner blinden Glieder, ihr langsames und verlorenes Tasten, das Kopflose, Leben ohne Wahl und ohne Wollen. Wir gehen weiter. Zu den Krebsen, den roten, wo man nicht weiß, was vorne und hinten sein soll; ein ganzer Berg, der langsam krabbelt; auch hier: Leben als Verdammnis. Und hinzu kommt das Massenhafte; die Fischer bringen jedesmal so viel, als ihr Kutter eben tragen kann; die unvorstellbare Menge, der Griff ins Zahllose, ins Unerschöpfliche. Ich beobachte ein altes Weiblein, das einen gelben Hummer hält, ungewiß, ob der Kerl wirklich so viel Lire wert ist. Unterdessen sind die Männer schon dabei, ihre braunen Netze auszurollen auf der Mole; andere stehen in den Pinten, trinken, reden über den Streik. Der gelbe Hummer ist dem Weiblein zu teuer; eine junge Dame in Hosen nimmt ihn sofort. Was mich besonders fesselt, ist einfach der Umstand, daß man einmal alles zusammen sieht: Erbeuter, Verkäufer, Verbraucher. Alles ganz konkret. Dazu das abendliche Gebimmel einer alten Kirche, die letzte Sonne auf einem Klosterziegeldach, ein Geistlicher im schwarzen Fladenhut. Zwei ziemlich verlumpte Kinder teilen sich einen Fisch, der nicht mehr so frisch ist; sie zerschneiden ihn auf dem Randstein; nochmals das Schuppensilber, das Wässerige der toten Augen, das perlmutterne Schillern, das Rosa-Stumme im offenen Rachen... An der verpißten Ecke steht wie immer der Bettler, sein Schildchen um den Hals:

»Blind, please help.«

Wenn das gesamte Personal eines Grandhotels streikt, wenn die Gäste sich in die tägliche Arbeit teilen müssen, Betten machen, Kartoffeln schälen, Holz hacken, Teller waschen, Gläser trocknen, Suppe kochen, Suppe mit Brot, solange Brot vorhanden ist, Suppe jeden Tag:

Das als Folie eines Lustspiels?

Wanderung bei glühender Hitze. Ganze Hänge haben gebrannt; eine tote Schlange zwischen verkohlten Stauden: Tanz der Schmetterlinge...

Unterwegs eine Tafel aus Marmor:

»Qui la bellezza del mondo sorrise per l'ultima volta a Francesco Pisani. 8.9.1941.«

Endlich ein Grabstein, der das Leben nicht beleidigt; würdig; ohne die obszöne Vertauschung, ohne die feige Verherrlichung des Todes.

Der Streik sei verschoben. Auffallend ist die Verbrüderung unter den Gästen, die sich bisher kaum benickt haben; man kann jetzt nicht im Lift fahren, ohne daß ein Gespräch entsteht, und das Einverständnis scheint ihnen fraglos. Ein Gefühl von Klasse, wie ich es bisher eigentlich nicht geglaubt habe. Man gehört zusammen, ob Italiener oder Engländer, Schweizer, Holländer, Belgier; ob Schieber oder Arzt, ob Offizier auf Urlaub oder Liebespaar oder kleiner Mann mit großer Währung, man fühlt sich gemeinsam belästigt, und zwar zu Unrecht; wir wollen Ferien machen, nichts weiter, wir sind Ausländer und zahlen unsere Sache. Der Wirt, schwarz vom Scheitel bis zur Sohle, steht in der Halle und versichert in allen Sprachen, daß ein Streik überhaupt nicht zustande kommen werde. Auch deutsch spricht er; seine Erinnerung an die Wehrmacht, die er bedient hat, verschafft mir, da ich einigermaßen ihre Sprache rede, eine gewisse Hochachtung, die ich persönlich nie erziele. Die Gäste lesen die Zeitungen aus ihrem eignen Land, die nichts von Unruhen melden, überhaupt nichts von Italien; ein wenig ist man beruhigt. Aber ärgerlich bleibt es doch, traurig, unbegreiflich, daß es auch in diesem Lande solche Leute geben muß, Elemente genannt, die haben wollen, was andere schon haben. Ich spiele Pingpong mit dem jungen Italiener, dessen Geliebte lieber zuschaut; sie sucht unsere verhauenen Bälle in den nächtlichen Agaven...

Nichts wäre schöner als ein Lustspiel, doch nicht ein antiquarisches, es müßte schon ein gegenwärtiges sein, meinetwegen in Kostüme verkleidet, ein Lustspiel um unsere Probleme. Ob das möglich ist? Das Verlangen danach wäre gewaltig, überhaupt das Verlangen nach einer fröhlichen und im Grunde zweifellosen

Bejahung, einer Bejahung allerdings, die unseren wirklichen Fragen und unserem heutigen Bewußtsein nicht ausweicht. Das ist wohl entscheidend. Ein Lustspiel, das einfach ausweicht, kann bestenfalls zerstreuen; dann ist ein Trauerspiel, das unserem Bewußtsein standhält, immer noch tröstlicher, scheint mir –

Wieso gibt es dieses Lustspiel nicht?

Man kann drei Stunden lang lachen, von Witzen geschüttelt, und es ist kein Lustspiel. Witz genügt nicht. Der sogenannte Lacher ist stets ein Beiwerk, nie das Kennzeichen eines Lustspiels. Denkbar wäre eine Heiterkeit ohne jeden Witz, lustvoll-tröstlich, entspringend aus einer unwiderstehlichen Zuversicht, der gegenüber alle Leiden und Leidenschaften, die sich abspielen, unverhältnismäßig werden und insofern komisch. Das Lustspiel, glaube ich, ist nicht eine Frage der Fabel, sondern des Klimas. Es geht nicht ohne die große Zuversicht, ohne ein Gefühl, daß im Grunde doch alles zum besten bestellt sei und daß die Welt nur ein gutes Ende nehmen kann, ein erlösendes Ende, das ist der fromme Goldgrund, den wir so sehr ersehnen, und ohne ihn gibt es kein wirkliches Lustspiel... Bei Kleist, im Zerbrochenen Krug, steht hinter der Komik, daß Menschen über Menschen richten, das unerschütterte Vertrauen, daß es ein übermenschliches Gericht gibt, eines jenseits der Komik; Herr Gerichtsrat Walter, der dort den Goldgrund bringt, als Statthalter eines wirklich lieben Gottes. Daran ist nicht zu zweifeln. In der Minna von Barnhelm und in anderen wirklichen Lustspielen, es sind ja wenig genug, ist es nicht immer eine metaphysische Zuversicht; oft genügt schon der Glaube an eine gesellschaftliche Ordnung. Man lacht über ihre Entartungen, über ihre leidigen Auswüchse, aber im Grunde kann man sie bejahen; die Gesellschaft, der das Lustspiel gezeigt wird, ist die beste aller möglichen. Es gibt Grafen und Diener, und zuweilen, zeigt das Lustspiel, ist der Diener ein viel bessrer Kerl, edler als der Herr Graf, ja, der Diener verdiente schlechterdings, daß man ihn in den Adel erhöbe, und die Verteilung der Titel ist komisch, weil unverhältnismäßig, komisch in diesem Fall; aber daß es überhaupt Grafen und Diener gibt, Herren und Leibeigene, daran rüttelt das Lustspiel nicht. Sonst ist es aus mit der Lust. Die Gesellschaft wird mindestens in ihrer Idee bejaht, und zwar zweifellos; um so kecker darf man, ohne ketzerisch zu sein, über ihre ungenügende Verwirklichung lachen. Das Lustspiel ist fromm. Fromm wie Aristophanes! Er glaubt an Athen, das ist zweifellos, sonst könnte er die Athener nicht dermaßen zerzausen, und er hat auch Grund, an seine Polis zu glauben; trotz Kleon –. Aristophanes glaubt; sonst wäre er nicht Aristophanes geworden, sondern ein Hanswurst oder ein Tragiker. Das Mindeste ist natürlich, daß der Mensch bejaht wird, der Mensch schlechthin; das Mindeste oder das Höchste. Der Mensch als Gottes bestes Geschöpf, sein Meisterstück. Unsere Leidenschaften erscheinen im besonderen Fall vielleicht närrisch; der Mensch vertraut, wo er betrogen wird, und sein Vertrauen wird unverhältnismäßig, komisch, weil er es stets an die falsche Person vergeudet; aber auf der gleichen Szene steht eine andere Person, die ihn, wenn er es bloß merken möchte, zweifellos glücklich machte. Zweifellos; das ist der Punkt. Man könnte glücklich sein! Oder wir lachen über den Heuchler, wissend, daß die Tartuffe zuletzt doch nichts erreichen. Zuletzt; das kann im fünften Akt sein oder im Himmel. Die Tugend siegt immerdar; an diesem Goldgrund wird nicht gekratzt; er allein, und nicht einzelne Späße, er allein versetzt uns in die Lust, die dem Spiel schließlich den Namen gibt – Goldgrund der Zuversicht, daß Recht geschieht und alles einen Sinn hat, meinetwegen einen ewig-verborgenen, aber einen Sinn; ohne diese Zuversicht, die fromm und zweifellos sein muß, kann es nur eine Satire werden, witzig, aber nicht lustvoll-tröstlich... Don Quixote ist komisch, weil alles, was er redet und tut, unverhältnismäßig ist; er hat zuviel gelesen, der Gute, und nun sehen wir ihn, ausgestattet mit feudalen Redensarten, hinausreiten in eine ganz und gar bürgerliche Welt, ein Opfer der Belletristik, die zu allen Zeiten aus antiquarischen Redensarten besteht; alles ist anders als seine hehren Gespinste, nützlicher, häßlicher, minder großartig, aber lebbar und lebenswert. Die Welt, die den Ritter narrt, wird von Cervantes im Grunde bejaht. Es ist immerhin eine wirkliche Welt, eine mögliche Welt, und unser Erbarmen ist nicht mit den Wirten und Gänsedirnen, daß sie keine Prinzessinnen sind, sondern mit dem Edlen von La Mancha, der die Wirte und die Gänsedirnen immerzu verkennt. Was würde sein, wenn die Welt, die Don Quixote zum rührenden Narren macht, ebenfalls eine unmögliche wäre, ein leerer Spuk, vergangen, verloren, unwirklich und unlebbar, keiner Bejahung wert? Wo bliebe unsere Lust an seinem Irrtum – wenn es nicht einmal ein Irrtum wäre?

Heute in Santa Margherita, Sonntag, hin und wieder fahren sie auf offenen Lastwagen vorbei, gepfercht, aber singend, ein Mädchen hält die Fahne mit Sichel und Hammer.

Woher aber die Zuversicht? Woher der Goldgrund? Die Botschaften höre ich wohl. Das Einverständnis mit einer kommenden Gesellschaft, die ihre Lebbarkeit noch nicht bewiesen hat, ist selten heiter; der Wille zur Zuversicht, der den Revolutionär erfüllt, ist noch keine Zuversicht. Wie selten findet man einen Revolutionär, dem der Humor nicht ungeheuer wäre...

Ich lese Jakob Burckhardt, eine antiquarische Ausgabe mit bräunlichen Flecken im Papier und Marmoreinband, genieße seinen goldenen Altmännerglauben, also geschrieben von einem jungen Menschen, ich lese ihn, als wüßte ich nichts von seinem späteren Ruhm, lobe ihn, als hätte er es nötig, tadle ihn, als dürfte man das. Beispielsweise tadle ich seine durchaus unfreie, blinde, vorurteilhafte Geringschätzung der eignen Gegenwart, so dieser verfluchte Ton: Und also kommt der Geist mehr und mehr auf den Hund und schließlich auf uns. Ich zähle ihm vor, wer zur Zeit, als er das geschrieben hat, gelebt und geschaffen hat; immerhin ein Klub von ganz achtbaren Herren. Die meisten, gewiß, er hat sie nicht kennen können. Man muß vorsichtig sein mit der Wertung seiner eignen Zeit!... Brunelesco beginnt die Renaissance, und mit der Renaissance beginnt Burckhardt ein herrlicher Offenbarer zu werden, immerzu zücke ich meinen Stift, um das Entzückende anzustreichen, einmal, zweimal, dreimal! Stile sind Schaffensziele; warum sie sich wandeln, darüber schweigt auch mein großer Jakob. Mit Brunelesco beginnt die Renaissance, nicht anzuzweifeln, hundert Seiten später kommen andere, welche die Renaissance, die mein Autor schlichterdings als das Richtige erläutert hat, einfach wieder auf den Hund bringen. Die Elenden! Plötzlich machen sie Barock, und Burckhardt, eben noch ein Begeisterter im wörtlichen Sinne, wird plötzlich professoral, will sagen: plötzlich hat er keine Antenne mehr und hört nur noch sich selber, seine Meinungen. Mein Stift gestattet sich die ersten Fragezeichen, die sich nach und nach in Ausrufzeichen wandeln, endlich lege ich das Buch auf den Tisch, nicht unwillig, bloß bedenklich: scheint es doch, daß eine noch so geistvolle Betrachtung des Geschaffenen, und wer möchte darin diesen Burckhardt übertreffen, nicht über die Vorhöfe hinauskommt; die Bedingungen des Schaffens erschließen sich vielleicht dem Schaffenden, doch kaum so bewußt, daß er sie auszusagen vermag, es ist auch nicht sein Anliegen; der Betrachtende aber geht von einem Bewährten aus, das er als richtig erkannt hat, als allgemeingültig – das Gebot, das den Schaffenden leitet, ist aber wahrscheinlich nicht das Richtige dieser Art, sondern das Persönlich-Mögliche, das Persönlich-Notwendige, das Gebot des Lebendigen, das sich als solches immerzu erschöpft in dem Augenblick, da ihm eine ganz entsprechende Gestalt gelingt. Alles Gelingen ist kurz. Und unwiederholbar. Die Blüte im antiken Griechenland; die Renaissance. Nur das Epigonale kann dauern. Wohl das Beste, was ich über die notwendige Wandlung der Stile kenne, sagt Goethe im zweiten Faust:

> Gestaltung, Umgestaltung
> Des ewigen Sinnes
> Ewige Unterhaltung.

Wo aber, wenn wir es so sehen, bleibt das Richtige, das ein Stil gegenüber andern voraushaben soll? Jakob Burckhardt und der Barock; seine Entrüstung ist so begreiflich: er mißt den Barock nicht an den Schaffenszielen des Barock, sondern der Renaissance. Ich gestatte mir die Randglosse: Jakob, auch du? Denn damit macht sogar er, der Würdigsten einer, nichts anderes als das Geschmeiß der kleinen Rezensenten, wenn sie etwa einem Brecht, der sich seit Jahrzehnten um episches Theater bemüht, vorwerfen, sein Theater sei nicht dramatisch... Oh, über unsere Urteile! Wenn ein so hoher Geist wie dieser Burckhardt sogar vergangenen Epochen gegenüber befangen bleibt, sehend für das eine, blind für das andere, wie soll dann der Schaffende, der Beteiligte, der Befangene jemals ein überpersönliches Urteil gewinnen?

Ein schwerer Sturm... Der kleine Sandstrand, wo wir täglich gebadet haben, ist eine Geröllhalde. Bäume, geknickte, hangen über die Felsen. Etwas wie Befreiung. Wir wandern bei strömendem Regen an der Küste entlang. Säulen von Gischt. Der Himmel ist grau und violett, metallisch. Steine auf der Straße. Überschwemmung in Santa Margherita, der halbe Platz unter Wasser; hinter den perlenden Scheiben stehen weiße Kellner. Geflatter von zerrissenen Stores. Die großen Bunker, die im vorigen Jahr noch standen, sind jetzt gesprengt. Unterwegs fliehen wir unter ein Gewölbe; Sintflut, dazu donnert es wieder. Vor uns das rollende Meer; warum soll es nicht einmal steigen, drei Meter oder zehn Meter? Eine gewisse Wonne der Panik, alle Schranken werden fraglich, das Unsichere wird offenbar, das Abenteuer zu leben. Später nehmen wir einen Bus, einen Schnaps in Rapallo. Der Regen hat nachgelassen, aber nicht der Wind; der Quai, der sich eben im Bau befindet, ist eingerissen, Arbeiter und Feuerwehr versuchen zu retten, was zu retten ist, der fertige Beton hält stand, aber die Versprießungen sind weg, und die große Platte, die eben hätte betoniert werden sollen, ist ein wirres Eisengitter, die Schalung zersplittert, die Brandung wirft einzelne Bretter ans Land, es läuten die Glocken, ich weiß nicht warum, aber es paßt vortrefflich dazu...

Zur Architektur

Äußerst beherzigenswert sei es, schreibt Burckhardt, daß kein Stoff sich für etwas ausgibt, was er nicht ist, und hundert andere

Sätze dieser Art, die, obschon über die Renaissance gesagt, auch zu unserem Einmaleins gehören. Kongruenz von Funktion und Form. Nur mit wesentlich anderen Aufgaben, die andern Bedürfnissen zu entsprechen haben, vor allem auch mit anderen Stoffen, die ihre anderen Gesetze haben; doch das Grundsätzliche bleibt, Syntax mit anderen Wörtern – und doch sehen wir unsere Gebildeten, wenn sie etwa einem Corbusier begegnen, oft hilfloser als vor einer Südseemaske.

Warum?

Unser Verhältnis zur eignen Zeit, eben jener Ton: Und so kommt der Geist mehr und mehr auf den Hund und schließlich auf uns... Auf der Akropolis gibt es den sogenannten Perserschutt, Skulpturen der Vorfahren, verwendet zum Hinterfüllen der neuen Mauer: die das tun, sind zweifellos, daß sie ihr eigenes Kunstwerk schon selber schaffen. Ähnlich wieder in Italien: die oft schamlose Plünderung antiker Bauten, Plünderung nicht durch Vandalen, sondern Architekten, die Säulen brauchen, Marmor, um selber zu bauen. Her damit! jetzt leben wir. Ein ungeheures Gefühl für die Gegenwart, pietätlos wie das Leben, das Antihistorische dieser Haltung sogar bei der Renaissance, die sich selber vorgibt, die Antike zu wollen; aber sie heißt ja auch nicht Reconstruction, sondern Renaissance. Überall das lebendige Bewußtsein, daß nicht das Geschaffene wichtig ist, nicht in erster Linie, sondern das Schaffen. Ich würde sagen: auch wo das Neue jedenfalls minderen Wertes sein wird, ist es wichtiger, daß es geschaffen wird, wichtiger als die Bewahrung, deren Sinn damit nicht geleugnet wird. Es gehört zu den Faszinationen von Italien, die sich in persönliches Glücksgefühl verwandeln: zu sehen, wie jede Epoche sich als Gegenwart ernstnimmt, wie rücksichtslos sie vorgeht, um zu sein.

Und wir?

Vor wenigen Jahren hatten wir in Zürich einen architektonischen Wettbewerb für ein neues Kunsthaus; jedermann erkennt, daß der Platz, der vorgesehene, eine ganz erfreuliche, freie, restlose Lösung nicht gestattet, doch man getraut sich nicht, ein altes Zürcherhaus mittleren Wertes einfach abzureißen. Das Neue also, das Unsere, ist im Grunde schon verworfen, bevor wir unseren Zeichenstift ergreifen. In dieser Luft dürfen wir nun schaffen, von keiner Erwartung begleitet, bemuttert von historischer Pietät, die alles Maß übersteigt, umgeben von der fraglosen Selbstpreisgabe unsres Geschlechtes... Bildung als Perversion ins Museale –

Florenz, Oktober 1947

In der Gasse, vor unserem Hotel, spielen zwei Kinder; ein fünfjähriger Bub, rachitisch, und ein Mädchen mit Spielzeugpistole: sie spielen Händehoch, wobei der Kleine, eher mürrisch und unwillig, sich an die verpißte Mauer stellen muß – nur daß er dann umfallen soll, begreift er nicht; das Mädchen macht es ihm vor – aus der Erfahrung ihres siebenjährigen Lebens.

In der Kammer von Savonarola: Der Mann fasziniert, das Profil, daneben das kleine Bild von seinem Scheiterhaufen, das schwarze Gericht der Rechtdenkenden, doch etwas muß man diesen Richtern schon lassen: sie sehen auch gleich der Hinrichtung zu, alles liegt örtlich und zeitlich beisammen, ein hölzerner Steg führt vom Gericht hinüber zum roten Feuer. Dabei empfinde ich etwas wie neulich auf dem Fischmarkt: alle Zusammenhänge sind offensichtlich, in einem menschlichen Maßstab übersichtlich, nicht anonym. Was es auch sei, Fischerei und Handel, Gericht und Hinrichtung, es verblaßt nicht in Begriffe; alles bleibt konkret. Wogegen wir in Begriffen leben, die wir meistens nicht überprüfen können; das Radio überzeugt mich von hundert Dingen, die ich nie sehen werde, oder wenn ich sie dann einmal sehe, kann ich sie nicht mehr sehen, weil ich ja schon eine Überzeugung habe, das heißt: eine Anschauung, ohne geschaut zu haben. Die meisten unsrer Begriffe, wenn sie konkret werden, können wir gar nicht ertragen; wir leben über unsere Kraft. Es wird mir übel, wenn vor meinen Augen ein Schwein geschlachtet wird mit blankem Messer, ich habe dann gar keine Lust auf

Schinken; sonst schätze ich ihn sehr. Unser Denken muß konkret werden! Man müßte sehen, was man denkt, und es dann ertragen oder seine Gedanken ändern, damit man sie denken darf. Georg Büchner im Danton, als Danton in das Gefängnis geführt wird: Geht einmal euren Phrasen nach bis zu dem Punkt, wo sie verkörpert werden, blickt um euch, das alles habt ihr gesprochen! Ein Motto, das heute über fast ganz Europa hängt. Und in diesem Sinne empfinde ich die Richter, die so neben dem Feuer sitzen und ihr Besserwissen lodern lassen, immerhin nicht das Letzte, was es an Menschen gibt; Wort und Tat sind eins.

»Marxismo – Cristianismo?«

Wenn der letztere seine zweitausend Jahre dazu verwendet hätte, auch jene seiner Satzungen ernst zu nehmen, die sich auf das Diesseits beziehen, kann ich mir nicht denken, daß der erstere eine wirkliche Bedrohung darzustellen vermöchte.

Viel Bettler auch hier.

Gar nichts übrig habe ich für jene, die sich vor die Kirchen stellen, deren Kreuzgang wir besuchen, und auf meine christliche Wallung lauern. So nicht! Ich bevorzuge die andern, die vor den Tisch kommen, wenn man im Freien ißt, stehenbleiben, bis der flinke Kellner den schwarzen Kaffee bringt und ich meine Zigarette anstecke, und sagen: »Mangiato?«

Die Pietà von Michelangelo. (Aus der Capella Barberini in Santa Rosalia in Palestrina.) Hier ist das Schöne zu Ende; die Last der Leiche mit den einknickenden Beinen und den hangenden Armen, das Gräßliche eines Leibes, der nur noch der Schwere gehorcht, die Angst, daß seine zufälligen Bewegungen plötzlich grotesk, puppenhaft lächerlich werden. Und dahinter die Mutter; unvollendet, Steinmasse, das ferne Erwachen einer Gestalt, ein Emporkommen aus dem Urdunkel, das noch nie ein Licht empfangen hat, ihre Zärtlichkeit hinter einem schweren Schleier von Gestein. Das Über-Schöne: Die Leichen, die sie auf Lastwagen verladen und dann in eine Kalkgrube geworfen haben, man kann sich ihrer erinnern, ohne daß man über seinem Kunstvergnügen erschrickt; auch sie sind hier enthalten. Sie sind nicht durch eine Schönbildnerei verhöhnt und verraten. Erst wenn das Gräßliche inbegriffen ist, beginnt die mögliche Erlösung, die mehr ist als eine voreilige Harmonie.

Eine italienische Zeitung, die Constanze mir übersetzt, berichtet folgende Daten: die Atombombe von Bikini entwickelte eine Radioaktivität, entsprechend einer Radiummenge von siebzigtausend Tonnen. Vorhandenes Radium, das bisher für Heilzwecke verwendet worden ist: hundertundfünfzehn Gramm. Genannte Radioaktivität bleibe fünfundzwanzig Jahre wirksam in der Atmosphäre. Fünfhundert Bomben, abgeworfen innerhalb von fünfundzwanzig Jahren, sollen genügen, um auf dieser Erde sämtliches Leben abzuschaffen.

Festa dell'uva... Sonntagabend; wir geraten in ein großes Gedränge, Straßen mit lustiger Erleuchtung, Girlanden von Glühbirnen, eine Blechmusik spielt Verdi, ringsum steht Volk, zufrieden, Trauben essend, an offenen Fenstern lehnen die Weiber, ihre Brüste zwischen verschränkten Armen, und genießen den Rummel von oben, Kinder schreien, Vollmond über San Lorenzo, überall gibt es Stände mit Trauben, bengalisch beleuchtet, Stände mit billigen Spielsachen, Stände mit Kuchen, die just gebacken werden in etwas stinkendem Fett. Ein Mann kauft eine Art von Kirschpfannkuchen, bricht ihn sorgsam, gibt seiner greisenhaften Mutter, dann der Frau und dem Kind, den Rest schiebt er sich in den Mund. Überall viel festliche Erwartung, ohne daß irgendwo eine sichtbare Erfüllung eintritt; ein Harlekin macht Späße zur Gitarre, ringsum zufriedene Gesichter. Das Volk erscheint als ein unendlich schlichtes, bescheidenes und für das Leben dankbares und unendlich hoffendes Kind, harmlos und verspielt, arglos; inbegriffen die Männer, die ihren Wein trinken und plötzlich mit Todesernst streiten, die kleinen und unsicheren Dirnen, die am Dämmerrand stehen, Verdi hören und nicht ganz wissen, wie man es meint, wenn man ihnen ins

Gesicht schaut oder auf das Kruzifix am Busen. Ein Krüppel sitzt am Boden und geigt, Uniform der italienischen Luftwaffe, auch junge Burschen bleiben stehen und geben ihm. Einmal hupt ein Lastwagen, der mitten durch die Menge fahren muß; zwei schöne weiße Rinder auf ihrer Todesfahrt. Ein alter Mann verkauft Fähnlein aus Papier, das Sternenbanner, aber auch Sichel und Hammer, ferner Hampelmänner, Flugzeuge aus Blech, Affen aus Stoff. In einer Bar wird gesungen. Geruch von Latrinen. Schwatzende Mütter sitzen auf dem Randstein, Säuglinge im Arm – sie alle unendlich bescheiden, unendlich hoffend...

Ich skizziere viel, um zu sehen, und werfe es wieder weg. Auch vom Geschriebenen bleibt fast nichts. Eben habe ich mein Heftlein gezückt, um für alle Zeiten, die sich noch mit Europa befassen mögen, festzuhalten: Der Palazzo Vecchio, laßt euch durch die Masse nicht bluffen, ist ein elendes Pfuschwerk. Nähere Auskunft auf Anfrage; wie verlogen der Turm auf der Fassade sitzt. Was sagt wohl der große Jakob dazu? –

»Größe, Erinnerungen, Steinfarbe und phantastischer Thurmbau geben diesem Gebäude einen Werth, der den künstlerischen bei Weitem übertrifft.«

Auch schon bemerkt, auch schon gesagt.

Fiesole.

(Ich denke wieder an die Herren vom Trust, die ihren Zement nicht liefern wollen für unser Volksbad. Die Industrie, der sie sich verwaltungsrätlich verbunden fühlen, hat zur Zeit so dringende Bauten, um ihre Gewinne unterzubringen. Die Industrie, sagen sie, könne den Bau einer solchen Anlage jetzt nicht gutheißen. Wer hat gutzuheißen? Das Volk hat abgestimmt. Ihr unverfrorener Vorschlag: die Stadt könne ja ausländischen Zement beziehen, der zwar teurer ist, aber ebenfalls nur durch diesen Trust erhältlich. Die Gruben für unsere Bassins sind ausgebaggert. Ich bin neugierig auf den Entscheid.) Reste eines römischen Bassins...

Zum Abschied bei Michelangelo... Seine Sklaven, die unvollendeten; die Klötze, noch als solche erkennbar, sind viel knapper, als man bei den angehauenen Figuren vermuten möchte. Die Gebärden sind von vornherein in einem strengen Kubus gefaßt. Wirkliche Bildhauerei: nicht das Kneten einer Gestalt, sondern das Heraushauen, das Erlösen einer Gestalt. Es ist das Faszinierende an Michelangelos zahlreichen Fragmenten, daß sich wie selten das Schöpferische als solches darstellt. Vorgang, nicht Ergebnis. Das Geburthafte mit Qual und Wunder. Wer will? Vielleicht die Gebärenden; das Geborene: wehrlos, Opfer. Es ist der Augenblick, den er in der Sixtinischen Kapelle zum Vorwurf genommen hat: die Erweckung des Adam, und hier wie nirgends sonst begreife ich das Herkulische seiner Gestalten, es ist so, als kämpften sie um ihre Geburt oder als wehrten sie sich gegen den, der sie zur Geburt zwingen will. Auch im Adam, wie der Gottesfinger ihn erweckt, ist dieser Zwiespalt; halb staunend und dankend, halb trauernd empfängt er das Leben, das er nicht gewollt, nicht erfleht hat. Er ist Gottes Geschöpf und Gottes Opfer. In seinem erglänzenden Auge ist beides, Trotz und Demut...

Unterwegs

Zwei Stunden in einem überfüllten Autobus. Wir sind die einzigen Fremden in dieser schaukelnden Sardinenbüchse. Überall Halt; ein Arbeiter will einsteigen. Wieder Halt: eine Frau mit Säugling will aussteigen. Wie viele schöne Menschen! Bei längerem Hinsehen: meistens sind sie nicht einmal so schön, aber fröhlich. Nicht übermütig, nicht laut, aber fröhlich, lebendig, höflich. Wie sie sich mit dem Gedränge abfinden, einander helfen, und es ist nicht die besondere Stimmung eines Festes, eines Ereignisses; Alltag, Arbeiter, Geistliche, Frauen, die zum Markt fahren, Körbe mit Eiern, Kinder, Rucksäcke voll Armut, eine Sichel, ein junges Schaf, das in Siena verkauft wird, Alltag: und man hat ein Gefühl von Kultur wie selten, von lebendiger Hu-

manität. Man soll nicht von einem ganzen Volk reden! nun tue
ich es doch: ich liebe das italienische.

Siena, Oktober 1947

Türme: – Backstein ohne alles, ohne besondere Gliederung, einfach ein schlanker Körper aus ziegelrotem Stoff, dann die scharfe
Kante zwischen Licht und Schatten, ebenso scharf und dennoch
anders sind die Kanten zwischen Körper und Raum, zwischen
Turm und Luft, zwischen Stein und Himmel. Man redet immer
gerne von Verhältnissen; dabei sind sie, näher betrachtet, nicht
immer sehr glücklich, oft verkrüppelt, durch späteren Ausbau
verschandelt, durch eine Aufstockung verstumpft wie gerade
dieser Palazzo Pubblico. Aber es bleibt das Köstliche: das Körperliche überhaupt. Alle Körper haben hierzulande ein unge-
wohntes, fast bestürzendes Dasein. Was uns bewegt, was uns be-
glückt und überrascht und bannt, ist das Dasein, das uns in einem
solchen Körper entgegensteht, das Dasein schlechthin, das Rät-
selhaft-Allbekannte, das Geheimnisvoll-Alltägliche: daß es
Dinge gibt –.
   Das Gefühl, selber zu sein.

Siena wird für diesmal unsere letzte Station sein. Autobusse stehen da: Arrezzo, Orvieto, Roma. Selbst in solchen Stunden, wo
man sie schmerzlich empfindet, halte ich die berufliche Bindung
für einen Segen. Zwang zur Beschränkung, Steigerung des Ge-
nusses.

Im Schatten sitzend lese ich die Geschichte des Domes, die Geschichte einer Vermessenheit. Siena will den größten aller Dome.
Der bisher vorhandene Dom, lese ich, wäre gerade noch als
Querschiff verwendet worden. Das neue riesenhafte Längs-
schiff, das dann nie vollendet worden ist, steht da mit einer Sei-
tenwand, fünf Achsen mit Rundbogen, und mit einer fertigen
Stirnwand; dann kommt die Pest, die Siena für etliche Jahrzehnte

lähmt, aber nicht von seinem verstiegenen Vorhaben abzubringen vermag. Die Enkel bauen weiter. Das Unbesonnene, das dem Größenwahn eigen ist, zeigt sich, sobald man den Plan genauer prüft; die bereits vorhandene Mittelkuppel und das neue Hauptschiff hätte man nie vereinen können; hinzu kommt, daß die Fundamente sich zur Enkelzeit als ungenügend erweisen, die begonnenen Gewölbe beginnen sich zu spreizen: Man gibt es auf. Das Ergebnis ist wunderbar! Es bleibt ein Platz unter offenem Himmel, aber der Innenraum, der gewollte, ist bereits vorstellbar, man sieht: dieser Raum, der jetzt noch keiner ist, wäre dem Uferlosen entrissen worden, der Sonne entzogen. Der Raum als Dasein, wie zuvor der Körper des Turmes; nämlich der umgrenzte, der gefaßte und gestaltete Raum, der den unbegrenzten und unfaßbaren erst zur Ahnung bringt.

Form: wenn das Unvorstellbare, das Dasein, sich darzustellen vermag –?

Unterwegs

Im Speisewagen – Aufenthalt in einem kleinen zerschossenen Bahnhof – gegenüber einem offenen Viehwagen, der ebenfalls steht und voll Menschen ist, Italiener, die zur Arbeit fahren, Männer und Frauen, Burschen, Mädchen, die uns auf den Teller blicken: ohne Vorwurf, ohne Miene, müde und stumpf, als gebe es nun einmal zweierlei Menschen, solche, die sitzen, und solche, die stehen, solche, die essen, und solche, die nicht verhungern, solche, die es in Ordnung finden, und solche, die es nicht ändern können, obschon es nur eine Glasscheibe ist, obschon sie in der Mehrzahl sind...

Warum können sie nicht?

Café Odeon

Das Wort, womit man zur Zeit am meisten Unfug treiben kann, heißt Nihilismus – man muß nur unsere Zeitungen blättern, und schon haben sie wieder einen! Sartre ist einer, Wilder ist einer, Jünger ist einer, Brecht ist einer… Wahrlich, ein verbindendes Wort! Ich sehe sie förmlich, unsere Rezensenten zweiten Ranges, sie stöbern wie mit einer Flitspritze umher, und kaum erschreckt sie etwas Lebendiges, spritzen sie mit geschlossenen Augen:

»Nihilismus, Nihilismus –«

Nihilist in diesem Sinn, wie unsere Presse es meint, ist auch der Arzt, der mich heute geröntgt hat, statt daß er meine Wange schminkt; denn was zum Vorschein kommt, wenn er röntgt, wird nicht schön sein –.

Was sie positiv nennen:

Die Angst vor dem Negativen.

(Selbstverständlich ist es nicht entscheidend, ob man Ja oder Nein sagt, sondern wozu man es sagt, und der Glaube, der sich in einem Nein ausdrückt, ist nicht immer der geringere, meistens sogar der keuschere.)

Ihr Ja: als ein Ja zur Lüge.

Was Brecht betrifft, um den es in diesem Aufsatz geht, frage ich mich, ob ein Nihilist, ein wirklicher, imstande wäre, eine Veränderung zu wollen. Brecht aber, das weiß auch dieser Kritiker, will durchaus eine Veränderung, eine ganz bekannte, genau beschreibbare. Wer keine Veränderung will, weil der herrschende Zustand zu seinem Vorteil gereicht, oder wer eine andere will, kann ihn als Gegner bezeichnen, keinesfalls als Nihilist. Wer den Bürger verneint, verneint noch nicht den Menschen, und wer den Körper durchleuchtet, verneint nicht den Geist – sondern er wendet ihn an.

Ferner: unser Verhältnis zum Häßlichen, und warum sie dem Künstler, wenn er das Häßliche zeigt, meistens die Künstlerschaft absprechen –

Der Bürger sagt:

»Die Kunst beschäftige sich mit dem Schönen.«

(Damit sie sich nicht mit ihm beschäftige?)
Goethe sagt:
»Die Kunst beschäftigt sich mit dem Schweren und Guten.«
(Maximen und Reflexionen.)

Nur wer das Schöne selber vermag, scheint es, erträgt auch den
Anblick des Häßlichen, und zwar so, daß er es darstellen kann.
Woran verrät sich der Dilettant?
Seine Gegenstände sind immer schön.

Letzigraben

Meine Baustelle hat noch wenig mit Architektur zu tun. Gräben
voll Lehmwasser, Röhren, Hügel von Aushub, der bereits einen
Schimmer von grünendem Unkraut hat, dazwischen Baracken,
Latrinen, Schuppen voll Gerät oder Zement in papiernen Säcken,
Stapel von Brettern, eine Landschaft aus Prügelwegen und Tümpeln, Sprießungen, Flaschenzügen, wo sie die schweren Rohre
hinunterlassen. Vom künftigen Hochbau sieht man jetzt die ersten Fundamente, eine Pfahlbauerei aus Eisenbeton; ich bin
fröhlich überrascht, wie groß es wird. Trotz der vielen, teils sieben Meter tiefen Gräben bisher nichts gefunden, nicht einmal ein
menschliches Skelett, nur Knochen von Pferden. Hier haben die
Russen gegen die Franzosen gekämpft; die Ziegel einer römischen Villa sind weithin verstreut über Galgenhügel, Schindan-
ger, Schrebergärten... Zur Zeit bin ich es, der seinen Willen ein-
trägt in dieses Flecklein unsrer Erde, Feldherr über fünfunddrei-
ßigtausend Quadratmeter.

Unterwegs

Das Wissen, daß es sehr verschiedene Grade der Unfreiheit gibt,
doch keine Freiheit, obschon jeder sie ausruft, der uns unterdrücken will, dieses Wissen als unerläßliche Voraussetzung da-

für, daß man sich nicht selber zum Narren macht und eines Tages, vom Einen enttäuscht und betrogen, nicht seinem Gegner verfällt mit ebenso kindischer Hoffnung.

Unterschied des Grades: ob sie dich beschimpfen und fälschen, und du kannst dich nicht wehren, oder ob sie dich verhaften und schinden, und du kannst dich nicht wehren.

Ein Bürgersohn, ein Akademiker, viel belesen, viel gereist, beflissen, ein Mensch guten Willens zu sein und ein rechtschaffener Intellektueller – wenn er behauptet, unsere Gesellschaft sei die einzige, welche die Freiheit darstelle, kann man sagen, daß er lüge? Daß hierzulande ein jeder, der begabt ist, seine Begabung schulen und ausüben könne, davon ist er ohne Wimperzucken überzeugt; betreten nur, erstaunt, peinlich berührt, daß ich es nicht bin. Ich erzähle Beispiele, die sein ehrliches Bedauern auslösen, ohne ihn grundsätzlich zu erschüttern; er hat zwei Arten von Antwort. Erstens: Alles, was ich anführe, sind Ausnahmen, Sonderfälle, Mißgeschicke. Zweitens: Ob ich denn glaube, der Kommunismus sei die Freiheit. Nicht zu erschüttern ist sein Glaube, daß es Freiheit geben kann, Freiheit für alle, daß es sie gibt – und zwar bei uns… Er selber nämlich, das ist es, fühlt sich durchaus frei: wie jeder sich frei fühlt in jeder Gesellschaft, die seinen Vorteil schützt, so daß er mit ihr einverstanden ist.

Vielleicht ist das meiste, was uns als Lüge empört, in diesem Sinne durchaus keine Lüge, sondern redlicher Ausdruck einer Meinung, die sich ihrer Bedingtheit nicht bewußt ist. Lügen kann nur der Bewußte. Es wird viel weniger gelogen, als wir meinen. Lügen verbraucht Kraft, im Gegensatz zur Verlogenheit, Lügen ist durchaus eine Tat, eine luziferische. Lügen ist bewußtes Verschweigen eines andern Bewußtseins, erfordert Willen und ist stets ein Wagnis, wogegen die Verlogenheit, selbst wenn sie wörtlich das gleiche sagt, durchaus bieder bleibt, sittsam, behaglich – und drum ist der Verlogene nie widerlegt, nur entrüstet, wie man über eine Tempelschändung entrüstet ist; sein Tempel ist die Zuversicht, daß alles, was ihm am meisten frommt, die Wahrheit sei, nicht seine Wahrheit, sondern die

Wahrheit schlechthin, die ewige, die unabänderliche, die unantastbare, die heilige – die unbedingte.

Voraussetzung der Toleranz (sofern es sie geben kann) ist das Bewußtsein, das kaum erträgliche, das unser Denken stets ein bedingtes ist.

Toleranz ist immer das Zeichen, daß sich eine Herrschaft als gesichert betrachtet; wo sie sich gefährdet sieht, erhebt sich immer auch der Anspruch, unbedingt zu sein, also die Verlogenheit, das Gottesgnadentum meines Vorteils, die Inquisition.

Zürich, 9. 11. 1947

»Die unterzeichneten Schriftsteller, die sich in Zürich begegnet sind, stellen fest, daß die Existenz zweier verschiedener ökonomischer Systeme in Europa für eine neue Kriegspropaganda ausgenutzt wird. Nicht nur besorgt um das Schicksal ihrer Länder, sondern der ganzen Welt, bitten sie die Schriftsteller aller Nationen, den beiliegenden Aufruf mitzuunterschreiben und in seinem Sinne zu wirken.«

Die erste Gruppe, entstand aus einer zufälligen Begegnung, besteht aus sieben Leuten; trotz einem amerikanischen Paß, einem Staatenlosen und einem Schweizer ist es vorläufig eine sehr deutsche Stimme, die sich erhebt, soll aber eine Weltstimme sein. Jeder wird versuchen, durch persönliche Briefe um weitere Unterschriften zu werben, damit schon die erste Gruppe einen weiteren Rahmen hat; ich unternehme die Werbung unter meinen Landsleuten. Vor allem müßte es natürlich gelingen, Schriftsteller aus dem Westen und aus dem Osten zu vereinigen. Wenn nur die Hälfte unterzeichnet, hat der Aufruf überhaupt keinen Sinn, von Wirkung ohnehin zu schweigen. Versichert nicht jede Seite, daß sie den Frieden will? Freilich nicht den Frieden mit dem Gegner, und damit wird das Wort zur platten Kampflüge; was heißt denn Friede, wenn nicht Friede mit dem Gegner? Langsam merken wir schon, wo der Haken liegt; das Gespräch wird trok-

kener; eine schöne Wallung, ein männlicher Ernst, der zur Füllfeder hat greifen lassen, ein gewisser Rausch, der sich bei solchen
Anlässen sogar der lebenslänglichen Spötter bemächtigt, ist ver-
ebbt, bevor die letzte Unterschrift ganz trocken ist –

Der Aufruf würde lauten:

»Die Erwartung eines neuen Krieges paralysiert den Wiederaufbau der Welt. Wir stehen heute nicht mehr vor der Wahl zwischen Frieden oder Krieg, sondern vor der Wahl zwischen Frieden oder Untergang. Den Politikern, die das noch nicht wissen,
erklären wir mit Entschiedenheit, daß die Völker den Frieden
wollen.«

In der Bahn

Der erhebliche Ausfall an Männern, die gefallen oder noch
immer in Gefangenschaft sind – spürbar, sobald man auf deut-
schem Boden ist; weniger im Straßenbild als im persönlichen
Umgang; spürbar vor allem an den Frauen zwischen dreißig und
vierzig –.

Frankfurt, November 1947

Ricarda Huch, die Jena insgeheim verlassen hat, liegt mit einer
schweren Lungenentzündung, nicht mehr zu sprechen; ihre
Nächsten sind bereit, unser Schreiben vorzulegen, wenn es möglich ist.

Im ganzen, wenn ich mich nicht täusche, geht es etwas besser als
vor einem Jahr. Nicht viel. Oder hat man sich einfach an die
Trümmer gewöhnt? An den Kiosken gibt es Zeitungen. Die
Menschen sehen eher schlechter aus. Die Not hat an Abenteuer
verloren, Alltag, es ist nicht abzusehen, was kommen soll. Eine
gewisse Hoffnung, die der Zusammenbruch ausgelöst hat, wird
schäbig wie die letzten Kleider. Ich lese Plakatwände: Aufrufe
für das Goethehaus, ein Vortrag über Buddhismus, ein Kurs für

englische Sprache, ein Kabarett, ringsum eine Wüste von kleinen Anfragen: Gesucht ein Zimmer in Stadtnähe. Und immer wieder: Wer kann Auskunft geben über meinen Sohn? Dazu ein Bild; das Lächeln eines gesunden Obergefreiten, die trauerlose Zuversicht eines jungen Gesichtes, wie es sie nur noch an Plakatsäulen gibt, halb erschütternd, halb beklemmend: – wir hätten einander nie verstanden.

Abend in der Bücherstube eines alten Freundes, Blick auf den Main, wir packen unsere Eßwaren aus, und alles ist selbstverständlich, wir können hier schlafen, ein lebendiges und heiteres Gespräch bis drei Uhr.

Zur Schriftstellerei

Selbst wenn dieser Aufruf der Schriftsteller zustande kommen würde, könnte er eine wirkliche Bedeutung haben? Die Völker wollen den Frieden; würden die Schriftsteller, und wenn es solche mit Ruhm sind, als die Stimmen ihrer Völker gelten? Ich denke mich als Zeitungsleser, dem dieser Aufruf unter die Augen kommt; meine Regung: Sieh mal an, die Schriftsteller aller Welt! und nachdem ich etwas flüchtig geprüft habe, welche Namen mir ein Begriff sind und welche fehlen, werde ich weiterblättern, um etwas Tatsächliches zu erfahren, beispielsweise wo das Uran gefunden wird, oder etwas Vergnügliches, beispielsweise ein neues Abenteuerchen von Adamson. O nein, kein Zweifel, daß die Schriftsteller es ehrlich meinen! Einige sind dabei, die unseren vollen Ernst genießen, nicht minder als Eisenhower, aber in andrer Art; ich finde es auch nicht unrichtig, daß sie wieder einmal einen solchen Aufruf machen, ich finde es sogar löblich, es ehrt sie und ist schön, wie wenn Churchill malt... Und indem ich die Zeitung dem andern überlasse und zu meinem Kaffee übergehe, sage ich vielleicht:

»Schade, daß die Schriftsteller und Dichter heutzutage so gar keinen Einfluß haben!«

»Warum?«

»Frieden oder Untergang«, sage ich: »ganz meine Meinung! Es ist ein fertiger Wahnsinn –«

»Sicher.«

Auch er greift zur Tasse.

»Wenn die Schriftsteller und Dichter einen wirklichen Einfluß hätten«, sage ich: »vielleicht wäre vieles anders in der Welt!«

Er blättert weiter.

»Glauben Sie?« sagt er bloß

(Er ist vielleicht Arzt oder so.)

»Als ich noch studiert habe«, fügt er hinzu: »das war vor sechzehn oder siebzehn Jahren, wir hockten in meiner Bude am Radio – vor einer Hitlerwahl – und hörten zwei Stimmen, die ihren Ruhm in die Waagschale warfen: Gerhart Hauptmann und Max Schmeling.«

»Na und?«

»Na und –!«

»Was wollen Sie damit sagen?«

»Wenn unsere Dichter keinen ernsthaften Einfluß haben«, sagt er schon mit dem Blick in die Zeitung: »vielleicht ist es schade, ja, vielleicht auch nicht. Unsere Schuld ist es nicht!… auch den Ruhm kann man nur einmal verkaufen – und Einfluß, wirklichen Einfluß, ich glaube halt, Einfluß hat man immer nur dort, wo man etwas von der Sache versteht, wo man der Welt bewiesen hat, daß man etwas von der Sache versteht…«

In der Bahn

Wie schön, daß man tagelang fahren kann, und das Feld, das vorbeizieht, heißt immer noch Feld, nicht champ, nicht campo – wie schnurrig, daß mir Landschaften, die ich zum erstenmal sehe, vertrauter sind, obschon sie sich von unseren Landschaften gänzlich unterscheiden, vertrauter, nur weil sie eins sind mit meiner Sprache…

Und die Menschen?

Man wähnt sich den Menschen, die eine Kiefer auch Kiefer nennen, von vornherein verbunden, genießt eine köstliche Erweiterung der inneren Heimat, und zeigt sich die übliche Fremdheit, empfindet man sie schmerzlicher als anderswo; man haßt auch viel leichter, rascher, wilder als in der sprachfremden Welt.

Berlin, November 1947

Einfahrt im Morgengrauen. Die Havelseen, die aufgehende Sonne hinter den Kieferstämmen, Wolken, die Brücken knien im Wasser, und die Sonne spiegelt wie Messing darin. Die Dächer sind naß. Zwischen den Stämmen eine wirre Gruppe von zerschossenen Scheinwerfern. Dann die ersten roten Fahnen, grell wie frisches Blut vor dem bleiernen Himmel. Rot als die Farbe der Alarme; man denkt an Schießfahnen und so.

Lichterfelde.

Der amerikanische Offizier, den ich in der Bahn zum erstenmal getroffen habe, bittet uns zum Frühstück, das damit endet, daß wir überhaupt seine Gäste bleiben; damit ist die Zimmersorge schon gelöst.

Vormittag am Alexanderplatz. Die jugendlichen Gangster und Dirnen. Es wird viel verhandelt; Dreigroschenoper ohne Songs. Hinter allem wittert man Geheimsprache. Das Unheimliche ist nicht, daß dich jemand überfallen könnte, wenigstens nicht bei Tag; sondern die Gewißheit, daß unsereiner, plötzlich in dieses Leben ausgesetzt, in drei Tagen untergehen würde. Auch dieses Leben, man spürt es genau, hat seine Gesetze; sie kennenzulernen braucht Jahre. Ein Wagen mit Polizisten; plötzlich stiebt alles auseinander, andere bleiben stehen und grinsen, ich schaue zu und habe keine Ahnung, was gespielt wird. Vier Burschen, drei Mädchen werden verladen; sie hocken sich zu den andern, die schon anderswo geschnappt worden sind, gleichgültig, undurchsichtig. Die Polizei hat Helm und Maschinenpistole, also die Macht, aber keine Ahnung, hat man das Gefühl. Auch sie nicht! Das Leben in der Tiefe entwickelt ganz andere Formen; ich muß an die Krebse denken, die gefangenen, damals in Portofino...

Später zum Brandenburger Tor.

Gelegentlich stolpert man über die Geleise einer Rollbahn; ich wische die Hosen, horche in die Dämmerung. Stille wie in den Bergen. Nur ohne das Rauschen eines Gletscherbaches. In der Zeitung gibt es eine Spalte für tägliche Überfälle; es kommt vor, daß man eine kleiderlose Leiche findet, und die Mörder stammen regelmäßig aus dem andern Lager. Ganze Quartiere ohne ein einziges Licht. Nicht abzuschätzen ist die Menge von Schutt; doch die Frage, was jemals mit dieser Menge geschehen soll, gewöhnt man sich einfach ab. Ein Hügelland von Backstein, darunter die Verschütteten, darüber die glimmernden Sterne; das Letzte, was sich da rührt, sind die Ratten.

Abends in die Iphigenie.

»Was sagen Sie zu Berlin?«

Das lobende Wort eines Ausländers steht hoch im Kurs; der Bedarf an Anerkennung ist riesengroß; wer jetzt versichert, Berlin sei ungebrochen in seinem Geistesleben, ist ein bedeutender Kopf...

Das Wetter ist wieder herrlich, Novemberhimmel, die hohe und fast silberne Bläue; es ist schon wahr, daß diese Stadt eine unvergleichliche Luft hat, man ist wacher als anderswo. Sogar nach beinahe schlaflosen Nächten. Es brennen die Sohlen, da ich den ganzen Tag unterwegs bin, aber der Kopf ist wie eine Fackel im Wind. Mittagsrast im Tiergarten. Eine baumlose Steppe mit den bekannten Kurfürsten, umgeben von Schrebergärten. Einzelne Figuren sind armlos, andere mit versplittertem Gesicht. Einer ist offenbar vom Luftdruck gedreht worden und schreitet nun herrisch daneben. Anderswo ist es nur noch ein Sockel mit zwei steinernen Füßen, eine Inschrift; der Rest liegt im wuchernden Unkraut. Außer einem Hund, der mein Picknick riecht, bin ich allein. Im Hintergrund ragt das Denkmal der Roten Armee, das in der Nacht beleuchtet ist.

Viel Gesichter!

Viel Geschichten!

Ich komme nicht zum Aufschreiben, obschon mir fast alles nennenswert scheint; tagelang keine einzige Zeile; ein Urwald von Schicksalen, eine Flut von Eindrücken, alles durcheinander, Widersprüche, es gibt keine Deutung, nur Geschichten, Anblicke, Einzelnes –.

Ausstellung sowjetischer Kultur. Es ist nicht unnötig, daß man die Bilder von Smolensk oder Sebastopol sieht, die Verwüstungen, die der täglich sichtbaren vorangegangen sind. Im übrigen kennt man die Ausstellungen dieser Art, das Unbehagen, gleichviel welche Macht es ist, die sich selber preist. Ich verstehe nicht, warum es solche Retuschen braucht: Rußland besiegt Japan. An der Türe ein kleiner Briefkasten: Was haben Sie von dieser Ausstellung für einen Eindruck? Äußern Sie sich offen und frei! Der kleine Kasten ist leer. Eine gute Stunde lang bin ich der einzige Besucher. Regenwetter; die Räume, glaube ich, sind geheizt. Um nicht im Stimmungshaften zu bleiben, erkundige ich mich nach dem russischen Wohnbau, nicht ohne mich als Schweizer und als Architekt auszuweisen. Ein freundlicher Offizier, Hauptmann ohne Uniform, führt mich in die Bibliothek. Bild eines klassizistischen Palastes mit dreistöckigen Säulen.

»Vor allem möchte ich Wohnbau sehen«, sage ich: »Siedlungen für Arbeiter und so.«

»Hier wohnen Arbeiter.«

»Hinter diesen großartigen Säulen?«

»O ja.«

Meine Miene, meine etwas sprachlose Verwunderung, da wir unter Architektur etwas so anderes verstehen, wird offensichtlich als Zweifel gedeutet, als Mißtrauen beantwortet:

»O ja, hier wohnen Arbeiter.«

»Wieso denn solche – solche Säulen?«

»Das ist die Hauptstraße in Moskau.«

Mit der Zeit, und da es mich ernsthaft interessiert, kommen wir, viele Bücher blätternd, dem Gegenstand doch näher; mein Interesse: ob die Grundrisse, Chiffren einer Lebenshaltung, sich wesentlich von den kleinbürgerlichen Grundrissen unsrer Siedlungen unterscheiden und wie? Bild eines kleinen Eigenheims: mit zwei kleinen Säulen.

»Das ist auf dem Land?« frage ich.

»O ja.«

»Aber nicht als Siedlung, ich meine, das ist wohl eher ein Einzelhaus«, sage ich in Betrachtung der beiden Säulchen: »oder wie ist das?«

»O ja, hier wohnen Arbeiter.«

Wir verstehen uns nicht ganz; meine Fragen, ich fühle es, wirken so, wie sie genommen werden, etwas polizeilich. Einen Grundriß suchend, um Auskunft ohne weitere Worte zu finden, gestatte ich mir, eigenhändig zu blättern; daß ich so beharrlich bei hölzernen Häuschen verweile, die keine Säulen haben, verschlechtert die Stimmung noch weiter. Ein Grundriß: Stube, Schlafraum, Küche. Nett, einfach, bekannt. Zu sagen wage ich nichts mehr. Ich bin die Treppe hinaufgegangen, um etwas kennenzulernen auf dem Gebiet, wo ich fachliche Voraussetzungen habe; ich stehe da wie ein Spitzel, blätternd, spürbar von der Seite betrachtet –

(Mißtrauen als körperliches Unbehagen.)

Jeden Abend im Theater. Viel gute Schauspieler, aber keine Spielleiter, keine neuen. Und keine eignen Dichter, keine neuen. Oder sie spielen sie nicht; auch möglich. Als könnte es ohne lebende Dichter, eigene, ein lebendiges Theater geben! Nachher wieder in Gesellschaft, Künstler, Kritiker, Offiziere der Besatzung, Ärzte, Beamte, Wirtschaftler, alles redet vom Theater, klug, lebhaft und neugierig. Etwas Betörendes; mindestens für unsereinen: Theater als öffentliches Interesse. Mit der Zeit erschrickt man vielleicht, indem man es als Ausflucht empfindet. Später begreift man es wieder; worüber sollen sie denn sprechen?

»Haben Sie Gründgens gesehen?«

»Noch nicht.«

»Müssen Sie aber!«

»Ich weiß.«

»Hier tut sich was, wissen Sie, wie vielleicht nirgends in der Welt –!«

(Was?)

Grunewald, Krumme Lanke, Schlachtensee, Wannsee, eine Landschaft, die mich schon heute, kaum haben wir die Fahrkarten bestellt, mit sicherem Heimweh erfüllt. Was ist es? Die Kiefern im Sand, der Himmel zwischen den Kiefern, die Luft, die spröde Weite – jedenfalls fühle ich mich unbändig wohl, man kennt sich selber nicht, oft versteige ich mich zur fixen Idee, daß ich in dieser Luft ein ganz andrer, ein durchaus fröhlicher und sprühender Kerl geworden wäre, komme mir vor wie ein Fisch gesetzteren Alters, der eines Tages, Gott weiß wieso, nicht mehr im Aquarium ist mit den spärlichen Bläschen, sondern im fließenden Wasser: Ha! denkt er...

Frank, unser Gastgeber, erzählt mir einen Fall aus der sogenannten Russenzeit, die auf den Nerven mancher Frauen, aber auch vieler Männer schwerer lastet als die Bombenzeit.

Seine Schilderung:

Mai 1945, Berliner Westen, Keller eines schönen und wenig zerstörten Hauses, oben die Russen, Lärm, Tanz, Gelächter, Siegesfeier, im Keller verstecken sich die Frau und ihr Mann, Offizier der Wehrmacht, der aus der Gefangenschaft entwichen ist, keinen andern Anzug hat und keinesfalls erblickt werden darf. Eines Tages kommt einer herunter, Wein suchend, sprengt die Waschküchentüre. Die Frau muß öffnen. Ihr Mann versteckt sich. Ein ziemlich betrunkener Bursche, Ordonnanz. Natürlich soll sie hinaufgehen. Ob der Kommandant deutsch verstehe? Der Bursche bejaht. Ihre Hoffnung, sich durch Sprechen retten zu können. Sein Gestammel über die vielen feinen Bücher. Sie erbittet sich eine Frist von einer halben Stunde. Ihr Mann will sie nicht gehen lassen; aber wenn die Russen herunterkommen und ihn sehen? Sie zieht ihr bestes Kleid an, ein Abendkleid; sie versprechen sich, gemeinsam aus dem Leben zu gehen, wenn es nicht gelingt. Oben trifft sie eine Gruppe von ziemlich betrunkenen Offizieren. Sie als große Dame. Nach etlicher Anrempelung, die sie mit einer Ohrfeige erfolgreich verwehrt, gelingt es immerhin, den Oberst allein zu sprechen. Ihr Anliegen, ihre Bitte um menschliche Behandlung und so weiter. Er schweigt. Getrieben von seinem Schweigen, das sie nur für grimmiges Mißtrauen halten kann, geht sie so weit, die Geschichte ihres Mannes preiszugeben: um sein Vertrauen zu erzwingen. Als sie endlich begreift, daß der Oberst kein deutsches Wort versteht, bricht sie zusammen. Sie sieht sich in einer Falle. Der Oberst holt den Burschen, er solle übersetzen; in diesem Augenblick kommt sie in den Besitz einer Waffe, die sie unter ihrem Kleid versteckt, hoffend, daß sie geladen ist. Dann ihr verzweifeltes Angebot: Wenn er alle andern aus dem Hause schickt, und zwar für immer, wird sie ihm zu Willen sein, sagt sie etwas verborgen, jeden Tag zu einer bestimmten Stunde. Damit gewinnt sie mindestens Zeit; im übrigen ist sie entschlossen zu schießen, sobald er sich vergreift. (Auf ihn oder auf sich?) Es geschieht aber nichts. Eine Woche lang geht sie jeden Abend hinauf, um dem Oberst sozusagen Gesellschaft zu leisten, immer im Abendkleid; unten im Keller tut sie, als spreche er wirklich deutsch, erfindet Gespräche, die sie mit dem Russen geführt habe, Gespräche über Rußland und so. Ihr Mann ist einigermaßen beruhigt, spürt aber, daß sie nicht ungerne hinaufgeht, daß sie ihm selten in die Augen blickt, daß sie sich wirklich kämmt, um wirklich schön zu sein und so weiter. Mit der Zeit (der Bericht ist sehr sprunghaft) hat sich offenbar eine Liebe ergeben, die auch gelebt wird. Ohne Sprache. Es endet damit, daß der Oberst sie auf dienstlichen Befehl plötzlich verlassen muß, weg von Berlin; beide hoffen auf Wiedersehen. Er ist nicht wiedergekommen. Der Mann, der gerettete, spricht von dem Russen stets mit kameradschaftlicher Achtung; die russischen Verhältnisse und Einrichtungen, wie seine Frau sie damals im Keller erzählt hat, scheinen ihn nicht wenig überzeugt zu haben. Woher sie ihre Wissenschaft hatte, da der Oberst doch nur russisch konnte und sie nur deutsch? Vom russischen Sender in deutscher Sprache, den sie abzuhören pflegte, als ihr Mann im Osten gefangen war...

Zeitungen melden den Tod von Ricarda Huch.

Kleiner Empfang durch den Kulturbund, der im Westen verboten ist. Einige bekannte Gesichter, die als Emigranten in der Schweiz gewesen sind. Verlage bieten sich an; ernsthaft und mit verblüffenden Auflagen, mit ordentlicher Herstellung. Kleines Nachtessen in der sogenannten »Möwe«, wo die Künstler ohne Marken speisen können: zwei Kartoffeln, Fleisch, etwas Grünes sogar, Bier.

Vormittags im amerikanischen Funk.

Beide Seiten werben Söldner...

Dann in der Untergrundbahn: fast alle mit einem Bündel, einem Rucksack, einer geschnürten Schachtel. Neben Gesichtern, die aus Lehm und Asche sind, gibt es auch gesunde, straffe, volle, aber ebenso verschlossen, oft larvenhaft. Worüber wird geschwiegen? Erst aus der Nähe, zusammengepfercht, sieht man die Armut am Kragen, am Ellbogen. Berlin in seinen letzten Anzügen. Die Frauen, auch wenn sie Hosen tragen, schwere Schuhe und Kopftücher, sind meistens sehr gepflegt.

Am Abend bei Freunden.

Überall Menschen, die einander auf Anhieb verstehen, überall wenige; die Unterschiede, wenn man sie nicht leugnet, haben ihren eigenen Segen. Warum gelingen die meisten Freundschaften in der Fremde?

Heute bei den Russen. Höflicher Empfang von den beiden Herren, die tadelloses Deutsch sprechen. Wir unterbreiten das Anliegen, das mienenlos entgegengenommen wird. Dann zum gemeinsamen Mittagessen, chambre séparée, ein einfaches, doch reichliches Essen aus simplem Geschirr, dazu Wodka in großen Gläsern. Ihre Kenntnis der deutschen Literatur, der deutschen Philosophie; Gespräch über drei Stunden. Die Russen nehmen den Geist sehr ernst; offensichtlich entsenden sie ihre besten Leute, denen auf der andern Seite, von wenigen Ausnahmen abgesehen, viel freundliche Nullen gegenüberstehen. In Frankfurt trafen wir einen Amerikaner, einen Prachtkerl an Hilfsbereitschaft, der durch uns zum erstenmal von Eliot gehört hat; Theatre Officer. Freilich haben die beiden Russen, die uns drei Stunden lang in ein höfliches Verhör nehmen, auch keine Wahl, ihre Posten zu verlassen, wenn sie eine andere Aufgabe lockt. Für einige Augenblicke erscheint Oberst Tulpanow. Ein sehr fremder, undurchschaubarer, starker Kopf, rund und kahl. Kurze Begrüßung im Stehen. Unser Gespräch, das sich immer wieder mit Bedacht an Theaterfragen hält, hat keinen einzigen Namen zutage gefördert, der ihnen nicht bekannt ist, literarisch und politisch bekannt. Gefühl von Kartothek. Nachher bin ich so müde, daß ich sitzend, ohne den Mantel auszuziehen, einschlafe – in einer Garderobe des Deutschen Theaters, das dem Jüngling einst wie ein Olymp erschienen ist; als ich gelegentlich erwache, sehe ich mich allein, die Vorstellung hat bereits begonnen...

»Tartuffe.«

Unser Anliegen wird übersetzt und nach Moskau gedrahtet. Übermorgen kann die Antwort da sein. Es wird ein Nein sein, ein höfliches. Es gibt Dinge, die man versuchen muß, bevor man sie mit Anstand aufgeben darf.

Kurfürstendamm.

Kurt kauft eine kleine Skizze von Liebermann. Ferner gäbe es: drei Täßlein aus Meißner Prozellan, ein alter Stich, darstellend die Garnisonskirche zu Potsdam, ein Aschenbecher aus Messing, Brieföffner, Ohrringe und was man sonst nicht braucht. Alles unerschwinglich, wenn man mit Löhnen rechnet, aber billig, wenn man mit Zigaretten rechnet. Ein kleiner Buddha, ein schöner, für fünfhundert Zigaretten. Hundert Schritte weiter stehen die sogenannten Trümmerweiber, die sich mit Schaufel und Eimer gegen das Unabsehbare verbrauchen. Es wirkt nicht wie Arbeit, sondern wie Strafkolonie. Vierzig Mark in der Woche, das sind vier Zigaretten. Natürlich sind es nicht die Leute, die diese Ruinen verschuldet haben. Die sitzen in geheizten Gefängnissen, genährt, gesunder als alle andern, oder in ihrem Landhaus...

»Hier tut sich was.«

Es ist nicht zu leugnen, daß es Stunden von prickelnder Begeisterung gibt, viele versichern, daß sie nirgends anders leben möchten, insbesondere Künstler, und das ist keine Ausrede. Wer liebt den Ort nicht, wo er eine Rolle spielt? Viele spielen eine größere, als sie es sich hätten jemals träumen lassen, walten über Stätten, die man noch immer, gleichviel wer sie verwaltet, mit Ehrfurcht betritt, und das ist ja gut so; der Ruhm ist eine Brücke, die sich streckenweit auch ohne Pfeiler trägt. Streckenweit. Mancher hält sich zwar für einen Pfeiler, einfach weil es keine anderen gibt. Die Arbeit, die aus solchem Ansporn wächst, ist erstaunlich, oft übermenschlich als Anstrengung; hinzu kommt das natürliche, oft fieberhafte Bedürfnis, verlorene Jahre einzuholen. Es ist jetzt wichtig, mit älteren Menschen zu sprechen; die Gegenwart hat kein Maß. Man müßte jetzt einen Begleiter haben wie Wölfflin. Das letzte Maß, das die meisten haben, ist bereits aus der Hitlerzeit. Der Ausfall an Menschen ist überall spürbar, und wenn es auch erklärlich ist, daß jede geschichtliche Ablösung zuerst einen gewissen Rückschritt bringt, schon weil den neuen Männern jahrzehntelang die fachliche Übung versagt war, so hat der Zustand doch etwas Melancholisches, sogar etwas Gefährliches; wir werden stets versucht sein, daß wir schließlich das Beste, was wir in unsren Tagen antreffen, bereits für das Gute halten...

Das Nein ist eingetroffen.

Gestern im Kabarett, aber ich finde die Berliner, wenn man sie auf der Straße oder in der Untergrund hört, unvergleichlich witziger. Selbstmitleid gibt kein Kabarett. Es ist so überflüssig, mit dem Strom zu schwimmen, und ein Kabarett, das nicht seine Zuhörer attackiert, was soll es? In den Logen aber sitzen die Uniformen der Besatzung; ich frage mich, was unseren Kabaretts beispielsweise unter deutscher Besatzung andres übrig geblieben wäre – als ebendies: Verzicht auf jede Selbstkritik...

Letzter Abend.

Unterwegs in eine Pinte mit Musik und Wasserbier, Kellner spielen ihre Rolle mit verklecksten Westen. Ich habe Hunger. Heißgetränk mit Rumgeschmack. Das Lokal erinnert an Wartesäle; nicht allein wegen der Rucksäcke. Alle wie von einem schlechten Zeichner, der keine Sitzenden zeichnen kann. Selbst wenn sie anlehnen, sind sie nicht da. Rast der Lemuren. Von der Decke herunter, die von marmornen Säulen getragen wird, hangen die nackten Glühbirnen. Reste von weißem Stuck, darunter das übliche Schilfrohr. Auch hier riecht es nach Abort. Dazu der etwas groteske Frack eines Klavierspielers, dem die Schwindsucht bereits auf den Handgelenken sitzt –

Abfahrt von Lichterfelde.

Ein amerikanischer Major weigert sich, im gleichen Abteil zu schlafen mit einem Neger, der ebenfalls die amerikanische Uniform trägt. Der deutsche Schaffner, ein Schwabe, soll dafür sorgen, daß der schwarze Sieger anderswo verstaut wird. Der Schaffner nickt, wie wenn man sagt: Verstehe, verstehe, darüber müssen wir nicht reden! dann pirscht er durch den Korridor, nicht ohne ein schadenfrohes Grinsen, das er uns nicht verheimlicht, es richtet sich nicht gegen den Neger. Nur so; Rassenfrage, Umerziehung. Der Neger, ein junger Sergeant, steckt sich unterdessen eine Zigarette an, um etwas zu begründen, warum er draußen im Korridor steht. Er starrt durch die verregnete Scheibe, obschon es draußen Nacht ist, nichts als Nacht. Als der schwäbelnde Schaffner zurückkommt und ihm bedeutet, wo er schlafen dürfe, nickt er, ohne den Schaffner, der die Nummer wiederholt, anzusehen. Er bleibt stehen, raucht weiter, blickt in die schwarze Scheibe...

(Die Weltgeschichte ist noch nicht zu Ende.)

Langer Halt in der Nacht, Bahnhof ohne Dach, nirgends ein

Schild, aber viel Volk auf Bündeln und Schachteln, es regnet in Strömen. Zonengrenze? In einer Zeitung lese ich, daß Wolfgang Borchert, die Hoffnung unter den jungen deutschen Dichtern, in Basel gestorben ist.

Letzigraben

Es gibt so wenig Leute, die es nicht früher oder später ausmünzen, wenn man seine Fehler zugibt, und versuchen, uns zum Esel zu machen und auch mit ihren Fehlern zu beladen... Und dann, wenn der Esel plötzlich ausschlägt, sind sie einen Augenblick lang ganz erstaunt, nur einen Augenblick lang; kaum haben sie wieder Luft, erinnern sie dich ganz unverfroren an die Fehler, die du selber einmal zugegeben hast – als Beweis, daß du es bist, der die Fehler macht.

Nachtrag

Die Geschichte mit dem russischen Oberst und der deutschen Frau: das Ganze hat drei Wochen gedauert. Die Frau ist ohne jeden Zweifel, daß es auch von seiner Seite eine wirkliche Liebe gewesen ist; für sie ist es die Liebe ihres Lebens –

Was mich an dem Fall fesselt:

Daß er eine Ausnahme darstellt, ein Besonderes, einen lebendigen Widerspruch gegen die Regel, gegen das Vorurteil. Alles Menschliche erscheint als ein Besonderes. Überwindung des Vorurteils; die einzig mögliche Überwindung in der Liebe, die sich kein Bildnis macht. In diesem besonderen Fall: erleichtert durch das Fehlen einer Sprache. Es wäre kaum möglich gewesen, wenn sie sich sprachlich hätten begegnen können und müssen. Sprache als Gefäß des Vorurteils! Sie, die uns verbinden könnte, ist zum Gegenteil geworden, zur tödlichen Trennung durch Vorurteil. Sprache und Lüge! Das ungeheure Paradoxon, daß man sich ohne Sprache näherkommt. Und wichtig scheint mir auch, daß es eine Frau ist, die diese rettende Überwindung schafft; die Frau: konkreter erlebend, eher imstande, einen einzelnen Menschen als solchen anzunehmen und ihn nicht unter einer Schablone zu begraben. Sie geht zu einem Russen, einem Feind, sie hat bereits eine Waffe unter ihrem Kleid, aber da sie einander nicht verstehen können, sind sie gezwungen, einander anzusehen, und sie ist imstande, wirklich zu sehen, den einzelnen Menschen zu sehen, wirklich zu werden, ein Mensch zu sein gegen eine Welt, die auf Schablonen verhext ist, gegen eine Zeit, deren Sprache heillos geworden ist, keine menschliche Sprache, sondern eine Sprache der Sender und eine Sprache der Zeitungen, eine Sprache, die hinter dem tierischen Stummsein zurückbleibt. Der Turm zu Babel; wenn es an der Zeit ist, daß uns diese Art von Sprache entrissen wird. Ich finde in dieser Frau, was an so vielen Frauen, die ich gesprochen habe, und an tausend Frauen in der Untergrundbahn zu finden ist: sie ist heiler als die Männer, wirklicher, in ihrem Grunde minder verwirrt.

Zur Lyrik

Man klagt, daß unsere Poeten nicht ernst genommen werden, vor allem die lyrischen – klagt mit verhaltenem Vorwurf an die Welt, verhalten durch das bittere Pathos, daß das Schicksal, das unsere Lyrik trifft, nun einmal das Schicksal des Geistes überhaupt sei – klagt, statt daß man es in Ordnung findet.

Schicksal des Geistes?

Ein Mann, der seinen Geist verwendet, um Brücken zu bauen oder den Krebs zu bekämpfen oder Atome zu erforschen, wird durchaus ernst genommen. Er tut, was er weiß; er arbeitet mit dem Bewußtsein unsrer Welt und unsrer Zeit. Man denke sich einen Ingenieur, der genau weiß, daß es die kommunizierende Röhre gibt; aber wenn er baut, siehe da, schiebt er sein Wissen zur Seite und baut wie die alten Römer, nämlich Aquädukte – man würde ihn einsperren, mindestens entlassen... Die Poeten, wenn sie Poesie machen, die hinter ihrem und unserem Bewußtsein zurückbleibt, sperrt man nur darum nicht ein, weil der Schaden, den sie anrichten, nur sie selber trifft; sie entlassen sich sozusagen selber: indem kein Zeitgenosse, kein bewußter, sie ernst nehmen kann.

Im Gegensatz zur englischen und französischen Sprache, die eine moderne Lyrik haben, gibt es offensichtlich wenig deutsche Gedichte, die nicht antiquarisch sind – antiquarisch schon in ihrer Metaphorik; sie klingen oft großartig, dennoch haben sie meistens keine Sprache: keine sprachliche Durchdringung der Welt, die uns umstellt. Die Sense des Bauern, die Mühle am Bach, die Lanze, das Spinnrad, der Löwe, das sind ja nicht die Dinge, die uns umstellen. Das Banale der modernen Welt (jeder Welt) wird nicht durchstoßen, nur vermieden und ängstlich umgangen. Ihre Poesie liegt immer *vor* dem Banalen, nicht *hinter* dem Banalen. Keine Überwindung, nur Ausflucht – in eine Welt nämlich, die schon gereimt ist, und was seither in die Welt gekommen ist, was sie zu unsrer Welt macht, bleibt einfach außerhalb ihrer Metaphorik... Die Angst vor dem Banalen: man stellt Blumen auf den Tisch, um Gedichte vorzulesen, und einen Kerzenleuchter, man zieht die Vorhänge, Verdunkelung des Bewußtseins; der Dichter ist vielleicht mit dem Flugzeug gekommen, mindestens mit einem Wagen, aber die Gedichte, die er vorzulesen hat, möchten dem Geräusch eines fernen Motors nicht standhalten: nicht weil wir seine Wörter schlechter vernehmen, sondern weil wir dann allzu deutlich merken, daß er gar nicht die Welt dichtet, die uns und ihn umstellt. Wie will der mich versetzen? Oder wir stellen das Radio an; nach einem halben Satz weiß man: Poesie! denn so spricht kein Mensch, der etwas Ernstes mitzuteilen hat. Das einzige Gefühl, das sein Singsang in mir erzeugt: Der macht sich etwas vor, Ehrfurcht zum Beispiel, weil er ein paar gereimte Zeilen sieht, und dann gibt er nicht einmal zu, daß es ihn selber nicht erreicht, ja, er fühlt es offenbar selber, daß etwas nicht stimmt, drum macht er Singsang, um mein Bewußtsein einzulullen, und das Ärgerliche daran, daß er von mir verlangt, ich solle mich jetzt ebenfalls verstellen, nur damit ich mich für musisch halten darf

– das alles ist nicht nötig bei einem wirklichen Gedicht: weil es der Welt, in die es gesprochen wird, standzuhalten vermag; weil es eben diese Welt, ihr nicht ausweichend, sprachlich durchdringt.

> »Die Vaterstadt, wie find ich sie doch?
> Folgend den Bomberschwärmen
> komm ich nach Haus.
> Wo denn liegt sie? Wo die ungeheueren
> Gebirge von Rauch stehen.
> Das in den Feuern dort
> ist sie.
>
> Die Vaterstadt, wie empfängt sie mich wohl?
> Vor mir kommen die Bomber. Tödliche Schwärme
> melden euch meine Rückkehr. Feuersbrünste
> gehen dem Sohn voraus.«

Einer von den wenigen, deren Gedichte in diesem Sinne standhalten, ist Brecht. Ich muß, damit dieses Gedicht mich erreicht, nicht rauschhaft sein oder müde, was so viele für Innerlichkeit halten. Es bleibt ein Gedicht, auch wenn ich es in einer Küche sage: ohne Kerzen, ohne Streichquartett und Oleander. Es geht mich etwas an. Und vor allem: Ich muß nichts vergessen, um es ernstnehmen zu können. Es setzt keine Stimmung voraus; es hat auch keine andere Stimmung zu fürchten. Das allermeiste, was sich für Poesie hält, wird zur krassen Ironie, wenn ich es nur einen einzigen Tag lang mit meinem Leben konfrontiere. Die romantische Ironie ist der Kniff, diese Ironie vorwegzunehmen, und das Eingeständnis, daß die Poesie sich vom wirklichen Lebensgefühl ablöst. Heine kann sich selber nicht trauen, obschon die Gefühle, die er singt, in hohem Grade gefühlt sein mögen; aber sie halten allem andern, was er weiß, nicht stand. Hinter der Rose, um es kraß zu sagen, steht die Syphilis. Sein Bewußtsein, das in seiner Poesie nicht enthalten ist, nötigt ihn, als erster seine Poesie zu verulken, zu zeigen, daß er sie selber nicht ernst nimmt: weil sie hinter seinem Bewußtsein zurückbleibt, seinem Bewußtsein nicht standhält. Er kommt sich doppelzüngig vor, ein Gefühl, das so vielen Poeten anstehen würde. Heine ist ehrlich, insofern wertvoll. Aber der nächste Schritt ist wohl, noch ehrlicher zu werden: nämlich nicht zu dichten, was die Vorfahren gemäß ihrem Bewußtsein zur Poesie gebracht haben, sondern wirklich zu dichten, unsere Welt zu dichten. Dann ist es auch so, daß man das Bewußtsein nicht zu fürchten hat und die Ironie nicht braucht, so wenig wie die Vorhänge, die Kerzen und Oleander: weil keine Verstellung dabei ist, keine Doppelzüngigkeit... Es bleibt sagbar:

»Wirklich, ich lebe in finsteren Zeiten!
Das arglose Wort ist töricht. Eine glatte Stirn
deutet auf Unempfindlichkeit hin. Der Lachende
hat die furchtbare Nachricht
nur noch nicht empfangen.
Was sind das für Zeiten, wo
ein Gespräch über Bäume fast ein Verbrechen ist,
weil es ein Schweigen über so viele Untaten einschließt.«

Und später:

»Ich wäre auch gern weise.
In den alten Büchern steht, was weise ist:
Sich aus dem Streit der Welt halten und die kurze Zeit
ohne Furcht verbringen,
auch ohne Gewalt auskommen,
Böses mit Gutem zu vergelten,
seine Wünsche nicht erfüllen, sondern vergessen,
gilt für weise.
Alles das kann ich nicht:
Wirklich, ich lebe in finsteren Zeiten!

In die Städte kam ich zur Zeit der Unordnung,
als da Hunger herrschte.

Unter die Menschen kam ich zur Zeit des Aufruhrs,
und ich empörte mich mit ihnen.
So verging meine Zeit,
die auf Erden mir gegeben war.

Mein Essen aß ich zwischen den Schlachten.
Schlafen legte ich mich unter die Mörder.
Der Liebe pflegte ich achtlos,
und die Natur sah ich ohne Geduld.
So verging meine Zeit,
die auf Erden mir gegeben war.

Die Straßen führten mich in den Sumpf zu meiner Zeit.
Die Sprache verriet mich dem Schlächter.
Ich vermochte nur wenig. Aber die Herrschenden
saßen ohne mich sicherer, das hoffte ich.
So verging meine Zeit,
die auf Erden mir gegeben war.

Die Kräfte waren gering. Das Ziel
lag in großer Ferne.
Es war deutlich sichtbar, wenn auch für mich
kaum zu erreichen.
So verging meine Zeit,
die auf Erden mir gegeben war...«

Wie Brecht uns dieses Gedicht vorgelesen hat: schüchtern, nicht
verkrampft, er ist kein andrer als zuvor und nachher, seine
Stimme ist leise, ohne Veränderung seines mundartlichen Klan-
ges, fast lispelnd, aber deutlich und genau vor allem im Rhythmus, scheinbar ohne Betonung, sachlich, Worte zeigend, wie
man Kieselsteine zeigt, Gewebe oder andere Dinge, die für sich
selbst sprechen müssen; Haltung eines Mannes, der, seine Zigarre rauchend, genötigt ist, einen Text abzulesen, einfach weil
nicht jedermann diesen Text in der Hand hat; ungefähr wie man
einen Brief vorliest: mitteilend. Und es stört nicht, wenn es klin-

gelt, wenn ein weiterer Besuch kommt oder wenn die Tochter, da es keinen andern Weg gibt, durchs Zimmer geht. »Ich lese«, sagt er zu dem Ankömmling: »gerade ein Gedicht; es heißt: An die Nachgeborenen.« Sagt es, damit dieser mit seinem Gespräch noch wartet, und liest weiter, mitteilend, was weiter er den Nachgeborenen sagen möchte:

»Ihr, die ihr auftauchen werdet aus der Flut,
in der wir untergegangen sind,
gedenket,
wenn ihr von unseren Schwächen sprecht,
auch der finsteren Zeit,
der ihr entronnen seid.

Gingen wir doch, öfter als die Schuhe die Länder wechselnd,
durch die Kriege der Klassen, verzweifelt,
wenn da nur Unrecht war und keine Empörung.
Dabei wissen wir ja:
auch der Haß gegen die Niedrigkeit
verzerrt die Züge.
Auch der Zorn über das Unrecht
macht die Stimme heiser. Ach, wir
die wir den Boden bereiten wollten für die Freundlichkeit,
konnten selber nicht freundlich sein.

Ihr aber, wenn es soweit sein wird,
daß der Mensch dem Menschen ein Helfer ist,
gedenket unsrer
mit Nachsicht.«

Die übliche Pause, die nach Vorlesung eines Gedichtes einzutreten pflegt, da wir, sozusagen aus der Kirche tretend und plötzlich ohne Orgel, etwas geblendet in die Welt zurückkehren müssen, die halt sehr anders ist als die Poesie – diese Pause ist nicht nötig; das Gedicht, das wirkliche, hat die wirkliche Welt nicht zu scheuen; es hält stand, auch wenn es klingelt und ein unvermuteter Gast kommt, der, während wir noch den gleichen Kaffee in der Tasse haben, von seiner vierjährigen Kerkerzeit berichtet...

»Wirklich, ich lebe in finsteren Zeiten!«

Nicht alle seine Gedichte haben dieses Standhaltende, dieses Jederzeit-Sagbare. Die Schwäche der andern, finde ich, ist freilich nicht das Nur-Ästhetische, aber das Nur-Ideologische, eine andere Art, nicht wirklich zu sein.

»Wirklich sein.«

Wirklich, würde ich sagen, ist Goethe. In den Maximen und Reflexionen genügen oft vier Zeilen. Am Ausgang steht eine Feststellung, es folgt die Geburt eines Gedankens, so zwingend und eindeutig, daß man schon auf die Knie geht, um seine Dienste anzubieten, und dann, wo unsereiner es nicht verkneifen könnte, Schlüsse zu ziehen, die jeden Zweifel überrennen, Schlüsse, die einem Kreuzzug gleichkommen, geschieht das Unerwartete, das Gegenteil einer Zuspitzung: er stellt dem Gedanken, ohne ihn zu widerrufen, eine Erfahrung gegenüber, die eher widerspricht, mindestens eindämmt, eine Erfahrung, die der gleiche Kopf, der eben jenen Gedanken geboren hat, ebenfalls gelten läßt, einfach weil es eine Erfahrung ist, eine lebendige, eine wirkliche. Das ist das scheinbar Versöhnliche seiner Reflexionen, daß sie fast immer Licht und Schatten zeigen. Scheinbar; denn sie versöhnen den Widerspruch keineswegs. Sie halten ihn nur in der Balance, in einem Zustand wechselseitiger Befruchtung, Balance zwischen Denken und Schauen. Nichts geht ins Tödliche, weil es die widersprechende Erfahrung nicht überrennt, nicht übermütig unterjocht, sondern die Kraft hat, sie aufzunehmen – die Kraft, wirklich zu bleiben, oder genauer: immer aufs neue wirklich zu werden.

Nun haben sie doch einen gefunden! – Skelett eines Hingerichteten, denn der Schädel hat gefehlt, wahrscheinlich hat er ihn zwischen den Füßen, wie es Brauch war. Das Skelett lag nur halb-
wegs in dem Graben, und da wir ein ökonomisches Zeitalter
sind, haben sie seinetwegen den Graben nicht einen Zentimeter
verbreitert. Ein Spaten und ratsch! zweimal ratsch! Unter den
Knien haben sie ihn abgehauen – zwei Knochen verschwinden
im Lehm... Sie finden mich komisch, daß ich den Anruf, den
verlangten, auch in einem solchen Fall erwartet habe, versichern
etwas mürrisch, daß keine goldenen Münzen und Ketten dabei
gewesen seien. Nebenan finde ich noch einige Rippen, ein Schul-
terblatt. Wenigstens den Schädel, den ich gern besessen hätte,
wollen wir ihm lassen.

Unterwegs

Jeder Gedanke ist in dem Augenblick, wo wir ihn zum erstenmal
haben, vollkommen wahr, gültig, den Bedingungen entsprechend, unter denen er entsteht; dann aber, indem wir nur das Ergebnis aussprechen, ohne die Summe seiner Bedingungen aussprechen zu können, hängt er plötzlich im Leeren, nichtssagend,
und jetzt erst beginnt das Falsche, indem wir uns umsehen und
Entsprechungen suchen... (Denn die Sprache, selbst die unge-
sprochene, ist niemals imstande, in einem Augenblick alles ein-
zufangen, was uns in diesem Augenblick, da ein Gedanke entsteht, alles bewußt ist, geschweige denn das Unbewußte)... so
stehen wir denn da und haben nichts als ein Ergebnis, erinnern
uns, daß das Ergebnis vollkommen stimmte, beziehen es auf Er-
scheinungen, die diesen Gedanken selber nie ergeben hätten,
überschreiten den Bereich seiner Gültigkeit, da wir die Summe
seiner Bedingungen nicht mehr wissen, oder mindestens ver-
schieben wir ihn – und schon ist der Irrtum da, die Vergewalti-
gung, die Überzeugung.

Oder kurz:

Es ist leicht, etwas Wahres zu sagen, ein sogenanntes Aperçu, das im Raum des Unbedingten hängt; es ist schwierig, fast unmöglich, dieses Wahre anzuwenden, einzusehen, wieweit eine Wahrheit gilt.

(Wirklich zu sein!)

1948

Wien, Januar 1948

Liegt es an der Stadt, liegt es an mir, daß ich bereits eine Woche lang hier bin, ohne wach zu werden? Ein eignes Stück anzusehen, wird selten ein Genuß sein, selbst wenn es das Theater in der Josephstadt ist, ein so liebreizendes Theater, graziös wie das Lusthaus eines Erzherzogs, unöffentlich, gesellschaftlich wie ein Hauskonzert von Menzel, und dann der Kronleuchter, der langsam in die Höhe entschwebt, wenn der Vorhang sich teilt, langsam verlöschend... Ein einfacher Gastwirt, verliebt in die Musen, habe seinerzeit dies Haus erbauen lassen, ein Biedermann, man sieht ihn schon in einem grauen Zylinder und einem grünen Fräcklein, denke ich. Beethoven hat die Musik zur Eröffnung verfaßt. Was hat man auf diesen Brettern nicht alles gespielt! Das süße Hobellied von Raimund, hier wurde es zum erstenmal gesungen. Ein lustiges, ein reiches, ein glanzvolles Jahrhundert hangt wie der Kronleuchter über unseren Köpfen, langsam entschwebend, langsam verlöschend...

Man ist entzückend. Eine Unbekannte, eine kindliche Dienstmädchenhandschrift hat mich als erste empfangen: Meister! heißt es in dem blauen Brieflein, und alles kommt aus purem Herzen; leider habe sie mein herrliches Werk, dessen fünfundzwanzigste Aufführung wir durch unsere persönliche Anwesenheit zu weihen geruhen, nicht gesehen, doch werde sie es nicht versäumen; sie begrüßt mich im Namen von Wien: Möge Ihnen, verehrter Herr, unsere Stadt gefallen! Man ist entzückend. Beim Ausgang stellt mich eine Dame, die es eben zum viertenmal gesehen hat; sie muß mich sehen, sie muß, unterdessen unterhalten wir uns, wie sie weiterleben soll, wenn das Büchlein in österreichischen Landen nicht erhältlich ist. Das beste wird sein, wenn ich es ihr schenke; sie greift meine Hand, ich weiß, sie wird mich ihr Leben lang nie vergessen; leider ist sie schon sehr alt.

Doch die andern, die wenig von dir halten, sind nicht minder entzückend; keiner sagt ein kritisches Wort, nie geradezu, jeder wohnt in einem undurchdringlichen Charme, worin er sich wohlfühlt, und wer sich wohlfühlt, ist duldsam. Aber geh! Das ist die Zauberformel, die alles Unwohle bannt. Aber geh! Hier wird die Sintflut stehenbleiben, zerrinnen, vor so viel Wärme des Gemütes einfach verdampfen. Wien bleibt Wien. Wie es anderswo aussieht, was kann es sie kümmern? Sprich nicht von anderen Städten; sei glücklich, daß du in Wien bist. Was ist schon passiert? Sogar die Deutschen, die einzig daran schuld sind, daß Österreich auf der mißlichen Seite liegt, nimm sie auf die leichte Schulter; die andere Schulter gewöhne dir ab; versuche auch du entzückend zu sein. Bist du in der Oper gewesen? Die Oper ist großartig. Mozart vor allem, solche Aufführungen gibt es nur in Wien. Siehst du! Man muß sich überall an das Beste halten, an das Erfreuliche, an das Wohle. Hast du die Ausstellung vom alten Wien gesehen? Das Zimmer von Grillparzer, den Schreibtisch von Nestroy, das Bett von Metternich, ich hab's gesehen; ein Magistrat, ein Linksmann, hat es uns an seinem freien Sonntagmorgen persönlich gezeigt; man ist wirklich entzückend; morgen sollen wir einen Dienstwagen bekommen, wir sollen unbedingt hinaus nach Schönbrunn –

Im Prater waren wir schon.

Das Riesenrad, wovon unsere Mutter oft erzählt hat, ist wieder in Gang. Wir haben nicht versäumt, es zu besteigen, langsam emporzufahren in einen Abend voll regnerischer Dämmerung. Der Blick auf die graue Stadt, die schwarzen Türme, die ferne Donau, die immer schon an Balkan erinnert – und unter uns also der Prater: da und dort ein Bombentrichter, ein Tümpel mit braunem Wasser, das nicht ablaufen will, oder vielleicht, denke ich später, waren es auch nur Baumlöcher, Gruben von verheizten Bäumen, dann eine Ruine ohne Dach, so daß man von oben hineinguckt, Unkraut und Gras auf den Wegen und Plätzen, eine Tafel erinnert an frische Würstl, irgendwo die Überreste eines Karussells, eine kaputte Rutschbahn, wo man ins Leere rutschen kann. Ich dachte an den baumlosen Tiergarten in Berlin; dort sind es die Kurfürsten, die Historie, hier das Tingeltangel, das versteppt. Außer einer drollig-moppigen Frau, die uns die Kabine öffnete, ist kein Mensch zu sehen, irgendwo hört man einen Lautsprecher, der laut und blechern in den Abend dröhnt, während es langsam zu regnen beginnt; ein Walzer, ein sehr bekannter...

Drei volle Tage unterwegs, hin und her mit Taxameter und Straßenbahn, beraten und begleitet von einer angesehenen Wienerin, die alles einsetzt, ihren Namen, ihre eigene Zeit, ihre Ellbogen, ihre Weiblichkeit, um den Stempel zu erkämpfen, den wir zur Weiterreise brauchen, einen Vermerk, der in Bern von alliierter Seite vergessen worden ist; Vorzimmer, Schranken, Korridore, Schlangen von Menschen, Formulare in siebenfacher Ausfertigung; die österreichischen Beamten sind freundlich, auch als unsere Zigaretten längst zu Ende sind, helfen, soweit sie können; unsere Gesandtschaft hilft mit begleitendem Schreiben, mit Anrufen, die Hoffnung geben, aber das ist auch alles; ich weiß nicht, wie oft wir den läppischen Fall erklärt haben, den Hut in der Hand, immer gegenüber einem andern Menschen, der nicht zuständig ist, zuständig sind Rußland, Frankreich, Amerika, England, und zwar gemeinsam, nur gemeinsam, und ohne den Stempel bin ich zwar in Wien, kann aber Wien nicht mehr verlassen – das Ganze war sehr interessant, aufregend langweilig, aber aufschlußreich, endend bei einem Hauptmann, dem ich noch jetzt, wo ich den Stempel habe, eine kleben möchte.
(Jede Uniform verdirbt den Charakter.)

Die Tageszeit, die Wien am besten steht: die Dämmerung, die abendliche, das graue Violett schöner Fassaden, die hinter alten Bäumen stehen, etwas Schnee auf den Dächern, die scheinlose Helle früher Bogenlampen, Umrisse von Barock, ein Brunnen mit verstummten Röhren, Laub in der Schale, drei steinerne Putten mit Flöte, Stille, Dämmerung, Menschen gehen schräg durch einen Park, ihre Hände in den Manteltaschen, ein Tor aus kunstvollem Schmiedeeisen, Fluchten, weit und festlich, alles etwas

denkmalhaft, etwas dornröschenhaft, es läßt sich von der Straßenbahn nicht stören, auch nicht von einem polternden Lastwagen mit Anhänger, alles wie hinter einem violetten Schleier...

Kaffeehaus.

Amerikanische Soldaten treffen ihre Mädel. Täglich zwischen
sieben und acht. Sie kommen herein, lassen die Mädchen stehen,
indem sie untereinander plaudern, die Hände in den Hosentaschen, die Mützen in der Stirn. Die Mädchen wissen nicht recht,
ob sie sich setzen sollen oder wie; sie wagen nicht, etwas zu bestellen. Alles andere als Kokotten von Welt. Arme kleine Bummerl, die man sich als Näherinnen denken kann, als Zimmer-
mädchen, denen der Lohn nicht reicht wie den meisten. (Die
Bahnarbeiter, lese ich eben, können ihre Lebensmittelkarte nicht
einlösen.) Meistens sind sie dick, diese Mädchen, bleich und etwas schwammig, nur sehr oberflächlich gepflegt; wenn man sie
und die Jungens betrachtet, die rittlings auf den Sesseln hocken,
kauend, unhöflich über jeden Vergleich hinaus, weiß man wirklich nicht, wen man mehr bedauert. Im marmornen Hintergrund, wo sich die Öde in hohen Spiegeln vervielfacht, steht ein
alter Kellner, der noch Schnitzler bedient haben könnte, mindestens Karl Kraus, wartend mit mehrfach gewundener Serviette.
Einer ist natürlich der Spaßmacher, die andern lachen, und die
Bummerl stehen noch immer wie Maultiere, wenn der Bauer in
die Wirtschaft geht, um einen zu kippen. Ihr offenes Geheimnis,
scheint es, hat etwas Trennendes; sie unterhalten sich kaum miteinander, versuchen, einander nicht zu sehen. Das alles hat etwas
sehr Armes. Später bekommen sie zu essen; der Kellner, der
weißhaarige, wahrt die Formen, benimmt sich wie auf der
Bühne: als ob. Die Burschen, die ihre Beine von sich spreizen,
in das rote Polster lehnend, das etwas zerschlissene, sie haben
schon in der Messe gegessen; sie rauchen nur noch, wortlos,
während die kleinen Mädchen sich stärken. Ich finde einen einzigen, der schäkert, nicht besonders nett, nicht reich an Einfällen, immerhin mit Anzeichen eines Verliebten; er erscheint wie
ein Gott unter einer Herde von Vieh... Scheußliche, aber

zwanghafte Vorstellung von den Paaren, wenn sie später allein sind; im übrigen froh, nicht sehen zu müssen, wie unsere Soldaten sich unter gleichen Umständen benehmen würden: in Uniform und in der Fremde, wo niemand den einzelnen kennt.

Nachher zu Mozart.

Uniformen auch hier, Franzosen mit steiler Mütze, ein Brite, der das Gedränge überragt, Damen mit langen Kleidern und Pelz, Amerikaner, Wiener, Fremde, Schieber, Russen mit Stiefeln und breitem Gesicht –

»Zauberflöte.«

Nochmals im Atelier von Wotruba, der als Emigrant lange in der Schweiz gelebt hat; erst hier lernen wir uns kennen. Nicht der einzige, doch einer der wenigen Bildhauer unsrer Tage, der wirklich haut, nicht knetet, auch nicht in den Stein überträgt, sondern vom Stein selber ausgeht, was einfach etwas Wunderbares ist, etwas wie die Darstellung des schöpferischen Unterfangens überhaupt. Seine jüngeren Arbeiten wahren das Urgesteinhafte oft in einem Grad, daß man, die Figur betrachtend, einen Eindruck von andauernder Geburt hat. Ein roher Block, eine begonnene Gestalt, die man, den Steinstaub wischend, mit Fingern befühlt, zwei oder drei Figuren, die im Gartenhof stehen – es genügt, um das Mumienhafte einer ganzen Stadt aufzuwiegen. Der Künstler, wie subjektiv er sich auch immer ausdrückt, hat auf eine geheimnisvolle Weise etwas Allgemeines; sein schöpferisches Bedürfnis, sein bloßes Dasein, sein Versagen, sein Gelingen, sein persönlich bestimmtes Streben erscheint uns wie ein Zeichen dafür, daß es ringsum steht im Unsichtbar-Allgemeinen. Etwa so: Das Ganze kann doch keine Mumie sein, da ist ein Lebendiger, der meißelt, Neues wollend –.

Denke hier oft an Berlin. Verwandtschaft der geschichtlichen Lage; Stadt mit vier Besatzungen. Es fällt mir auf, daß niemand etwas hören will von Berlin, auch nichts Fachliches, etwa Theater; ihre Miene wird dann so unneugierig, als berichte man von einem fernen Dorfkram. Die Schnurre, daß jede Stadt sich für die

Weltmitte, mindestens für die Mitte ihres Sprachraumes und also für die Mitte menschlicher Kultur hält, hat Hintergründe, die nicht mehr schnurrig sind... Morgenschwatz mit einem Kellner, den ich frage, welche Besatzung ihm am meisten auf die Nerven gehe. Am besten die Engländer. Zwischen den andern wolle er nicht die Hand umdrehen. Lebhaft vermehrt er meine Kenntnis an Übeltaten. Da ich schweige, dem spärlichen Frühstück hingegeben, setzt er hinzu:

»Jaja, die andern haben natürlich auch einiges geleistet. Das schon. Aber für uns ist es halt arg –.«

»Welche andern?«

»Die Deutschen.«

Das ist hier der allgemeine Dreh...

In Berlin fühle ich mich wohler.

Charme, zur Haltung gemacht, ist etwas Fürchterliches. Waffenstillstand mit der eignen Lüge. Daher das Kampflose, Müde, Mumifizierende.

Der Sturm (offenbar über ganz Europa) hat zahlreiche Bäume geknickt, es scheppert von Firmenschildern, Ziegelsteine fallen aus den Ruinen, zwei Leute wurden so getötet, nebenan in der Ruine flattert ein eiserner Rolladen, den niemand holen kann, er poltert, knallt und hallt und flattert wie eine Fahne von braunem Rost.

Auf dem Heimweg alle Arm in Arm.

Eine junge Frau, deren kupfernes Haar ich nicht als erster mit einem Botticelli vergleiche, versichert uns, daß sie niemals vergewaltigt worden sei –.

Prag, Januar 1948

Wiedersehen mit Freunden, Wiedersehen mit der tschechischen Aufführung. Die Lage ist sehr verschärft. Noch streiten sie zusammen auf den letzten Brücken persönlicher Freundschaft. Die öffentliche Diskussion von damals wäre kaum mehr möglich. Offenheit in einem Kabarett: Voscovic und Werich, die schon einmal in die Emigration gegangen sind, damals als Kommunisten. Leider verstehe ich nur das Optische, der Wortwitz wird mir später übersetzt. Neben uns ein Offizier, der herzhaft herausbrüllt vor Lachen; dann aber, da ich (der Sprache wegen) nicht lachen kann, verstummt er, rückt auf seinem Sessel hin und her, mustert mich heimlich von der Seite...

Am andern Tag, ich verstehe erst später den Sinn dieser Nötigung, die uns gar nicht in den Kram paßt, fahren wir nach Brünn. Eine herrliche Fahrt durch böhmische Dörfer, die unsere Redensart natürlich widerlegen; musterhaft in der Einheit ihres Stils, dann die mährischen Dörfer, hin und wieder ein Städtlein mit einem schmucken Marktplatz, dann wieder die Weite, unabsehbar, Schnee in den Furchen, Wintersonne, Horizonte voll schwarzem Wald, Tannen. Die Aufführung in Brünn, die wir gerade noch erreichen, ist übergeschnappte Provinz, dilettantisch, aber sehr interessant: die Figuren reden Text, den ich nie geschrieben habe, und wo ich weiß, daß sie Text haben, machen sie es kurz oder schweigen einfach, damit das Stück durch den neuen Text nicht allzu lang wird. An entscheidenden Stellen, wie ich später erfahre, sagen sie ziemlich das Gegenteil. Das Publikum, es handelt sich um die wöchentliche Aufführung für die Garnison, verhält sich wie in einer Unterrichtsstunde. Die Zeitungen, die mit dem erteilten Unterricht zufrieden sind, melden die persönliche Anwesenheit des Verfassers – womit ich gemeint bin.

Beim Lesen

Carlo Levi, ein italienischer Maler, von den Faschisten für viele Jahre verbannt, schreibt das Buch seiner Verbannung, Schilderung einer wüstenhaften Gegend, einer fast heidnischen Hinterwelt, die eigentlich niemand kennt, auch die Italiener nicht; das Buch, anständig geschrieben, nicht außerordentlich, wird zum außerordentlichen Erfolg in Italien und darüber hinaus –

Warum?

Vermutlich aus dem gleichen Grund, warum Europa, das heutige, keine epische Dichtung mehr hat, wie die Amerikaner sie haben, wie die Russen sie haben könnten.

Räume unbekannten Lebens, unerfahrene Räume, Welt, die noch nicht geschildert worden ist, nennenswert als Fakt, das ist der Raum der Epik. Europa hat sich in allen landschaftlichen, in allen historischen, aber auch in fast allen gesellschaftlichen Räumen schon oft genug, meisterhaft genug, mehr als genug geschildert; die epische Eroberung, die die Dichtung junger Völker beherrscht, ist so weit noch möglich, wie es etwa in der Schweiz noch einzelne unbesiegte Nebengipfel geben mag; eine ganze Welt aber, eine entscheidend andere, eine Terra incognita, die unser Weltbild wesentlich verändern könnte, haben unsere Epiker nicht mehr abzugeben.

Episch ist die Schilderung, die Mitteilung, nicht die Auseinandersetzung – die Auseinandersetzung mit einer Welt, die nur insofern geschildert wird, als sie zur Auseinandersetzung unerläßlich ist, erfüllt sich im Drama, dort am lautersten; der Roman, der sich auseinandersetzt, ist schon eine epische Spätlese: – die kostümierte Essayistik bei Thomas Mann.

Schilderung – muß aber nicht die Schilderung einer vorhandenen Welt sein; es kann auch eine entworfene Welt sein. Im Anfang ist es das immer; die Sage. Und am Ende, gleichsam als letzte epische Chance, steht die Phantastik.

(Homer, Balzac, Kafka.)

Hinter der homerischen Lust, zu schildern, steht das schöpferische Bedürfnis, sich eine Welt zu geben. Die Epik, die homerische, als Mutter unsrer Welten: erst dadurch, daß eine Welt erzählt wird, ist sie da. Und erst wenn sie da ist, kann sie erobert werden, wie es heute noch die amerikanische Epik tut. Und erst wenn sie erobert ist, kann die Auseinandersetzung mit ihr beginnen –.

(Was mich an der amerikanischen Epik am meisten erregt: das Hinnehmende, die urteilfreie Neugierde, das aufregende Ausbleiben der Reflexion.)

Terra incognita – wenn es stimmt, daß dies der Raum der echten Epik ist, ließe sich ja denken, daß das Neue an unsrer Gegenwart, das Nie-Gewesene beispielsweise der zerstörten Städte, eine epische Chance darstelle. Warum stimmt das nicht? Weil es wesentlich keine neue Welt ist, die da ans Licht zu heben wäre durch epische Entdeckung; sondern nur das zerstörte Gesicht jener alten, die wir kennen, und nennenswert nur in der Abweichung, will sagen: die Ruine setzt voraus, daß wir ihre frühere Ganzheit kennen oder ahnen, sie ist wenig ohne die Folie ihres Gestern, nennenswert nur durch Vergleich, durch Reflexion –.

Café Odeon

Umsturz in der Tschechoslowakei. Alles geht rasch. Wie immer, wenn ein Kartenhaus zusammenfällt. Sorge um unsere Freunde. Dazu die Schadenfreude meiner Bekannten, denen ich die Tschechoslowakei stets als Beispiel einer sozialistischen Demokratie vorgestellt habe; dazu der allgemeine Dünkel: Das wäre bei uns halt nicht möglich. Es fällt mir jetzt immerfort ein, was ich vor einem Jahr in Theresienstadt gesehen, aber damals nicht notiert habe:

»Ici«, hat der junge Herr in einer winzigen Zelle erklärt: »ici les Allemands ont arrêté plus que vingt hommes – sans aucune installation sanitaire!«

Erst auf der Schwelle, nachdem wir ein mühsam eingeritztes Zeichen bemerkt hatten, ein Kreuz und dazu die deutschen Worte: Gott mit uns! – erst auf der Schwelle, nochmals die leere Zelle betrachtend, bemerkten wir ein tadelloses Klosett, neuerdings eingebaut.

»Pourquoi ça?«

Keine Antwort; der tschechische Offizier, der die Anlage erklärte, war bereits wieder draußen, und der junge Herr war nur bestellt für die französische Übersetzung.

»Ich weiß nicht«, sagt er und fuhr fort: »Ici vous voyez la cour des exécutions –.«

(Warum habe ich es damals nicht notiert?)

Burleske

Eines Morgens kommt ein Mann, ein Unbekannter, und du kannst nicht umhin, du gibst ihm eine Suppe und ein Brot dazu. Denn das Unrecht, das er seiner Erzählung nach erfahren hat, ist unleugbar, und du möchtest nicht, daß es an dir gerächt werde. Und daß es eines Tages gerächt wird, daran gebe es keinen Zweifel, sagt der Mann. Jedenfalls kannst du ihn nicht wegschicken, du gibst ihm Suppe und Brot dazu, wie gesagt, und sogar mehr als das: du gibst ihm recht. Zuerst nur durch dein Schweigen, später mit Nicken, schließlich mit Worten. Du bist einverstanden mit ihm, denn wärest du es nicht, müßtest du sozusagen zugeben, daß du selber Unrecht tust, und dann würdest du ihn vielleicht fürchten. Du willst dich aber nicht fürchten. Du willst auch nicht dein Unrecht ändern, denn das hätte zu viele Folgen. Du willst Ruhe und Frieden, und damit basta! Du willst das Gefühl, ein guter und anständiger Mensch zu sein, und also kommst du nicht umhin, ihm auch ein Bett anzubieten, da er das seine, wie du eben vernommen, durch Unrecht verloren hat. Er will aber kein Bett, sagt er, kein Zimmer, nur ein Dach über dem Kopf; er würde sich, sagt er, auch mit deinem Estrich begnügen. Du lachst. Er liebe die Estriche, sagt er. Ein wenig, noch während du lachst, kommt es dir unheimlich vor, mindestens sonderbar, beunruhigend, man hat in letzter Zeit gar viel von Brandstiftung gelesen; aber du willst Ruhe, wie gesagt, und also bleibt dir nichts anderes übrig, als keinen Verdacht aufkommen zu lassen in deiner Brust. Warum soll er, wenn er will, nicht auf dem Estrich schlafen? Du zeigst ihm den Weg, den Riegel, die Vorrichtung mit der Leiter und auch den Schalter, wo man Licht machen kann. Allein in deiner schönen Wohnung, eine Zigarette rauchend, denkst du mehrere Male genau das gleiche, und es hilft dir nichts, die Zeitung zu lesen, zwischen den Zeilen liest du immer das gleiche: Man muß Vertrauen haben, man soll nicht immer gleich das Schlimmste annehmen, wenn man einen Menschen nicht kennt, und warum soll der gerade ein Brandstifter sein? Immerhin nimmst du dir vor, ihn morgen wieder auf den Weg zu schicken, freundlich, ohne daß ein Verdacht ihn kränken soll. Du nimmst dir nicht vor, kein Unrecht zu tun; das hätte, wie gesagt, zu viele Folgen. Du nimmst dir nur vor, freundlich zu sein und ihn auf freundliche Weise wegzuschicken. Du schläfst nicht immer in dieser Nacht; es ist schwül, und die Geschichten von wirklichen Brandstiftern, die dir so beharrlich einfallen, sind zu läppisch, ein Schlafpulver gibt dir die verdiente Ruhe... Und am andern Morgen, siehe da, steht das Haus noch immer! – Deine Zuversicht, dein Glaube an den Menschen, selbst wenn er im Estrich wohnt, hat sich bewährt. Es drängt dich nicht wenig, edel zu sein, hilfreich und gut; beispielsweise mit einem Frühstück. Von Angesicht zu Angesicht, so während ihr einen gemeinsamen Kaffee trinkt und jeder sein Ei löffelt, schämst du dich deines Verdachtes, kommst dir schäbig vor, und jedenfalls ist es unmöglich, ihn wegzuschicken. Wozu solltest du! Nach einer Woche, wie er noch immer in deinem Estrich wohnt, hast du vollends das Gefühl, jede Angst überwunden zu haben, und auch als er eines Tages einen Freund bringt, der ebenfalls in deinem Estrich schlafen möchte, kannst du zwar zögern, aber nicht widersprechen. Zögern; denn es ist einer, der schon einmal, Gott weiß warum, im Gefängnis gesessen hat und eben erst entlassen worden ist. Ihn allein hättest du nie in deinen Estrich gelassen, das ist selbstverständlich. Er ist auch viel frecher als der erste, das macht vielleicht das Gefängnis, und ganz geheuer ist es dir nicht, zumal er, wie er ganz offen gesteht, wegen Brandstiftung gesessen hat. Aber gerade diese Offenheit, diese unverblümte, gibt dir das Vertrauen, das du gerne haben möchtest, um Ruhe und Frieden zu haben; am Abend, da du trotz ehrlichem Gähnen nicht schlafen kannst, liest du wieder einmal das Apostelspiel von Max

Mell, jene Legende, die uns die Kraft des rechten Glaubens zeigt, ein Stück schöner Poesie; mit einer Befriedigung, die das Schlafpulver fast überflüssig macht, schläfst du ein... Und am andern Morgen, siehe da, steht das Haus noch immer! – Deine Bekannten greifen sich an den Kopf, können dich nicht verstehen, fragen jedesmal, was die beiden Gesellen denn in deinem Estrich machen, und liegen dir auf den Nerven, so daß du immer seltener an den Stammtisch gehst; sie wollen dich einfach beunruhigen. Und ein wenig, unter uns gesagt, ist es ihnen auch gelungen; jedenfalls hast du den beiden Gesellen etwas aufgelauert und nicht ohne Erfolg; allein die Tatsache, daß sie kleine Fäßlein auf deinen Estrich tragen, kann deinen Menschenglauben nicht erschüttern, zumal sie es in aller Offenheit machen und auf deine eher scherzhafte Frage, was sie denn mit diesen Fäßlein wollten, sagen sie ganz natürlich, sie hätten Durst. In der Tat, es ist Sommer, und im Estrich, sagst du dir, muß es sehr heiß sein. Einmal, als du ihnen im Wege gestanden, ist ihnen ein Fäßlein von der Leiter gefallen, und es stank plötzlich nach Benzin. Einen Atemzug lang, gib es zu, warst du erschrocken. Ob das Benzin sei? hast du gefragt. Die beiden, ohne ihre Arbeit einzustellen, leugneten es auch in keiner Weise, und auf deine eher scherzhafte Frage, ob sie Benzin trinken, antworteten sie mit einer so unglaublichen Geschichte, daß du, um nicht als Esel dazustehen, wirklich nur lachen konntest. Später jedoch, allein in deiner Wohnung, lauschend auf das Rollen der munteren Fäßlein, die nach Benzin stinken, weißt du allen Ernstes nicht mehr, was du denken sollst. Ob sie deine edle Zuversicht wirklich mißbrauchen? Eine Weile, dein Feuerzeug in der Hand, die feuerlose Zigarette zwischen den trockenen Lippen, bist du entschlossen, die beiden Gesellen hinauszuwerfen, einfach hinauszuwerfen. Und zwar noch heute! Oder spätestens morgen. Wenn sie nicht von selber gehen. Ganz einfach ist es nämlich nicht, im Gegenteil; wenn sie keine Brandstifter sind, tust du ihnen sehr unrecht, und das Unrecht macht sie zu bösen Menschen. Böse gegen dich. Das willst du nicht. Das auf keinen Fall. Alles, nur kein schlechtes Gewissen. Und dann ist es immer so schwierig, die Zukunft vorauszusehen; wer keine

Tatsachen sehen kann, ohne Schlüsse zu ziehen, und wer sich alles bewußt macht, was er im Grunde weiß, mag sein, daß er manches voraussieht, aber er wird keinen Augenblick der Ruhe haben; ganz zu schweigen von den Ahnungen. Die Tatsache, daß sie Benzin in deinen Estrich tragen, was heißt das schon? Der eine, der Freund, hat nur gelacht und gesagt, sie wollen die ganze Stadt anzünden. Das kann ein Scherz sein oder eine Aufschneiderei. Wenn sie es ernst meinten, würden sie es niemals sagen. Dieser Gedanke, je öfter du ihn wiederholst, überzeugt dich vollkommen; das heißt: er beruhigt dich. Und der andere sagte sogar: Wir warten nur auf den günstigen Wind! Es ist läppisch, sich von solchen Reden einschüchtern zu lassen; zu unwürdig. Einen Augenblick denkst du an Polizei. Aber wie du, um dich nicht durch falschen Alarm lächerlich zu machen, dein Ohr an die Zimmerdecke legst, was keine ganz einfache Veranstaltung gekostet hat, ist es vollkommen still. Du hörst sogar, wie einer schnarcht. Und überhaupt kommt die Polizei nicht in Frage; schon weil du selber strafbar wärest, daß du solche Leute in deinem Hause hast, wochenlang, ohne sie anzumelden. Aber vor allem sind es natürlich die menschlichen Gründe, die dich von solchen Schritten abhalten. Warum sagst du den beiden Gesellen nicht einfach und offen, du möchtest kein Benzin in deinem Estrich haben? Offenheit ist immer das beste. Und dann, plötzlich, mußt du selber lachen, daß dir dieser Einfall jetzt erst kommt: sie werden doch dein Haus nicht anzünden, wenn sie selber im Estrich sind! Immerhin kletterst du, schon im Pyjama, noch einmal auf den Sessel, auf die Kommode und den Schrank. Er schnarcht wirklich. Eine halbe Stunde später ruhest auch du... Und am andern Morgen, siehe da, steht dein Haus noch immer! – Die Sonne scheint, der Wind hat gedreht, die Wolken ziehen über die Dächer der Stadt, und gesetzt den Fall, es wären wirklich böse Gesellen, gerade dann ist es nicht einfach, sie einfach hinauszuwerfen; nicht ratsam; denn solange du ihr Freund bist, werden sie wenigstens dich verschonen. Freundschaft ist immer das beste! Und wenn du an diesem Morgen hinaufgehst und sie zum Frühstück bitten willst, so ist das nicht Tücke, nicht

Berechnung, sondern eines jener herzlichen Bedürfnisse, die man plötzlich hat und die man, wie du mit Recht sagst, nicht immer unterdrücken soll. Die Leiter zum Estrich ist bereits gezogen, die Türe offen, du mußt nicht einmal klopfen. Der Estrich, den du aus Rücksicht schon lange nicht mehr besucht hast, ist voll von den kleinen Fäßlein, und der eine, der Freund, der aus dem Gefängnis, steht eben an der Dachluke, hält den nassen Finger hinaus, um die Windrichtung festzustellen; der andere ist leider schon ausgegangen, komme aber wieder. Mit deinem Frühstück ist es also nichts. Er komme aber bestimmt im Laufe des Tages, sobald er, wie der Freund in seiner immer etwas scherzhaften Art sagt, die erforderliche Holzwolle beisammen habe. Holzwolle? Es fehlte nur noch, daß er von einer Zündschnur redete. Einen Augenblick bist du wieder etwas verwirrt, etwas betreten, was du allerdings nicht zeigen willst. Im Grunde, das weißt du, kann kein Mensch so frech sein, wie dieser sich den Anschein gibt, nur weil er meint, du fürchtest ihn. Ein für allemal entschlossen, dich nicht zu fürchten, entschlossen, deine Ruhe und deinen Frieden zu erhalten, tust du, als hättest du nichts gehört, und im übrigen, was das Frühstück betrifft, kann das ja auch ein andermal sein. Deine freundschaftliche Geste ist schon als solche nicht wertlos. Vielleicht zum Abendbrot? Mit Vergnügen, sagt der Kauz, sofern sie Zeit hätten und nicht arbeiten müßten; das hänge vom Wind ab. Er ist wirklich ein Kauz. Und natürlich bist du nun nicht wenig neugierig, ob sie tatsächlich zum Abendessen kommen, ob sie deine Freundschaft überhaupt wollen. Vielleicht hättest du deine Freundschaft schon früher bekunden sollen. Aber lieber jetzt, sagst du, als zu spät! Mit Recht vermeidest du ein allzu besonderes, ein auffälliges Abendessen; immerhin holst du einen Wein aus dem Keller, um ihn für alle Fälle kühlzustellen. Leider kann man am Abend, als sie gegen neun Uhr endlich kommen, nicht mehr auf der Terrasse sitzen; es ist zu windig. Ob er Holzwolle gefunden habe? fragst du, um dem Gespräch bald eine persönliche Note zu geben. Holzwolle? sagt er und schaut den Freund an, wie man einen Verräter anschaut. Dann, Gott weiß warum, mußt du selber lachen, und schließlich lachen sie auch. Holzwolle, nein, Holzwolle habe er nicht gefunden, aber etwas anderes, Putzfäden aus einer Garage. Gefunden; daß das nichts anderes heißt als gestohlen, daran kannst du nicht zweifeln. Überhaupt haben sie sehr eigene Ansichten betreffend Recht und Unrecht. Nach der ersten Flasche, du hast den Wein nicht umsonst gekühlt, erzählst du, daß auch du schon Unrecht begangen hast. Da sie schweigen, erzählst du mehr und mehr, indem du, ihre Freundschaft ist es dir wert, die zweite Flasche entkorkst. Offensichtlich fühlen sie sich wie zu Hause; der Freund, der Frechere, dreht deinen Rundfunk an, um den Wetterbericht zu hören. Dann wünschen sie nur noch eines: Streichhölzer. Nichts wäre verfehlter, als wenn du jetzt wieder zusammenzucktest: auf Verdacht ist keine Freundschaft aufzubauen. Wozu Streichhölzer? Es gelingt dir, jedes beleidigende Zittern zu vermeiden und Zigaretten anzubieten, als ginge dir nichts durch den Kopf, und dann, das ist kein schlechter Einfall, bietest du Feuer mit deinem eignen Feuerzeug, das du nachher wieder in die Tasche steckst. Das Gespräch geht weiter, das heißt, sie hören zu, sehen dich an und trinken Wein. Dein ehrliches Geständnis, wieviel Unrecht du begangen hast, rührt sie nicht mehr, als es die Höflichkeit verlangt; überhaupt wirken sie sehr geistesabwesend. Eine dritte Flasche, die du schon zwischen den Knien hast, lehnen sie ab. Da du sie trotzdem öffnest, wirst du sie allein trinken müssen. Nur beim Abschied, als du gewisse Hoffnungen ausdrückst, daß die Menschen einander näherkommen und einander helfen, bitten sie dich nochmals um Streichhölzer. Ohne Zigaretten. Du sagst dir mit Recht, daß ein Brandstifter, ein wirklicher, besser ausgerüstet wäre, und gibst auch das, ein Heftlein mit gelben Streichhölzern, und am andern Morgen, siehe da, bist du verkohlt und kannst dich nicht einmal über deine Geschichte verwundern...

C. F. Ramuz, der Dichter unsrer französischen Schweiz, kürzlich verstorben, steckt bereits, wie ich heute sehe, in unserem vaterländischen Knopfloch: Gotthelf, Keller, Meyer, Spitteler, Ramuz... Eh bien! Dagegen ist nur zu sagen: vor wenigen Monaten, als Ramuz vor der letzten Operation stand, mußte er den Schriftstellerverein anfragen, ob man ihm zweitausend Franken für diese Operation geben könnte –

Die Stellung des Schriftstellers in der Schweiz, selbst eines einmaligen wie Ramuz, überhaupt die Stellung der Künstler, der Intellektuellen, sofern ihre intellektuelle Leistung nicht gerade der Industrie dient, ist eine erbärmliche, erbärmlich mindestens im Vergleich zum durchschnittlichen Wohlstand unsres Landes. Dennoch wäre es dumm, daraus eine Verbitterung zu machen. Zwar hätten unsere Zeitungen, da sie ja im Wirtschaftlichen wurzeln, durchaus die Möglichkeit, anständig zu sein, Honorare zu zahlen, wie man sie auch einem Arzt oder einem Ingenieur zahlen muß. Davon sind sie weit entfernt; die allgemeine Geringschätzung einer Arbeit, die einen geringen Lohn bringt, wäre eine Schnurre für sich! Was unsere Zeitungen anlangt, sehe ich sie als Nutznießer einer Notlage, die sie nichts angeht, jenes Umstandes nämlich, daß unsere Verleger wirklich nicht zahlen können. In der Tat, solange die Schweiz auf sich verwiesen bleibt, ist es so, daß unsere Verleger nicht leben können, wenn auch der Schriftsteller leben will; der Schriftsteller hat aber ein Interesse daran, daß sein Verleger lebt, und also muß er halt in Gottesnamen, nicht immer zu seinem Schaden, einen Beruf ausüben, wenn er schon schreiben will. Das hat viel für sich. Immerhin sollte ein Ramuz nicht betteln müssen, bevor er ins Spital fährt, um in Ehren zu sterben. Verkehrt aber schiene mir jede Verbitterung, die sich gegen unsere Landsleute richtet, gegen ihre geringe Lesefreude oder so. Wir sind zwei und eine halbe Million von Deutschsprechenden, davon viele Bauern, wenig Städter. Nehmen wir Deutschland mit sechzig Millionen. Bei gleicher Leserdichte, und die deutsche Leserdichte wird besonders gerühmt, würde das heißen: Fünfhundert Gedichtbände, verkauft in der Schweiz, entsprechen einem deutschen Absatz von zwölftausend. Wie oft kommt das vor? Ein Schauspiel, das hier in zweitausend Stück verkauft wird, müßte in Deutschland, bei gleicher Nachfrage, eine Auflage von achtundvierzigtausend erreichen. Wie oft kommt das vor? Unsre Leserdichte ist nicht schlecht, auch verglichen mit dem literarischen Frankreich, wo die Bücher eines Dramatikers, der in aller Munde ist, nicht über das fünfte Tausend gelangen. So kann sich der schweizerische Schriftsteller, meine ich, jederzeit auf einer Zigarettenschachtel ausrechnen, daß er unmöglich leben kann – und dennoch keinen Grund hat, deswegen bitter zu sein.

Pfannenstiel

Rast an der Sonne, Schmetterlinge, Stille einer verlassenen Kiesgrube – ich muß mir die folgende Szene denken: Eine Eskorte von sechs Soldaten hat mich in diese Kiesgrube geführt, die Gewehre geladen, und jetzt, wie ich dort mit gebundenen Händen stehe, stellt man noch einmal die Frage, ob ich den öffentlichen Eid, daß meinen Freunden keine Untat und kein Unrecht widerfahren sei, leisten wolle oder nicht.

Was tun?

Ich weiß nicht, ob meine Freunde, die ich mit diesem Eid verraten soll, um mein Leben zu retten und meine Familie, meine Frau und unsere zwei Kinder – ob die Freunde überhaupt noch leben; wahrscheinlicher ist es, daß sie bereits zu Tode geschunden sind, und keinesfalls, das weiß ich, wird die Salve, die mich allenfalls umlegt, sie davor bewahren...

Was tun?

Hinzu kommt, daß meine Frau, wie ich eben erfahren habe, inzwischen auch verhaftet worden ist; bisher wurde sie nicht gefoltert; auch das steht jederzeit in ihrer Macht, um mich zu zwingen –.

Was tun?

Und hinzu kommt das Bewußtsein, daß wir keinerlei Verbrechen begangen haben, nicht einmal in ihrem Sinn, nicht einmal eine Verschwörung; wir wissen nur, daß es Folterkammern gibt in unsrer Stadt, wissen es, weil wir die täglichen Schreie hören und jedesmal sehen, wie sie die rohen, die ungehobelten und ungestrichenen Särge verladen, und wir weigern uns, hinzutreten vor unser Volk und zu schwören, daß es in unsrer Stadt keine einzige Folterkammer gebe –.

Der Sergeant:

»Überlegen Sie es sich«, sagt er: »Sie haben, laut allgemeiner Order, eine Frist von zehn Minuten.«

Auch ein Geistlicher steht dabei.

»Ich bin befohlen«, sagt er tonlos: »um dir, falls du dich dazu entschließen kannst, den Eid abzunehmen.«

Er duzt mich, weil wir zusammen in die Schule gegangen sind, ins Gymnasium, er saß in der Reihe vor mir, ich erinnere mich nur noch an seinen Vornamen.

»Gewehre bei Fuß!«

Nach diesem Kommando, das mit mechanischem Schneid und wie durch einen einzigen Hebelgriff ausgeführt worden ist, so daß man von den fünf Kolben nur einen einzigen Aufschlag hört, ist der Sergeant zur Seite getreten – nicht ohne zuvor auf seine Uhr zu blicken –, jetzt pißt er an einen Stein; sonst höre ich nichts; die fünf Gewehre bei Fuß, Sonne wie jetzt, Schmetterlinge, Stille einer verlassenen Kiesgrube...

Was tun?

Café Odeon

Die Unmöglichkeit, sittlich zu sein und zu leben – oder man läßt eben beides im Halben... Die Sittlichkeit, wie sie uns gelehrt wird, schließt immer schon die weltliche Niederlage in sich; wir retten die Welt nicht vor dem Teufel, sondern wir überlassen ihm die Welt, damit wir nicht selber des Teufels werden. Wir räumen einfach das Feld: um sittlich zu sein. Oder wir räumen es nicht;

wir lassen uns nicht erschießen, nicht ohne weiteres, nicht ohne selber zu schießen, und das Gemetzel ist da, das Gegenteil dessen, was wir wollen...

Man kann darauf bedacht sein, das Gute durchzusetzen und zu verwirklichen, oder man kann darauf bedacht sein, ein guter Mensch zu werden – das ist zweierlei, es schließt sich gegenseitig aus.

Die meisten wollen gute Menschen sein.

Niemand hat größere Freude daran, wenn wir gute Menschen werden, als der Böse. Solange die Menschen, die das Gute wollen, ihrerseits nicht böse werden, hat der Böse es herrlich!

(Solange die Armen nicht »stehlen«.)

Amoralität bei starken Köpfen ist wohl meistens nichts anderes als die Sehnsucht nach einer anderen, einer lebbaren Sittlichkeit.

Tägliche Erfahrung im kleinen: Dein Anstand ist die beste und billigste Waffe deiner Feinde! Du hast dir versprochen, nicht zu lügen – zum Beispiel – und das ist schön von dir, splendid, wenn du es dir leisten kannst; es ist närrisch, wenn du dir einbilden würdest, daß du damit ohne weiteres der Wahrheit dienst. Du dienst deiner Anständigkeit.

Gewisse sittliche Forderungen, glaube ich, wären längstens vergessen, wenn nicht die Unsittlichen, die sich von diesen Forderungen befreit haben, ein natürliches Interesse daran hätten, daß die anderen sich durch diese Forderungen fesseln lassen – das gilt für alle christlichen Forderungen, die den Besitz betreffen...

Die ganze Erziehung, die nicht nur unsere Kirche, sondern auch unsere Schulen abliefern, geht wesentlich dahin, daß wir anständige Menschen werden, beispielsweise daß wir nicht stehlen – sie geht nicht dahin, daß wir uns wehren, wo immer gestohlen wird, und daß wir für das Gute, das sie uns lehrt, kämpfen sollen. Das Gute, wir wissen es, läßt sich allerhöchstens in deiner eignen

Brust verwirklichen. Ein guter Gedanke, gewiß, gut für die Herrschenden.

Die Unmöglichkeit, sittlich zu sein und zu leben – ihre Zuspitzung in Zeiten des Terrors. Womit arbeitet jeder Terror? Mit unsrem Lebenswillen und also mit unsrer Todesangst, ja, aber ebenso mit unsrem sittlichen Gewissen. Je stärker unser Gewissen ist, um so gewisser ist unser Untergang. Je größer eine Treue, um so gewisser die Folter. Und das Ergebnis jedes Terrors: die Schurken gehen ihm durch die Maschen. Denn der Terror, scheint es, eignet sich besonders zur Vernichtung sittlicher Menschen. Er ist auf eine gewisse Sittlichkeit berechnet; sein früheres oder späteres, aber unweigerliches Versagen hängt vielleicht damit zusammen, daß er die Sittlichkeit verbraucht, bis er niemanden mehr daran fassen kann. Und vor allem entwertet er auch das Leben, die Lust am Leben, bis es keinen übermenschlichen Mut mehr braucht, ein entwertetes Leben einzusetzen gegen ihn – nicht als Opfer in der Kiesgrube, wo es zu spät ist, nicht als sittlicher Märtyrer, sondern als unsittlicher Täter, bevor es zu spät ist: als Attentäter.

Frankfurt, April 1948

Vor dem alten Römer: Hohes Seil über Trümmern, Maste aus Eisen, unverbogen, unverrostet, jeder in einer Garbe von Kabeln, die ihn nach allen Seiten verankern, man denkt nicht sogleich an Seiltänzer, eher an Kranen, wenn die bunten Wimpel nicht wären, oder an die Takelage eines versunkenen Schiffes, versunken nicht in die Wogen eines Meeres, sondern in Wogen von Schutt, von vergrasendem Backstein... Immer grüner, ländlicher, blühender zieht der Frühling in deutsche Städte... Am Abend aber, wenn die Ruinen im Scheinwerfer stehen, ist alles noch märchenhafter; das milchige Licht, das sich in die grünliche Finsternis spreizt, manchmal ein glitzernder Falter darin, und im Hintergrund, jenseits der blinkenden Trapeze, steht der Dom, ein flacher Umriß, ein Scherenschnitt, eine gewichtlose Blässe von rotem Sandstein, körperlos hinter einem Gitter von kreuzenden Scheinwerfern. Und darüber auch noch der Mond, der volle, der gerade im Netz der Seiltänzer liegt; der Mond, Lampion der Verliebten, Laterne der Strolche, Kleinod der Dilettanten, Trost in der Fremde, Gong der Erinnerung, vor allem aber die Garantie, daß das All nicht ohne Poesie ist, das All, die Nacht, der Tod, nicht ohne Poesie, nicht ohne Gemüt... Das Trikot der Artisten, die jetzt dreißig Meter über unsrer Erde schweben, erscheint in seinem Licht wie wirkliche Seide.

»Meine Herrschaften!« sagt der etwas blecherne und hallende Lautsprecher: »Auch der Artist will nichts anderes als Sie, auch der Artist will leben! Was Sie als nächste Nummer sehen –.«

Ein Handstand auf wankender Fahnenstange – unwahrscheinlich, was der Mensch alles macht, um zu leben. Schon sind es drei und fünf und sieben Menschen, die am Kiefer eines jungen Mannes hangen, an der Geistesgegenwart eines Kindes, das gerade gestern, wie der Lautsprecher unterrichtet, seinen zehnten Geburtstag hatte... Kalte wolkenlose Nacht, Frühling, der dritte Abend in einer fremden Stadt, die nicht mein Ziel ist; wenn man sich zuweilen wundert: wieso sitze ich gerade hier und nicht anderswo in der Welt, hier in nächtlicher Ruine und Gotik, die zum munteren Tingeltangel wird, halb Bar, halb Kirmes –.

»Was Sie als sechste Nummer sehen«, sagt der hallende Lautsprecher: »das hat auf dieser Welt noch kein menschliches Auge erblickt! Wir sind stolz darauf, daß es junge deutsche Artisten sind –.«

Zwei Burschen, jeder auf einem glitzernden Velo, nehmen eine weiße Stange von Schulter zu Schulter; auf diese Stange kommt ein drittes Velo, nicht minder glitzernd; aber nicht genug, daß sie mit dieser Pyramide über das hohe Seil fahren: der Oberste, um den Rest unseres Atems auszuschalten, läßt auch noch die Lenkstange los, hebt sich zum Handstand auf dem Sattel, während die beiden Unteren radeln – dreißig Meter über unserer Erde, das heißt, über Backsteinen mit verbogenen Eisen, über

Resten eines romanischen Tores, über Unkraut in einer verrosteten Badewanne...

»Meine Herrschaften«, sagt der Lautsprecher: »die Künstler danken für Ihren großen Beifall. Folgen Sie bitte unserem Scheinwerfer, richten Sie jetzt Ihren freundlichen Blick hinüber auf die Nikolaikirche.«

Wir richten unsern Blick hinüber. Plötzlich rattert ein Motorrad, erst unsichtbar, dann aber plötzlich fährt es empor auf einem Seil, das in der Nacht nicht zu erkennen ist, empor gegen den erleuchteten Kirchturm, rattert, pufft, knallt, bis es nicht mehr weiter kommt, langsam rollt es zurück in die Ruine des Kirchenschiffes. Die Nummer ist mißlungen, der Lautsprecher bittet um Nachsicht, der Motor hat versagt. Doch die nächste Nummer ist schon bereit: drüben am Dom, ganz oben im gotischen Zierat, erkennt man zwei weiße Menschlein; ein Seil, fünfhundert Meter lang, spannt sich vom Dom hinunter an den Main. Leider bittet mich eine Dame um Feuer; als mein Feuerzeug endlich schnappt, hat die sausende Fahrt bereits begonnen: – an einer Rolle, die ein dünnes zischendes Geräusch hinterläßt, wie wenn man Seide zerreißt, hängt wieder einmal ein Trapez, am Trapez hangen die drei Artisten, Kopf nach unten, Arme zur Seite, drei weiße menschliche Kreuze, so sausen sie über die fehlenden Dächer, stets vom Scheinwerfer verfolgt, verschwinden zuweilen hinter einem schwarzen Zickzack, werden noch einmal sichtbar, das Publikum erhebt sich von den Bänken, um sie länger zu sehen. Vorbei. Der Lautsprecher bittet, den Beifall freundlich aufzusparen, bis die drei Künstler, die unterdessen am Main gelandet sind, zum alten Römer zurückkommen... Unterdessen ein Swing, unterdessen die Bewandtnis mit der letzten Nummer:

»Camilla Mayer, die verehrte und unvergeßliche Gründerin unsrer Truppe, hat als Erste dieses einzigartige Wagnis vollbracht. Eines Abends ist sie vor unseren Augen zu Tode gestürzt, aber an ihrer Bahre haben wir geschworen, daß wir dieses Meisterwerk der Artistik, der sie ihr Leben geopfert hat, immer und immer wieder vollbringen werden. Und für immer soll es ihren

Namen tragen, den Namen unsrer verehrten und unvergeßlichen: Camilla Mayer!«

Alle Scheinwerfer zusammen auf ein schräges Seil, ein bisher unbemerktes, das an der Spitze der Nikolaikirche befestigt ist und mit gelassenem Schwung irgendwo in den Trümmern verschwindet, achtzig Meter lang; die Steigung schätze ich auf zwanzig Grad –

Musik bricht ab.

»Der Todesgang der Camilla Mayer!«

Es ist ein ganz junges Mädchen, das den großen Schwur an die Verstorbene nicht nur einmal, sondern Abend für Abend erfüllt. Langsam steigt sie aus den rötlichen Trümmern, eine weiße Stange in den Händen, langsam, Fuß vor Fuß steigt sie hinauf in die Nacht. Ohne ein Netz unter dem Seil; das ist das Einzigartige. Wenn sie fehlt und fällt: lautlos, ein dumpfer Schlag im Schutt, fast nicht hörbar, ein sprödes Krachen der zersplitternden Stange, sonst nichts, ein dünner und ungläubiger Aufschrei von tausend Zuschauern, die teilweise sich erheben, teilweise sitzen bleiben, ein freundlicher Bericht in der Presse, Bericht mit Bild, eine sonderbare lebenslängliche Erinnerung für einzelne, ein guter Tod, ein einzelner Tod, ein eigener Tod, besser als der Tod im Lager, besser als die Erschießung ohne Augenzeugen, besser als das langsame Verhungern und Vereitern in einem bewachten Bergwerk, ein persönlicher Tod, ein spielerischer Tod, ein menschlicher Tod! – aber sie stürzt nicht ... Sie bleibt auf dem weichen und lautlosen Wippen des Seiles, man sieht ihre bloßen Schenkel, die prall und kräftig sind, ihr Röcklein wie ein Fallschirm. Ein Degas von unten. Hin und wieder eine Anweisung an die Scheinwerfer, damit sie die Künstlerin nicht blenden. Achtzig Meter sind lang! Das Mädchen hat etwa die halbe Höhe; auch der Rückzug ist kein Trost mehr. Totenstille. Einmal ein schweres amerikanisches Flugzeug, das drei bunte Lichtlein durch den Sternhimmel fliegt. Natürlich wird das Seil gegen oben immer steiler, das Gelöbnis immer schwerer. Noch zehn Meter! Ein Scheinwerfer faßt bereits den Turm; wieder die wunderbare Farbe seines Sandsteines, sein sprödes Terrakotta vor einer grünlichen Nacht. Auf dem Gesims wartet bereits ein andrer Artist, um dem Mädchen, wenn es soweit ist, die weiße Stange abzunehmen. Sechs Meter! Fünf Meter! Neben mir sitzt ein junger Neger in Uniform, vier Striche am Ärmel, das sind zwei Jahre Europa; vor uns erheben sich die Leute bereits, um nicht ins Gedränge zu kommen. Zwei Meter! Ein Meter! Schon steht sie auf dem Gesims, wo sonst nur Vögel sind, sie hält sich an einem Zierat, ihr Flitter glitzert im Scheinwerfer, sie winkt der Menge, die klatscht, der Lautsprecher spielt einen Marsch. Es ist kalt. Der junge Neger sitzt immer noch auf seinem Platz. Ohne zu klatschen. Gelegentlich greift er in sein oberes Täschlein, nimmt eine Zigarette, die er ansteckt…

In wenigen Wochen sind es hundert Jahre, seit zum erstenmal eine deutsche Demokratie versucht worden ist; die Feier, die mit Würde begangen werden soll, rückt näher und näher, die Maurer arbeiten jetzt Tag und Nacht, um wenigstens die Paulskirche wieder herzustellen. Noch um elf Uhr hört man das Schaufeln, das Rasseln eines Flaschenzuges, der frisches Pflaster emporzieht zu den erhellten Gerüsten.

Zum Theater

Zu den Begriffen, die ich mit Vorliebe brauche, ohne genauer zu wissen, was sie eigentlich bedeuten, nicht bedeuten müssen, aber bedeuten könnten, gehört auch der Begriff des Theatralischen.

Worin besteht es?

Auf der Bühne steht ein Mensch, ich sehe seine körperliche Gestalt, sein Kostüm, seine Miene, seine Gebärden, auch seine weitere Umgebung, lauter Dinge also, die ich etwa beim Lesen nicht habe, nicht als sinnliche Wahrnehmung. Und dann kommt ein anderes hinzu: Sprache. Ich höre nicht nur Geräusche, wo es bei der sinnlichen Wahrnehmung bleibt, sondern Sprache. Ich höre, was dieser Mensch redet, und das heißt, hinzu kommt noch ein zweites, ein anderes Bild, ein Bild andrer Art. Er sagt: Diese

Nacht ist wie ein Dom! Außer jenem augenscheinlichen Bild empfange ich noch ein sprachliches Bild, eines, das ich nicht durch Wahrnehmung, sondern durch Vorstellung gewinne, durch Einbildung, durch Imagination, hervorgerufen durch das Wort. Und beides habe ich gleichzeitig: Wahrnehmung und Imagination. Ihr Zusammenspiel, ihr Bezug zueinander, das Spannungsfeld, das sich zwischen ihnen ergibt, das ist es, was man, wie mir scheint, als das Theatralische bezeichnen könnte.

Hamlet mit dem Schädel des Yorick: –

Wenn diese Szene erzählt wird, muß man sich beides vorstellen, beides imaginieren, den Schädel in der lebenden Hand und die Späße des vergangenen Yorick, an die sich Hamlet erinnert. Die Erzählung, im Gegensatz zum Theater, beruht ganz und gar auf der Sprache, und alles, was der Erzähler zu geben hat, erreicht mich auf der gleichen Ebene: nämlich als Imagination. Wesentlich anders wirkt das Theater: Der Schädel, der nur noch ein Ding ist, das Grab, der Spaten, all dies habe ich bereits durch sinnliche Wahrnehmung, unwillkürlich, vordergründig, unausweichlich in jedem Augenblick, während meine Imagination, ganz aufgespart für die Worte des Hamlet, nur noch das entschwundene Leben aufzurufen hat und dies um so deutlicher vermag, als ich sie für anderes nicht brauche. Das Entschwundene und das Vorhandene, das Einst und das Jetzt: verteilt auf Imagination und auf Wahrnehmung ... Der theatralische Dichter bespielt mich also auf zwei Antennen, und es ist evident, daß das eine, ein Schädel, und das andere, die Späße eines Spaßmachers, für sich allein wenig bedeuten; die ganze Aussage dieser Szene, alles, was uns daran bewegt, liegt im Bezug dieser beiden Bilder zueinander, nur darin.

Wie mancher Bühnendichter, der auf der Bühne versagt, könnte sich darauf berufen, daß er eine eigenere, stärkere, wesentlichere Sprache habe als Gerhart Hauptmann; dennoch ertrinkt sie auf der Bühne, während ein Hauptmann, dessen Magie kaum in einer eignen Sprache zu suchen ist, von eben dieser Bühne getragen wird, daß man staunt. Für den Bühnendichter ist die Sprache, scheint es, doch nur ein Teil. Der andere Teil, das sinnlich Wahrnehmbare, das nun einmal zum Theater gehört, hat es an sich, gegenwärtig zu sein, auch wenn der Dichter es vergißt, mächtig zu sein, auch wenn der Dichter es nicht benutzt – gegen ihn zu sein, und zwar so, daß keine Sprache ihn rettet, keine.

Das größte Beispiel, daß die Sprache es allein nicht schafft, bleibt natürlich der Zweite Teil des Faust, diese höchste Hochzeit deutscher Sprache, nur streckenweise spielbar: nicht weil die Aussagen dieser Dichtung zu erhaben sind – Shakespeare ist auch erhaben –, sondern weil sie nicht theatralisch sind.

Theatralische Diagnose: Was ich sehe und was ich höre, hat es einen Bezug zueinander? Wenn nicht, wenn etwa die Aussage ausschließlich im Wort liegt, so daß ich eigentlich die Augen schließen könnte, liegt die Bühne brach, und was ich in diesem Fall, da ich die Augen natürlich nicht schließe, auf der Bühne sehe, ist nicht eine theatralische Situation, sondern ein überflüssiger Anblick, eine augenscheinlich nichtssagende Begegnung von Sprechern, epischen, lyrischen oder dramatischen –.

(Das Dramatische, der dialektische Ringkampf, worin man da und dort das einzig mögliche Theater oder doch die Quintessenz des Theaters erblicken möchte, verlangt die Bühne nur insofern, als sie in der Tat immer auch etwas von einem Ring hat, von einer Arena, von einer Manege, von einem öffentlichen Gerichtssaal.)

Das Einmaleins des Clowns: daß er im Augenblick, wo er sich heldisch und würdig vorkommt, über die eigenen Füße stolpert. – Zum Wesen der Komik, habe ich einmal gelesen, gehöre das Unverhältnismäßige, das Unstimmige, das Unvereinbare. Im Falle des Clowns: das Unvereinbare liegt nicht innerhalb seiner Rede, sondern zwischen seiner Rede und unsrer Wahrnehmung. Selbstvertrauen ist nicht komisch, Stolpern ist nicht komisch; nur beides zusammen. Das Unvereinbare, das Unverhältnismäßige, was zum Wesen aller Komik gehört, verteilt auf das Wort

und auf das Bild: das im besonderen als theatralische Komik –
vom Plumpen bis zum Feinen, vom Clown bis zum Shakespeare:
Wir hören, wie selig und zärtlich die Imaginationen der verliebten Titania sind, wir hören ihre herrlichen Worte, die alles andere
als Witze sind, und lächeln von Herzen, denn wir sehen zugleich,
wie sie mit eben diesen süßen Worten, die auch uns verzücken,
nichts als einen Eselskopf kost – wir sehen.

Das Überwältigende bei Shakespeare, wie die Situation (wer
steht wem gegenüber) meistens schon als solche gedichtet ist, be-
deutend schon als Situation, so daß dem Text nichts anderes übrig bleibt als das Schönste: zu ernten, zu pflücken, zu eröffnen,
was an Bedeutung schon da ist.

Wer steht wem gegenüber.

Schon die Schreibweise klassischer Stücke deutet darauf hin,
wie hauptsächlich diese Frage ist; schon im Buch wird jeder Auftritt vermerkt, sonst fast nichts. Zehnter Auftritt: Der König, die
zwei Mörder. Das ist das Wahrnehmbare, wenn der Vorhang
sich hebt, und wenn die zwei Mörder ihren Auftrag haben, so
daß sie den König allein lassen, ändert sich das Wahrnehmbare;
jeder Auftritt ist eine Zäsur. Der König allein! Wenn er jetzt etwas spricht, was die Last seines zunehmenden Alleinseins verrät,
hat es die ganze Bühne für sich, die Leere der Bühne – Kongruenz zwischen der äußeren und inneren Situation; eine andere
theatralische Erfüllung ist der Kontrapunkt: – Macbeth erlebt die
Last seines schuldigen Alleinseins während einer festlichen Gesellschaft, er allein erblickt den Geist des Ermordeten, sein Al-
leinsein wird dermaßen augenscheinlich, daß all seine Worte, die
gesellig sein möchten, ohnmächtig sind, die Gesellschaft verschwindet, es bleiben Macbeth und seine Mitwisserin, die beiden
Schuldigen; wieder ist der ganze innere Vorgang einer Szene bereits im Sichtbaren umrissen, der Geist des Ermordeten spricht
kein Wort – das heißt: ich schaue nicht umsonst auf die Bühne.

Im zweiten Stück von Friedrich Dürrenmatt (ein Name, den man
auch in Deutschland noch kennenlernen wird) gibt es folgende

Szene: Ein Blinder, der die Zerstörung seines Herzogtums nicht wahrgenommen hat, glaubt, er lebe immer noch in seiner festen Burg. In seinem Glauben, in seiner Einbildung verwaltet er ein heiles und verschontes Land. So sitzt er inmitten von Ruinen, die er als Blinder ja nicht sehen kann, umringt von allerlei wüstem Gesindel des Krieges, von Söldnern, Dirnen, Räubern, Zuhältern, die nun den blinden Herzog, seinen Glauben verhöhnend, zum Narren machen wollen, indem sie sich von ihm empfangen lassen als Herzöge und Feldherren, die Hure aber als verfolgte Äbtissin; der Blinde spricht sie an, wie er sich vorstellt, daß sie es verdiene, wir aber sehen die verrotzte Person, deren Segen als Äbtissin er gläubig erbittet – kniend... Musterbeispiel einer theatralischen Situation: die Aussage liegt gänzlich im Widerspiel von Wahrnehmung und Imagination. Hier spielt das Theater sich selbst.

Im Basler Museum hängt ein Gemälde von Arnold Böcklin: Odysseus und Kalypso, das Verhältnis von Mann und Frau. Er in Blau, sie in Rot. Sie in geborgener Grotte, er auf einem vorspringenden Fels, Rücken gegen sie, Blick hinaus auf die Weite des offenen Meeres... Auf der Reise hierher habe ich dieses Bild, andere suchend, wieder gesehen, verblüfft, daß das Meer, Inhalt seiner Sehnsucht, fast nicht vorhanden ist. Nur in einem winzigen blauen Zwickelchen. In meiner Erinnerung war es ein Bild voll Meer – gerade weil das Meer nicht gezeigt wird. Kein Theater, so wenig wie ein Gemälde, würde imstande sein, die Weite des Meeres zu zeigen. Es muß sie der Imagination überlassen. Bei Sartre kommt eine Szene vor, wo Zeus mit seinem Sternhimmel protzt, um Orestes, den Menschen, zum Glauben an die Götter einzuladen. Sartre macht das einzig Mögliche, er schildert diesen Sternhimmel mit Worten. Wenn nun ein Spielleiter, wie ich es gesehen habe, bei diesen Worten plötzlich einen Himmel von Glühbirnen aufleuchten läßt, die Sterne also zur sinnlichen Wahrnehmung bringen will, ist die Magie des Theaters natürlich verscherzt; der Sternhimmel, den dieser Zeus vorzuführen hat, ist dadurch so kindisch, daß der Hohn des ungläubigen Orestes in sich selber zusammenfällt. Die Szene ist in ihrem Rückgrat gebrochen – trotz guter Schauspieler –, gebrochen durch einen Einfall, der die Grenze des Theaters verkennt.

Spielplatz ist immer die menschliche Seele! Ihren Gesetzen ist alles unterworfen. Eines dieser Gesetze: Kompensation. Wenn ich einen Kerker wahrnehme, findet mich das Wort, das eine freie und heitere Landschaft schildert, besonders empfänglich; der Anblick einer grottenhäuslichen Kalypso, die mich halten will, macht mich besonders empfänglich für jedes Wörtlein, das von offenem Meer und fremden Küsten redet; die Imagination, die es verlangt, entspricht ja meiner Sehnsucht. Oder wenn ich ein fröhliches und übermütiges Fest wahrnehme, hat eine Stimme, die den Tod erwähnt, besondere Macht; die Imagination, die sie verlangt, entspricht ja meiner Angst. Der theatralische Bezug – das Widerspiel von Wahrnehmung und Imagination – wird besonders zwingend sein, besonders ergiebig, besonders zuverlässig, wenn er den Bedürfnissen der menschlichen Seele folgt, wenn er beispielsweise aus einer Kompensation besteht.

Verlockung des Theaters auch für den nicht-dramatischen Dichter, etwa den lyrischen: die Bühne liefert ihm, wenn er sie beherrscht, eine steigernde Folie für das Wort.

Kein Stück wird immerfort theatralisch sein. Wichtig für seine theatralische Potenz ist nicht einmal, ob es in seinem Verlaufe oft theatralisch ist. Die theatralische Erfüllung, glaube ich, ist immer das Seltene, das Rare, das Auge in der Fläche eines Gesichtes. Entscheidend dürfte sein, ob die wesentlichen oder nur die nebensächlichen Aussagen theatralisch werden. Im letzteren Fall, wo das Theatralische zufällig, nebensächlich, exzentrisch bleibt, wird jede Aufführung, selbst die vollendete, unweigerlich eine Verzerrung bedeuten, eine fälschende Verschiebung der Akzente. Das Theater, sagt dann der Verfasser, ist halt eine schauerliche Vergröberung! Natürlich ist es das, aber es ist nicht die Schuld des Theaters, wenn solche Vergröberung, die einen

Shakespeare nie umbringt, mehr als Vergröberung wird, nämlich Entstellung, Verzerrung, Verdrehung, Zerstörung jeder Poesie. Es ist nicht die Schuld des Theaters, wenn der Dichter es nicht brauchen kann. Wer auf die Bühne tritt und die Bühne nicht braucht, hat sie gegen sich. Brauchen würde heißen: nicht *auf* der Bühne dichten, sondern *mit* der Bühne –.

Berlin, April 1948

Die Russen, heißt es, haben die Zonengrenze gesperrt. Ein deutscher Herr, der eben von Helmstedt kommt, berichtet wieder anders, die Wagen werden strengstens untersucht, sagt er, können aber passieren. Hingegen stimmt die Meldung, daß seit gestern keine Züge mehr verkehren. Die russische Forderung, daß auch die amerikanischen Züge sich einer russischen Durchsuchung unterziehen müßten, wird abgelehnt. Vorläufig durch Einstellung des Verkehrs. Damit ist jede Zufuhr unterbunden, Berlin als belagerte Stadt. Man stellt alle erreichbaren Sender ein, um Nachrichten zu sammeln, die sich teilweise mit den Gerüchten decken; nur tönt es als Nachricht immer viel gediegener.

Anruf bei Freunden; obschon sie im Haus der Auslandspresse wohnen, wissen sie nicht mehr: Blockade, um die Westmächte auszutreiben – mit dem Hunger der Berliner.

Abends in Gesellschaft.

Das Berlinische, das man bei uns so gerne verpönt, ich mag es sehr – vor allem das Unsentimentale, den Witz, der meistens darin besteht, daß man die Dinge wieder einmal beim Namen nennt, das Antipathos, besonders willkommen innerhalb des Deutschen, hier wird das Gemüt nicht aufs Brot gestrichen, Witz als der keuschere Ausdruck der Gefühle, das Freche ohne Ranküne, das Nüchterne – in Zeiten wie jetzt, wo jede Pose auf die Probe gestellt wird, sind sie bewundernswert, nämlich unverändert: unsentimental, konkret, aktiv...

Mit Landsleuten und einem britischen Journalisten, der einen deutschen Volkswagen besitzt, hinaus an den Wannsee. Sonnenuntergang über den Wäldern. Abendessen in einem Hotel der Journalisten. Wenn man Berlin zur Zeit mit Schanghai vergleicht, meint man wohl auch dieses rätselhaft beziehungslose Nebeneinander: gesellschaftliches Leben in Kolonien, sie wissen, daß sie in Berlin sind, aber die Berliner sind etwas wie Eingeborene. Man sitzt, mit verschränkten Beinen, trinkt Whisky, unten wartet »der deutsche Fahrer«. Gewiß, es gibt Berührungen durch alltäglichen Verkehr, Gespräche über die Unruhe unter den Eingeborenen oder über ihre flotte Haltung; kein Haß, ein gelegentliches Unbehagen, daß die Eingeborenen immer wieder meinen, alles drehe sich um sie, auch kein Hochmut, keine Absicht, die Eingeborenen mehr auszunützen als sonst die Mitmenschen, London, Prag, Chicago, Paris, alles ist näher als Berlin, alle sitzen wie auf Vorposten, denken viel an zu Hause, besuchen sich und stehen umher, jeder ein Glas in der Hand, jeder wahrt seine Stammessitten und beobachtet die Luft – das ist es, warum sie da sein müssen: die Luft, das Unsichtbare in der Luft... die Welt.

Zur Schriftstellerei

Fabeln, scheint es, gibt es zu Tausenden, jeder Bekannte wüßte eine, Unbekannte verschenken sie in einem Brief, jede ist ein Stück, ein Roman, ein Film, eine Kurzgeschichte, je nach der Hand, die sie zu greifen vermöchte – es fragt sich bloß, wie und an welchen Zipfeln sie ergriffen wird; welche ihrer zahlreichen Situationen sich kristallisiert... Hamlet! wenn es möglich wäre, seine Fabel ohne jede Gestaltung vorzulegen, kein noch so hellhöriger Kritiker könnte finden, daß sie nach dem Theater schreie. So vieles daran läßt sich nur erzählen; das Spielbare zu finden braucht es die Wünschelrute eines theatralischen Temperamentes, hier eines theatralischen Genies. Etwas verdreht gesprochen! denn der Vorgang ist ja wohl nicht so, daß ein schöpferisches Temperament, ein theatralisches, oder ein anderes, an eine sogenannte Fabel herantritt, erwägend, ob sie sich für Theater oder Roman eigne, sondern das Temperament ist bereits die Entscheidung, der Maler sieht malerisch, der Plastiker sieht plastisch... Der meistens verfehlte Versuch, ein Schauspiel umzusetzen in eine Erzählung oder umgekehrt, lehrt wohl am krassesten, was man im Grunde zwar weiß: daß eine Fabel an sich gar nicht existiert! Existenz hat sie allein in ihren Niederschlägen, man kann sie nicht destillieren, es gibt sie nur in Kristallisationen, die, einmal vorhanden, nicht mehr auszuwechseln sind, gelungen oder mißlungen – ein für allemal.

Berlin, Mai 1948

Halle in Tempelhof. Die Maschine steht bereit. Von Berlin nach New York; aber die meisten von uns wollen nur nach Frankfurt. Die Kontrolle war peinlich, als wäre man ein Überläufer oder ein Spion, leider noch nicht faßbar, obschon es für den Mann, der wortlos meine Papiere prüfte, zweifellos schien, daß ich für Wallstreet arbeite. Was sollte ich sonst tun? Durch das Telefon verabschiede ich mich nochmals von den Freunden. Herrliches Wetter. Auf dem Tempelhofer Feld wimmelt es von glitzernden Transportern –.

»Luftbrücke«.

Letzigraben

Imbiß in der Kantine, Rippli und Wein, dazu ein besonders köstliches Brot – Gespräch mit einem verbitterten Eisenleger, der im Stundenlohn alle andern übertrifft, er schimpft über seinen Stundenlohn, aber im Grunde ist es nicht das; seine Arbeit, die ich oft genug verfolgt habe, ist wirklich von jener Art, die an Galeere erinnert und immer eine peinliche Empfindung erzeugt: man ist froh, daß man selber nicht dazu verdammt ist, froh um die Kunde, daß die Eisenleger einen guten Stundenlohn haben und also zufrieden sein sollen. Dagegen wirken die Gärtner wie spielende Kinder, selbst wenn sie mit violetten Händen schwere Platten tragen. Überhaupt die merklichen Unterschiede je nach Arbeitsart! Eigentlich bin ich nie mit einem Erdarbeiter ins Gespräch gekommen, obschon sie fast ein Jahr lang auf dem Platz gewesen sind; eine spürbare Kluft: sie waten mit lehmigen Stiefeln in einem Graben, ich stehe oben mit Ledermappe, ich zeichne, und sie haben den Dreck. Nicht einmal das Skelett eines Hingerichteten, das eines Tages zum Vorschein kam, hat uns ins Gespräch gebracht. Anders schon die Maurer; ihre Arbeit fordert nicht Kraft allein, sondern Geschick, es gibt schlechtes und sauberes Mauerwerk, Könner und Pfuscher; wer den Unterschied sieht, ist wert befunden, daß sie mit ihm reden. Überall die aufblühende Selbstachtung, sobald die Arbeit einen persönlichen Spielraum gewährt; am meisten bei den Gärtnern, die immer wieder mit Vorschlägen kommen, was ihnen noch besser gefiele; aber auch der Vorarbeiter, der jetzt den zehn Meter hohen Sprungturm schalt, ist emsig-selig. Arbeit als Fron oder Arbeit als Selbstverwirklichung. Ich bin mir im klaren, daß der Bau zu den freundlichsten Arbeitsstätten gehört, die unser Zeitalter zu vergeben hat; nicht zu vergleichen mit der Fabrik. Als Inbegriff des Handwerkers, im Gegensatz zum Arbeiter, erscheint mir immer wieder der Schreiner; der natürliche Rohstoff, das Holz, das nicht aus einer Fabrik kommt, und dann vor allem der Umstand, daß der Schreiner nicht Teile herstellt, die weitergehen, sondern ein Ganzes, ein Fertiges, ein Werk, das er im wesentlichen durchaus als das seine ansprechen kann. Anders die Leute, die mit Metall arbeiten; auch ihre Arbeit, die Montage, hat durchaus noch das Erfreuliche, daß sie das Ergebnis eines langen Arbeitsganges erleben, auch das Ingeniöse, das Unterhaltende, daß sich ihre Aufgabe in jedem Bau etwas anders stellt, das Anreizende, daß man Ideen haben kann, und doch ist das Wesen aller, die mit Metall arbeiten, schon aschenhafter. Was sie in die Hand bekommen, sind immer schon Fabrikate. Und das Ergebnis: die Wasserspülung geht, ihre Arbeit ist wichtig, sonst würde sie ja nicht bezahlt, aber sie hat nie die Gloriole eines eignen Werkes. Der Arbeiter sagt: Im Hallenbad habe ich auch gearbeitet. Der Handwerker sagt: Im Hallenbad habe ich die Geländer gemacht. Der Unterschied auch in der Art, wie sie dem Architekten gegenüber stehen; der Handwerker fühlt sich durchaus als Kollege, und unser Gespräch ist meistens ersprießlich; der Arbeiter gehorcht – willig oder unwillig – im Grunde meistens ahnungslos, was der Architekt eigentlich arbeitet. Pläne, ja, aber die läßt er ja auch von anderen zeichnen! Wenn ich ihm erläutere, daß der Entwurf nicht vom lieben Gott kommt, und wenn ich ihm auf einem Zettel zeige, wie verschieden man entwerfen kann, wieviel Fehler zu meiden und wieviel Erfordernisse zu lösen sind, bevor er sein Parkett verlegen kann, ist er aufrichtig verblüfft:

»Ja, das ist eigentlich wahr«, sagt er: »daran habe ich noch nie so gedacht –.«

Dabei hat er graues Haar.

»Wissen Sie«, sagt er: »auch ich habe eigentlich etwas ganz anderes werden wollen –«

»Nämlich?«

»Kunstmaler.«

Café Odeon

Die Teilung Deutschlands, seit Kriegsende vorhanden, ist nun verkündet und vollstreckt – es liest sich wie die Exposition eines Dramas.

Unterwegs

Gestern vormittag im Odeon höre ich, wie jemand am Nebentisch meinen Namen sagt, viel Genaues höre ich nicht, sehe aber, daß der Mann, der mich persönlich nicht kennt, mit dem Namen einen deutlichen Haß verbindet, nicht nur Geringschätzung, sondern Haß. Soll ich mich vorstellen? Ich tue es nicht, zahle, nehme den Mantel und gehe. Man haßt sich selber nicht selten. Dennoch, zeigt sich, bin ich betroffen, wenn ich diesen Haß an einem andern sehe, einem Fremden. Dabei ist es ganz erklärlich; wenn man selber gewisse Leute haßt, keinen Hehl macht aus seinem Haß, kann das Echo nicht ausbleiben. Trotz dieser Erklärung ist es mir unmöglich, wieder an die Arbeit zu gehen. Das Selbstgefällige, das in solcher Verblüffung liegt, ist mir bewußt. Am Nachmittag ins Kino. Kein geschriebener Satz ist möglich. Nicht einmal ein Gedanke, ohne daß ich das Mißdeutbare sehe; aber mehr als das: es braucht gar keine Mißdeutung, um hassenswert zu sein. Der Mann, ohne daß ich seine genauen Worte gehört habe, hat recht. Es gibt kein Argument gegen einen Haß. Dabei wird mir fast zum erstenmal bewußt, daß man immer, wenn man schreibt, eine Sympathie voraussetzt. Vielleicht geht es ohne diese Voraussetzung überhaupt nicht, aber es ist gut, um diese Voraussetzung zu wissen, und man müßte froh sein um einen solchen Schock, ein solches Signal –.

Paris, Juli 1948

Quatorze Juillet... Netter kann man nicht empfangen werden. Am Vormittag, kaum bin ich angekommen, gibt es eine Parade, aber ich habe nur die Geschwader gesehen, die mit bekanntem Brummen die eigene Stadt überfliegen, später ein Korps von Bläsern, die sich in einem Park aufstellen, schmuck, alle mit weißen Gamaschen und weißen Gürteln, die Clairons blinken, jedes mit einem Wimpel daran, der Tambourmajor hat einen verzierten Stab, den er bravourös in die sommerlichen Lüfte zwirbelt, zirkushaft. Ich habe gewartet, bis es losging: Le jour de gloire est arrivé! Ich kann's nicht hindern, die Marseillaise geht mir nun einmal durch Mark und Bein. Einige Schritte gehe ich mit. Le jour de gloire est arrivé! Auf dem Platz der Bastille finde ich ein großes und wogendes Gemenge, ein klingelndes, flitterndes, hupendes, summendes, dröhnendes Tingeltangel. An Trikoloren fehlt es nicht. An einer Straßenecke blüht sogar ein frisches Kränzlein; drei Namen in Stein: Fusillé par les Allemands. Ich denke an Ernst Jünger. Einem Mädchen zuliebe, das einen Freund hat, fahre ich dreimal mit den kleinen Automobilen; eigentlich mir zuliebe, denn ihr Gesicht, wenn wir einander rammen, ist köstlich. Bald fangen auch andere an, es gibt eine Rammerei, bis die Bude einfach den Strom abstellt, und später, als ich sie schon verloren glaube, finde ich sie noch einmal auf einer Schaukel wippend, bis das Schifflein an das Zelt schlägt, wippend mit flatterndem Rock, herrlich. Ein heißer Tag, Glast über den Dächern; man denkt immer an Maler, so, als hätte Paris sich den Farben berühmter Paletten angepaßt. Hernach gehen sie in die Metro, das Mädchen und ihr Freund. Ich ebenfalls. Bummel im Bois de Boulogne, wo ich ein Boot nehme, sehr zufrieden, sehr glücklich, allein, kein Mensch kann wissen, wo ich bin. Ich liebe die Großstädte immer mehr. Ein Luftballon, ein silberner, hangt im Himmel. Am Abend gibt es ein Feuerwerk, Tanz auf der Concorde, Menschen, was man an Menschen nur erfinden mag: Kleinbürger, Großstädter, Familien, Außenseiter, Mütter mit Kind, Kokotten, Töchterchen mit Offizier, Fremde, Soldaten von der Marine, alles tanzt. Vagabunden mit buntem Trikot hocken auf ihrem Rad, einen Fuß auf den Randstein gestemmt. Kann man sagen, daß die Leute sehr fröhlich sind? Immerhin wird getanzt, und es strahlen die Bogenlampen, von Faltern und Mücken umwimmelt, Lautsprecher jazzen aus nächtlichen Bäumen. Sterne sind auch da. Man schleckt ein Eis, der behende Verkäufer hat alle Hände voll zu tun. Le jour de gloire est arrivé. Die Champs Elysées hangen aus der Nacht herunter wie eine glitzernde Perlenbrücke, in der Ferne ganz schmal, dort, wo sie aus dem Triumphbogen mündet. Sehr schön. Irgendwo steige ich in den Boden, nehme die Metro, bloß weil ich sie mag, und fahre irgendwohin. Wieder an der frischen Luft, ich weiß nicht wo, empfängt mich abermals Musik, Tanz, denn auch hier ist Quatorze Juillet, Tanz auf offener Straße, Tischlein, Kellner in weißen Schürzen, hemdärmlig, eine Kapelle unter Lampions, alles etwas verschlissen, etwas ärmlicher. Aber wunderbar, gerade hinter meinem Sessel, unsäglich wunderbar tanzt eine junge Chinesin. Ihre schwarzen Wattehosen, der Mond ihres stillen Gesichtes, das verliebt ist; sehr schön. Dazu die Leute aus dem Quartier, Krämer, Schuster, Antiquare, Metzger, Beamte, was weiß ich. An der Ecke hängt wieder ein Kränzlein: Tombé pour la libération de Paris. Hier bleibe ich. Neben der Kapelle sitzen drei Mulattinnen, alle in knallgrüner Seide; ich sehe ihnen an, daß sie unvergeßlich sind. Sie rauchen aus langen weißen Röhrlein. Ein Soldat, ein riesenlanger, kann nicht mehr stehen, wenn sich nicht jemand erbarmt und mit ihm tanzt; die Leute weichen, als wäre er der Tod, und er stolpert über den Randstein. Schließlich tanzt ein Mann mit ihm. Die drei Mulattinnen sitzen und rauchen, Tierlein, die Ohrringe tragen, stumm und schön, schrecklich, geheimnisvoll, Geschöpfe. Das alles haben die Deutschen einmal erobert, es ist gar nicht lange her. Haben sie es wirklich erobert? Ich bleibe lange über Mitternacht. Vielleicht gibt es Städte, die nicht mehr zu erobern sind; sie können höchstens untergehen. Einmal tanzen auch die Mulattinnen, nicht wild, ganz gesellschaftlich, die weißen Röhrlein im Mund; nur ihre Arme sind Schlangen. Eine Gruppe von Studenten, Arm in Arm, wirkt etwas störend, Eindringlinge, kindisch, nicht jung. Jung ist die Chinesin; wunderbar, wie sie ihren hageren Chinesen liebt...

Autobiographie

(Ich sitze im Park von Versailles, hier, wo Fürsten ihre sommerlichen Serenaden hatten. Springbrunnenstille. Die Lust, Paris zu skizzieren, erstirbt doch immer wieder im Bewußtsein, wer alles es schon getan hat und dazu meisterlich. Kaum in Briefen wagt man es, jeder kennt es, jeder liebt es, die Luft ist voll vom Gespräch erlauchter Geister, die keinen Partner brauchen. Am Vormittag war ich an der Seine, Bücher blätternd, wie es Millionen vor mir getan haben. Es gibt nichts in dieser Stadt, was nicht Millionen schon getan haben, gesehen, gemalt, geschrieben, gelebt.

*So, auf mich selbst verwiesen, schreibe ich heute über mich
selbst.)*

Geboren bin ich 1911 in Zürich. Unser Name ist nicht schweizerischen Ursprungs. Ein Großvater, der als junger Sattler einwan-
derte, brachte ihn aus der österreichischen Nachbarschaft; in
Zürich, wo es ihm anscheinend gefiel, heiratete er eine Hiesige,
Naegeli mit Namen, Tochter einfacher Leute. Auch der mütterliche Stamm ist vermischt; dort war es ein Urgroßvater, der von
Württemberg kam, namens Wildermuth, und schon mit seinem
Sohn, meinem Großvater also, fing es an: er nannte sich Maler,
trug eine erhebliche Krawatte, weit kühner als seine Zeichnun-
gen und Gemälde; der heiratete dann eine Baslerin namens
Schulthess, die nie ganz hat vergessen können, daß ihre Familie
einmal eine eigene Droschke besessen hat, und leitete die Kunst-
gewerbeschule unsrer Stadt. Viel mehr über meine Herkunft
weiß ich nicht. Meine Mutter, um einmal ins Weite zu kommen,
arbeitete als Kinderfräulein im zaristischen Rußland, wovon sie
uns öfter erzählt hat, und mein Vater war Architekt. Da er sich
als Sattlersohn keine Fachschule hatte leisten können, war es natürlich sein Ehrgeiz, seine Söhne als Akademiker zu sehen. Im
übrigen konnten wir wählen. Mein Bruder, älter als ich, wählte
die Chemie, die schon seine ganze Jugend und unsere Küche mit
stinkenden Zaubereien erfüllt hatte. Ein Buch auf dem Fenster-
sims, Retorten mit gelben Dämpfen, Bunsenbrenner, Röhren
wie gläserne Gedärme, hin und wieder ein Knall, gewollt oder
ungewollt, das waren so die Sonntagnachmittage, die regneri-
schen, wenn man unmöglich Fußball spielen konnte.

Ich weiß nicht, warum ich von allen Kameraden der einzige
war, der nie einen Karl May las, eigentlich auch keine anderen
Bücher; außer Don Quixote und Onkel Toms Hütte, die mir
unsäglich gefielen, aber genügten. Was mich unersättlicher begeisterte, war Fußball und später Theater. Eine Aufführung der
Räuber, eine vermutlich sehr schwache Aufführung, wirkte so,
daß ich nicht begriff, wieso Menschen, Erwachsene, die genug
Taschengeld haben und keine Schulaufgaben, nicht jeden Abend

im Theater verbringen. Das war es doch, das Leben. Eine ziemliche Verwirrung verursachte das erste Stück, wo ich Leute in unseren alltäglichen Kleidern auf der Bühne sah; das hieß ja nicht mehr und nicht weniger, als daß man auch heutzutage Stücke schreiben könnte.

Zwei Monate später erhielt Max Reinhardt, Deutsches Theater Berlin, die schriftliche Ankündigung meines ersten Werkes, das den Titel trug: Stahl. Es spielte, nur so viel weiß ich noch, auf dem nächtlichen Dach eines Hochhauses, am Ende rauchte es aus allen Fenstern der Großstadt, ein gelblicher Rauch wie aus Retorten, und der Held, nobel wie er war, hatte keinen andern Ausweg als den Sprung in die Tiefe. Die Karte mit fremder Marke, wo höflich und knapp um Einsendung des genannten Werkes ersucht wurde, war das erste Schriftstück, das mich als Herr anredete. Ich war sechzehn. Leider hatte mein Vater, der das Ganze wie einen Lausbubenstreich behandelte, die Karte aus dem Briefkasten genommen, sie beim Mittagessen auf den Tisch gelegt, worauf ich das Zimmer verließ; vielleicht, das wußte ich noch nicht, für immer. Nach sieben langen Wochen, denen es nicht an verwegenen Hoffnungen fehlte, Friedrich Schiller war bei der Niederschrift seiner Räuber immerhin schon ein Achtzehnjähriger, kam das schöne Heft zurück, das ich auf einer gemieteten Maschine droben im Estrich getippt hatte; ein ausführlicher Bericht war dabei, den ich nicht begriff. Eine Einladung, spätere Arbeiten einzusenden, blieb das einzige, was ich der schonungsvoll lächelnden Familie entgegenzuhalten hatte. In einem Warenhaus entdeckte ich gelegentlich die Gesammelten Werke von Henrik Ibsen, lauter Stücke, die den Preis schon wert waren, und bis zur Matur, die ich natürlich als überflüssig, förmlich, lächerlich und spießig erachtete und nur dem Vater zuliebe machen mußte, entstanden noch drei oder vier weitere Schauspiele, darunter eine Komödie der Ehe (ich hatte noch nie ein Mädchen geküßt), ferner eine Farce über die Eroberung des Mondes. Das einzige, was die Welt von alledem anerkannte, war die Matur. Der Gang an die Universität war unvermeidlich...

Ich erinnere mich an zwei sonderbare Jahre, die ich in den

Hörsälen, fast ebenso angeregt in den Gängen verbrachte, immer erwartungsvoll, einsam, voreilig im Urteil, unsicher, meistens in eine heimliche Liebe verstrickt, wovon die Geliebte nichts wußte. Gedichte gelangen nie. Die reine Philosophie, mit wirklicher Inbrunst befragt, offenbarte mir nur den eignen Mangel an Denkkraft. Mein Hauptfach war Germanistik. Wirklicher, näher am lebendigen Geheimnis schienen mir andere Vorlesungen; Professor Cleric, der sich später das Leben genommen, zeigte uns die menschliche Existenz sozusagen im Brennspiegel ihrer verbrecherischen Verzerrung. Ebenso herrlich wie fremd, jenseits unsrer Wirrnis, stand der alte Wölfflin, eine Lanze aus Bambus in der Hand, seine Grundbegriffe entwickelnd; alles wie in Marmor gesprochen. Ich hörte auch unseren namhaften Theologen, irrte dahin und dorthin; sicher verdankt man auch der unbefriedigenden Zeit viel mehr, als der Unbefriedigte meint. Das zunehmende Gefühl aber, daß alles Gehörte ohne gemeinsame Mitte ist, das warenhaushafte Nebeneinander, das sich Universität nennt, all dies mochte ein durchaus wirkliches Gefühl sein, vielleicht sogar Erkenntnis; zugleich diente es aber auch als willkommene Ausrede für das eigne wissenschaftliche Unvermögen. Als ich zweiundzwanzig war, starb unser Vater. Ich mußte nun sehen, wovon ich mein Leben fristete. Als Journalist beschrieb ich, was man mir zuwies: Umzüge, Vorträge über Buddha, Feuerwerke, Kabarett siebenten Ranges, Feuersbrünste, Wettschwimmen, Frühling im Zoo; nur Krematorien habe ich abgelehnt. All das war auch keine unnütze Schule. In Prag fanden Weltmeisterschaften im Eishockey statt, ich meldete mich als Reporter, startete, nachdem ich meinen ersten Koffer erstanden, mit einer Barschaft von hundert Franken. Die Reise, die erste ins Ausland, führte weiter mit jedem Artikel, der zu Hause oder in Deutschland gedruckt wurde, über Ungarn und kreuz und quer durch Serbien, Bosnien, Dalmatien, wo ich, bald mit deutschen Auswanderern befreundet, einen ganzen Sommer verbrachte, tagelang an der Küste umhersegelte, ledig jeder Pflicht, frei, bereit für jede Gegenwart; das ist denn auch meine eigentliche Erinnerung an Jugend. Später ging es ans Schwarze

Meer, wovon meine Mutter so oft erzählt hatte, nach Konstantinopel, wo ich die Moscheen und den Hunger kennenlernte, endlich auf die Akropolis und als Fußwandrer durch das mittlere Griechenland, wo ich auf dem Feld übernachtete, einmal auch in einem Tempelchen. Das war, obschon verdüstert durch den jähen Tod einer jungen Frau, eine volle und glückliche Zeit. Das Ergebnis war ein erster, allzu jugendlicher Roman. Zu Hause brauchte ich noch zwei Jahre, um einzusehen, was es mit dem literarischen Journalismus auf sich hat, wohin es führt, wenn man auch zu Zeiten, wo man nichts zu sagen hat, ins Öffentliche schreibt, um leben zu können. Mit fünfundzwanzig Jahren muß ich nochmals auf die Schulbank zurück. Eine Freundin, als wir heiraten wollten, war der Meinung, daß ich vorerst etwas werden müßte. Sie sagte nur, was ich selber dachte; immerhin war es ein Schock, zum erstenmal die ernsthafte Vorstellung, daß das Leben mißlingen kann. In jener Zeit las ich den Grünen Heinrich; das Buch, das mich seitenweise bestürzte wie eine Hellseherei, war natürlich der beste Vater, den man nur haben kann, und zum Entschluß, der allein wenig vermocht hätte, gesellte sich das Glück, ein Freund, der für den Lebensunterhalt von vier Jahren aufzukommen sich erbot, so daß ich noch einmal studieren konnte. Diesmal an der Eidgenössischen Technischen Hochschule. Im Anfang äußerst entzückt, daß man sich an einem Werktagmorgen hinsetzen konnte, unbekümmert um das monatliche Einkommen für Mutter und Sohn, und statt dessen höhere Mathematik treiben durfte, hatte ich später doch manche stille Not, ein Gefühl, meine Jugend verbummelt zu haben, Angst, daß ich niemals an ein Ziel gelangen werde. In kurzer Folge scheiterten auch alle menschlichen Verbindungen. Ob der Beruf eines Architekten, sofern ich dazu taugte, diese Beziehung zur Welt herzustellen vermochte, ließ sich nicht entscheiden, solange alles nur Papier blieb; was mich insbesondere zu diesem Beruf bewogen hatte, war ja das andere, das Unpapierne, Greifbare, Handwerkliche, die stoffliche Gestalt, und erst das wirkliche Bauen, vor allem die Verwirklichung eigner Entwürfe konnte zeigen, ob nicht auch dieser zweite Anlauf verfehlt war.

Einmal wurde alles Geschriebene zusammengeschnürt, inbegriffen die Tagebücher, und alles dem Feuer übergeben. Ich mußte zweimal in den Wald hinaufgehen, so viele Bündel gab es, und es war, ich erinnere mich, ein regnerischer Tag, wo das Feuer immer wieder in der Nässe erstickte, ich brauchte eine ganze Schachtel voll Streichhölzer, bis ich mit dem Gefühl der Erleichterung, auch der Leere weitergehen konnte. Das heimliche Gelübde, nicht mehr zu schreiben, wurde zwei Jahre lang nicht ernstlich verletzt; erst am Tag der Mobilmachung, da ich als Kanonier einrückte, überzeugt, daß uns der Krieg nicht erspart bliebe und daß wir kaum zurückkehren würden, wurde nochmals ein Tagebuch begonnen. Die Erinnerung an einen Hauptmann, der mich nicht ausstehen konnte, was sein gutes Recht ist, und der mir am dritten September ins Gesicht sagte, er werde mich schon auf einen geeigneten Posten schicken, wenn es losginge, möchte ich nicht unter den vaterländischen Tisch fallen lassen; erst nach Jahren habe ich begriffen, daß ich diesem Offizier ein entscheidendes Erlebnis verdankte. Die Gelegenheit, über Leben und Tod zu verfügen, bekam er allerdings nicht; die Grenze blieb ruhig. Das begonnene, durch Urlaub abgebrochene Tagebuch ist später erschienen: »Blätter aus dem Brotsack«, 1940. Nachdem Frankreich gefallen war, was uns fortan in die Lage von Gefangenen versetzte, erhielt ich einen persönlichen Urlaub, um das Diplom als Architekt zu machen, so daß ich fortan, sofern wir keinen Dienst hatten, als Angestellter meinen Unterhalt verdienen konnte. Im ganzen leistete ich in jenen Jahren etwas über fünfhundert Diensttage, meistens im Tessin, später im Engadin. Eine junge Architektin, die mir am Reißbrett half und das Mittagessen richtete, wurde meine Frau; wir heirateten, nachdem wir zusammen ein erstes Haus erbaut hatten. Das nächste war ein Roman: »J'adore ce qui me brûle oder Die Schwierigen«, 1943. Unter den wenigen Zuschriften, die das Echo darstellten, fanden sich ein paar Zeilen vom Dramaturgen des Zürcher Schauspielhauses, Kurt Hirschfeld, der mich ermunterte, es einmal mit einem Theaterstück zu versuchen. Überhaupt begann eine Zeit langsamer Zuversicht. Auch wenn es nicht sicher war, daß wir verschont blieben, war der Krieg im ganzen doch entschieden; der gründlich vorbereitete Überfall auf die Schweiz, der uns all diese Jahre hindurch über dem Kopf hing, war noch einmal, wie die Akten inzwischen bestätigt haben, eine beschlossene Sache, April 1943, also nach Stalingrad, wo ein Sieglein wenigstens den deutschen Zeitungsleser etwas zerstreut hätte. Zehn Tage vor dem Stichtag, der durch Spionage bekannt war, wurde die Sache abgeblasen. Damit waren wir über den Berg. Kurz darauf kam unser erstes Kind. Glück in einem architektonischen Wettbewerb, der einen großen, ungewöhnlich reizvollen Auftrag der Stadt Zürich einbrachte, ermöglichte nun auch das eigene Büro, damit eine freiere Einteilung der Arbeitszeit. Nach einer Träumerei in Prosa: »Bin oder Die Reise nach Peking«, 1944, entstand als erstes Bühnenstück: »Santa Cruz«, eine Romanze, die zwei herbstliche Monate hindurch viel Freude machte. Ein halbes Jahr später, ebenfalls in wenigen Wochen verfaßt, folgte der Versuch eines Requiems: »Nun singen sie wieder«, das als erstes Stück auf die Bühne gelangte, Ostern 1945, als der Krieg zu Ende ging und der Friede hätte beginnen sollen. Die Zeit der Proben, die Kurt Horwitz mit sachlicher Hingabe leitete, war vielleicht die holdeste, die das Theater überhaupt zu vergeben hat, die erste Begegnung mit dem eignen, von leiblichen Gestalten gesprochenen Wort. Endlich die letzten Wochen des Krieges, die ich als Wachtposten an der österreichischen, teils an der italienischen Grenze verbrachte. Nach einer ersten Reise in das zerstörte Deutschland entstand ein drittes Bühnenstück: »Die Chinesische Mauer«, eine bereits ziemlich verzweifelte Farce, die gleichfalls im Zürcher Schauspielhaus zur ersten Aufführung gelangte, Herbst 1946. Es folgen, soweit die berufliche Verpflichtung es erlaubt, weitere Reisen in alle nachbarlichen Länder; das Verlangen, Zeitgenossen andrer Länder kennenzulernen, ist nach unsrer fünfjährigen Gefangenschaft besonders groß, und in einer Welt, die auf Vorurteile verhext ist, scheint mir das eigene persönliche Anschauen äußerst wichtig. Der erste Teil eines Tagebuches, das diesem persönlichen Anschauen gewidmet sein soll, erschien unter dem Titel: »Tagebuch mit Marion«, 1947. Unterdessen war es endlich so weit, daß wir mit unserem Bau beginnen konnten. Die Ausübung eines doppelten Berufes, Schriftsteller und Architekt, ist natürlich nicht immer leicht, so manche segensreiche Wirkungen er haben mag. Es ist eine Frage nicht so sehr der Zeit, aber der Kraft. Segensreich empfinde ich das tägliche Arbeiten mit Männern, die nichts mit Literatur zu schaffen haben; hin und wieder wissen sie, daß ich »dichte«, aber nehmen es nicht übel, sofern die andere Arbeit in Ordnung ist. Die bisher letzte schriftstellerische Arbeit behandelt eine Begebenheit aus Berlin: »Als der Krieg zu Ende war«, ein Schauspiel, das eben jetzt in den Händen der Freunde liegt.

Paris, Juli 1948

Daß die Zeit, wo europäische Völker sich um die Weltherrschaft streiten konnten, vorbei ist, wußten wohl die meisten, bevor der Zweite Weltkrieg es offensichtlich gemacht hat. In diesem Sinn hat Europa zu Ende gespielt, und der Europäer, der sich nach Weltmacht sehnt, muß allerdings der Verzweiflung anheimfallen oder der Lächerlichkeit, ähnlich den Napoleons in den Irrenhäusern. Das entdeckte Amerika, das sich nunmehr auch noch selber entdeckt, und das erweckte Rußland, von China vorläufig zu schweigen, das sind nun einfach Kolosse, denen Europa nicht mehr beikommt. Napoleon hatte noch einige Hoffnung, Rußland in den Sack zu stecken, nämlich das Rußland seiner Zeit. Und schon das ging nicht. Er versiegte sich. Was aber Hitler versucht hat, ist Unsinn von vornherein; denn zum Größenmäßigen, das ihn schon hätte warnen müssen, wäre es nicht eine besonders deutsche Versuchung, Mut und Maßlosigkeit zu verwechseln, ist ja noch ein anderes hinzu gekommen: die Kolosse sind in die Schule gegangen. Ich sitze eben in Saint Michel, unweit der Sorbonne, umgeben von allerlei Studenten und Studentinnen, darunter viel Farbige, Schwarze, Braune, Gelbe, wovon manche herrlich anzusehen sind, sie kleiden sich natürlich wie die Pariser, sprechen französisch wie eine angeborene Sprache; aber eines Tages, wenn sie das Nötige gelernt haben, werden sie, Paris nicht ohne Wehmut verlassend, zurückfahren in ihre Welten, zurück zu ihren schwarzen oder braunen oder gelben Geschwistern. Das ist die natürliche Folge jeder langen Herrschaft, auch der abendländischen, daß sie ihre Waffen langsam aus der Hand gibt. Durch Errungenschaften vieler Art, die europäisch gewesen sind, hat die Welt, von Europäern beherrscht, sich in einer Weise verändert, die eben dieses alte Europa, dank der Ausfuhr seiner Errungenschaften, ein für allemal aus dem Rennen geworfen hat. Nicht nur größenmäßig, wie es jeder auch nur flüchtige Blick auf einen Globus zeigt! Entscheidend ist, daß Europa für die Dinge, die es ausmachen, einen Preis hat bezahlen müssen, den jene entdeckten und erweckten Kolosse nicht übernehmen, einen Preis an Geschichte, an Blut, an Lebenskraft. Das ist wohl immer so. Es kostet Kraft, die Welt zu erforschen, zu erfahren, zu erwecken. Eine Erfindung machen oder eine Erfindung benutzen, sie allenfalls ausbauen und erweitern und auf neue Arten anwenden; eine Lehre stiften oder eine Lehre begreifen, ergreifen, das ist zweierlei, beides wertvoll, doch zweierlei an Ausgabe schöpferischer Kräfte. Auch wer es nicht erfunden hat, kann mit dem Flugzeug fliegen; er lernt die Griffe, die bereits vorhanden sind, und hat nicht jahrhundertelang ins Leere gegriffen. Die ganze Fliegerei, im grundsätzlichen einmal erfunden, kostet ihn nichts als Benzin und Öl, Arbeit, Intelligenz, aber keine Historie, keine vitale Substanz, und bald fliegt er besser als der Erfinder: denn er fliegt mit jüngeren Nerven. Zum Beispiel mit russischen oder amerikanischen Nerven. Im zweiten Schauspiel von Thornton Wilder gibt es eine Stelle, die den Vorgang unübertrefflich veranschaulicht; Mister Antrobus, der Vater, hat soeben das Rad erfunden, das Rad an sich, und kaum hat der Junge eine Minute damit gespielt, macht er dem Vater einen Vorschlag: Papa, da könnte man einen Sessel darauf stellen! Der Vater erfindet, der Sohn wird die Erfindung »besitzen«. Ja, brüllt Mister Antrobus, jetzt kann jeder Idiot damit herumspielen, aber ich hatte als erster die Idee! Es handelt sich weniger um eine

Rangordnung, glaube ich, sondern um einen Vorgang, einen Ablauf. Die jüngeren Nerven, der Mangel an geschichtlicher Erfahrung, an Skepsis, das sind natürlich die Voraussetzungen, wenn man das väterliche Rad besitzen und damit die Welt beherrschen will. Mangel an Skepsis, Mangel an Ironie, das ist es ja auch, was uns an ihrer Physiognomie zuerst befremdet. In Paris habe ich mehrmals bemerkt, daß hier die Deutschen, die Unterdrücker von gestern, minder verhaßt sind als die Amerikaner, die Befreier, was nichts für die Unterdrückung und nichts gegen die Befreiung sagt, sondern einzig und allein, glaube ich, jenes Befremden ausdrückt: die Deutschen waren trotz allem Europäer. Die Athener und Alexander der Große, als dieser die Welt beherrschte, haben sich vielleicht nicht anders gegenübergestanden; den Athenern fiel es jedoch nicht ein, sich gegen die Weltherrschaft (die Perikles nie gewollt hat) bis zum letzten Blutstropfen zu wehren. Wozu? Es genügte ihnen, daß das Beste, was der junge Alexander in der Welt verbreiten konnte, Früchte griechischen Geistes waren, das Beste, das Lebendige von Hellas, das nicht nur die Weltherrschaft von Alexander, sondern noch eine ganze Reihe von Weltherrschaften überdauert hat –

Was Europa zu hoffen hat:

Zu sein, was Griechenland ist unter Alexander, was Italien ist für Europa, das zu werden für die Welt von morgen.

Was hat Europa zu fürchten?

Daß eines seiner großen Völker, das zur Zeit der europäischen Weltmacht nie zum Zuge gekommen ist, immer noch von Weltmacht träumt: – Deutschland, dem es beinahe schon gelungen ist, Europa zugrunde zu richten im Bestand seiner Menschen und Werke, jenes Europa, das jenseits der Weltherrschaft einen höchsten Sinn haben könnte, eine Blüte, eine Reife, eine Ausstrahlung –

Jetzt überall die Zimmerarbeit. Die Sparren sind verlegt, es sieht herrlich aus: das Gitterwerk von rohem Holz, darüber der blaue Himmel, tagelang die hallenden Schläge, wenn sie die Schalungen nageln, Hobelspäne, Sägemehl, Lastwagen mit neuem Gebälk; es ist unwahrscheinlich, daß ich wieder einmal so viel Zimmerarbeit habe, und ich genieße es richtig, gehe länger umher als nötig; es ist mir am ganzen Bauen eigentlich das liebste: Rohbau, bevor die Dächer gedeckt sind. Backstein und Holz, lauter Räume voll Himmel, den man durch alle Stockwerke sieht, der Kubus ist zum erstenmal da, aber durchsichtig, und der Raum, wo ich jetzt stehe, hat zum letztenmal die Sonne, zum letztenmal mindestens für Jahrzehnte. Über meinem Kopf arbeiten sie bereits an der Schalung, stoßen Brett an Brett...

Brecht

Der Umgang mit Brecht, anstrengend wie wohl jeder Umgang mit einem Überlegenen, dauert nun ein halbes Jahr, und die Versuchung, solchem Umgang einfach auszuweichen, ist manchmal nicht gering. Es ist Brecht, der dann wieder einmal anruft oder auf der Straße, immer freundlich in seiner trockenen und etwas verhaltenen Art, fragt, ob man einen freien Abend habe. Brecht sucht das Gespräch ganz allgemein. Meinerseits habe ich dort, wo Brecht mit seiner Dialektik mattsetzt, am wenigsten von unserem Gespräch; man ist geschlagen, aber nicht überzeugt. Auf dem nächtlichen Heimweg, seine Glossen überdenkend, verliere ich mich nicht selten in einen unwilligen Monolog: Das stimmt ja alles nicht! Erst wenn ich dann ähnliche, ebenso leichtfertige, oft auch gehässige Erledigungen aus dem Mund von Drittpersonen höre, fühle ich mich genötigt, doch wieder nach Herrliberg zu radeln. Die bloße Neugierde, die man einem Berühmten gegenüber empfinden mag, würde auf die Dauer kaum ausreichen, um das Anstrengende dieser Abende, die stets zu einer Begegnung mit den eignen Grenzen führen, auf sich zu nehmen. Die Faszination, die Brecht immer wieder hat, schreibe ich vor allem dem Umstand zu, daß hier ein Leben wirklich vom Denken aus gelebt wird. (Während unser Denken meistens nur eine nachträgliche Rechtfertigung ist; nicht das Lenkende, sondern das Geschleppte.) Einem überragenden Talent gegenüber, was Brecht nebenbei auch ist, im Augenblick wohl das größte in deutscher Sprache, kann man sich durch Bewunderung erwehren; man macht einen Kniefall, wie die Meßknaben vor dem Altar, und die Sache beruht auf sich selbst, man geht weiter. Einer Haltung gegenüber genügt das nicht, und es liegen, gerade weil Brecht in bezug auf seine Person so uneitel ist wie wenige Menschen, ganz andere Ansprüche vor, Ansprüche, die mit Anbiederung nicht zu befriedigen sind; dabei erwartet Brecht wie vielleicht alle, die aus einer selbständigen Haltung leben, gar kein Einverständnis, im Gegenteil, er wartet auf den Widerspruch, ungnädig, wenn der Widerspruch billig ist, und gelangweilt, wenn er gänzlich ausbleibt. Man sieht es dann seinem strengen, bäurisch ruhigen, oft von Schlauheit etwas verschleierten, aber immer wachen Gesicht an, daß er zwar zuhört, auch wenn er es ein Geschwätz findet, sich zum Zuhören nötigt, aber hinter seinen kleinen versteckten Augen wetterleuchtet es von Widersprüchen; sein Blick flackert, die Ungeduld macht ihn eine Weile lang verlegen, dann angriffig, gewitterhaft. Seine Blitze, seine Glossen, gemeint als Herausforderung, die zum wirklichen Gespräch führen soll, zur Entladung und Auseinandersetzung, sind oft schon erschlagend durch die Schärfe des Vortrags; der Partner, besonders der neue und ungewohnte, schweigt dann mit verdutztem Lächeln, und Brecht bleibt nichts anderes übrig, als daß er, sich beherrschend, katechisiert, ernsthaft, etwas mechanisch, im Grunde verärgert, denn das ist nun das Gegenteil eines Gesprächs, wie er es erhofft hat, verärgert auch, daß so wenige wirklich durch die Schule des Marxismus gegangen sind, der Hegelschen Dialektik, des historischen Materialismus. Brecht will kein Dozent sein, sieht sich aber in der Lage eines Mannes, der über Dichtung sprechen möchte, und es endet, damit es nicht eine Schwafelei wird, mit einem Unterricht in elementarer Grammatik, wofür seine Zeit in der Tat zu kostbar ist; er tut es immerhin, denn eine bloße Schwafelei wäre ihm noch ärgerlicher, Unterricht ist wenigstens Unterricht, wenigstens nützlich für den andern, möglicherweise nützlich. Im Grunde aber, glaube ich, ist Brecht seinerseits froh, wenn er nicht katechisieren muß. Unser Gespräch wird fruchtbar immer dann, wenn ich ihm die Reflexion überlasse, meinerseits nur das Konkrete liefere, das es allerdings an sich hat, immer Widerspruch zu sein. Seine Haltung, und bei Brecht ist es wirklich eine Haltung, die jede Lebensäußerung umfaßt, ist die tägliche Anwendung jener denkerischen Ergebnisse, die unsere gesellschaftliche Umwelt als überholt, in ihrem gewaltsamen Fortdauern als verrucht zeigen, so daß diese Gesellschaft nur als Hindernis, nicht als Maßstab genommen werden kann; Brecht verhält sich zur Zukunft; das wird immer etwas Geharnischtes mit sich bringen, die Gefahr zeitweiliger Erstarrungen, die nichts mehr zulassen. Es ist auch in dieser Hinsicht nicht zufällig, daß Brecht zumal gegenüber den Schauspielern so unermüdlich für das Lockere wirbt, das Entkrampfte; sein eigenes Werk, wo es dichterisch ist, hat es auch immer im höchsten Grade. Das Lockere, das Entkrampfte: eine unerhörte Forderung innerhalb eines Lebens, wie Brecht es führt, eines Lebens in Hinsicht auf eine entworfene Welt, die es in der Zeit noch nirgends gibt, sichtbar nur in seinem Verhalten, das ein gelebter, ein unerbittlicher und durch Jahrzehnte außenseiterischer Mühsal niemals zermürbter Widerspruch ist. Christen verhalten sich zum Jenseits, Brecht zum Diesseits. Das ist einer der Unterschiede zwischen ihm und den Priestern, denen er, wie gerne er sie auch aus seiner anderen Zielsetzung heraus verspottet, nicht so unähnlich ist; die Lehre vom Zweck, der die Mittel heilige, ergibt ähnliche Züge auch bei entgegengesetzten Zwecken. Es gibt auch Jesuiten des Diesseits, und zuweilen ist es gar nicht ihr Wunsch, ihre oberste Pflicht, verstanden zu werden, nicht unter allen Umständen nämlich. »Fünf Schwierigkeiten beim Schreiben der Wahrheit«, eine kleine Schrift von 1934, zur geheimen Verbreitung im Dritten Reich verfaßt, überschreibt ihren vierten Absatz: »Das Urteil, jene auszuwählen, in deren Händen die Wahrheit wirksam wird.« Und ihren fünften Absatz: »Die List, die Wahrheit unter vielen zu verbreiten.« Das muß man sich wohl vor Augen halten, insbesondere wenn eine größere, zufällige Gesellschaft versammelt ist. Denn eine friedliche und gerechtere Welt entwerfen und sich vor die Kanonen stellen, um ihr Opfer zu werden, das ist das Verhalten zum Jenseits, das heroische, nicht das Verhalten zum Diesseits, das praktische, das notwendende.

Gestern haben wir zusammen gebadet, das erste Mal, wo ich Brecht in der Natur sehe, in einer Umwelt also, die nicht zu verändern ist und daher wenig Interesse für ihn hat. (»Und die Natur sah ich ohne Geduld, so verging meine Zeit, die auf Erden mir gegeben war.«) Das zu Verändernde ist so groß, daß keine Zeit bleibt, zu loben, was natürlich ist. Wie so manches an Brecht ist auch das bereits eine durchaus gelebte Geste, eine zweite Natur, natürlich, wenn er kein Wort sagt über die Natur. Er bekümmert sich nur, ob wir noch in das aufziehende Gewitter geraten werden oder nicht. Der See ist grün, vom Wind zerwühlt, der Himmel ist violett und schwefelgelb. Brecht, wie immer versehen mit seiner grauen Schirmmütze, stützt sich auf das etwas morsche Geländer, eine Zigarre rauchend; das Morsche, das ist es, was er beachtet: er macht einen Witz über Kapitalismus. Erst wie ich bereits schwimme, geht auch er in den Schopf. Es wetterleuchtet über der Stadt, schräge Regenfahnen hangen vor den fernen Hügeln, die Vögel schwirren, es raschelt das Laub der großen Buchen, auf der Landstraße wirbelt der Staub. Später sehe ich, daß auch Brecht ins Wasser steigt, einige Züge schwimmt und bald wieder in den Schopf verschwindet. Seine Frau und ich schwimmen noch eine Weile in den hastigen, spritzenden Wellen. Wie ich ebenfalls das Land betrete, steht Brecht bereits wieder in grauer Joppe und grauer Mütze, die Erfrischung lobend, indem er die nächste Zigarre anzündet.

»Wissen Sie«, sagte er in einem Ton, als hätten wir kaum einen Atemzug lang unterbrochen: »das scheint mir sehr richtig. Der

Darsteller des Puntila darf keinesfalls den Eindruck erwecken –«

Die Wohnung, die Brecht in Herrliberg bekommen hat, befindet sich in einem alten Gärtnerhaus, Dachstock. Wir essen in der Küche, wo seine Frau ihre unbekanntere Könnerschaft zeigt, oder in der Diele, die etwas Estrichhaftes hat wie überhaupt die ganze Wohnung, etwas anregend Vorläufiges. Später wandeln wir auf einer bekiesten Dachzinne, wo man sich unter den Wäschestangen etwas bücken muß, und zum schwarzen Kaffee setzen wir uns endlich in seinen Arbeitsraum, der ein schönes Fenster gegen den See und die Alpen hat, die für Brecht allerdings nicht in Betracht kommen; er findet das Fenster auch schön, nämlich weil es Helle gibt. Das Zimmer hat etwas von Werkstatt: Schreibmaschine, Blätter, Schere, Kiste mit Büchern, auf einem Sessel liegen Zeitungen, hiesige, englische, deutsche, amerikanische, hin und wieder wird etwas ausgeschnitten und in ein Mäpplein gelegt, auf dem großen Tisch sehe ich Kleister mit Pinsel, Fotos, Bühnenbilder von einer Aufführung in New York, Brecht erzählt von Laughton, ferner Bücher, die zur gegenwärtigen Arbeit gehören, Briefwechsel zwischen Goethe und Schiller, Brecht liest einiges daraus vor, das Dramatische und das Epische betreffend. Ferner gibt es ein Radio, eine Schachtel mit Zigarren, die Sessel gestatten nur ein aufrechtes Sitzen, einen Aschenbecher stelle ich auf den tannenen Boden, an der Wand gegenüber hängt eine chinesische Malerei, einrollbar, jetzt aber entrollt. Alles ist so, daß man in achtundvierzig Stunden abreisen könnte; unheimisch. Nicht viel anders, denke ich, hat es ausgesehen in Finnland, 1941:

> »Im Lautsprecher höre ich die Siegesmeldungen
> des Abschaums.
> Neugierig betrachte ich die Karte des Erdteils.
> Hoch oben in Lappland
> nach dem nördlichen Eismeer zu
> sehe ich noch eine kleine Tür.«

Es fällt mir dabei auf, daß Brecht noch nie von seinen Erlebnissen erzählt hat, überhaupt nie von seiner Person oder nur sehr mittelbar. Wir sprechen über Architektur, über Wohnen. Brecht geht auf und ab, zuweilen stehen wir beide, um besser sprechen zu können, Gänge machend wie auf der Bühne, wobei Brecht, so verhalten er ist, einen starken gestischen Ausdruck hat. Eine winzige wegwerfende Bewegung der Hand, Verachtung, ein Stehenbleiben im entscheidenden Punkt eines werdenden Satzes, ein Fragezeichen, ausgedrückt mit einem schroffen Heben der linken Schulter, Ironie, wenn er mit der Unterlippe den dreistschlichten Ernst der Rechtdenkenden nachahmt, oder sein plötzliches, etwas krächzendes, sprödes, aber nicht kaltes Lachen, wenn ein Widersinn auf die Spitze getrieben ist, dann wieder sein verfahrenes und verschüchtertes Erstaunen, sein schutzloses Gesicht, wenn man etwas erzählt, was ihn wirklich betrifft, bekümmert oder entzückt. Brecht ist ein herzlicher und gütiger Mensch; aber die Verhältnisse sind nicht so, daß das genügt.

> »An meiner Wand hängt ein japanisches Holzwerk,
> Maske eines bösen Dämons, bemalt mit Goldlack.
> Mitfühlend sehe ich
> die geschwollenen Stirnadern, andeutend,
> wie anstrengend es ist, böse zu sein.«

Am besten klappt unser Umgang, wenn das Gespräch, das Brecht immer auch den Einfällen und Bedürfnissen des andern überläßt, um Fragen des Theaters kreist, der Regie, der Schauspielerei, Fragen auch des schriftstellerischen Handwerks, die, nüchtern behandelt, unweigerlich zum Wesentlichen führen. Brecht ist ein unerschöpflicher Erörterer. Zusammen mit einem Kunstverstand, der wissenschaftliche Methodik liebt, hat er eine kindhafte Gabe des Fragens. Ein Schauspieler, was ist das? Was macht der? Was muß der Besonderes haben? Eine schöpferische Geduld, wieder von vorn anzufangen, Meinungen zu vergessen, Erfahrungen zu versammeln und zu befragen, ohne ihnen die Antwort aufzudrängen. Die Antworten, die ersten, sind oft von verblüffender Dürftigkeit. »Ein Schauspieler«, sagt er zögernd: »das ist wahrscheinlich ein Mensch, der etwas mit besonderem Nachdruck tut, zum Beispiel trinken oder so.« Seine fast bäurische Geduld, sein Mut, hilflos auf leerem Feld zu stehen, auf Entlehnungen verzichtend, die Kraft, ganz bescheiden zu sein und möglicherweise ohne Ergebnis, dann aber die Intelligenz, Ansätze einer brauchbaren Erkenntnis festzuhalten und durch Widerspruch sich entwickeln zu lassen, und endlich die Männlichkeit, Ergebnisse ernst zu nehmen und danach zu verfahren, unbekümmert um Meinungen, das sind schon wunderbare Lektionen, Exerzitien, die in einer Stunde leicht ein Semester aufwiegen. Die Ergebnisse freilich gehören ihm. Zu sehen, wie er sie gewinnt, ist unser Gewinn. Dann ist es Zeit, den Heimweg anzutreten; Brecht nimmt die Mütze und den Milchtopf, der vor die Haustüre gestellt werden muß. Brecht ist von einer seltenen Art unlaunischer, zur Geste gewordener, dennoch herzlicher Höflichkeit. Wenn ich das Rad nicht habe, begleitet er mich an die Bahn, wartet, bis man eingestiegen ist, winkt mit einer knappen, etwas verstohlenen Gebärde der Hand, ohne die graue Schirmmütze abzunehmen, was stillos wäre; den Leuten ausweichend verläßt er den Bahnsteig mit raschen, nicht großen, eher leichten Schritten, mit Armen, die auffallend wenig pendeln, und stets mit etwas schrägem Kopf, die Schirmmütze in die Stirn gezogen, als möchte er sein Gesicht verstecken, halb verschwörerisch, halb schamhaft. Er wirkt, wenn man ihn so sieht, unscheinbar wie ein Arbeiter, ein Metallarbeiter, doch für einen Arbeiter zu unkräftig, zu grazil, zu wach für einen Bauern, überhaupt zu beweglich für einen Einheimischen; verkrochen und aufmerksam, ein Flüchtling, der schon zahllose Bahnhöfe verlassen hat, zu schüchtern für einen Weltmann, zu erfahren für einen Gelehrten, zu wissend, um nicht ängstlich zu sein, ein Staatenloser, ein Mann mit befristeten Aufenthalten, ein Passant unsrer Zeit, ein Mann namens Brecht, ein Physiker, ein Dichter ohne Weihrauch...

Das Manuskript, das er zum Lesen gegeben hat, nennt sich »Kleines Organon für das Theater«. Brecht will wissen, was man findet. Auch unser Mißverständnis hält er für nützlich; es warnt ihn. Ich habe noch keinen Mann getroffen, der, ohne Pose, so frei ist von Prestige. Ein Schauspieler, kein großer, erlaubt sich einen textlichen Vorschlag; er möchte etwas sagen, wo das Buch ihn schweigen läßt. Brecht hört es an, besinnt sich und ist einverstanden: nicht um des Nachgebens willen, sondern weil es richtig ist, was der Mann sagt. Seine Proben haben nie die Luft eines Boudoirs, sondern einer Werkstatt. Auch sonst hat Brecht dieses Ernsthaft-Bereitwillige, das keine Schmeichelei ist und auch keine duldet, das Überpersönlich-Bescheidene eines Weisen, der an jedem lernt, der über seinen Weg geht, nicht von ihm, aber an ihm.

Prag, 23. 8. 1948

Herrlicher Flug durch brodelnde Wolken, Schattenbläue, Sonnengarben, Gebirge von silbernem Schaum; Nebel fetzen vorbei, hin und wieder öffnet sich ein Loch, man sieht das Muster sommerlicher Äcker – Lange Paßkontrolle... Prag, scheint mir, hat ein verändertes Gesicht, lustlos, verarmt. Ich sitze in einer Anlage. Die Freunde sind nicht zu Hause; in den Ferien. Dann suche ich einen fernen Bekannten; der ist emigriert, heißt es, man ist über meine Anfrage ziemlich verlegen; Auskunft aus fast unbewegten und fast geschlossenen Lippen. Die Sonne scheint. Etwas ist gespenstisch; ich könnte aber nicht sagen, woran es liegt.

Zur Schriftstellerei

Was Brecht in seinem Organon schreibt über den ›Verfremdungseffekt‹, nämlich: die theatralische Verfremdung solle den gesellschaftlich beeinflußbaren Vorgängen den Stempel des Vertrauten wegnehmen, der sie heute vor dem Eingriff bewahrt – ferner: der Zuschauer soll sich nicht einfühlen, es soll verhindert werden, daß das Spiel ihn in Trance versetzt, sein Vergnügen soll vielmehr darin bestehen, daß ihm sein Spiel, gewisse Vorgänge, die ihm vertraut sind und geläufig, verfremdet werden, damit er ihnen nicht als Hingerissener, sondern als Erkennender gegenüber sitzt, erkennend das Veränderbare, erkennend die besondere Bedingtheit einer Handlung, genießen das höhere Vergnügen, daß wir eingreifen können, produzierend in der leichtesten Weise, denn die leichteste Weise der Existenz (sagt Brecht) ist in der Kunst... Es wäre verlockend, all diese Gedanken auch auf den erzählenden Schriftsteller anzuwenden; Verfremdungseffekt mit sprachlichen Mitteln, das Spielbewußtsein in der Erzählung, das Offen-Artistische, das von den meisten Deutschlesenden als ›befremdend‹ empfunden und rundweg abgelehnt wird, weil es ›zu artistisch‹ ist, weil es die Einfühlung verhindert, das Hingerissensein nicht herstellt, die Illusion zerstört, nämlich die Illusion, daß die erzählte Geschichte ›wirklich‹ passiert sei usw.

Breslau (Wroclav), 24. 8. 1948

Ankunft um Mitternacht. Großes und ausführliches Essen mit anderen Ankömmlingen, Jugoslawen, Mexikanern, Belgiern und anderen. Ein sehr ungutes Gefühl, das mich beim Betreten des Bahnsteiges erfaßt, hat mich über Nacht nicht verlassen. Rathaus heißt Razhus. Ich weiß nicht, wo ich bin. Schlesien ist die Heimat von Gerhart Hauptmann.

Die Jahrhunderthalle: – der Innenraum aus schalungsrohem Beton macht einen starken Eindruck, mehr als verblüffend, fast eine Stunde sitze ich da. Gespräch mit einer jungen Polin, die mir die Anschriften in der Ausstellung übersetzt hat. Eine Ausstellung über die neuen Gebiete, die zu Polen gekommen sind; architektonisch und graphisch ist die Ausstellung eine helle Freude. Der Beweis, daß Schlesien ein polnisches Land sei: mit dem gleichen Beweis könnte Österreich verlangen, daß wir nach siebenhundert Jahren unter seine Herrschaft zurückkehren. Die liebenswerte Polin, die seit einem Vierteljahr in Breslau wohnt, empfindet meine Einwände als feindselig. Zu Unrecht. Ernsthafter als diese völkischen Argumente, die nicht stimmen und immer mindestens zweischneidig sind, ist die genaue Darstellung, was die Deutschen in Polen getan haben; Zerstörung und Ausplünderung auf allen Gebieten erreichen einen Grad, der ein Weiterleben dieses unglücklichen Volkes, wenn nicht eine Entschädigung stattfindet, in Frage stellt. Das scheint mir der einzig mögliche Gesichtswinkel, wenn man über Schlesien zu sprechen hat: die Frage der Entschädigung. In immer neuen Hallen wird gezeigt, was in diesem neuen Gebiet bisher geleistet worden ist; besonders in Trümmerländern ist es natürlich eine Labsal, Erzeugnisse zu sehen, blanke Traktoren, Pflüge, Brückenträger, neue Eisenbahnwagen, Baustoffe aus altem Schutt, Maschinen, Werkzeuge, Geschirr, Geräte aller Art. Das Schauen ist erfreulich, nur das Denken ist erschreckend. Es wirkt wie eine Gebärde der Beschwörung, was sie jetzt überall anbringen: Polens neuen Umriß, überall, groß und klein, gemalt und gemodelt, Fresko, Relief, Maquette, geschrieben mit Glühbirnen, umflattert von Fahnen. Polen ohne die östlichen Gebiete, die Rußland genommen hat; dafür Schlesien, das ungeheure Geschenk. Was sollen sie tun? Die Tragödie der Polen ist ihre Geographie...

Abend an der Oder.

Jetzt, zum erstenmal, fühle ich mich wohler; allein in der Landschaft, die etwas Weites und doch Schweres hat. Das festliche Tingeltangel in der Ferne; vor mir der Fluß, die abendliche Spiegelung, das dröhnende Tuten der Schiffe, Rauch, Horizont mit Ruinen und Gasometer, Bäume, Sträucher, Himmel – später stehen zwei Polizisten hinter mir. Man darf hier nicht sitzen. Sie sehen das Abzeichen: Congrès Mondial des Intellectuels pour la Paix. Sie salutieren mit der Hand an der Mütze. Einer fragt in tadellosem Französisch, wie es mir gefalle in Polen.

»En Pologne –?«

»A Wroclav«, sagt der andere.

Ich antworte mit Zigaretten.

»Vous êtes Suisse?«

»Oui.«

»Je connais bien la Suisse«, sagt er: »La Suisse m'a sauvé –.«

Die Zigaretten stecken sie ein, so daß ich nur die eigene anzuzünden habe, während sie auf eine ungrimmige Art salutieren:

»Beau séjour, Monsieur – et bon travail.«

Fadejew, der Führer der russischen Schriftsteller, hat den Kongreß eröffnet, indem er uns die Leviten gelesen hat, ganz allgemein, dann namentlich. Wenn er die Schriftsteller kennt, die er im Laufe einer Stunde maßregelt, indem er sie als Hyänen oder Mystiker oder Pornographen anspricht, verfügt er über eine beneidenswerte Belesenheit. Versammelt sind vierhundert Intellektuelle, gekommen aus Amerika, Indien, Rußland, Madagaskar, Ost-Berlin, Argentinien, England, Indonesien, Uruguay, Belgien, Italien, Tschechoslowakei, Mexiko, Schweden, Rumänien, Frankreich, Bulgarien, Exil-Spanien, Dänemark, Schweiz, Jugoslawien, Holland, Polen, Brasilien und so weiter... Der Saal ist geschmückt mit einer Garbe aller Fahnen; jeder Platz hat Kopfhörer; gleichzeitige Übersetzungen: Polnisch, Russisch, Englisch, Französisch... Am Abend ein erster Empfang im gotischen Rathaus. Die Tische, wo man sich bedient, könnten von Rubens sein. Ein deutscher Emigrant, den ich aus der Schweiz kenne, ein Literat, dessen brillante Vorträge über Thomas Mann in genauer Erinnerung sind, hat sich wacker entwickelt; Torten essend, die vortrefflich sind, erklärt er mir den Unterschied zwischen bösem Terror und gutem Terror.

»Es hat keinen Sinn«, sagt er: »mit Leuten wie André Gide über Kultur zu sprechen.«

Herrlich anzusehen ein indisches Paar.

»Sagen Sie«, drängt er: »was ist in den letzten drei Jahrzehnten schon geschaffen worden an kulturellen Werten – außer in der Sowjetunion?«

Ich öffne das gotische Fenster, um die Zigarette hinauszuwerfen; auf der mitternächtlichen Straße steht viel Volk, das emporschaut zu den erhellten Sälen – Beau séjour, Messieurs, et bon travail.

Nach der Rede von Fadejew, heißt es, haben die Engländer er-
wogen, ob sie nicht sofort abreisen wollen, sind aber geblieben.
Die Debatte gestattet jedem zehn Minuten. Ehrenburg spricht
zwanzig Minuten, bis Julian Huxley, der heute die Versamm-
lung leitet, sich erlaubt, an die vereinbarte Zeit zu erinnern. Lei-
denschaftlicher Beifall; Ehrenburg soll weitersprechen. Nach
fünfunddreißig Minuten erhebt sich ein Amerikaner, will wissen, wieso Ehrenburg ein anderes Recht habe als andere. Leiden-
schaftlicher Beifall; Ehrenburg soll weitersprechen. Er endet in
der vierzigsten Minute. Ein geschickter Redner, Danton, lebhaft
und angriffig, ironisch. Nicht ironisch gemeint ist seine
schwungvolle Frage: Können Sie sich eine abendländische Musik
denken ohne Rußland? Ich kann es; doch was hat das mit dem
Frieden zu tun? Ein Engländer, ein Gelehrter aus Oxford, antwortet auf die Vorwürfe von gestern; er weist sie zurück mit dem
Hinweis, daß sein Land niemals mit Hitler einen Pakt geschlossen und als einziges den Kampf aufgenommen habe, bevor Hitler
es angegriffen hat. Der Beifall, der sonst minutenlang braust, ist
kurz und dünn wie wenn ein Deutscher gesprochen hat. Es folgt
ein Amerikaner, der sich ebenfalls mit Fadejew auseinandersetzt;
Fadejew sitzt ohne Kopfhörer. Wie ich bisher feststellen konnte,
versteht er kein Englisch; auf die Verdolmetschung verzichtend
geht er von seinem Pult herunter, unterhält sich mit einem seiner
Landsleute, lächelnd und lebhaft, bevor er langsam wieder an
seinen Platz geht, auffällig langsam, auffällig gelassen; der Amerikaner spricht weiter; auch jetzt zieht Fadejew seinen Kopfhörer nicht an, sondern blättert in einer Broschüre –.

Nachmittags nicht in die Sitzung.

Das Essen ist auch für die Bevölkerung sehr reichlich; in allen
Quartieren, die ich durchwandere, gibt es Kartoffeln, Eier,
Fische aller Art, Würste, Bier, Gebäck, viel Früchte; dagegen ist
die Kleidung sehr erbärmlich.

Mein Landsmann von der Presse, dessen Name sich leicht verwechseln läßt mit einem berühmtem französischen, hat heute
plötzlich einen Wagen, einen polnischen Fahrer, der die Türe
öffnet: A votre disposition!... Wir fahren aufs Land hinaus, besuchen schlesische Gehöfte. Eine Schlesierin, die in Berlin die
schlesischen Flüchtlinge betreut, hat mir vieles erzählt. Jetzt bin
ich da, empfinde es einmal mehr als meine Aufgabe, das Hier zu
sehen und das Dort zu wissen, immer beides zusammen; als eine
überall gleiche Aufgabe... Das erste ist ein Großgrundbesitz,
Baronenluft, jetzt von dreißig Familien bewohnt, Kleinbauern
aus Ostpolen. Betrieb in Gemeinschaft, Teilung der Einkünfte
nach Arbeitskräften. Die Wohnungen, überraschend besucht,
sind sehr sauber. In einem großen Hof stehen Pferde unter
herbstlichen Bäumen, ein zerschossener Traktor, der wieder
flott werden soll. Schlimm ist der Mangel an Gerät. In den ersten
Jahren war die Ernte infolgedessen sehr gering. Kein Grundbe-
sitz; nur das Vieh und der Hausrat gehört ihnen. Jeder Familie
steht es frei, den Hof zu verlassen. Sie verwalten sich selbst; ein
Agronom als Berater. Sie verkaufen im freien Handel. Das alte
Herrenhaus: leer, tagsüber Schule für die Kinder, hin und wieder
ein Abend mit Tanz und Gesang. In einer Garage steht eine verbrannte Limousine; am Feierabend basteln sie ein Vehikel daraus, um in die Stadt fahren zu können. Alles halb klösterlich,
halb robinsonhaft –.

Ein zweites Gehöft ist sehr anders, von einer einzelnen Familie
bewohnt; ein jüngerer Bauer, kräftig und prall. Wir finden ihn
beim Melken; er spricht deutsch, tadellos, er diente als Landar-
beiter in Preußen. Dort kann man etwas lernen, sagt er. In zehn
Jahren hat er so viel verdient und gespart, daß er sich daheim,
in Ostpolen, selber ein kleines Gehöft kaufen kann. Dann der
Krieg, Raub, Brand; kaum hat er mit dem Aufbau begonnen,
müssen sie umsiedeln. Jetzt steht er wieder in einem deutschen
Gehöft, das zuerst, da es auch zerstört war, keiner hat übernehmen wollen. Seine Auskünfte sind frank und frei. Es ist das erste

Jahr, wo kein Land mehr brachliegt, weil er nun einen Traktor hat. Er zeigt uns seine Bücher, die er gewissenhaft führt. Für wen? Eines Tages, meint er, werde jemand kommen; aus diesen Büchern könne man sehen, wie er gewirtschaftet habe. Einkünfte, Ausgaben, Anschaffungen, Ergebnis jeder Ernte. Sein Ehrgeiz geht dahin, so viel herauszubringen aus einem Hektar wie damals in Preußen; es fehlen ihm noch drei Prozent. Auf unsere Frage, wer denn eines Tages kommen werde, zuckt er die schweren Schultern und lacht, holt Bier, dazu ein Brot und rohen Schinken, später Früchte, Äpfel und Pflaumen, endlich Schnaps. Seine Frau spricht nur polnisch, bewirtet uns wortlos, während er uns unterrichtet, über Arten von Dünger, die man noch nicht bekommen kann. Eine wunderbare Stunde – Sodom und Gomorrha! einen haben wir gefunden…

Abends wieder bei den Intellektuellen.

Picasso: man kennt sein Gesicht von Bildern, aus der Nähe wirkt er älter, ein Greis mit stechend hellen Augen, halb übermütig, halb weise, das Gesicht eines genialen Harlekins.

»On est contre les formalistes!« lacht er mit emporgezogenen Brauen: »Moi, je suis aussi contre les formalistes – mais ils ne sont pas les mêmes.«

Warschau, 28. 8. 1948

Man fliegt hier sehr billig. Für dreißig Franken nach Warschau. Die Maschine ist ein alter Transporter, eine Dakota, die seinerzeit an die Russen geliefert worden ist. Im Innern sind nur zwei Bänke, längs gestellt wie in einer Straßenbahn, nichts von Gürtel, das Fliegen ganz alltäglich. Um zehn Uhr morgens landen wir bei strömendem Regen. Im Car, der uns dann nach Warschau fährt, sitze ich gerade hinter dem vortrefflich aussehenden Neger, der im Kongreß, Menschenrechte fordernd für alle Erdenbürger, als einziger die Bemerkung gemacht hat:

»Also the Germans are men.«

Man macht, wie erwartet, etwas sonderbare Gesichter, daß ich den Kongreß vorzeitig verlassen habe und mich an dem Manifest, das heute in Breslau beschlossen wird, nicht beteilige; doch die Gastfreundschaft, die wir bisher erfahren haben, bleibt bestehen. Es ist nicht allein das Bad, weswegen ich mich in Warschau sofort wohler fühle. Im übrigen genieße ich es, allein zu sein –.

29. 8. 1948

Morgen an der Weichsel, Sonntag, aber an den beiden großen Brücken wird dennoch gearbeitet, weithin hört man das Hallen der Niethämmer, die dumpfen Schläge der Rammen. Ein herrlicher Anblick: der grünliche Fluß, breit und gelassen zwischen Ufern aus roher Erde, dazu das Menning am neuen Eisenwerk, dahinter und darüber die Bläue eines herbstlichen Himmels – die Stadt, die ich nun auf dem andern Ufer sehe, ist eine Silhouette der irren Zerstörung, schlimmer als alles, was ich bisher kenne; nur ein Drittel davon stammt aus dem ersten Luftkrieg, der hier vor ziemlich genau neun Jahren entfesselt worden ist, und aus der Eroberung; erst nach dem Zusammenbruch des polnischen Aufstandes, einer Tragödie voll Mut und Unheil, ist die gänzliche Zerstörung erfolgt, Straße um Straße, planmäßig. Man begreift, daß die Polen sich gefragt haben, ob sie Warschau noch einmal beziehen sollten; sie haben es getan – nicht zuletzt gerade darum, weil mit Bewußtsein versucht worden ist, Warschau für immer auszutilgen.

Ankunft der Intellektuellen. Wieso haben die Intellektuellen, wenn sie scharenweise vorkommen, unweigerlich etwas Komisches?

Die Verwechslung mit dem Wagen hat sich herausgestellt: während der berühmte Franzose sich fahren läßt, gehen wir jetzt zu

Fuß. Aber der Fahrer bleibt ein Prachtkerl, meldet sich, sooft sein berühmter Franzose zu einem Bankett oder zu einem Schläflein gegangen ist – François, mein Landsmann von der Presse, besucht Minister und Geistliche; der Fahrer und ich warten in einer Pinte, trinken Schnaps und essen Aal; er redet wenig, dennoch erfahren wir viel. Vor allem aber: das Unwirkliche, das man nach kollektiven Besichtigungen immer wie einen Schatten hinter sich fühlt, drängt mich in solche Pinten, drängt mich, unter Leuten zu stehen. Ich stecke mein Abzeichen in die Tasche. Nichts gegen Wiska, unsere staatliche Betreuerin! Wiska ist Ärztin, spricht polnisch, russisch, spanisch, englisch, französisch und in meinem Fall, wo der Fremdsprachenmangel glaubhaft ist, auch ein fehlerloses Deutsch, das sie von Herzen haßt. Sie unterscheidet sich von den polnischen Mädchen und Frauen, die meistens blond sind, oft hell wie Finninnen oder Schwedinnen; auffallend ist auch die gesund-durchsichtige Frische der Haut. Wiska ist rabenschwarz; ihre Augen sind nicht rund wie bei den meisten, sondern geschlitzt, blicken scharf und knapp über ihre starken Backenknochen. Tatarenblut. Ihr Vater war Rechtsanwalt; zu Hause hat jedes Kind ein eigenes Zimmer, das niemand ohne Einwilligung des Kindes betreten darf, Heiligtum eines persönlichen Eigenraumes. In diesem Heiligtum entwickelt sich ihr Denken, das sie später nötigt, nach Spanien zu gehen; ihr Bruder kämpft in der Internationalen Brigade, sie als Ärztin im Feld. Nach der Niederlage flieht sie nach Paris, wo sie jahrelang als Gynäkologin arbeitet, eine Tätigkeit, die sich in Polen erübrige; die Kinder kommen hier ohne große Umstände. Schließlich kommt sie nach Gurs, zwei Jahre im Lager. Ihr Bruder ist nach England entkommen, läßt sich als Fallschirmler in seiner Heimat absetzen, kämpft mit den polnischen Partisanen, wird nicht erwischt, aber die Deutschen haben seinen Namen und erschießen dafür ihre beiden Eltern, beide zwischen sechzig und siebzig. Ihr Bruder fällt im Kampf. Ihr eigner Mann, der bei den Alliierten kämpft, fällt ebenfalls. Wiska kehrt nach Warschau zurück, einzige Überlebende ihrer Familie, Mutter von zwei Kindern, Kommunistin mit Kopf und Herz. Zur Zeit arbeitet sie daran, die Invaliden wieder arbeitsfähig zu machen, damit sie sich selber als Menschen empfinden und nicht in Sanatorien verkommen; am Feierabend übersetzt sie wissenschaftliche Bücher, die der polnischen Sprache verlorengegangen sind. Im übrigen ist Wiska, wenn wir abends in eine Pinte gehen, eine leidenschaftliche Tänzerin; ihre Mazurka, getanzt mit einem Mexikaner, ist unvergeßlich. Ihre augenblickliche Aufgabe: uns zu zeigen, daß es einen Eisernen Vorhang nicht gibt. Ihre allmorgendliche Frage: Was möchten Sie sehen? Auf dem alten, einst so schönen Marktplatz, dessen historische Fassaden bis auf ein Zehntel verschwunden sind, erörtere ich eine grundsätzliche Frage: Warschau hat fast alles von seinem historischen Gesicht verloren, was mehr als nur ein stofflicher Verlust ist; anderseits fragt es sich, wieweit es einen Sinn hat, historische Attrappen aufzustellen. (Frankfurter Goethehaus.) Schon meine bloße Erörterung, die ich noch nicht einmal für meine eigene Person beantwortet habe, hat unsere Wiska gänzlich verstimmt. Was beschlossen ist, kann nur der Staatsfeind nochmals erörtern; Erwägungen sind nicht erwünscht und machen dich nur verdächtig; Kritik wäre ein vollendetes Attentat. Man kann das einigermaßen begreifen; so viel muß jetzt getan werden, daß sich die Leute, die dieses Viele auf den Schultern haben, nicht verweilen können bei Entscheiden, die schon getroffen sind. Nur: es erstirbt die ehrliche Lust zu fragen, die ehrliche Lust, seine Gedanken zu sagen, es wächst das Schweigen, lautlos webt sich der Vorhang. Was bleibt dir denn anderes: du lobst oder du schweigst. Und das Mißtrauen ist da. Wiska hat durchaus Humor; aber wenn andere ihn haben, findet sie auch den Humor sofort verdächtig. Schade. Es ist unfruchtbar.

30. 8. 1948

Allein in der Stadt. –

Der Eindruck trostloser Vernichtung, der die ersten beiden Tage bestimmt hat, verwandelt sich mehr und mehr. Bei einem vorzüglichen Kaffee, den ich eben trinke, habe ich das Gefühl, daß man hier durchaus leben und arbeiten könnte. Die Menschen kommen mir nicht mehr, wie beim ersten Schock, als Verdammte vor, im Gegenteil, ihre Gesichter sind fröhlich und wach, viel fröhlicher als in meiner Vaterstadt. Die früheren Hauptstraßen wirken lebendig und bunt, obschon die Häuser, die eigentlich die Straße bilden sollten, nicht vorhanden sind, überhaupt nicht oder als Ruinen höchsten Grades; aber was über unsrer Augenhöhe ist, scheint für den Eindruck weniger bestimmend, man sieht die Schaufenster, das Gewimmel der Fußgänger, die Straßenbahn, die meistens älteren Wagen, die Stände mit Früchten und Blumen. Vor allem aber: auf Schritt und Tritt sieht man, daß begonnen wird, eine Riesenarbeit ist schon vollbracht, Flächen ohne Schutt, die Luft ist voll Lärm der Arbeit und voll Staub, aber auch voll Zukunft, sobald das Vergangene einmal als vergangen begriffen ist.

Warschau hatte Einwohner: eine Million und dreihunderttausend. Heute leben hier sechshunderttausend; also weniger als die Hälfte. Die Wohnnot ist die bitterste.

Abendessen mit einem jüngeren Polen, dessen Adresse wir hatten, und mit seiner Schwester. Dazu tanzen. Das Lokal ist unterirdisch. Ein jüngerer Mann, etwas betrunken, erkennt uns als Ausländer, kommt herüber. Ich verstehe natürlich kein Wort; er wütet und schimpft, doch nicht gegen uns. Gebärde des Schießens, Gebärde des Aufhängens. Seine Freunde packen ihn mit Gewalt, bringen ihn hinaus, damit er nicht weiterredet, wenn die Musik aufhört –

»Was hat er denn gesagt?«

»Pas maintenant«, sagt unser Pole.

»Please!« sagt die Schwester: »Come –.«

Nämlich zum Tanzen; durch den kleinen Zwischenfall genötigt, siehe da, geht es tadellos, und wir tanzen noch stundenlang.

Rast in der Altstadt: – als wärest du der einzige Mensch, der letzte. In den Gassen grünt das Gras, der Holunder wächst schon aus den leeren Fenstern heraus, und wenn ich auf die Schutthügel stapfe, um mich umzusehen, flattern die Tauben empor. Was ich hier suche? Man kennt das nun. Das Unkraut auf den Gewölben, der Schutt, das Moos auf den Treppen, die Tümpel, die Verwitterung, die Verbröckelung, die Verrostung, die Fassaden wie leere Larven, das alles ist ja nicht anders als in Berlin, in München, in Frankfurt, in Hamburg. Aber diese Stadt ist die erste gewesen. Hier sind die entscheidenden Bomben gefallen: die ersten, heute vor neun Jahren. Einmal geht eine Nonne mit weißer Haube, zwei Kinder an der Hand, man weiß nicht woher und wohin. Grabesstille. Taubenstille. Überall das auskunftlose Schweigen wie vor einer Ausgrabung. Die Historie als Bewußtsein der Lebenden. Hier ist der polnische Aufstand, der unselige, in Blut und Asche erstickt, hier wird gekämpft, bis es sinnlos ist, die letzten Kämpfer entziehen sich durch die Kanalisation, die Verwundeten läßt man zurück, die Verwundeten wurden erschossen. Und nun steht man so da, die Hände in den Hosentaschen, man hat die Wahl wie überall: ein Zeuge der Verstummten zu sein oder zu verstummen. Einmal ein Pfiff, Gepaff einer kleinen Lokomotive; aus einer dornröschenhaften Straße kommt ein Zug mit girrenden Rollwagen, alle mit Schutt beladen, und entschwindet in eine andere dornröschenhafte Gasse. Langsam kommen die Tauben zurück.

Unterhaltung mit unserem schweizerischen Gesandten. Es ist doch ein Labsal, unbesonnen und ohne Einschränkung zu sagen, was man denkt, zu wissen, daß der andere es ebenso hält, gleichviel ob man einverstanden ist oder nicht.

Das Ghetto habe ich schon am ersten Tag besucht. Zu sehen ist nichts mehr. Seine Geschichte, die mich im Zusammenhang mit dem neuen Schauspiel schon seit einem Jahr beschäftigt, kenne ich aus dem dienstlichen Bericht dieses Mannes, der diese Vernichtung durchgeführt hat, Brigadeführer Josef Stroop. Aussagen eines polnischen Augenzeugen, den ich heute gefunden habe, und die zahlreichen Fotos, aufgenommen von Deutschen, decken sich mit den Einzelheiten des genannten Berichtes, der, nachdem er die tadellose Zusammenarbeit mit der Wehrmacht rühmt, unter einem Titel in geschmackvoll-handgemalter Fraktur meldet, daß es in treuer Waffenbrüderschaft und durch den unermüdlichen Schneid sämtlicher Kräfte gelungen ist, insgesamt 56065 Juden, die sich der Umsiedelung in die Gaskammern widersetzten, nachweislich zu vernichten. (März und April 1943.)

Am Abend ein festlicher Empfang beim polnischen Staatsoberhaupt, ohne daß ich dasselbe sehe. Meine schwarzen Schuhe habe ich in Breslau vergessen. Große Treppen und endlose Läufer, weinrote, an jeder Flügeltüre stehen zwei Soldaten, die salutieren. Was soll ich tun? Natürlich nichts; immer aufrecht weitergehen, immer auf dem schönen weichen Läufer, bis die nächste offene Flügeltüre kommt, wo sie abermals salutieren. Ich bin das nicht gewohnt. Ein Stückschreiber, meint François, muß alles kennenlernen – Säle, Menschen, Leuchter, Frack, Musik, Abendkleider, Mayonnaise, Sprachen, Slivovice, Parkett, Kaviar... Der frühere Bekannte, der mit einem Gide nicht über Kultur sprechen kann, will es unbedingt mit mir. Er hat bereits getrunken, so daß er sich auch lieber auf die deutsche Sprache zurückzieht. Die Tische könnten wieder von Rubens sein. Wir hätten einander in Breslau mißverstanden, meint er, und das möchte er nicht. Später wird getanzt. Die Polen und Polinnen sind hinreißend. Aber der Bekannte läßt mich nicht in Ruhe; beim schwarzen Kaffee steht er auch schon. Man vertrage nichts mehr, meint er, wenn man in Berlin lebe. Seine Augen schwimmen. Schon stehen wir wieder in einer Ecke, Tassen in der Hand.

Ich müsse ihn verstehen, meint er, ein Mensch in seiner Lage, was sollte er anderes tun? Menschen mit einer Überzeugung sollten nicht trinken; sonst verrutscht sie wie eine Larve, wenn man schwitzt... Der junge mexikanische Maler, der mit der Windjacke übers Meer gekommen ist, hat sich für diesen Abend ein europäisches Hemd gekauft. Daß man am Abend vornehmlich ein weißes trägt und dazu noch eine Krawatte, entgeht ihm nicht; aber das knallgrüne steht wunderbar zu seinem lehmfarbenen Aztekengesicht. Leider haben wir keine gemeinsame Sprache. Jedesmal, wenn man sich sieht, nickt er mit strahlenden Augen, schweigsam, brüderlich zu allen. Sein Gesicht hat etwas Großartig-Argloses, Unerschöpftes, eine krampflose Zuversicht. Ich kann mich nicht satt sehen an ihm, wenn er so dasitzt in seiner offenen Windjacke, in seinem knallgrünen Hemd, schweigsam lächelnd, zufrieden, immer erfreut – Worüber?...

Wer eine Überzeugung hat, wird mit allem fertig. Überzeugungen sind der beste Schutz vor dem Lebendig-Wahren.

Zusammenkunft der Architekten untereinander. Ostrowski erläutert die gesamte Planung. Morgen und übermorgen auf die Baustellen, die ich teilweise schon auf eigene Faust besucht habe. Was geschieht mit dem Schutt? Teilweise verwenden sie ihn für einen Baustoff, eine Art von gepreßten Füllsteinen. Teilweise als Aufschüttung an der Weichsel, wo sie seichte Ufer hat, Sumpf, Überschwemmung. Ferner gibt es Aufschüttungen in der Stadt, so daß die neuen Straßen und Anlagen höher liegen als bisher, dies vor allem dort, wo es Grünanlagen gibt und Hochhäuser, die sehr starke und tiefe, aber keine weitläufigen Unterbauten verlangen; etwas wie Pfahlbauten.

»Wieviel Schutt hat Warschau?« frage ich.

»Zwanzigtausend Kubikmeter.«

»Das ist nichts«, sagt eine deutsche Stimme: »Berlin hat – – –.«

Etliche von den jungen Polen, die am Wiederaufbau arbeiten, haben bei uns studiert; damals als Internierte. Also bei den gleichen Lehrern wie ich. Jedermann zeigt Bilder von eigenen Arbeiten. Apéritif in einem Atelier. Ein belgischer Architekt zeigt Fabriken; ein junger Mexikaner zeigt ein märchenhaftes Hochhaus, ein Theater, ein wissenschaftliches Institut; ein Engländer erläutert eine geplante Stadt für die Bergarbeiter; mein Volksbad nimmt sich bescheiden aus, aber findet ebenfalls Interesse. Das Fachliche erweist sich einmal als Segen; man trifft sich mindestens in der Fragestellung; das Gespräch hat Hand und Fuß.

2. 9. 1948

Eine Genferin, Dolmetscherin, erzählt gerade, daß sie gestern abend auch das Ghetto besichtigen wollte, aber von zwei Polizisten daran verhindert wurde. Warum? Dämmerung. Was könnte denn schon gestohlen werden? Sie erfährt es erst nach langem Gespräch: das Denkmal, das in jener Todesöde steht, ist auch heute nicht sicher vor antisemitischen Verschmierungen. Sie selber ist Jüdin.

Wenn man von Frieden redet, was ist gemeint? Gemeint ist meistens nur die Ruhe, die durch Vernichtung eines Gegners erreicht wird. Ein amerikanischer Friede oder ein russischer Friede. Ich bin weder für diesen noch für jenen, sondern für den Frieden: den Nicht-Krieg. Wollen wir uns mit den Wörtern, die wir in den Mund nehmen, nichts vormachen, kann man mit vollem Ernst daran zweifeln, ob Friede überhaupt ein anständiges Wort ist, ein Wort, das etwas Mögliches bezeichnet, und das Unmögliche, das Bisher-Unverwirklichte, wieso soll es gerade unserem Geschlecht gelingen, das sich jedenfalls nicht durch sittlichen Schwung auszeichnet? Das einzig Besondere, was diesem unserem Geschlecht eignet, was es von allen vorherigen unterscheidet, ist seine grundsätzliche Lage: die technische Möglichkeit, eine gesamthafte Vernichtung durchzuführen, hat keine frühere Zeit besessen; der Krieg ist stets ein unvollkommenes Morden gewesen, örtlich beschränkt, sogar bei den sogenannten großen

Glaubenskämpfen erlahmte er regelmäßig, bevor Gott die vollkommene Vernichtung der ketzerischen Partei gelungen war. Es fehlte nicht am Wahnsinn, das zu wollen, nur an den technischen Mitteln. Nun sind diese Mittel aber da, die nichts mehr zu wünschen übriglassen. Das ist das Neue, das Entscheidende an unsrer Lage. Unser Zeitalter kann sich den Krieg nicht mehr leisten, ohne sich selber auszutilgen. Die Frage: ein Friede im wirklichen Sinn, also ein Friede mit dem Gegner, ist das überhaupt möglich? wird mehr und mehr zur Frage, ob das menschliche Leben schlechthin möglich ist.

3. 9. 1948

Die großzügige Einladung, ganz Polen zu bereisen, kann ich wegen beruflicher Verpflichtungen nicht annehmen; träume bereits von meinem Bauführer!

Wiederaufbau.

Entscheidend ist natürlich das Gesetz, das, erlassen unmittelbar nach Kriegsende, den ganzen Boden von Warschau als staatliches Eigentum erklärt. Was soll übrigens der einzelne Eigentümer mit seinem Schutthaufen, wenn die Gemeinde nicht eingreift und die Straße dazu baut, die Kanalisation, das Licht, das Wasser, die Verkehrsmittel? Tabula rasa, damit ist die erste Voraussetzung für wirklichen Städtebau erfüllt, Aufhebung des Grundeigentums, zum erstenmal hat der moderne Städtebau eine wirkliche Chance, nachdem er seit Jahrzehnten überall gelehrt wird. Entstanden angesichts der steinernen Verheerungen des neunzehnten Jahrhunderts, das das alte Gesicht so vieler Städte zerstört hat, ohne ihnen ein neues geben zu können, ist die Lehre vom modernen Städtebau wohl überall als Lehre anerkannt, aber ohnmächtig gegenüber dem Geld, ein Geduldspiel der Gefesselten, die auf Grund langer Forschung wissen, was man zur Genesung unsrer Städte machen müßte, aber ihre Wissenschaft bleibt ein akademischer Traum, ihr Machen ein ehrbar-geduldiges

Flickwerk, ein verlorener Kampf gegen Parzellen. Warschau hat freie Hand. Nach der Planung, die heute in ihren Grundzügen bereits vorliegt, besteht alle Hoffnung, daß die außerordentliche Chance, eine Stadt unsres Jahrhunderts zu bauen, vollauf begriffen und genutzt wird. Die Gefahr jeder Planung, die Uniformierung, der Mangel an persönlichem Gesicht dürfte übrigens gering sein; jedes größere Vorhaben, insbesondere jedes staatliche, wird durch offene Wettbewerbe vergeben, so daß die Stadt nicht von einem staatlichen Atelier aus erbaut wird, sondern durchaus die Handschriften vieler Architekten bekommen kann. Dabei sind viele junge, viele, die während des Krieges im Ausland waren, in Frankreich, in England oder in der Schweiz. Ihre architektonische Haltung, der unseren keineswegs fremd, ist modern in dem Sinne, daß das Neuzeitliche einer Aufgabe und das Neuzeitliche eines Baustoffes nicht hinter entliehenen Formen versteckt wird, sondern seine eigene sucht, einen sauberen und attrappenlosen Ausdruck ihrer eignen Bedingtheiten. Dabei viel Phantasie, ein meistens humaner Maßstab, viel Sensibilität für kubischen Rhythmus. Hoffentlich wird es so, wie ihre Modelle es heute zeigen! Ein Kollege, der mir den Rohbau eines Ministeriums zeigt, findet es selber nicht hinreißend, daß man Ministerien baut, bevor man Krankenhäuser hat; leider eignet sich der Staat nicht nur den Boden an, sondern auch die Unarten seiner früheren Eigentümer. Aber die Planung, wie gesagt, ist begeisternd. Der Staat hat sie ermöglicht, aber noch nicht verwirklicht; er kann sie, wenn er eigensüchtig wird, jederzeit verhunzen. Begeisternd vor allem ist das Hochgefühl der Menschen, die da arbeiten, dieses Bewußtsein einer Generation: Wir bauen unsere Hauptstadt. Es lohnt sich, sein Äußerstes einzusetzen; es gibt wenig Fachleute, und die Arbeit ist riesenhaft, aber getragen von dem unausgesprochenen Gefühl, daß sie eingehen wird in die Geschichte; die Straßen, die sie entwerfen, bestimmen die Arbeit und das Leben von Geschlechtern. So hat jeder, persönlich uneitel, etwas vom gesunden Selbstbewußtsein der Gründerjahre –

Wiska verabschiedet sich, da sie wieder an ihre berufliche Arbeit gehen muß; sehr freundlich, obschon wir in ihren Augen zweifellos zu jenen gehören, die einzuladen sich nicht gelohnt hat.

Letzter Abend in irgendeiner Pinte. Die tanzenden Paare, fröhlich, zwischenhinein essen sie geräucherten Fisch, Brot mit Butter, dazu Gurken, getrunken wird Schnaps. Drei sehr verlotterte Männer spielen Klavier, Geige, Flöte. Unbeschreiblich schön, wenn sie Mazurka tanzen, ein einzelnes Paar, sie mit wehendem Haar, selig, Freude ohne Euphorie, kinderhaft. Immer wieder die verblüffende Begabung im körperlichen Ausdruck, ihre Könnerschaft im Liebesspiel, unzimperlich, aber unschmierig, Grazie auf beiden Seiten, die schon dadurch, daß sie ganz allgemein ist, nie als Entblößung wirkt. Man spürt eine Kraft, nicht dumpf, aber jung, eine unmittelbare und fraglose Freude, zu leben, zu tanzen, zu essen, zu plaudern oder zu singen. Übrigens nicht nur am Feierabend. Auch auf der alltäglichen Straße sind die Gesichter froher als bei uns, offener, lebendiger und liebenswerter, liebender. Der Tanz in der nächtlichen Pinte, der Bau der Brücken, es läßt sich nicht trennen; hinter allem, was der menschliche Scharfsinn plant und erstellt oder zerstört, steht etwas Übermächtig-Blindes, das vor keiner Zerstörung erschrickt, ein fragloses Lebenwollen, das keine Rechtfertigung braucht, das aus sich selber blüht. Es gehört zum Erlebnis fremder Städte, daß die Vielzahl der Menschen, die man nicht kennt, plötzlich wie ein einziges Lebewesen erscheint, das einzelne Tode verwunden können, aber nicht töten, immer wieder wachsen ihm die Städte, es ersetzt sich die Kruste, wo immer sie zerstört ist, und das Lebenwollen findet sich ab, wie immer es aussieht ringsum, es richtet sich ein, es beginnt abermals mit Brücken, Schiffen, Kranen, und solang es keine Häuser gibt, tanzt es im Keller wie hier. Wir überschätzen unsre Städte, wenn wir sie für das Gefäß unsres Lebens halten. Enden kann es nur, wenn die Erde erkaltet oder wenn der Eros erlischt.

Muster für Glas, Muster für Verputz, Muster für Aschenbecher, Muster für Beschläge, Muster für Lasur, alles wartet auf Entscheidung, und längst Entschiedenes trifft täglich ein, heute die Schlosserarbeit, das Geländer für den Pavillon, alles ist greifbar, so, wie du es entworfen hast, unbarmherzig, ob es dir nun gefällt oder nicht; es ist da, und die beste Idee verändert es nicht mehr. Wie leicht es ist, das Fertige zu beurteilen! Selbst wo es dir gefällt, hat es etwas Befremdendes, fast Erschreckendes; alles wird eisern und steinern, endgültig, es gibt nichts mehr zu wollen. Oft auch ein Gefühl von Befreiung! Die ursprüngliche Vorstellung, in jahrelanger Arbeit oft vergessen, kommt da und dort wieder zum Vorschein. Das aufregende Gefühl: Das ist dein Werk, von außen gesehen, dein Gesicht! und das bei gänzlicher Ohnmacht, das Gesicht zu verstellen: –

Der Schlosser bringt dein Geländer.

Der Maler streicht deine Farbe.

Der Spengler lötet dein Muster.

Usw.

Nachtrag zur Reise

Ein Eindruck, im einzelnen schwer zu belegen, eigentlich der stärkste Eindruck unsrer polnischen Reise, insbesondere während der Reden in Breslau entstanden, geht dahin, daß die Spannung zwischen Ost und West (um einmal diese vereinfachende Formel anzuwenden) eigentlich nicht eine Auseinandersetzung zwischen gesellschaftlichen Ordnungen ist, nicht in erster Linie. Gesprochen haben auch Deutsche, Engländer, Amerikaner, die die östliche Ordnung mit Begeisterung bejahen, ohne jeden Vorbehalt; die Zuhörerschaft, wohl in der Mehrzahl eine slawische, hat diese Reden mit Genugtuung, doch nicht mit jener Zustimmung aufgenommen, wie wenn ein Farbiger sprach, ein Neger aus Amerika, ein Afrikaner aus Madagaskar, ein junger Mann aus Indonesien. Namen von Genossen, in Reden genannt, blieben ohne Widerhall, wenn es deutsche, englische, amerikanische, sogar französische waren; dagegen stürmischer Beifall bei allen anderen Namen, bei slawischen, argentinischen, mexikanischen, spanischen. Ein Einverstandener aus Wien, der durch kluge Differenzierungen auffiel, erntete einen schütteren, völlig unsicheren Beifall, obschon seine Antworten vollauf in der Linie blieben. Ebenso bei Anna Seghers, die demütig erklärte, sie wäre gekommen, um zu lernen; die einzige herzliche Zustimmung erzielte sie mit der Nennung von Neruda. Nicht viel anders mit den Amerikanern, die auf die verbrecherischen Zustände in ihrem Lande schimpfen, wobei sie einen immer sicheren Beifall finden; ihr Bekenntnis zum vollkommenen Osten wird hingenommen, wie man den Schwur eines Überläufers hinnimmt, zufrieden, aber mit Vorsicht, denn er mag nun reden wie er will, er ist doch einer von den andern, wertvoll, indem er gegen die Seinen flucht, aber viel mehr wird ihm nicht abgenommen. In der Tat sind es die Farbigen gewesen, die, soweit ich im Saal war, am besten gesprochen haben; nicht nur das beste Französisch, das beste Englisch, wie mein kennerischer Begleiter fand, sondern am besten in dem Sinn, daß sie stets etwas Lebendig-Wirkliches sagten. Das Unrecht, das ihren Rassen widerfährt, das im Widerspruch steht zum großen Gerede von Freiheit und Menschenrechten, dieses Unrecht zu bezeugen ist eine unantastbar-anständige Aufgabe; sie waren vielleicht die einzigen, die nichts anderes wollen, als sie sagen, Menschen, keine politischen Schachspieler. Bei ihnen hatte man auch das Empfinden, der Flug über den Ozean habe sich gelohnt; ihre Sätze hat man nicht schon tausendfach in den Zeitungen gelesen. Zugleich taten sie uns leid; der frenetische Beifall, den jeder von ihnen erntete, galt er wirklich den Unterdrückten? Minutenlang stand die ganze Zuhörerschaft, begeistert über dieses schwere Zeugnis gegen die Amerikaner, die Engländer, überhaupt die Herren der Welt. Der Beifall der stehenden Zuhörerschaft dauerte an, als der Neger sich bereits gesetzt hatte, unweit vor uns; lächelnd, erregt, einsam, indem er die knappe Kunde, die er über den Ozean gebracht, in seine Brusttasche steckt; er weigert sich mit einem verlegenen Kopfschütteln, nochmals aufzustehen und sich für den Beifall zu bedanken. Ahnte er, daß es ihnen nicht um das gleiche geht? Ein Engländer gestattete sich, an die Unterjochten in anderen Kontinenten zu erinnern, an die Schändung der Menschenrechte, die in allen Lagern zu bekämpfen sei. Als ginge es um Menschenrechte! Man macht den Intellektuellen oft den Vorwurf, daß sie naiv sind; Gott sei Dank, mit den Naiven hat der Teufel es nicht am leichtesten. Um was aber geht es? Nicht in erster Linie um eine gesellschaftliche Umwälzung, sondern um eine Ablösung in der Weltherrschaft, um einen Aufstand der Völker, die durch die Geringschätzung, welche die herrschenden Völker ihnen gegenüber bewiesen haben, sich wie eine Familie empfinden. Auf gegen die Weißen! Die Weißen sind: die Angelsachsen, die Deutschen, die jene völkische Geringschätzung bis zur planmäßigen Ausrottung entwickelt haben, ferner die Franzosen, die man lange genug bewundert und als Weltmitte des Geistes beneidet hat, ferner die Skandinavier, soweit sie auf den Meeren eine wirtschaftliche Rolle spielen, weniger schon die Italiener. Aufstand der Völker; die revolutionäre Idee, die auf dem Banner steht, ist nicht die treibende Kraft, und auch unter einem anderen Banner würde die Bedrohung bestehen bleiben.

Die planmäßigen Ausrottungen, die schon in Polen, wo das Slawische sich am meisten mit dem Westen verschwistert hat, den Charakter einer regelrechten Industrie angenommen haben, um gegen Osten womöglich noch grausiger zu werden, erweisen sich nicht nur für Deutschland, sondern für Europa als eine katastrophale Hypothek.

Ferner der oft wiederkehrende Eindruck, daß die Völker, die den Blutverlust eines nächsten Krieges überleben, keinesfalls die Völker unseres europäischen Westens sind –

Entscheidend scheint mir, daß der Schauspieler, im Gegensatz zu jedem anderen Künstler, kein andres Instrument hat als sich selbst, seine eigene leibliche Person... Ein Maler, ein Bildhauer, ein Schriftsteller, ein Musiker, ich möchte nicht behaupten, daß sie minder besessen sind von sich selbst. Eitel sind wir alle! Aber wenn sie in einer Gesellschaft sitzen, kommen sie nicht als Maler, Schriftsteller, Musiker, sondern als Leute; sie kommen ohne Pinsel, ohne Meißel, ohne Schreibmaschine, ohne Klavier. Sie kommen ohne ihr Instrument. Der Schauspieler, ob er will oder nicht, kann sein Instrument nicht zu Hause lassen. Ein Bildhauer erzählt, was er vom Fliegen hält oder von der Liebe; wir hören ihm zu. Wenn aber ein Schauspieler das nämliche erzählt, schauen wir. Und er ist sich bewußt, daß wir schauen. Wenn ein Schriftsteller dasitzt und sich als Stammler erweist, besagt das nichts über seine Schriftstellerei; einem Schauspieler dagegen, der sich nicht bewegen und die Anekdote, die er zum besten gibt, nicht darstellen könnte, wie sollen wir ihm den Darsteller glauben? So kommt der Schauspieler, wenn nicht gerade ein Haus einstürzt, nie ganz aus seiner Begabung heraus; das ist sein Fluch, sein Gehäuse, seine besondere Wirkung, die verblüfft und später langweilt, je mehr er nämlich, kraft seiner immer gegenwärtigen Mittel, die Gesellschaft dominiert. Auch der Musiker, wenn er sein Orchester mitbrächte, würde uns dominieren.

Schauspieler, sagt man, können nur vom Theater sprechen. Das ist richtig: vom Theater, nicht über Theater. Meistens reden sie von Personen, die sie lieben oder hassen, oder von Rollen, wie Frauen etwa von einem neuen Mantel sprechen. Im Grunde, und das ist wohl das Rasch-Verbindende und das Langsam-Abstoßende ihres Umgangs, sprechen sie stets von der eignen Person; das Theater ist ein immer neuer Mantel dieser Person.

Es ist kein Zufall, daß ich vom Schauspieler rede, nicht von der Schauspielerin – kein Zufall, daß die schauspielerische Eitelkeit auf die eigene leibliche Person besonders am männlichen Vertreter auffällt. Das Weib ist schauspielerisch von Natur. Kommt eine Begabung hinzu, die sogar einen Beruf daraus werden läßt, wird das Weib dadurch nicht fragwürdig, nur weiblicher. Oder anders gesagt: je weiblicher sie ist, um so voller glaube ich ihr die Schauspielerin. Das Theater, man weiß es, ist etwas durch und durch Erotisches, aber weiblich erotisch, und daß die Männer, die diesen Raum betreten, so häufig der geschlechtlichen Verkehrung verfallen sind oder ihr verfallen müssen, um ihn mit besondrer Leichtigkeit zu betreten, ist ebenfalls bekannt und nicht zufällig, sondern wesentlich. Woher kommt es, daß der Schauspieler, der männliche, wenn er nicht ein überragender ist und somit schon unverhältnismäßig, mit einem gewissen Alter immer peinlich wird? Ein Handwerker, ein alter, wird vielleicht langsam und unbeholfen, aber niemals peinlich. Der Schauspieler tut uns leid. Er merkt es übrigens selber, es drängt ihn, sich als Spielleiter zu versuchen, und er ist erleichtert, wenn es irgendwo Kinder gibt, Zeugen seiner Männlichkeit; hin und wieder, halb im Scherz, träumt er von einem bürgerlichen Beruf; er liebt es, nur im schwarzen Anzug auf die Bühne zu treten und Gedichte vorzulesen, eine Matinee über Goethe oder Büchner, und mehr und mehr zieht er es vor, auch im Rundfunk zu sprechen – wo er ebenfalls kein Kostüm tragen muß.

Das Widermännliche: das scheinbar Uneigene des Weibes, das sich formen läßt von jedem, der da kommt, das Widerstandlose, Uferlose, Weiche und Willige, das die Formen, die der Mann ihm gibt, im Grunde niemals ernst nimmt und immer fähig ist, sich anders formen zu lassen: das ist es, was der Mann als das Hurenhafte bezeichnet, ein Grundzug weiblichen Wesens, das Weiblich-Eigene, dem er niemals beikommt. Man könnte es auch das Schauspielerische nennen. Das Spiel der Verwandlung, das Spiel der Verkleidung. Der Mann, wenn er sich in Kostüme hüllt, hat er nicht immer einen Stich ins Verkehrte, ins Weibische, ins Widermännliche?

Ohne Eros keine Kunst. Erotisch im weiten Sinn ist der Drang, da zu sein, und der Drang, sein Dasein darzustellen. Das Schauspielerische und das Tänzerische, also die Darstellung durch die eigene leibliche Person, sind wohl das unmittelbarste Gestalten, am wenigsten übersetzt, am nächsten bei der naturhaften Erotik, die ebenfalls mit dem eignen Leib und mit der eignen Stimme spielt und wirkt. Andere Künstler, die dem nämlichen Drang gehorchen, Dasein darzustellen, tun es mittelbarer: sie tun es auf Papier oder Leinwand oder Stein; sie müssen es übersetzen in einem Grad, der die verfängliche Vermischung von künstlerischem und naturhaftem Drang zwar auch nicht verhindert, aber wesentlich erschwert; sie verlegen es außerhalb ihrer leiblichen Person; sie entrücken es – weil sie neben dem erotischen Drang, ihr Dasein darzustellen, noch ein andrer Drang gleichwertig beherrscht: der intellektuelle, der Drang, zu erkennen.

Ein Schauspieler kann vielleicht dumm und groß sein; ein Dichter, fürchte ich, kann beides nicht vereinen.

In diesem Zusammenhang ist es nicht verwunderlich, daß der intellektuelle Drang unter den Schauspielern nicht nur eine geringe Rolle spielt, sondern geradezu verpönt ist. Das Schlimmste, was sie etwa von einem Spielleiter sagen können: daß er literarisch sei. Und das heißt: blutlos, unkünstlerisch. Und die Verachtung, die sie damit aussprechen, hat oft einen Geschmack von Haß und ist erbarmungslos, wie nur Gekränkte es sein können. Was ist geschehen? Oft hat ein Spielleiter nur den Fehler begangen, daß er sich nicht in sie verliebte; ein wirklicher Fehler. Was will man von einem Schauspieler, den man nicht durch persönliche Sympathie erreicht? Erörterungen sachlicher Art, mag sein, sie werden angehört, sogar verstanden; aber sie werden nie überzeugen. Schauspieler sind keine Schreiner. Was nichts gegen die Schreiner sagt! Schauspieler lassen sich nur führen, wenn du in ihnen das Bedürfnis erwecken kannst, dir persönlich zu gefallen. Das erotische Bedürfnis. Das ist meistens die einzige Antenne, die sie haben, eine wunderbare, gewiß, eine lebendige und äußerst empfindsame, gewiß, aber immer mit einer Erdung im Privaten – weswegen auch die Luft, die sie bei der Arbeit umgibt, selten die kühle und sachliche Luft einer Werkstatt ist; es bleibt die Luft eines Boudoirs.

Man muß sich in sie verlieben!

Sonst sind sie nicht auszuhalten.

Ein Schauspieler, kaum hat er sich abgeschminkt, wartet er auf unser Lob – lobe ihn auf jeden Fall, spare deine Kritik auf übermorgen! Im Augenblick, wo einer von der Bühne kommt, ist sie nur grausam. Der Schauspieler, anders als andere Künstler, ist eins mit seinem Werk, und zwar auf eine leibliche Weise. Was ihm mißlingt, kann er nicht herausreißen, verknüllen und wegwerfen; es klebt an ihm, gelungen oder mißlungen. Nichts ist begreiflicher als seine Gier, sofort zu hören, wie er heute abend gewesen sei. Er kann sein Werk nicht selber sehen. Das ist etwas Ungeheuerliches. Angewiesen auf uns, die es gesehen haben, trifft ihn unser Schweigen wie eine Vernichtung. Der Schauspieler hat etwas von einem Maler, der blind wäre. Noch wenn es gelungen ist und wir sitzen nach einer Vorstellung zusammen, wirklich begeistert, spüre ich stets eine Melancholie; der Rausch verrauscht, und sein Werk ist nur in unser Gedächtnis geschrieben. Das ist ein weiches Wachs; er selber kann es schon in einem Monat wieder verwischen. Einiges bleibt haften über Jahre, über Jahrzehnte; aber wo? Er kann es nicht aus einer Mappe nehmen oder in einer Galerie wiederfinden. Seine Galerie sind die Leute; seine rührende Freude, alte Bekannte wiederzusehen, Kollegen oder Zuschauer, zu hören, wo die Sowieso ist und was der Dingsda macht, zu erzählen, wie es in dem Theater zuging, wo er zum erstenmal seinen Mortimer gespielt hat, zu vernehmen, daß eine frühere Partnerin sich zum fünftenmal verheiratet hat – all diese Gespräche, die wir als Klatsch empfinden, die auf die Dauer so langweilig sind – es ist alles so begreiflich, wenn man es so begreift: er sucht die Spuren seines Werkes, Leute, die es gesehen haben...

Warum gibt es so oft eine große Schauspielerin, so selten eine große Dichterin?... Der erotische Drang, Quelle jeder Künstlerschaft, hat eine weibliche und eine männliche Spielart. Weiblich ist der Drang, zu sein; männlich ist der Drang, zu tun. Die interpretierende Kunst ist immer näher beim Weiblichen.

Ein Schauspieler, der eines Tages nicht mehr auftritt, macht den Eindruck eines Gescheiterten – durchaus nicht die Frau, die eines Tages genug hat und sich ihren Kindern widmet. Für den Mann war es Beruf; sie spricht von ihren Rollen wie von Hochzeitsreisen...

Die gesellschaftliche Geringschätzung des Schauspielers sogar in Jahrhunderten größten Theaters: mindestens teilweise begründet in einem instinktiven Unbehagen gegenüber dem Widermännlichen jeder Schauspielerei, verschärft durch den Umstand, daß die Männer auch noch die weiblichen Rollen haben übernehmen müssen – zu untersuchen wäre, wieweit es der Schauspielerin zu verdanken ist, daß jener Bann zwar nicht verschwunden, aber sehr vermindert ist. Daß ein Unterschied empfunden wird zwischen Schauspieler und Schauspielerin, zeigt sich an jedem Briefträger, jeder Zimmervermieterin, jedem Gaseinzüger, der Schauspieler bleibt ihnen doch zweitrangig, bevor er sie durch längere Bekanntschaft vielleicht eines andern belehrt oder durch Ruhm, durch ein Bild in der Zeitung von vornherein bezwingt. Ein Schauspieler, *aber* ein feiner Kerl! Eine Schauspielerin, selbst wenn sie ein Luder sein sollte, ist ihnen selbstverständlicher.

Die Sorge, daß das Theater eingehe zugunsten des Films, kann ich aus manchen Gründen nicht teilen; einer davon ist das Wesen des Schauspielers, das Erotische daran, das im Film nie seine ganze Erfüllung findet; der erotische Drang, da zu sein und sich darzustellen, wird immer auch die leibliche Gegenwart der Zuschauer verlangen. Der Schauspieler, der gefilmt wird – und irgendwann einmal, wenn er vielleicht im Bett liegt, sehen wir sein

Bild – das kann seine Börse und seinen Ruhm vergrößern, aber den Augenblick nicht ersetzen, wo er auf der Bühne spielt und zugleich gesehen wird. Weder für ihn noch für uns. Wenn das Theater eingeht, ist auch der Eros eingegangen.

Frankfurt, November 1948

Begegnung mit Thornton Wilder – also mit dem Mann, der meine jugendliche Theaterliebe, nachdem sie ein Jahrzehnt gänzlich begraben lag, dermaßen wieder erweckt hat, daß ich ihr wahrscheinlich für die restliche Dauer dieses Lebens verfallen bin... Peter Suhrkamp, der uns vorstellt, verschweigt nicht, daß ich aus Zürich stamme (wo Wilder übrigens Our Town geschrieben hat) und mich ebenfalls mit dem Schreiben von Stücken befasse.

»Oh«, sagt Wilder: »Bauernstücke?«

Probeschüsse sind dazu da, danebenzutreffen. Wir setzen uns zum Mittagessen. Ein jüngerer Hamburger ist auch dabei. Nun? Etwas befangen knabbere ich von dem Brot; der Langverehrte, was wird er zum besten geben? Gentleman, Güte, Witz, Kennerschaft nach vielen Seiten, Herzlichkeit, Grazie des Gesprächs, Offenheit, Weltmann mit Kinderaugenglanz, Humanist, das Geistreiche und Funkelnde als keusche Verkleidung reinen Ernstes, Amerikaner, also sehr unmittelbar, Puritaner, also sehr höflich – und was man sonst an Wilder rühmt, ich kann es mir denken. Vorläufig löffeln wir die Suppe. Ich bin zum Bersten bereit, einen unsrer Lehrmeister kennenzulernen, gierig schweigsam. Da, vielleicht hat man meine Befangenheit verspürt, sagt der Herr aus Hamburg zu mir:

»Was mich so erstaunt, wissen Sie, daß Sie als schöpferischer Mensch (brr!) in Ihrer spießigen Schweiz überhaupt schaffen können –.«

Was jetzt?

(Das Kind eines Nachtwächters verbraucht tausend Tage seines Erdenlebens, um seinen Nachbarn zu sagen, daß sein Vater, den man so selten bei Tage sieht, kein nächtlicher Hühnerdieb sei, wie sie immer wieder behaupten, sondern ein Nachtwächter. In der Tat werden immer wieder Hühner gestohlen, das Kind hat es nicht leicht. Wie löblich, sagen die Leute, daß du als Kind eines Hühnerdiebes selber kein Hühnerdieb bist! Nach tausend Tagen hat das Kind es satt, nimmt den Wanderstab, um andere Menschen kennenzulernen als diese leidigen Nachbarn, und pilgert zu einem Weisen, den es lange schon verehrt. O ja, es findet ihn, verneigt sich und schweigt, bis einer von eben jenen Nachbarn sagt: Wie löblich, daß du als Sohn eines Hühnerdiebes selber kein Hühnerdieb bist! Sagt das arme Kind: Mein Vater ist kein Hühnerdieb. Es muß das sagen; es muß, obschon es ihm, weiß der Teufel, zum Hals heraushängt. Sagt der höfliche Nachbar: Ich kenne deinen Vater nicht, allein man sagt, er sei ein Hühnerdieb. Sagt das Kind: Kümmere dich um eure eignen Hühnerdiebe. Denn es wird ärgerlich, da es doch den Weisen hören will. Was aber tut der Weise? Er wundert sich, zumal er den Anfang dieses unerquicklichen Gesprächs offensichtlich überhört hat, offensichtlich nicht erwartend, daß andere vor ihm das Wort ergreifen; er wundert sich über das Nachtwächterkind, daß es so unhöfliche Worte spricht: Kümmere dich um eure eignen Hühnerdiebe! Sagt der höfliche Nachbar: Ich anerkenne ja, daß du eine löbliche Ausnahme bist. Sagt das Kind: Ich pfeife auf deine Anerkennung. Gewiß, sagt der andere, auch wir haben Hühnerdiebe. Sagt das Kind: Das ist bekannt. Allein, sagt der andere, bei uns stellen die Hühnerdiebe stets eine Ausnahme dar. Sagt das Kind: Darüber haben wir schon tausend Tage lang gesprochen. Oh, sagt der andere, wie kannst du überhaupt sprechen, wo du den Hunger nicht erlebt hast? Sagt das Kind: Dein Hunger ist kein Grund, meinen Vater anzurempeln. Nur wer den Hunger kennt, sagt der andere, nur wer den Hunger kennt... Unterdessen, es ist eine kostbare Stunde vergangen, wischt der Weise seinen sprachlosen Mund, wahrlich nicht gewohnt, daß er eine ganze Szene lang keinen anderen Text hat als die puritanische Floskel: »Very interesting.«

Erst draußen, den Kopf schüttelnd, der in einer Stunde so viel Köstliches zu verschenken vermöchte, sagt er:

»This young man – no!...«

Damit meint er das Kind des Nachtwächters, das tausend Tage und diese Stunde verbraucht hat, sich am Ärgerlichen zu ärgern. Eine Rakete, die ins Wasser gefallen ist, läßt sich nicht mehr anzünden! das weiß das Kind... Wie recht du hast! sagt nun der andere und wischt sich plötzlich eine durchaus ungefragte Träne: Wir alle sind Hühnerdiebe, wir alle sind Hühnerdiebe! –)

Das war die Begegnung mit Thornton Wilder.

Arabeske

»Ich weiß nicht«, sagte Don Juan nach einem leidenschaftlichen Gespräch, dessen lässiger Zuhörer er war: »Ich weiß nicht, was ihr gegen die Kirche habt – in einer Stadt, die nicht genannt sein möchte, habe ich einmal eine Geliebte gehabt, eine meiner ersten, ein sehr junges Ding, das mich die Liebe gelehrt hat wie keine zuvor, so frei von Hemmung, so wild, so unschuldig, daß man wirklich jede Scham verliert, eine Spielerin, eine Begabung ohnegleichen, ich habe selten einen Menschen gesehen, der so körperlich leben konnte, der mit seinen Sinnen so versöhnt war wie sie... Ich will nicht weitererzählen!« sagte er und nahm sich eine Zigarette: »Aber dann, als ich schon schlummerte, weckte sie mich und war bestürzt, ehrlich bestürzt, daß ich vor dem Einschlafen nicht betete – Nie? sagte sie. Nie? Das muß man aber! sagte sie, das muß man aber!... Und zur Beichte gehst du auch nicht?«

Hamburg, November 1948

Der Begriff der Kultur – (eine der großen, dringenden Fragen, die mich immer wieder beschäftigt, obschon sie meine Denkkraft immer sehr bald übersteigt) – Kultur, Kunst, Politik... Eines geht sicher nicht: daß man Kultur reduziert auf Kunst, daß ein Volk sich einredet, es habe Kultur, weil es Sinfonien hat.

Zu den entscheidenden Erfahrungen, die unsere Generation, geboren in diesem Jahrhundert, aber erzogen noch im Geiste des vorigen, besonders während des zweiten Weltkrieges hat machen können, gehört wohl die, daß Menschen, die voll sind von jener Kultur, Kenner, die sich mit Geist und Inbrunst unterhalten können über Bach, Händel, Mozart, Beethoven, Bruckner, ohne weiteres auch als Schlächter auftreten können; beides in gleicher Person. Nennen wir es, was diese Menschenart auszeichnet, eine ästhetische Kultur. Ihr besonderes, immer sichtbares Kennzeichen ist die Unverbindlichkeit, die säuberliche Scheidung zwischen Kultur und Politik, oder: zwischen Talent und Charakter, zwischen Lesen und Leben, zwischen Konzert und Straße. Es ist eine Geistesart, die das Höchste denken kann (denn die irdische Schwere werfen sie einfach über Bord, damit der Ballon steigt) und die das Niederste nicht verhindert, eine Kultur, die sich strengstens über die Forderung des Tages erhebt, ganz und gar der Ewigkeit zu Diensten. Kultur in diesem Sinn begriffen als Götze, der sich mit unsrer künstlerischen oder wissenschaftlichen Leistung begnügt und hintenherum das Blut unsrer Brüder leckt, Kultur als moralische Schizophrenie ist in unserem Jahrhundert eigentlich die landläufige. Wie oft, wenn wir einmal mehr von Deutschland sprechen, kommt einer mit Goethe, Stifter, Hölderlin und allen andern, die Deutschland hervorgebracht hat, und zwar in diesem Sinn: Genie als Alibi –.

Wenn Menschen, die eine gleiche Erziehung genossen haben wie ich, die gleiche Worte sprechen wie ich und gleiche Bücher, gleiche Musik, gleiche Gemälde lieben wie ich – wenn diese Menschen keineswegs gesichert sind vor der Möglichkeit, Unmenschen zu werden und Dinge zu tun, die wir den Menschen unsrer Zeit, ausgenommen die pathologischen Einzelfälle, vorher nicht hätten zutrauen können, woher nehme ich die Zuversicht, daß ich davor gesichert sei?

In einer seiner jüngsten Reden hat Winston Churchill, in bezug auf den deutschen Eroberer von Rundstedt, den Rat erteilt, man solle jetzt das Geschehene endlich geschehen sein lassen. Das ist, wenn ich auch den Zweck dieser Amnestie leicht durchschaue, die kürzeste Formel für das, was mich bestürzt. Leider ist es ja so, daß das ›Geschehene‹, noch bevor es uns wirklich und fruchtbar entsetzt hat, bereits überdeckt wird von neuen Untaten, die uns in einer willkommenen, einer fieberhaften und mit verdächtigem Eifer geschürten Empörung vergessen lassen, was Ursache und Folge ist; nicht nur in Deutschland, auch bei uns reden wir gerne vom Heute, als stünde kein Gestern dahinter. Das Geschehene endlich geschehen sein lassen! Besonders obszön empfinde ich es, wenn man es mit Goethischem kleidet: mit dem schöpferischen Schlaf des Faust, mit dem heilenden Segen des Vergessens usw. Das alles darf der Erschütterte sagen, nur der Erschütterte. Zwar meinen wir, das ›Geschehene‹ zu wissen, und zwar, wie jedermann sagt, zur Genüge. Ich habe noch wenige Erschütterte getroffen, so erschüttert, daß der Chor der antiken Tragödie einschreiten würde mit seinem: Genug! Jeder sagt: Das weiß man nun. Wenn man an Ort und Stelle steht, weiß man, daß man es durchaus nicht weiß; das Unvorstellbare entzieht sich unserem Gedächtnis, und das ist gut so, aber einmal, glaube ich, muß das Entsetzen uns erreichen – sonst gibt es kein Weiter.

Was hat, so sagt man, Kunst mit Politik zu tun? Und unter Politik versteht man nicht, was die Polis angeht, das Problem, wie die Menschen, da keiner doch allein bestehen kann, zusammen leben, das Problem der gesellschaftlichen Ordnungen, dessen Lösung immer den Anfang der Kultur darstellte, die Kultur gewährleistete, wenn nicht in wesentlichen Graden sogar ausmachte, oder den Untergang einer Kultur verursachte – unter Politik versteht man schlechterdings das Niedrige, das ordinäre, das Alltägliche, womit sich der geistige Mensch, der glorreiche Kulturträger, nicht beschmutzen soll. Der Kulturträger, der

Kulturschaffende. Es ist immer wieder auffällig, wieviel deutsche Menschen (besonders deutsche) unablässig besorgt sind, geistige Menschen zu sein; vor allem, *wie* sie besorgt sind: indem sie von Literatur, von Musik, von Philosophie sprechen. Und Schluß. Auffällig ist die Angst, ein Spießer zu sein; man wird kaum einem Deutschen begegnen, der dieses Wort nicht schon im ersten Gespräch braucht. Spießer, gemeint als Gegenstück zum geistigen Menschen. Wenn sie Gottfried Keller auf der Straße oder in seiner Staatskanzlei oder gar an einem Schützenfest gesehen hätten, ich bin überzeugt, daß die allermeisten, die dieses ominöse Wort in den Mund nehmen, ihn als Spießer klassifiziert hätten, als das Gegenteil eines geistigen Menschen, eines Kulturträgers, eines Kulturschaffenden, weitab von der Elite. In der Tat empfinden wir, was den Begriff der Kultur angeht, einen nicht unbedeutenden Unterschied zwischen dem deutschen und dem schweizerischen Denken, das hier vielleicht am selbständigsten ist gegenüber dem deutschen. Das jedem Volk unerläßliche Gefühl, Kultur zu haben, beziehen wir kaum aus der Tatsache, daß wir Künstler haben; zumindest empfinden wir die Begabung eines Gotthelf (um es bei einem bewenden zu lassen) nicht als Entschuldigung dafür, daß es in seinem Lande auch Verdingbuben gibt, eine hanebüchene Einrichtung in bezug auf das Soziale. Unter Kultur verstehen wir wohl in erster Linie die staatsbürgerlichen Leistungen, die gemeinschaftliche Haltung mehr als das künstlerische oder wissenschaftliche Meisterwerk eines einzelnen Staatsbürgers. Auch wenn es für den schweizerischen Künstler oft eine trockene Luft ist, was ihn in seiner Heimat umgibt, so ist dieses Übel, wie sehr es uns persönlich trifft, doch nur die leidige Kehrseite einer Haltung, die, von den meisten Deutschen als spießig verachtet, als Ganzes unsere volle Bejahung hat – eben weil die gegenteilige Haltung, die ästhetische Kultur, zu einer tödlichen Katastrophe geführt hat, führen muß.

»Natürlich war er ein Schwein«, sagt jemand: »aber ein Mensch von seiner Begabung – seine Begabung geben Sie ja selber zu! – und überhaupt, ich bitte Sie, was hat Kunst mit Politik zu tun?«

Dazu nur eins:

Es gibt leider kein menschliches Wesen, das nur Kunst macht – und wenn er eines Tages, um seine Kunst machen zu können, beispielsweise eine Unterschrift gibt, die andere an den Galgen liefert, ehemalige Freunde vielleicht, zumindest Menschen, die ihn keineswegs bedroht haben, so interessiert mich seine Begabung nur teilweise, auch wenn er versichert, daß er sich ›grundsätzlich‹ nicht in Politik einmische und daß er ›nur‹ ein Künstler sei, ein ›Kulturschaffender‹.

Wer sich nicht mit Politik befaßt, hat die politische Parteinahme, die er sich sparen möchte, bereits vollzogen: er dient der herrschenden Partei.

In diesen Zusammenhang gehörte auch der literarische Begriff der Tendenz, die, wie man allenthalben hört, mit Dichtung nichts zu tun hat – Tendenz als eine Deutung der Verhältnisse, die der Deutung, welche der Leser hat, nicht entspricht und somit eine ›Entstellung‹ genannt werden muß, somit nicht als reine Dichtung bezeichnet werden kann – denn von reiner Dichtung sprechen wir erst dort, wo die Tendenz uns als solche nicht mehr bewußt ist, wo die Deutung, die ja immer vorhanden ist, sich mit der unseren deckt, indem sie die unsere geworden ist, und wo wir zu jenem reinen Genuß kommen, der darin besteht, daß ich meine Ansicht als die einzigmögliche, die wahre, die absolute sehe...

Die Heidenangst, ein Spießer zu sein, und das Mißverständnis, das darin schon enthalten ist, die Bemühtheit, sich in den Sphären des Ewigen anzusiedeln, um auf der Erde nicht verantwortlich zu sein, die tausend Unarten voreiliger Metaphysik – ob das für die Kultur nicht gefährlicher ist als alle Spießer zusammen?

Letzigraben

Pflanzen der Bäume, lauter schöne und meistens große Stücke, Stämme über sieben Meter, so daß man sie mit großen Wurzelklumpen versetzen muß: Weiden aller Art, Ahorn, Platanen, Eschen und Erlen, Pappeln, Eichen, Akazien, Buchen und einige Nadelhölzer, deren Dunkles wir als Akzente brauchen – eine köstliche Arbeit, aber leider im Nebel, die kahlen Stämme wirken sehr dürftig, und es ist schwierig, sich den Sommer vorzustellen, das Grüne, das Dichte oder das Schüttere der verschiedenen Bäume; ich bin ganz auf den Gartenberater angewiesen, der die eintreffenden Stämme identifiziert, und auf die eigene Phantasie.

Nachmittags wieder in die Baumschulen.

Wir beschränken uns jetzt auf die wesentlichen Gruppen, etwa vierhundert Bäume und gegen tausend Sträucher; den Rest pflanzen wir dann im Frühling je nach Wirkung und verbleibendem Geld, es fehlen noch die Birken und Lärchen.

Café Odeon

Wieder ein italienischer Film, der erschüttert, als sähe man diese Dinge zum erstenmal. Wieder der unverblümte Mut, das menschliche Versagen an der eignen Nation aufzuzeigen. Ohne das Peinliche der Selbstzerfleischung. Und wieder das Ergebnis, daß das Eingeständnis der Schwächen, ausredenlos erbracht, auch den ausländischen Zuschauer keinen Augenblick verführt, auf eben diese Nation herabzuschauen, im Gegenteil: es gibt kein europäisches Volk, das uns zur Zeit so mit Zuversicht erfüllt wie das italienische. Gerade durch seine Selbstkritik. Eine weitere Wirkung, die für diesen Film spricht: ich bin restlos überzeugt, daß auch wir, wäre uns der Faschismus nicht verunmöglicht worden durch den glücklichen Umstand, daß er von vornherein unsere Souveränität bedrohte, genau so versagt hätten, wenn nicht schlimmer zumindest in der deutschen Schweiz.

Wintermorgen, überall Reif, die Sonne als roter Ball hinter einem metallischen Dunst, das spröde Gezweig unsrer Bäume, zierlich und zart, wie mit Tusche gemalt auf eine graue, etwas ins Violette schillernde Seide, und unter den Schuhen, wenn man über das braune Feld geht, klingt es wie zerbrechendes Glas...

In einer Woche ist Premiere.

Ich bin sehr glücklich, mindestens weiß ich: diese Tage, wo zwei Entwürfe so verschiedener Art sich verwirklichen dürfen, werden mir einmal als glückliche Tage erscheinen. Hier die Handwerker, dort die Schauspieler. Das Wirkliche: die Spannung dazwischen. Die Proben werden wie immer das schönste sein; man ist unter sich, unter den Menschen, die daran arbeiten, und das Fertige wird stets etwas trostlos sein, unheimlich; alles Fertige hört auf, Behausung unsres Geistes zu sein; aber das Werden ist köstlich, was es auch sei – man sieht jetzt den warmen Atem der Arbeitenden als silbernen Hauch, der sich immerfort verliert...

Neujahrstag 1949

Das Klima der Sympathie – wie sehr wir darauf angewiesen sind! Es zeigt sich, sobald uns eine Sympathie, die lang vorhanden gewesen ist, entzogen wird. Da ist es, als habe man keine Luft unter den Flügeln.

Frage:

Ist die Sympathie, die uns das Gefühl gibt, fliegen zu können, nichts als eine freundliche Täuscherei, eine schonende Unterlassung der Kritik, so, daß das andere Klima – dieses Klima ohne Sympathie – als das gültigere anzusehen ist, das einzig gültige?

Das Ansteckende: es genügt eine einzige Sympathie im ganzen Kreis, und wenn diese gekündigt wird, kündigt der ganze Kreis, der nichts zu kündigen hat.

(Wie ihr Blick, musternd, dich verläßt.)

Gewiß, man kann die Achseln zucken, sich dorthin wenden, wo Sympathie uns erwartet, oder neue erobern – das alles ändert nichts an dem Schrecken, wie verloren man ist, wo uns die Sympathie entzogen wird.

Verloren: ohne Schutzengel.

Sympathie nicht als Unterlassung der Kritik. Aber: Sympathie hat Geduld, die Geduld der Hoffnung, sie behaftet uns nicht auf einer einzelnen Gebärde, die ungehörig ist, vorlaut, tappig, eitel, rücksichtslos, selbstgerecht; sie läßt uns stets eine weitere Chance... Anders der Partner, der keine Sympathie empfindet: er verbucht, was ist, und gibt keinen Vorschuß, er ist aufmerksam und gerecht, und das ist fürchterlich. Sieht er uns richtiger? Wir werden, wie Polonius es mit den fahrenden Schauspielern tut, nach unserem Verdienst behandelt. Hamlet sagt: Potz Wetter, Mann, behandelt sie besser, viel besser; behandelt jeden Menschen nach seinem Verdienst, und wer ist vor Schlägen sicher?

Auch umgekehrt zu bedenken:

Wenn wir keine Sympathie haben, einem Menschen gegen-übersitzen wie Geschworene, unvoreingenommen – wie ver-dächtig, wie anrüchig, wie unleidig jeder Mensch wird, wenn er fühlt, daß er unsere Gunst nicht hat, und also allein zu seinen Gunsten redet.

Das Gefühl, keine Luft zu haben, so, daß die Stimme nicht trägt, jedes Wort fällt auf den Boden und zerschellt, und wenn man sich verabschiedet, das Gefühl, daß man zuviel gesprochen habe, denn in der Tat ist jedes Wort zuviel gewesen, das Gefühl, in Scherben zu gehen, das Gefühl, zu bluten.

Die unbewußte, selbstverständliche Voraussetzung, ohne die man keinen Satz schreiben könnte, die Voraussetzung, daß man irgendwo, und wäre es noch so ferne, von einer Sympathie ge-schützt wird, ist das bereits Narzißmus?

Erinnerung an einen französischen Film, der schildert, wie einem Mann (Michel Simon) plötzlich die Sympathie entzogen wird, die er jahrelang im Quartier genossen hat; plötzlich, ohne daß er sich verändert hätte, fällt ein Verdacht auf ihn – oder man könnte auch sagen: plötzlich hat ihn der Schutzengel verlassen, und nun soll er sehen – er sieht: sein Gepäck, seine ganze Habe auf der Straße, er sieht die Nachbarn alle, die unter ihren Türen stehen oder aus den Fenstern gaffen, alle halten ihn für den Mörder, einer stellt ihm das Bein, er wehrt sich, keiner hilft ihm, andere spielen Fußball mit seiner Habe, plötzlich ist er wie ein Stier in der Arena, dessen Blut sie wollen, halb besessen und halb scherzhaft treiben sie ihn auf das Dach, bis er zu Tode stürzt –.

Das Mysterium des Hasses.

(Antisemitismus.)

Erzählung eines Bekannten, der schon mehrmals aus Versehen verhaftet worden ist, ein junger Arzt, ein empfindsamer und mit viel Gewissen belasteter Mensch, verhaftet und abgeführt von

vier Gendarmen: durch eine Gasse von Menschen, die zwischen
Neugier und Abscheu halb drängen, halb zurückweichen, und
wie er versichert, daß er Doktor sei und von einem Kranken erwartet werde, fällt für die Gendarmen der letzte Zweifel, daß sie
ihn endlich haben, den gesuchten Kindermörder –.

Der Schutzengel: die Sympathie, wir brauchen ihn immerzu.
Wir haben ihn als Kind, sonst wären wir längst überfahren, wir
wachsen damit auf, wir verlassen uns auf ihn – und dabei ist es
nur ein Hauch, was uns schützt, was uns von dem Ungeheuerli-
chen trennt, von dem Rettungslosen, wo nichts mehr für dich
zeugt, kein eignes Wort, keine eigne Tat...

Zürich, 8. 1. 1949

Erste Aufführung im Zürcher Schauspielhaus: »Als der Krieg zu
Ende war.« Regie: Kurt Horwitz. Hauptdarsteller: Brigitte
Horney, Walter Richter, Robert Freitag. Bühnenbild: Caspar
Neher.
    Kleine Schlägerei im Foyer.

Letzigraben

Mit Brecht auf der Baustelle. Ich habe ihn, da er das Telefon
während der Arbeitszeit nicht abnimmt, vom Schreibtisch holen
müssen, seinem Wunsch gemäß. Wie immer, wenn er sich eine
sachliche Belehrung verspricht, ist er sofort bereit. Mitten aus einer Szene heraus, die er in der Schreibmaschine hat, zieht er die
Schuhe an; auf dem Bett liegen Bühnenbilder für Berlin, Entwürfe, die mich interessieren. Er will aber auf den Bau; über
Theater kann man auch bei schlechtem Wetter sprechen. Von allen, die ich bisher durch die Bauten geführt habe, ist Brecht der
weitaus dankbarste, wißbegierig, ein Könner im Fragen. Fachleute vergessen leicht die großen, die grundsätzlichen Fragen;

Laien hören zu, nehmen Lösungen entgegen, wo sich ihnen nie eine Frage gestellt hat, und besonders unergiebig finde ich die Literaten, die allem Sachlichen, bevor sie es erfassen, durch Meditation entfliehen, Stimmungsfritzen, Schaumschläger ihres Witzes oder ihrer Innerlichkeit. Brecht hat einen erstaunlichen Blick, Intelligenz als Magnet, der die Probleme anzieht, so, daß sie auch hinter den vorhandenen Lösungen hervorkommen. Ihm zu erläutern, wie etwa ein Sprungturm geworden ist, wie die architektonische Form sich aus der statischen Aufgabe entwickelt, aber nicht nur entwickelt, wie es der Form obliegt, jene Aufgabe nicht nur zu lösen, sondern sie dem Auge darzustellen, solche Erläuterungen werden zu einem wahren Vergnügen, einem gemeinsamen. Über zwei Stunden stapfen wir umher, hinauf und hinunter, hinein und hinaus, rundherum; hinzu kommt, was den Schaffenden unterscheidet vom Kenner, unweigerlich – das Brüderliche, das aus Erfahrung lebendige Bewußtsein: Zuerst ist nichts!... Die Kenner, wenn sie etwa eine Zeichnung sehen, gehen von Dürer oder Rembrandt oder von Picasso aus; der Schaffende, gleichviel wo er selber wirkt, weiß um das leere Papier.

Rezensionen

Goethe gibt den Rat, man solle einem Rezensenten niemals antworten, es sei denn, er behaupte in seiner Rezension, man habe zwölf silberne Löffel gestohlen – doch so weit gehen unsere Rezensenten kaum... Es bleibt also wirklich nur eins: schweigen und weitermachen, solange man Lust dazu hat, sein eigener Kritiker werden, keine silbernen Löffel stehlen und basta! – und dankbar sein, wenn eine Rezension, ob lobend oder tadelnd, ernsthaft ist, anständig, indem sie nicht annimmt, daß der Verfasser selber keine Bedenken und Einwände habe gegen sein Werk; solche Rezensionen gibt es ja auch, sogar mehr als unser Gefühl zugibt; ein Mensch, der uns bei Tisch etwa das Salz gibt, zählt ja nicht weniger als jener, der uns in die Suppe spuckt, aber der letztere beschäftigt uns länger, und leider weiß er das, auch wenn man ihm nicht antwortet.

Nichts leichter als das: man schneidet eine Kartoffel zurecht, bis sie wie eine Birne aussieht, dann beißt man hinein und empört sich vor aller Öffentlichkeit, daß es nicht nach Birne schmeckt, ganz und gar nicht!

Meistens ist es wohl so, daß das Unbehagen, das unsere Rezensenten befällt, irgendwo berechtigt ist. Aber wo genau? Vielen, scheint es, genügt die erste beste Deutung, die ihnen angesichts ihres Unbehagens einfällt, in ihrem berechtigten Unbehagen scheint ihnen alles berechtigt, was in die Feder fließt, und je menschlicher ein Unbehagen ist, je tiefer es im Persönlichen wurzelt, um so größer ist die Gier nach artistischen Mängeln, um so wahlloser auch; man spürt, wie froh sie darum sind, daß der dritte Akt mißraten ist – ich hätte ihnen einen größeren Gefallen nicht tun können.

Es ist schwierig, ein Rezensent zu sein; über die fachlichen Schwierigkeiten hinaus, die zu jeder Arbeit gehören und nicht besonders anzuführen sind, meine ich vor allem die menschlichen. Rezensionen, die ich als Student geschrieben habe, kann ich heute nicht ansehen, ohne zu erröten, wobei es weniger Unkenntnis ist, was beschämt, sondern der Ton ganz allgemein, der sich für witzig hält, eine Mischung von Dreistheit und Herablassung, und dabei, weiß ich, war ich voll Minderwertigkeitsangst. Das Rezensieren war für mich eine Notwendigkeit, eine Labsal, aber nur für mich. Sicher gibt es Seelen, die am Unvollendeten leiden, ehrlich leiden, rasend werden und nicht umhin können, auf den Tisch zu hauen und grob zu werden, daß die Wände wackeln. Dagegen ist nichts zu sagen. Die meisten aber, die allermeisten werden nicht rasend, sondern hämisch, witzig, dreist, herablassend. Hämisch im Falle des Tadels; brüderlich im Falle des Lobes, und das ist das andere, was mich an jenen studentischen Rezensionen verstimmt: die Anbiederung. Nichts ist schwieriger als Loben. Schon die Wörter werden bald allgemein, so, daß sich ganz Verschiedenes, sogar Gegensätzliches damit beloben ließe. Es muß keine Mißgunst sein, keine Miesmacherei, wenn der Kritiker sich scheut, Lobesworte zu schreiben; das Lob, das ernsthafte, kann in der Tat fast nur mittelbar gesagt werden, beispielsweise durch die Namen, die zum Vergleich herangezogen werden, insbesondere durch die Höhenlage der kritischen Auseinandersetzung. Das unmittelbare Lob hat wenig Überzeugungskraft, und wenn jemand noch so inbrünstig sagt: Das ist das beste Gedicht! sagt er nichts über das Gedicht, und man fragt sich dann: Woher hat der wohl das Schwert, womit man jemand zum Ritter schlägt? und man wird den Eindruck einer fuchtelnden Selbstüberschätzung nicht ganz los, gerade wenn einer lobt. Vor allem aber, wenn ich nach Jahren auf eigene Rezensionen stoße, merke ich fast ohne Ausnahme, daß ich stets mich selber gelobt habe, gelobt, was eigenen Bestrebungen entgegenkommt und sie durch Gelingen heiligt, das ist es, was ich (und nicht selten auf Grund eines flinken Mißverständnisses) durch Lobesworte unterstrichen habe...

Es ist schwierig, ein Rezensent zu sein.

Es gibt viele Kenner, vortreffliche Kenner, doch wenig Leute, die von ihrem Dasein erfüllt sind, und vielleicht hätten diese allein die kostbare Gabe der Kritik. Nicht daß sie es selber besser machten! das ist eine kindische Forderung. Kritik ist ein Vermögen für sich. Aber die Erfüllten, gleichviel wo sie ihre eigene Erfüllung gefunden haben, sind nicht genötigt, sich gegen alles Geschaffene, das ihnen in ihrer Zeit begegnet, aus Notwehr zu behaupten.

Kritik am Artistischen, glaube ich, ist meistens eine Ausrede. Es gibt ganz wenige, deren Unbehagen wirklich aus dem Artistischen kommt. Es zeigt sich schon daran, daß die gleichen Leute, wenn unsere Aussage eine angenehme, eine harmlose oder gar schmeichelhafte ist, dem gleichen Verfasser gegenüber kaum ein Bedürfnis haben, das Artistische zu erörtern. Das Stück, dessen

Aussage ihnen genehm ist, bezeichnen sie stets als das bessere, das weitaus bessere.

Man müßte, um das Unbequeme sagen zu können, ein vollendeter Artist sein – damit sie für ihren Zorn keinen Ausweg haben.

Kritik am Artistischen.

Jemand sagt mir, daß ich an meinem Nachbarn ein arges Unrecht begangen habe, und ich sage: Herr, Sie haben ja eine Zahnlücke! und wenn er keine Zahnlücke hat, finde ich vielleicht, um den Unbequemen nicht anhören zu müssen, einen offenen Hosenknopf. Herr, sage ich, Sie haben ja einen offenen Hosenknopf. Und wenn er den offenen Hosenknopf geschlossen hat? Dann sage ich: Herr, ich glaube, Sie stinken nach Tabak, und das vertrage ich nicht, mir ist ganz übel. Und wenn er eines Tages wiederkommt und er stinkt nicht mehr nach Tabak, denn vielleicht hat er überhaupt nicht gestunken, und er fährt fort, mein Unrecht zu schildern? Dann sage ich: Herr, Sie reden ja immer das gleiche, das ist langweilig, das wissen wir nun nachgerade...

Lob und Tadel –

Mit einem Lob, das uns verfehlt oder gar läppisch erscheint, müssen wir uns nicht auseinandersetzen; darüber kann man rasch hinweggehen, und man tut es auch. Über einen Tadel hinweggehen, weil er uns verfehlt oder gar läppisch erscheint, das ist nicht so einfach, das hat stets etwas Verdächtiges. Der Tadel bleibt kleben.

Unter Umständen müßte es heißen: Was der Soundso erstrebt, halte ich für einen argen Irrtum, jedoch verwirklicht er sein Streben in hohem Maß. Statt dessen heißt es: Der Soundso ist nicht imstande, ein wirkliches Stück zu schreiben. Ein wirkliches Stück, das ist ein Stück, wie der Kritiker es für erstrebenswert hält. Rezensionen dieses Musters, und es gibt davon nicht wenige, sind nicht böse, aber unergiebig.

Ein Schauspieler gibt den Romeo, und eine Rezensentin, die der liebe Gott nun einmal als Lesbierin gewollt hat, schreibt darüber in der Zeitung. Sie kann schreiben: Zum Romeo des Herrn Sternenhagel finde ich keine Beziehung. Dagegen ist nichts einzuwenden. Sie schreibt aber nicht so, sondern unpersönlicher, unbedingter: Dem Romeo hingegen (hingegen) fehlt jede männliche Ausstrahlung –.

Will sagen: Es ist das heilige Recht jedes Rezensenten, seine Empfindungen auszudrücken. Unser Recht ist es, sie nur als die seinen anzuerkennen – was übrigens alles andere als ein Trost ist! In gewissen Augenblicken, nicht in selbstgewissen, aber in mutigen oder verzweifelten Augenblicken sehnte man sich danach, sich einem unbedingten Maßstab unterziehen zu können.

Kritik der Schaffenden? Die Schaffenden, denke ich, sind besonders befangen, aber ihr Urteil hat einen kostbaren Vorzug: wir kennen die Art ihrer besonderen Befangenheit, ausgedrückt in ihrem Werk, und vor allem hat ihr Urteil immer etwas Geschwisterliches. Es drängt uns niemals in den Sumpf der Selbstgerechtigkeit, was den Rezensenten so leicht gelingt.

Goethe sagt, man solle nicht antworten, er sagt nicht, man solle nicht hinhören. Vielleicht ist es nötig, daß man sich zwei oder drei Wochen lang in Ärger badet, und wäre es auch nur zum Zweck, wieder einmal zu erfahren, wie es mit unsrer Abgeklärtheit steht. Die Kritik, die hilft, kommt von vier oder fünf Menschen; darunter sind Nächste und ganz Ferne, Unbekannte, die keine Ahnung haben, wie förderlich sie gewesen sind. Ähnlich wie die Kritik der Schaffenden, finde ich, ist die Kritik kluger, unliterarischer Frauen; persönlich, entschieden, geschwisterlich. Die Kritik, die hilft: sie hilft, keine Zeit zu verlieren, sie beschleunigt die Selbstkritik, die einzige, die für das Weitere anwendbar ist.

Morgenstreich: – wie die bunten, riesenhaften, immer ein wenig
wankenden Laternen auf den Marktplatz kommen, aus allen
Gassen hört man das Getrommel der Larven, urwaldhaft, ihr
Getrommel hat etwas Gestautes, etwas Gestottertes, es zittern
die Fensterscheiben und kichern, die Luft ist wie zerrissen von
der monotonen Schrille der Pfeifer, und dann sind sie da, Kohorten von übermenschlichen Larven, Vögel, Kobolde, Kohlköpfe,
immer eine Gruppe, alle mit einer schrägen Pfeife am Mund, so
daß die ganze Gruppe immer auch eine gleiche Haltung hat, ungeheuerlich gerade durch das Mehrfache, das Uniforme, der Dä-
mon nicht als Individuum, sondern als Rasse...

Abends auf einem Maskenball.

Das Ganze, seines Ruhmes würdig, erinnert an eine Sitte, die
es in China geben soll: einmal im Jahr kommt die ganze Sippe
zusammen, setzt sich im Kreis, alle verstopfen sich die Ohren mit
Lehm, dann sagen sie einander die Wahrheit, das heißt, sie sagen
einander alle Erdenschande, verspotten, verfluchen, verhöhnen
einander, bis sie keuchen, jeder gesteht seine Ehebrüche, seine
Geschäfte, seine Listen, seine Süchte, seine Ängste, gesteht und
schreit, bis er heiser ist – und dann, wenn keiner mehr kann, pol-
ken sie den Lehm aus den Ohren, lächeln, verbeugen sich zierlich, begleiten einander nach Hause, laden sich gegenseitig zum
Tee und leben wieder ein Jahr lang zusammen, wie es sich gehört,
friedlich, höflich und gesittet...

Stuttgart, 29. 4. 1949

»Die Schweiz in Stuttgart«, eine Woche schweizerischer Veranstaltungen aus mehreren Gebieten der Kunst, Theater, Konzerte,
Ausstellungen, Vorträge usw.

»Kultur.«

Zum Glück wird das Wort ziemlich vermieden, man beschränkt sich auf saubere Begriffe wie Musik, Malerei, Literatur,

Architektur; das immer etwas Rührende und Komische solcher Veranstaltungen, die an den Sonntagsspaziergang eines stolzen Vaters erinnern: Seht, das sind unsere musikalischen Kinder, Othmar Schoeck, Frank Martin, Willi Burckhardt, Arthur Honegger...

Gastspiel des Zürcher Schauspielhauses: »Als der Krieg zu Ende war.« Ein eisiges Schweigen zu Anfang, wir haben mit einem Skandal gerechnet und sind vom Gegenteil überrascht, Gespräche mit vielen Menschen, wertvoll vor allem das leider unterbrochene Gespräch mit einer jungen Frau, die selber die Russenzeit sehr persönlich erlebt hat – auch bei Zustimmung bleibt das Grundsätzliche: wenn der Schreiber eines historischen Stückes in die Lage kommt, denen gegenüberzutreten, die damals gelebt haben, beispielsweise, wenn ein Romancier, der sein Anliegen etwa in den Dreißigjährigen Krieg verlegt hat, sich verantworten müßte vor den schwedischen Offizieren, von denen er einen geschildert hat, und zugleich vor den böhmischen Frauen, vor dem Spanischen Hof, vor den niederländischen Bürgern, vor den deutschen Bauern, vor den Gerädterten, vor den Verhungerten, vor den Gehenkten und vor den Henkern, die beide dabei gewesen sind und sich schon untereinander auf eine Darstellung des Gewesenen kaum einigen können, grundsätzlich wird es immer die gleiche Frage sein, nämlich woher der Dichter eigentlich das Recht nimmt, zu dichten. Er nimmt es daraus, daß er ein Dichter ist. Aber wenn er das nicht ist oder nicht genug? Dann werden sie mit Recht sich über ihn werfen, die böhmischen Frauen, die schwedischen Offiziere, die niederländischen Bürger, die spanischen Henker; dann mit Recht...

Nacht in Gesellschaft.

Morgenfrühe in einem hohen Wald, Stämme und junges Grün, Glanz der ersten Sonne, ihr gleitendes Glitzern in den Spinnweben, Vogelzwitschern, Duft von Knospen, das Gras voll Tau, die Luft ist kühl, Brunnenwasser, Bienen um blühende Zweige, Sonntag, Gebrumm eines fernen Geläutes, dann die ersten Morgengänger, die mit der Straßenbahn auf die Höhe gefahren sind, sich mit höflicher Zurückhaltung etwas verwundern über meinen schwarzen Anzug und die Lackschuhe und all das ohne Mantel, ohne Hut; endlich die Auskunft, daß die Stadt Stuttgart, deren Gast ich mich nennen darf, gerade in der entgegengesetzten Richtung liege –.

Letzigraben

Es geht dem Ende zu!… Die Möbel, die Vorhänge, die Blumen, die Schriften, die Goldfische. Überall kommen jetzt die letzten Verzweigungen in die reine Zierde. Die Leute, die es machen müssen, sind von einer guten Laune erfaßt; Witze, gute und schlechte. Die Frau des Hauswartes wünscht Blumenkisten vor den Fenstern. Es sei! Heute habe ich unter einem sachlichen Vorwand veranlaßt, daß zum ersten Male die große Fahne aufgezogen worden ist – sie flattert noch jetzt in einem leichten Wind, und die Kinder der Nachbarschaft scharen sich natürlich um den flachen Springbrunnen, dessen Strahl etwas schmächtig ist. Am Feierabend, wenn unsere Arbeiter mit ihrem leeren Rucksäcklein sich auf die Räder schwingen, um heimzufahren, kommen die andern aus den Fabriken, stoppen am Randstein, drücken ihre Nasen an den Drahtzaun. Das Ganze hat etwas von öffentlicher Bescherung. Die Gärtner begießen die frischen Blumen.

Story

Jemand erzählt eine Geschichte, die sich in der Nähe von Stuttgart ereignet haben soll: – In einem kleinen Bauernhof lebte eine Frau, deren Mann, damals ein junger Soldat, während des ersten Weltkrieges in russische Gefangenschaft kam. Da sie nach vielen Jahren immer noch mit der Rückkehr ihres Mannes rechnete, galt die Frau als verrückt; die Nachbarn erzählten sich, daß sie sein Bett immer wieder mit frischer Wäsche bezog, und obschon sie durchaus kein Zeichen von ihm hatte, war sie von der Überzeugung, daß er immer noch lebte, nicht abzubringen, zehn

Jahre nach dem ersten Weltkrieg, zwanzig Jahre. Dann kam der zweite Weltkrieg. Die Frau überlebte ihn; in allen Dingen, die nicht ihren verschollenen Mann betrafen, wirkte sie durchaus vernünftig. An ihrem stillen, unausgesprochenen, nur durch ihr Verhalten bezeugten Wahn, daß ihr Mann eines schönen Tages zurückkehren würde, änderte auch der zweite Weltkrieg nichts. Wieder gab es Hunderttausende von Frauen, die auf ihre Männer aus Rußland warteten, gläubig oder ungläubig. Unter den ersten, die wirklich wiederkehrten, war ein sehr alter Mann, den die Nachbarn, als er sich bei ihnen meldete, tatsächlich als den Mann jener Verrückten erkannten; er erkundigte sich, ob seine Frau noch lebte, und erfuhr, daß sie nie an seinen Tod geglaubt hätte. Erst nach dieser Kundschaft wagte er es, sich dem Hause zu nähern. Die Nachbarn warteten bis zum anderen Morgen, ehe sie hinübergingen, um zu sehen und zu hören, wie die Frau mit dem unwahrscheinlichen Ereignis fertig würde. Man traf sie gänzlich in Ruhe, unverändert, wobei sich zeigte, daß sie von dem Mann, der gestern gekommen war, überhaupt nichts wußte. Sie glaubte ihren Nachbarn nicht ein Wort, bis die Nachforschungen ergaben, daß die Nachbarn sie nicht zum Narren hielten und daß sie, die achtundzwanzig Jahre lang an seine Rückkehr geglaubt, sich nicht verstiegen hatte; man fand seine Leiche in der Jauchegrube, die sich beim hinteren Eingang befindet.

Letzigraben

Heute, Samstag achtzehnter Juni, ist die Anlage eröffnet worden. Sonniges Wetter und viel Volk. Sie schwimmen, springen von den Türmen. Die Rasen sind voll von Menschen, halb nackt und halb bunt, und es ist etwas wie ein wirkliches Fest; ein paar alte Leutchen, die natürlich nicht baden, bewundern die vielen Blumen, und der Pavillon mit den blauweißen Stores, der auf dem Galgenhügel steht, hat stürmischen Betrieb. Noch wird alles, bevor es benutzt wird, wie ein neues Spielzeug betrachtet; nur die Kinder planschen drauflos, als wäre es immer so gewesen.

Die Anlage, erbaut von der Stadt Zürich, kostet viereinhalb Millionen Franken. Sie faßt viertausend und zweihundert Menschen, enthält drei große Wasserbecken, Schwimmer und Nichtschwimmer und Sport, das Wasser wird durch einen Filter ununterbrochen gereinigt. Die Anlage, die zweite dieser Art, die Zürich bisher erstellt hat, befindet sich in einem Stadtteil, der hauptsächlich von Arbeitern und Angestellten bewohnt ist. Die Bauzeit dauerte zwei Jahre, meine Arbeit vier Jahre.

Café Odeon

Ein Freund, ein verehrter, schreibt:

»Ich kann nicht verschweigen, daß ich dieses gewaltsame Offenhalten von Wunden, zu dem Du Dich wie so viele andere offenbar verpflichtet fühlst, für ein eigentliches Unglück halte.«

Ich halte für ein eigentliches Unglück: das Verbinden von Wunden, die noch voll Eiter sind – und sie sind voll Eiter – das Vergessen der Dinge, die nicht durchschaut, nicht begriffen, nicht überwunden und daher nicht vergangen sind.

Aber sind auf meiner Seite so viele?

Unterwegs

Die Affen im Zoo – Eindruck: die hocken gerade an der Grenze, wo die Langeweile beginnt. Plötzlich halten sie inne, blicken in die Luft, einen Augenblick lang haben sie die ganze Melancholie, die den Menschen auszeichnet; nur können die Affen nicht ins Konzert, ins Theater, sie können noch keine Kunst daraus machen, sie lausen sich, zur Wissenschaft fehlt ihnen die Vernunft, sie spielen mit Nüssen oder mit ihrem Geschlecht, weiter reicht es noch nicht. Aber sie spielen bereits! Die Molche spielen nicht; die liegen auf dem Bauch, atmen und verdauen; die haben von Langeweile noch nicht einmal eine Ahnung. Ein Mensch von Geist, sagt man hin und wieder, könne sich nicht langweilen.

Geist ist die Voraussetzung der Langeweile! Neulich habe ich wieder von den griechischen Göttern gelesen; wie die sich langweilen! Sie stiften Mord und Krieg, nur damit sie sich unterhalten in ihrer Unsterblichkeit... Die Götter, von keinem Ende bedroht, und die Molche, die auf dem Bauch liegen und atmen, ich möchte weder mit den Molchen noch mit den Göttern tauschen. Das Bewußtsein unsrer Sterblichkeit ist ein köstliches Geschenk, nicht die Sterblichkeit allein, die wir mit den Molchen teilen, sondern unser Bewußtsein davon; das macht unser Dasein erst menschlich, macht es zum Abenteuer und bewahrt uns vor der vollkommenen Langeweile der Götter... Heute fragt Ursel, unsere Sechsjährige, mitten aus dem Spiel heraus, ob ich gerne sterbe.

»Alle Leute müssen sterben«, sage ich hinter meiner Zeitung: »Aber gern stirbt niemand.«

Sie besinnt sich.

»Ich sterbe gerne!«

»Jetzt?« sage ich: »Wirklich?«

»Jetzt nicht, nein, jetzt nicht –.«

Ich lasse die Zeitung etwas sinken, um sie zu sehen, sie sitzt am Tisch, mischt Wasserfarben.

»Aber später«, sagt sie und malt mit stiller Lust: »später sterbe ich gerne.«

Der Harlekin, Entwurf zu einem Film

Sonntagabend, Kirmes in einer kleineren Stadt, zu sehen ist der dickste Mann der Welt, widerlich, aber jedesmal, wenn der Ausrufer an seiner schrillen Glocke zieht, strömen die Leute hinein. Und dann sitzt er also auf einer ebenso winzigen wie schäbigen Bühne, verkleidet als chinesischer Mandarin, ein zuckerkranker Mann aus lauter Fett und Falten, die Augen verschwinden fast unter den Wulsten, aber er bewegt sich wirklich, er lächelt, er lebt. Das Publikum tuschelt. Damen mit zartem Gemüt halten ihre Hand vors Gesicht. Der Ausrufer, mit einem schlanken

Stäblein auf den Bauch zeigend, der wie ein Ballon aussieht, gibt einen kurzen Lebenslauf:

»Meine Damen und Herren«, sagt er: »das ist der Mann, der sich glücklich preisen würde, wenn er arbeiten könnte, aber dazu ist er nicht imstande –.«

Draußen dröhnt es von Karussells, es bimmelt, wirbelt, dreht sich mit bunten Glühbirnen und fliegenden Röcken, es leiert von allen Seiten, einer schlägt den Herkules, und immer wieder hört man das silberne Glöcklein, wenn er es geschafft hat, dazu eine Arie aus dem Rigoletto, Schreie auf der Achterbahn, Schüsse in einer Schießbude... Gottlieb Knoll, der Held unsrer Geschichte, bleibt stehen und steckt sich eine Zigarette an.

»Meine Herrschaften«, ruft es von der andern Seite: »wer wagt es? Die Gespensterbahn! Nur für starke Nerven! Dreißig Groschen, wir zahlen den Preis sofort zurück, wenn Ihnen die Haare nicht zu Berge stehen – Die Gespensterbahn, das Erlebnis der Woche!«

Ein Pärchen wagt es.

»Immer hereinspaziert!« ruft es abermals von dieser Seite: »Hier sehen Sie das Wunder aller Wunder, hier sehen Sie die pure Wahrheit: Tschau Hing, der chinesische Mandarin, der dickste Mann der Welt, der Mensch, der nicht arbeitet – Tschau Hing!«

Das hat Gottlieb schon gesehen, er schlendert weiter, viel Geld hat er nicht mehr, aber etwas will er sich noch leisten, bevor es Montag ist, bevor er wieder an seinem Pult hockt. Die Dame ohne Unterleib? Einen Augenblick bleibt er stehen, kann aber nicht einsehen, welchen Reiz das haben soll, und geht weiter – vorbei an den heißen Würstchen, an den glitzernden Buden, die mehr versprechen, als das Leben halten kann... Gottlieb zieht es vor, an eine jener geheimnislos offenen Buden zu treten, wo man Bälle werfen kann; ganz allein. Ein Mädchen gibt ihm die Bälle aus Stoff, gefüllt mit Sägemehl. Gottlieb nimmt sie in die Hand, dann wirft er auf die Puppen, die er teilweise trifft; aber es genügt nicht für eine Brosche. Also weitergeworfen! Eine zweite, eine dritte, eine vierte Serie; Gottlieb schmettert, daß die Bude zittert, und indem er mit dem Arme ausholt, entdeckt er erst die Menge der Gaffer, die sich bereits versammelt haben, ein Umstand, der ihm jede Kapitulation unmöglich macht. Nach der elften Serie, es steht nur noch eine einzige Puppe, ist es bereits eine Volksfreude, Gottlieb schwitzt wie ein Held, wortlos, das Mädchen gibt ihm die Bälle nur mit Zögern, erinnert ihn an die Kosten. Aber für Gottlieb, das kann sie nicht verstehen, geht es jetzt ums Ganze; die letzte Puppe, der Teufel soll es holen, erinnert ihn immer mehr an seinen Direktor. Eine Puppe mit Monokel und Zylinder. Schon dreimal hat er sie getroffen, aber sie hat sich immer wieder aufgerichtet. Nach der siebzehnten Serie, als sie noch immer steht, zieht Gottlieb nur die Jacke aus; Kapitulation kommt nicht in Frage, und wenn er seine Uhr versetzen müßte – der Kerl muß herunter!...

Zur gleichen Zeit, kaum dreißig Schritte entfernt, ereignet sich übrigens ein ähnlicher, aber wirklicher Streit – hinter einer jener Buden, deren Vorderseite so glitzernd ist... Es handelt sich um einen Ringer, der streikt, um einen riesenhaften Kerl in gestreiftem Trikot, der imstande wäre, beide zusammen in die Luft zu halten, links den Gendarm und rechts den Budenbesitzer. Er tut es nicht; er sitzt auf einer Kiste und streikt. Das ist alles.

»Vertrag ist Vertrag.«

Der Ringer spuckt auf den Boden.

»Wenn Sie nicht sofort hineinkommen und weiterarbeiten«, sagt der etwas schmächtige und etwas zitternde Budenbesitzer, »lasse ich Sie auf der Stelle verhaften. Auf der Stelle. Wie stehe ich da? Die Bude voll Zuschauer, das Geld in der Kasse –«

Der Ringer läßt sich nicht rühren.

»Luft schnappen!« wiederholt der unglückliche Budenbesitzer: »Sie reden ja wie ein Kind. Und das an einem Sonntagabend, wo das große Geschäft ist! Wenn das jetzt der Dank ist – oder habe ich Sie nicht immer wie einen Menschen behandelt? Wie oft habe ich gesagt: Meier, erkälten Sie sich nicht! Und wie oft, wenn Sie einmal Pech hatten, wie oft habe ich Sie mit Verbandstoff beschenkt? Bin ich ein Unmensch? Bin ich ein Ausbeuter? Vertrag ist Vertrag, das müssen Sie schon einsehen, ich habe Ihre beispiellose Kraft erkannt, als Sie noch ein armer Schlucker waren, ein Arbeitsloser. Wer hat die große Reklame gemacht für Sie? Und was habe ich alles getan für Ihre beispiellose Kraft? Wer gibt Ihnen eine solche Hühnersuppe? Sagen Sie selber, mein Freund, wer hat Sie besser behandelt als ich? Wenn Sie mich nicht hätten – ich lasse Sie ringen in meiner Bude, Abend für Abend, und das ist der Dank: einfach davonlaufen und streiken, Luft schnappen...«

»Was soll ich anderes tun!«

»Meier –«

»Herrgott nochmal«, sagt der Ringer nicht ohne einen Unterton von seelenvoller Zartheit, »ich kann mich nicht anders wehren gegen Ihresgleichen. Ich bin ein Ringer; wenn ich mich anders wehre, sind Sie tot –.«

Gottlieb, der Ballwerfer, hat dann doch kapituliert. Einfach wegen des Geldes; was er noch hat, reicht höchstens für ein Bier. Das Mädchen hat ihm einen Blick herzlicher Teilnahme geschenkt, die Gaffer haben sich zerstreut, das Tingeltangel geht weiter, es bimmelt, es wirbelt, die Ausrufer rufen ihre großen Versprechen, es leiert von allen Seiten, einer schlägt den Herkules, und immer wieder hört man das silberne Glöcklein, wenn er es geschafft hat, dazu die immer gleiche Arie aus dem Rigoletto, Frauen schreien auf der Achterbahn, Schüsse in der Schießbude... Gottlieb setzt sich und bestellt das letzte Bier. Morgen ist Montag. Dagegen ist nichts zu machen. Übrigens setzt er sich abseits, nicht zu den Bekannten, die er wohl bemerkt; er hat jetzt gar keine Lust, mit einem vernünftigen Menschen zu reden, und lieber setzt er sich an einen leeren Tisch oder aber, da es einen solchen nicht gibt, zu dem fremden Ringer.

»Wenn es gestattet ist«, sagt Gottlieb.

Und schon kommt Knicks, der Kellner:

»Was darf ich bringen?«

»Bier.«

»Warum so finster, Herr Knoll?«

Keine Antwort. Und auch als das Bier kommt, kein Ton. Da

sagt der Harlekin, der plötzlich an ihrem Tischlein sitzt, der Teufel weiß woher, ein Harlekin, wie er im Buche steht; er sagt:

»Prost!«

»Danke«, sagt Gottlieb.

»Sie haben Durst«, lächelt der Harlekin: »Sie haben sich wakker angestrengt –.«

Gottlieb leckt sich den Bierschaum von der Oberlippe, er schämt sich ein wenig, der Harlekin hat offenbar auch zugeschaut und gesehen, wie Gottlieb sich gegen eine Puppe ereifert hat.

»Ich kann das verstehen«, sagt der Harlekin: »Die ganze Woche lang hockt man an seinem Pult, blickt auf den Kalender, jeden Morgen rupft man einen Zettel ab, damit es wieder Sonntag wird, und dann ist er da, der Sonntag…«

Gottlieb will nicht davon reden.

»Sie sind wohl ein Künstler?« fragt er, um abzulenken: »Ich bin in allen Buden gewesen, aber Sie habe ich nirgends gesehen.«

»Ich bin Zauberer.«

Gottlieb leert das Glas.

»Zauberer?« sagt er mit einem gewissen Unbehagen, das halb aus Hochachtung, halb aus Mißtrauen besteht: »Was zaubern Sie denn, wenn man fragen darf?«

»Was die Herrschaften wünschen!«

Gottlieb lacht:

»Zaubern Sie auch Bier?«

»Bier?«

»Oder Wein?«

»Roten oder weißen?« fragt der Harlekin, und natürlich hat Gottlieb es nur als Scherz gemeint, aber der Harlekin fragt ihn allen Ernstes: »Roten oder weißen?«

Gottlieb verlegen:

»Wenn Ihre Kunst mit sich reden läßt, offen gestanden, ein roter ist mir lieber, ein französischer zum Beispiel –«

»Und Sie?« fragt der Harlekin, indem er sich höflich an den Ringer wendet, der nach und nach zugehört hat.

»Ich?«

»Roten oder weißen?«

»Hören Sie mal«, sagt der Ringer: »das ist aber nicht Ihr Ernst.«

»Warum nicht?«

»Warum nicht!« wiederholt Gottlieb, der wirklich Durst und kein Geld mehr hat: »Wenn der Herr ein wirklicher Zauberer ist –.«

Man einigt sich auf einen roten, einen Dôle, und schon hat der Harlekin auch den Kellner gerufen, genauer gesagt, er hat mit den Fingern geschnalzt, worauf Knicks sich verbeugt, um so höflicher, je schlechter man ihn behandelt.

»Bringen Sie einen Dôle«, sagte der Harlekin: »Und drei Gläser.«

Knicks hat sich nicht getäuscht, Flaschenweine werden in dieser Pinte selten bestellt, er hat sich nicht umsonst verbeugt. Knicks weiß sofort, was er dem seltenen Ereignis schuldet: er nimmt die Serviette und wischt den Tisch. Gottlieb und der Ringer schauen ihn nur so an. Wie er das macht, wie er die Serviette schwingt und davonschwebt!

»Hören Sie mal«, sagt Gottlieb sehr ernsthaft: »so war das nicht gemeint –«

»Was?«

»Das ist doch keine Zauberei, mein Herr, das ist doch kein Kunststück. Einfach bestellen! Das kann doch jeder, wenn er Geld hat.«

»Wenn er Geld hat«, sagt der Harlekin mit bedeutsam gezogenen Augenbrauen, ohne sich weiter auszusprechen; auf ein zweites Schnalzen seiner Finger ist bereits der Zigarrenjunge erschienen, um einen ganzen Turm von Schachteln auf den Tisch zu bauen.

»Was darf es sein?«

»Offen gestanden«, sagt Gottlieb: »ich kenne mich da wirklich nicht aus –.«

Der Harlekin rät ihm zu einer schönen Brasil, Dannemann zum Beispiel. Und also geschieht es. Das duftet schon anders als Stumpen! Auch der Ringer entschließt sich zu einer Brasil,

Marke Dannemann. Der Junge zeigt ihnen, wie man das Knöpfchen abdreht, dann gibt er Feuer, und der Harlekin bezahlt...

»Besten Dank«, sagt Gottlieb nach den ersten Zügen, das dunkle Ding betrachtend: »Schmeckt großartig – Geld, ja, das müßte man zaubern können!«

»Nichts leichter als das.«

»Ich meine richtiges Geld –«

Leider kommt Knicks, der Kellner, der das Gespräch unterbricht. Und vor Dritten spricht man nicht von Geld. Schweigend schauen sie zu, wie er den Dôle entkorkt, rauchen an ihrer Brasil, wartend, schweigend, bis die Gläser gefüllt sind und der Kellner sich wieder entfernt.

»Prost!« sagt der Harlekin.

Sie trinken.

»Ich verstehe die Menschen nicht«, sagt der Harlekin: »Morgen ist Montag, und da hocken sie wieder alle an ihren Pulten. Tagein, tagaus. Woche um Woche. Jahr um Jahr. Ein ganzes Leben lang. Nichts als arbeiten! Ich weiß nicht, wie die Leute das aushalten.«

»Ich auch nicht«, sagt Gottlieb.

»Und dennoch machen sie es.«

»Ja«, sagt Gottlieb.

»Auch Sie?«

»Ja –«, sagt Gottlieb, nimmt einen Schluck, dann starrt er nachdenklich vor sich nieder: »Was bleibt uns anderes übrig! Wir sind keine Zauberer...«

Der Harlekin lächelt.

»Ja«, sagt auch der Ringer in seiner langsamen Art: »Was bleibt uns anderes übrig?«

Der Harlekin füllt ihre Gläser.

»In einer Viertelstunde werde ich verhaftet«, sagt der Ringer, »wenn ich nicht an die Arbeit gehe. Vertrag ist Vertrag, sagen sie –«

»Verhaftet? Wieso?«

Der Ringer erzählt seinen Fall.

»Verhaftet!« sagt Gottlieb: »Das ist ja die Höhe, das ist ja die Höhe –«

Kurzum, das Gespräch ist das übliche, die Klage des kleinen Mannes, der kein Zauberer ist, das heißt, er kann sich das Geld nicht anders beschaffen als durch Arbeit, durch eigene Arbeit. Der Harlekin hört zu, füllt ihre Gläser und lächelt... Einmal kommt ein altes Weib, eine Bettlerin, und der Harlekin gibt nicht eine Münze, sondern eine Note; erschrocken küßt sie seine Hand. Einmal kommt ein Blumenkind; auch ihm gibt er eine Note, ohne eine Blume anzunehmen; eine Note; einen vollen runden Monatslohn – Gottlieb und der Ringer, verstummend mit offenen Mündern, blicken einander nur an, ihre Zigarre zwischen den Fingern... Und ringsum immer das Tingeltangel, es bimmelt, es wirbeln die Karusselle mit ihren bunten Glühbirnen, es leiert von allen Seiten, einer schlägt den Herkules, und immer wieder hört man das silberne Glöcklein, wenn er es geschafft hat, Frauen kreischen auf der Achterbahn, Schüsse in der Schießbude, dazu das stete Bewußtsein: morgen ist Montag... Der Dôle schmeckt vortrefflich, er kostet auch vortrefflich; aber der Harlekin, scheint es, hat ja Noten zum Verstreuen –

»Im Ernst«, fragt Gottlieb mit jener Scherzhaftigkeit, die nichts als Vorsicht ist, Tarnung, damit die andern nicht unseren Ernst auslachen können: »Sie können wirklich zaubern? Ich meine, im Ernst – Geld – wirkliches Geld –«

»Nichts leichter als das.«

Gottlieb mag die Aufschneiderei nicht.

»Nichts leichter als das!« wiederholt der Harlekin und streift die Asche von seiner Zigarre, lächelnd, wie wenn ein Professor etwa nach dem Einmaleins gefragt würde, nicht unwillig, eher gerührt über die Ahnungslosigkeit unsres Gottlieb: »Eine einzige Unterschrift, mein lieber, und Sie sind der reichste Mann auf dem Platz –.«

»Ich?«

»Bitte.«

Noch ist Gottlieb nicht betrunken, noch sagt er sich selbst: Quatsch! Glaube ich nicht! Indessen hat der Harlekin, zum Beweis seiner Kunst herausgefordert, in seine Brusttasche gegriffen, die Zigarre im Mund, blinzelnd, da ihm der Rauch in die Augen kommt.

»Bitte«, sagt der Kerl, der geschminkte: »unterschreiben Sie dieses Papier – nichts weiter – und Sie haben Geld, mehr als Sie brauchen können.«

Auch der Ringer lacht über den Scherz.

»Sie wollen mich zum Narren machen!« sagt Gottlieb, indem er das Papier immerhin zur Hand nimmt, ein wenig erschrocken, denn etwas Teuflisches hat er schon, dieser Harlekin, aber das macht die Schminke, doch schließlich ist Kirmes, denkt Gottlieb, einen Jux muß man sich schon gefallen lassen. Was soll es anderes sein? Ein Papier, eine Unterschrift –

»Warum zögern Sie?« fragt der Harlekin.

Gottlieb sucht seine Füllfeder.

»Ich nehme Sie beim Wort!« lacht er: »Aber Sie müssen nicht meinen, daß ich daran glaube.«

»Sie werden ja sehen.«

»Was?«

»Kaum haben Sie unterschrieben«, sagt der Harlekin nicht ohne lächelnde Betonung: »schon ist es geschehen, im gleichen Augenblick ist er gestorben –«

»Gestorben?«

»Im gleichen Augenblick.«

»Wer?«

»Der reichste Mann der Welt, Tschau Hing, der chinesische Mandarin –.«

»Gestorben?«

»Und Sie sind sein Erbe.«

Gottlieb erblaßt... Er weiß wirklich nicht, was er denken soll. Der Harlekin füllt abermals ihre Gläser, obschon die Flasche, müßte man meinen, schon lange geleert ist.

»Mein Herr«, sagt Gottlieb: »das können Sie einem anderen angeben, aber nicht mir –«

Hier wird das Gespräch ohnehin unterbrochen, denn die Viertelstunde, die sie dem streikenden Ringer gesetzt haben, ist vorbei, der Augenblick der Verhaftung ist gekommen und also der Krach, denn der Ringer hat gar keine Lust, sich abführen zu lassen von den beiden Gendarmen, jetzt schon gar nicht, wo er eine Zigarre hat, die erst zur Hälfte geraucht ist, und ein Glas voll Dôle. Kommt nicht in Frage, und wenn sie den Knüppel ziehen! Die Ausrufer rufen umsonst und ziehen ihre schrillen Glocken, kein Bein geht in ihre Buden, alles strömt zu unserem Ringer, der, die Zigarre im Mund, einen Gendarmen schlechterdings in die Luft hält, den Leuten zur Freude, den Gesetzen zum Trotz. Er meint es nicht böse, unser Ringer, aber der Gendarm blutet, die Leute pfeifen und johlen, spielen Fußball mit seinem weißen Helm, und auch Gottlieb ist außer sich.

»Das ist ja die Höhe«, sagt er immerfort: »das ist ja die Höhe!«

In fünf Minuten werden sie wiederkommen, das ist klar, ein ganzer Lastwagen voll, ein Dutzend oder mehr, um den armen Ringer abzuführen; die Empörung ist allgemein, alle auf seiten des Ringers, der als einziger schweigt und seinen Wein trinkt – der Harlekin füllt abermals sein Glas!... Die alte Bettlerin, der Kellner, das Blumenkind, alle stehen um das Tischlein herum, auch Doktor Knacks, der etwas versoffene Rechtsanwalt, und Schopf, der alte Bäckermeister, Gottliebs väterlicher Freund, keiner weiß einen Rat. Nur Gottlieb könnte helfen. Mit einer einzigen Unterschrift! Geld ist Macht.

»Gib sie!« sagen sie: »Gib sie!«

Etwas muß geschehen, denkt Gottlieb, auch er spürt den Wein, und ob es stimmt oder ein Jux ist, was der Geschminkte schwatzt, Geld ist Macht, das stimmt – ...Tschau Hing, der reichste Mann der Welt, der noch nie in seinem Leben hat arbeiten müssen, und Gottlieb sein Erbe, Gottlieb Knoll, wie er sich dann erheben und sagen würde: Hände weg, lassen Sie den armen Ringer bloß in Ruhe oder Sie haben es mit mir zu tun, mit Gottlieb Knoll! Und kaum würden sie den Namen hören, wären ihre Gesichter wie verwandelt, etwas verlegen, denn Gesetz ist Gesetz, und vor dem Gesetz sind alle gleich. Und Gottlieb würde sagen: Machen Sie sich deswegen keine Sorgen, die Behörde kennt mich, ich bin der beste Steuerzahler, man wird sich hüten, mich vor den Kopf zu stoßen wegen einer Lappalie. Und da die Gendarmen immer noch nicht verschwinden, sondern sich verlegen an ihrem eignen Gürtel halten, würde Gottlieb fortfahren und sagen: Vor dem Gesetz sind alle gleich, versteht sich, aber machen Sie sich wirklich keine Sorge, die Kaution wird morgen bezahlt, oder wenn Sie wollen, gerade jetzt! sagt Gottlieb, greift in die Tasche, wo er die Noten hat – und so... Wunderbar wäre es schon, mächtig zu sein, seinen Freunden helfen zu können und selber nicht aufstehen zu müssen, wenn es Montag ist, wenn der Wecker rasselt, sondern liegenzubleiben, im Bett zu frühstücken und in der Zeitung zu lesen: Gottlieb Knoll stiftet ein Heim für arbeitslose Ringer und für alle andern, denen es verleidet ist. Wunderbar wäre es schon, nicht auszudenken –

»Wenn es bloß ohne töten ginge!«

Der Harlekin lacht über ihn:

»Was heißt töten?«

»Was es halt heißt«, sagt Gottlieb.

»Eines Tages stirbt er sowieso, der Mandarin. Und warum soll man mit diesen Wichten zimperlich sein? Wenn Sie ihn sehen würden –«

»Dann könnt ich's schon gar nicht.«

»Sie müssen ihn auch nicht sehen«, verbessert sich der Harlekin: »Das verstehe ich. Drum ist es ja ein Mandarin in China. Je ferner, um so leichter. Das ist der Segen unserer Technik, beiläufig bemerkt; so von Angesicht zu Angesicht, das gebe ich zu, da sind wir alle etwas zimperlich. Wer ist schon imstande, mit dem Küchenmesser auf seine Schwiegermutter loszugehen? Ganz wenige. Oder siebenhundert Menschen eigenhändig zu ersäufen, Menschen wie an dieser Kirmes, Frauen, Männer, Kinder, wem dürfte man das ohne weiteres zutrauen? Eigenhändig, verstehen Sie: wenn man jeden einzelnen nehmen müßte, unser Blumenkind zum Beispiel, und man müßte ihm den Kopf in die Badewanne halten, bis es keine Bläschen mehr gibt, und das siebenhundert Mal. Wer schafft das? Ein Torpedo, das ist doch etwas ganz anderes. Ein einziges Torpedo, ein Blick auf den Winkelmesser, ein Blick auf die Uhr, ein Druck auf den Knopf; das kann jeder, und wären seine Augen noch so blau. Was ist dabei! Sehen Sie sich einmal die Jungens an, die die Bomben lösen; kein Makel im Gesicht. Was heißt töten? Natürlich an Ort und Stelle – aber dazu haben wir ja die Technik, mein Freund, oder wie ich zu sagen pflege: man muß grundsätzlich denken, und das gelingt den allermeisten nur dann, wenn sie ihre Tat nicht mit Augen sehen. An Ort und Stelle erscheint es immer wie ein Mord, mag sein, aber wozu haben wir das Ferndenken? – Sie müssen ihn nicht sehen, das ist ja der Witz, drum ist es nicht Ihr Direktor, sondern ein Mandarin in China.«

»Das schon«, sagt Gottlieb.

»Ich will Sie nicht überreden!« lacht der Geschminkte: »Er selber ist nicht so zimperlich wie Sie, sonst wäre er nicht so reich. Hunderttausend Kulis schuften für ihn, treten die Wassermühlen, damit das Reisfeld seine Zinsen trägt, Tag für Tag, Woche um Woche, ihr ganzes Leben lang, Montag um Montag. Meinen Sie, der geht hin und sieht es sich mit eigenen Augen an? Er sitzt auf seiner Yacht, Tschau Hing, der selber nie geschuftet hat, da sitzt er und rülpst und nährt sich von der Arbeit der andern –.«

Der Ringer nickt:

»Jaja, so ist das!«

Gottlieb schweigt etwas verlegen. Auch die andern nicken, nicht nur die alte Bettlerin und der Kellner und das Blumenkind, sogar der Rechtsanwalt, Doktor Knacks, der in einer Welt, wo es mit rechten Dingen zuginge, nie so verlottert wäre und so versoffen.

»So ist das«, sagt Knacks mit dem ganzen Gewicht, das die Aussage eines Akademikers hat: »Und warum ist es so?«

»Warum?« fragt Gottlieb.

»Die Juden –«

Gottlieb hört nicht weiter zu, sondern betrachtet das leere Papier, übrigens ein ganz gewöhnliches Papier. Eine Unterschrift, denkt er, und ich bin der mächtigste Mann auf dem Platz! Alle reden ihm zu. Nur Schopf, der Bäckermeister, macht ein verächtliches Gesicht; auch wenn es ein Jux ist, er kann den geschminkten Schwätzer und Gaukler nicht ausstehen, er rümpft die Nase wie beim Jassen, wenn er, die Karten betrachtend, dem kommenden Spiel mißtraut. Gottlieb ist sein Freund, er mag nicht, wenn sie ihn zum Narren machen. Gottlieb ist imstande und glaubt daran!

»Was grübeln Sie denn?« lacht der Harlekin: »Wagen Sie es oder wagen Sie es nicht?«

»Natürlich –«

»Aber?«

»Wenn ich's mir so vorstelle –«

»Vorstellen!« lacht der Harlekin sehr unwillig, ein Lachen, das Gottlieb vor den anderen lächerlich macht: »Wenn Sie sich jedesmal vorstellen, was Ihre Unterschrift bedeutet, bleiben Sie Ihr Leben lang ein Kommis! – Oder habe ich nicht recht?« fragte er die andern: »Wenn einer einen Scheck unterzeichnet, hups, und ein andrer verreckt, weil der nichts zu unterzeichnen hat – was ist das anders? Unterschrift ist Unterschrift. Was ist der Unterschied? Oder wenn Sie einen Stimmzettel unterschreiben und Sie wählen Dschingiskhan, glauben Sie, daß Sie damit keinen Menschen töten? Ich bitte Sie –«

Man lacht.

»Oder habe ich nicht recht? Wie?«

Gottlieb mit der Füllfeder:

»Soll ich?« fragt er – wobei er es offenläßt, ob er es für Jux oder Ernst nimmt, er will sich ja nicht lächerlich machen, auch die andern zeigen nicht, wieviel sie daran glauben, ganz geheuer ist es ja nicht, es hat schon wirkliche Zauberer gegeben, Teufelskerle – Gottlieb ist entschlossen, sich wenigstens den Anschein zu geben, daß er es für einen Jux hält; er fragt sie noch einmal: »Soll ich?«

»Klar«, sagt der Rechtsanwalt.

Nur Schopf unterläßt jedes Nicken.

»Und wenn das Geld wirklich kommt?« fragt der erblaßte Gottlieb: »Werdet ihr mich nicht im Stich lassen, wenn ich euch einlade, euch alle – zu einem Fraß, meine Lieben, zu einem Fraß, wie sich unsereiner gar nicht vorstellen kann – werdet ihr mich nicht im Stich lassen?«

Sie lächeln verlegen.

»Knicks«, sagt der großartige Gottlieb: »was wollen wir auftischen? Kosten spielen keine Rolle –«

»Pfannkuchen!« sagt das Blumenkind.

»Quatsch!«

»Blutwurst –«

»Unsinn!« sagt der Ringer: »Wenn die Kosten keine Rolle spielen, dann schon lieber einen rechten Schinken –«

»Oder Leberknödel!«

»Das esse ich nicht.«

»Leberknödel, richtig gemacht –«

Nur der Rechtsanwalt hat Niveau:

»Das beste wäre eine Gans«, sagt er gelassen: »eine Gans mit Kastanien –.«

»Und dazu Preiselbeer«, sagt der Kellner.

»Und vorher Fisch –.«

»Und Champagner!«

»Das paßt nicht«, sagt der Rechtsanwalt: »Ich mach Ihnen den folgenden Vorschlag –«

»Knicks, schreiben Sie auf!«

»Erstens: Bouillon mit Mark. Zweitens: Forelle blau, dazu einen schönen Wein, einen weißen, Johannisberg oder so. Drittens: Gans, gefüllt mit Gänseleber und Kastanien, dazu Spätzli, Preiselbeer, Salat nach Jahreszeit. Zum Schluß: Fruchtsalat mit Kirsch oder Maraschino, Kaffee, Zigarren und so weiter – vergessen habe ich den zweiten Wein, einen schönen roten: Pommard...«

Knicks hat alles notiert.

»Na ja«, sagt der Ringer: »Sie müssen es ja wissen, Herr Doktor, aber genug muß es geben –.«

Darüber wird noch viel gesprochen, der Champagner soll doch nicht fehlen. Wenn schon, denn schon: man beerbt nur einmal den reichsten Mandarin der Welt! Allen läuft das Wasser im Munde zusammen, nur bei Gottlieb bleibt es trocken – bevor er die Unterschrift gibt, und da sie nun alle drauf warten, wird er um diese verrückte Unterschrift nicht herumkommen, aber vorher möchte er immerhin noch wissen, was das bedeutet; auf dem Papier steht:

Erste Unterschrift –
Zweite Unterschrift –
Dritte Unterschrift –

»Ach so«, sagt der Harlekin: »das habe ich ja noch gar nicht erklärt. Verzeihung. Das ist ganz einfach. Erste Unterschrift: Tod eines chinesischen Mandarins, also eines Menschen, den Sie nie gesehen haben, den Sie gar nicht kennen.«

»Weiter!«

»Zweite Unterschrift: Tod eines Menschen, den Sie kennen, eines Freundes, der Ihnen im Wege steht –«

»Eines Freundes?«

»Keine Angst«, lächelt der Harlekin: »diese Unterschrift müssen Sie ja nicht geben. Niemand kann Sie dazu zwingen.«

»Und die dritte?«

»Dritte Unterschrift: daran stirbt der Mensch, den Sie am meisten lieben – aber wie gesagt, auch diese Unterschrift müssen Sie natürlich nicht geben, wenn Sie nicht wollen.«

»Hm.«

Pause.

»Nein«, sagt Gottlieb: »das mache ich nicht.«

»Wie Sie wollen.«

»Das ist ein Teufelspakt –«

»Wie Sie wollen.«

Für die Enttäuschung, daß der tolle Schmaus nicht zustande kommen wird, bleibt übrigens gar keine Zeit – schon hört man die verhaßte Sirene der Gendarmerie, der Lastwagen ist da, der erwartete, und bevor sie es ganz begreifen, sind sie umringt von zwanzig weißen Helmen, ganz zu schweigen von den zwanzig Knüppeln. Es ist kein Spaß. Ein Gendarm hat aus der Nase geblutet; das kann der Staat nicht hinnehmen, jedermann wird das begreifen, Ordnung muß sein, auch der Ringer würde es begreifen, wenn er nicht den schweren Dôle getrunken hätte. Drei Gendarmen, die sich unserem Ringer nicht unhöflich genaht haben, sind bereits in die Stühle geflogen, so daß es scheppert von

Gläsern und Helmen; die siebzehn andern, von der Menge mit Pfiffen geschmäht, halten sich an das Reglement, das die Reihenfolge der erlaubten Mittel genau bestimmt: Höflichkeit, Knüppel, Tränengas, Revolver. Jetzt sind sie beim Knüppel, ebenfalls erfolglos, zwei weitere Gendarmen werden von fliegenden Aschenbechern getroffen und fallen vorläufig aus; der Ringer, der sich von seinem erloschenen Zigarrenstummel nicht trennen kann, steht in der Mitte eines leeren Kreises, größer als alle andren, ein Stuhlbein in jeder Hand, und da er nach wie vor sein gestreiftes Trikot trägt, sieht es wirklich wie eine Darbietung aus, Publikum strömt herbei, endlich eine Darbietung ohne Eintritt, die Gendarmen wirken wie eine Sperrkette. Was weiter? Mit Knüppeln ist nichts zu machen, das Publikum klettert bereits auf Tische und Bäume. Was weiter? Der Ringer wischt sich die Augen mit beiden Handrücken, ohne die Stuhlbeine loszulassen, wischt sich die Augen wie ein flennendes Kind – Tränengas...

»Pfui Teufel!« rufen die Leute.

Der einzige am Platz, der helfen könnte, ist Gottlieb. Mit einer einzigen Unterschrift. Er verspürt die gleiche Wut wie vorher in der Ballbude. Plötzlich sagt er:

»Her damit, ich unterschreibe!«

Unterdessen haben sie den weinenden Ringer bereits gefesselt, so daß er sich nicht einmal mehr die Augen wischen kann; die Empörung ist allgemein, aber ohnmächtig – Und dann der große Augenblick: der Harlekin, dankend für die Unterschrift, faltet das Papier, wirft es in die Luft, wo es einen Knall gibt, einen schwefelgrünen Blitz wie von einer Rakete und weiter nichts... der Ringer wird auf den Wagen verladen, Gottlieb steht da, der Wagen fährt los, als wäre nichts geschehen, man hört seine verhaßte Sirene, das Publikum murrt und zerstreut sich, das Tingeltangel geht weiter, auch der Harlekin ist verschwunden, ein wenig stinkt es von dem schwefelgrünen Blitz, das ist alles –

»Ein bengalischer Furz.«

Der Rechtsanwalt findet immer das rechte Wort. Gottlieb ist totenblaß. Der Kellner sammelt die Aschenbecher, die Bettlerin

zieht weiter, ebenso das Blumenkind, der Rechtsanwalt grinst:
»Der hat wirklich dran geglaubt!«

Nur Schopf, der Bäckermeister, läßt unseren Gottlieb nicht im
Stich, greift ihn am Ellbogen und sagt:
»Sei froh. Es ist besser so. Sei froh, daß es ein Schwindel gewe-
sen ist.«
Ein paar Schritte gehen sie zusammen.
»Du hast es ja gut gemeint«, sagt Schopf: »aber so geht das
nicht. Und ob es ein Unrecht ist! Aber mit Zauberei, weißt du,
das ist nichts. Und mit Töten schon gar nicht –. Sei froh, daß es
ein Schwindel gewesen ist...«
Dann ist Gottlieb allein.

Geld hat er keines mehr, nach Hause mag er nicht gehen, so steht
er herum vor den wirbelnden Karussells, die Hände in den Hosentaschen, umgeben von Geleier und Gebimmel, einer schlägt
den Herkules, Frauen kreischen auf der Achterbahn, ein Ringer
sitzt im Gefängnis, aber das Leben geht weiter... So ist die Welt!
denkt Gottlieb nicht ohne Tiefsinn, der sich mit Dôle und Tingeltangel mischt: So ist die Welt, lieblos bis ans Herz hinan –
denkt er und spürt im gleichen Augenblick, wie ein Arm sich in
den seinen schiebt. Es ist das Mädchen, das ihn auf den Hund
gebracht hat, das Mädchen mit den Bällen; außerdem ein sehr
nettes Geschöpf, jung, nicht unerfahren.
»Ich heiße Jenny«, sagt sie.
Ein Stücklein gehen sie Arm in Arm, wortlos, Gottlieb findet
es schön, nicht einsam zu sein in dieser Welt, aber über die Lippen bringt er kein Wort; erst nach einer Weile fällt ihm etwas ein,
er bleibt stehen und sagt:
»Ich habe kein Geld.«
»Weiß ich –.«
»Und überhaupt«, sagt Gottlieb: »was wollen Sie eigentlich
von mir?«
Jenny lächelt:
»Sie haben mir so leid getan.«

»Wieso?«

»Das mit den Bällen«, sagt Jenny: »Sie haben sich ereifert, Sie haben Ihr ganzes Geld verschleudert.«

»Allerdings.«

»Warum das?«

»Ja«, lacht Gottlieb: »das war sehr blöd von mir, aber der Kerl mit dem Monokel hat mich so an meinen Direktor erinnert –.«

Ein Stücklein gehen sie wieder Arm in Arm, Jenny hat Feierabend, vermutlich auch Hunger, jedenfalls blickt sie nach jedem Stand, wo Würstchen verkauft werden, und wie hübsch wäre es jetzt, wenn Gottlieb sie einladen könnte: Gans mit Spätzli, Preiselbeer, Salat nach Jahreszeit. Von neuem steigt ihm die Wut; er kann sie nicht verwürgen.

»Wenn Sie unseren Direktor kennen würden«, sagt Gottlieb: »dann könnten Sie mich schon verstehen. Gestern habe ich ihm ganz freundlich gesagt, ich brauche mehr Lohn. Gelacht hat er! So einer ist das –.«

Einmal stehen sie vor dem Restaurant; durch die Scheibe sieht man Hummer, Kellner, Mayonnaise, Flaschen, Pelze.

»Kommen Sie«, sagt Jenny: »Zu Hause habe ich noch eine Wurst –.«

Sie ist ein liebes Ding, kein Zweifel, sie schiebt ihre Finger zwischen die seinen, so leid tut er ihr, und auch seine Gefühle sind ehrlich, man muß zusammenhalten, Jenny hat gewußt, daß er kein Geld mehr hat, und dennoch mag sie ihn, das kommt nicht jeden Sonntag vor. Jenny wohnt am Fischmarkt, eine düstere Gegend, aber Gottlieb ist froh, nicht allein zu sein. Vor der Haustüre, als Jenny nach ihrem Schlüssel kramt, sagt er:

»Ich heiße Knoll, Gottlieb Knoll.«

Jenny schließt auf.

»Komm«, sagt sie.

Das war der Sonntag.

Im Gefängnis, das sei nicht verschwiegen, haben sie den Ringer wieder ganz höflich behandelt. Sie haben sogar seine Fesseln gelöst, zumal sie für seine beispiellose Gestalt viel zu klein sind, allerdings gegen sein Ehrenwort, daß er sich auch seinerseits wieder an die Regeln der Höflichkeit hält und das Eisengitter nicht herausreißt. Es wäre ihm nicht ein Leichtes, aber ein Mögliches. Indessen ist er vernünftig genug, sein Ehrenwort zu halten und die Nacht auf der Pritsche zu verbringen, obzwar sie zu kurz ist; immerhin genügt sie, um den Dôle auszuschlafen. Wenn er die Eisengitter ausreißt, sagen sie, dann gibt es eine Buße, und wenn er diese Buße nicht bezahlen kann, kommt er abermals ins Gefängnis; das Ausbrechen hat also gar keine Zukunft, das sieht er ein. Überhaupt sind die Leute viel höflicher, wenn man sich nicht wehrt...

Die Nacht mit Jenny – nur so viel sei gesagt: Gottlieb träumt von einem toten Mandarin, und als er erwacht, ist er sehr glücklich, daß es nur ein Traum gewesen ist, er ist noch nie mit einem Mädchen so glücklich gewesen... Natürlich verspätet er sich, und bevor Gottlieb seine Ausrede starten kann, weiß er, daß er auf der Stelle entlassen ist, wenn das noch einmal vorkommt.

Kleinlaut geht er an sein Pult.

»Nun?« grinsen die andern: »Wie geht es mit der chinesischen Erbschaft?«

Das muß er noch manchmal anhören...

Genau sieben Wochen lang: – bis zu dem denkwürdigen Montag, wo die liebe Jenny schier verzweifelt, weil sie es kommen sieht, daß Gottlieb seinen letzten Bus versäumt. Er wird zu spät kommen und auf der Stelle entlassen sein. Es ist genau sieben Uhr und vierunddreißig Minuten; Jenny streicht ihm ein Brot, Gottlieb gurgelt noch immer hinter der spanischen Wand, und in elf Minuten geht der Bus, Jenny tut alles für ihn, gießt Kaffee ein und dazu kalte Milch, damit er sofort trinken kann.

»Gottlieb«, sagt sie: »Du kommst zu spät!«

Seine Antwort: gurgeln.

»Gottlieb, es ist sieben Uhr siebenunddreißig. Du machst, bis sie dich entlassen. Das hast du selber gesagt: wenn du noch einmal zu spät ins Geschäft kommst –«

Jenny ist sprachlos, sie traut ihren ungewaschenen Augen

nicht: Gottlieb kommt hinter der spanischen Wand hervor, trägt einen Morgenrock, wie man sie sonst nur im Schaufenster sieht, und dazu eine Ruhe, eine Ruhe...

»Gottlieb!«

»Gib mir einen Kuß«, sagt er.

»Was soll das heißen?«

Jenny gibt den Kuß, damit keine Zeit verlorengeht, und woher er diesen stinknoblen Morgenrock hat, wird sie ein andermal fragen.

»Trink«, sagt sie: »Die Milch ist kalt.«

Gottlieb ist sehr gelassen:

»Jennylein, ich muß dir etwas sagen –«

»Was denn?«

»Aber du darfst nicht erschrecken!«

»Gekündigt?«

»Wenn es nur das wäre –.«

»Gottlieb, was ist denn los?«

Er faßt sie an beiden Armen, sein Lächeln ist sonderbar, er zieht sie auf sein Knie.

»Jennylein«, sagt er: »ich muß dich etwas fragen, etwas sehr Ernstes sozusagen –«

»In sechs Minuten geht dein Bus.«

»Antworte mir ganz aufrichtig!«

»Klar, natürlich.«

Und dann schluckt er ein wenig:

»Jennylein, habe ich mich verändert?«

»Wieso verändert –.«

»Ja oder nein?«

»Bist du mir untreu?« fragt sie.

»Wenn es nur das wäre –.«

»Du machst mir wirklich Angst«, sagt Jenny: »Wieso sollst du dich denn verändert haben?«

Er schaut sie an.

»Unser Samstag, unser Sonntag, sag aufrichtig, ob es schön war oder nicht.«

»Dummkopf!«

»Ich meine, war ich anders als sonst?«

»Übermütig bist du gewesen, ja –«

»Aber nicht anders? Wie soll ichs sagen: nicht herrschsüchtig oder so, nicht eigensinnig, nicht unerträglich?«

Jenny lacht ihn nur aus, gibt ihm nochmals einen Kuß, einen zärtlichen, aber einen kurzen, denn es ist nun wirklich allerhöchste Zeit; er müsse sich wie ein Affe beeilen, meint sie. Aber das tut er gar nicht.

»Siehst du«, sagt er lächelnd, doch blaß vor Ernst: »dann bin ich zufrieden – dann bin ich beruhigt – dann kann ich es dir ja sagen... Nämlich die Erbschaft ist wirklich gekommen.«

Jenny kreischt.

»Die von dem Mandarin.«

Jenny ist anzusehen wie eine tragische Maske aus dem antiken Theater, alles offen, Augen und Mund, offen und stumm; während Gottlieb sich eine Zigarette nimmt.

»Tja«, sagt er, »so ist das.«

Der Bus fährt ohne ihn... Schon am Samstag ist es gekommen, ein Brieflein, eingeschrieben, ein Scheck, daß einem jeden, wenn man ihm die Summe nennen würde, Hören und Sehen verginge. Gottlieb wollte nichts davon sagen, damit sie noch einmal ein schönes Wochenende haben, hier in dieser Bude am Fischmarkt. Es war eine kleine Bude, gewiß, aber es war eine nette Zeit, denkt Gottlieb, trotz Gestank aus dem Hinterhof... Das erste, was Jenny dazu sagt:

»Drum –!«

»Was?«

»Drum hast du diesen Morgenrock gekauft?«

»Ja«, lächelt er etwas verlegen: »ich wollte nur wissen, ob es stimmt, weißt du, mit diesem Papier. Ob das wirkliches Geld ist. Ich geh in die Bank. Was wollen Sie? Ich zeige den Scheck. Bitte sehr, und plötzlich ist der windelweich, führt mich durch die Halle, verbeugt sich immerzu, bis ich in einem großen Zimmer sitze, ganz allein, weißt du, nichts als Leder und Nußbaum. Bitte sehr! Mir läuft der Schweiß. Du, die geben mir wirkliches Geld. Das kann nicht stimmen! denke ich. Und ich geh in den nächsten

Laden. Bitte, und die geben mir, was ich will, ohne Wimperzukken. Und an der Tür verbeugen sie sich, als wäre ich selber ein chinesischer Mandarin –.«

Pause.

»Ich bin so froh, Jennylein, daß du sagst, ich habe mich nicht verändert.«

Und indem er in die Tasche greift:

»Weißt du, wo Calcutta liegt?«

»Calcutta –?«

»Dort befindet sich zur Zeit unsere Yacht«, sagt Gottlieb und liest den Zettel vor: »Item eine chinesische Yacht, zur Zeit in den Gewässern von Calcutta, inbegriffen die hundertzwanzig Ruderknechte; item sämtliche Ländereien, inbegriffen die Menschen darauf; item die Fabriken –«

»Fabriken?«

»Schwarz auf weiß.«

»Was wollen wir denn damit?«

»Jennylein!«

»Verstehst du dich auf Fabriken?«

»Mach dir keine Sorge«, lacht Gottlieb: »das mußt du richtig begreifen. Item sämtliche Fabriken; was verstehe ich davon, wie man Porzellan macht oder Glühbirnen oder Seide, und doch werden die Fabriken laufen, unsere Fabriken! Weil die Arbeiter, die es wissen, ebenfalls leben müssen, und wenn sie nicht sterben wollen, müssen sie in die Fabrik, gleichviel wem sie gehört. Müssen! ohne daß ich sie mit der Geißel zwinge – du wirst schon sehen!«

Jenny umarmt ihn:

»Du!«

»Komm, laß mich weiter lesen –.«

»Du«, schwärmt sie: »am tollsten finde ich die Yacht – aber wie kommen wir nach Calcutta?«

»Die Yacht kommt hierher.«

»Hierher?«

»Habe ich bereits gedrahtet.

»Wie ist das möglich?«

»Bitte«, sagt Gottlieb mit einer Gelassenheit, die er bisher nur an seinem Direktor gekannt hat: »inbegriffen hundertzwanzig Ruderknechte –«

Hier klopfte es.

»Herein?«

Es klopft ein zweites Mal.

»Herein!«

Es klopft ein drittes Mal.

»Teufel nochmal! Herein!«

Und dann, wie schon der alte Brauch mit dem dreifachen Klopfen hat vermuten lassen, erscheint der Harlekin, fröhlich und beflissen, etwas dienerisch auch er, aber sicher im Auftreten, geradezu weltmännisch; er sagt:

»Die Leutchen sind da!«

»Wer?«

»Knicks, der Oberkellner, bittet um die Wünsche betreffend das Diner.«

»Das haben wir doch schon damals auf der Kirmes besprochen!« sagt Gottlieb etwas ungnädig, dann zu Jenny: »Das habe ich dir ja noch gar nicht gesagt – Versprechen ist Versprechen, ich habe sie eingeladen, alle meine Freunde!«

»Hierher –?«

»Mach dir keine Sorge, wir werden sowieso umbauen –«, sagt Gottlieb und wendet sich wieder zum Harlekin: »Sie kommen wirklich?«

»Garantiert.«

»Großartig«, sagt Gottlieb und wendet sich wieder zu Jenny: »Sieben Wochen lang haben sie mich gefoppt, du weißt es, gehänselt haben sie mich. Nun was macht die chinesische Erbschaft? und so. Aber davon kein Wort! Ich bitte dich. Wir wollen uns nicht rächen, weißt du, nicht einmal zum Spaß. Schon so werden sie lange Gesichter machen. Aber unsrerseits, verstehst du: Noblesse... Es liegt mir dran, daß sie meine Freunde bleiben. Sie sollen es wie Fürsten haben.«

Jenny, von den weltmännischen Blicken dieses Harlekins etwas verwirrt, zieht ihr blaues Nachthemd über die Brust.

»Was weiter?« fragt Gottlieb.

»Smith, Tailor, London.«

»Was will der?«

»Das Maß nehmen, damit der Anzug noch fertig wird bis zum Diner –.«

»Sogleich.«

»Ferner fragt das Orchester, was es spielen soll.«

»Musik – etwas Rassiges – was sie halt können... Wo bleibt das Kleid für die Dame?«

Der Harlekin schnalzt mit den Fingern, es kommen Hutschachteln und Kleider, ein ganzes Schaufenster voll, Schuhe, Strümpfe, Pelze, Jenny kann es nicht fassen, sie weint:

»Gottlieb, Gottlieb!«

Gottlieb fragt den Harlekin:

»Was weiter?«

»Die Arbeiter sind da.«

»Also los!« sagt Gottlieb: »Umbauen –!«

Der Harlekin schnalzt mit den Fingern... Es ist nicht zu glauben, aber man sieht es mit eignen Augen: die Wände des kleinen Zimmers entfernen sich, vernobeln sich zugleich, aus der alten zerschlissenen Tapete wird ein lichter Stoff, modern, die Zimmerdecke entschwebt und wird sauber wie Schnee, und von oben kommen die neuen Lüster, schick, sehr schick, die Fenster werden breiter, vor allem höher, während auch schon die Vorhänge aus den Wänden fließen, Kaskaden von köstlichem Stoff, schlicht, aber köstlich über alle Kataloge hinaus, nicht zu vergessen der alte Ofen aus Gußeisen und das Ofenrohr, das verdampft in nichts, die Heizung ist in der Decke, Strahlungsheizung, versteht sich, und der Linol, der ehemals geblumte, dann verwetzte, an der Schwelle und unter dem Tisch schon lange verlöcherte, er rollt sich zusammen wie ein brennendes Papier, das in Asche zerfällt, ein Staubsauger nimmt die Asche, lautlos, und schon kommen die Arbeiter, verkleidet als Heinzelmänner, was ihnen selber sehr mißfällt, aber zum Murren ist keine Zeit, man muß froh sein um Arbeit, Gott segne die Herrschaften, die Geld haben, im Nu kleben sie das Parkett, ein Würfelparkett, Esche mit

Nußbaum – leider ein Irrtum, der Harlekin sagt kein Wort, schüttelt nur den Kopf und zieht den linken Mundwinkel, sofort reißen sie das Parkett wieder heraus, das kommt ins Musikzimmer, nicht hierher, schon kommen sie mit den geschliffenen Platten, die sogleich einen ganz anderen Eindruck geben, kühler, vornehmer, darüber ein purpurner Teppich, der sich von selber entrollt – leider, der Teufel kann sich irren, ist auch das wieder ein kleiner Irrtum, das gehört in die Halle, versteht sich, der Harlekin sagt kein Wort, er blickt nur den Vorarbeiter an, der die Schuld sogleich auf seine Schultern nimmt, mit einem Preßluftbohrer werden die erlesenen Platten entfernt, für den Fachmann ist es zum Heulen, aber Kosten spielen keine Rolle, die Platten müssen natürlich ersetzt werden, jetzt kann man keine Zeit verlieren, die neuen Möbel warten bereits, bis der Spannteppich aufgezogen ist, ein Spannteppich, daß man vor Wonne immerzu gehen möchte, nichts als gehen... Das ist es natürlich, was sich ziemt, und die Weite der Räume, mein Gott, diese Weite – nur, versteht sich, die kleine alte Bettkammer hat man noch stehen lassen, solang Jenny sich umkleidet, die kleine alte Bettkammer...

Der Harlekin:

Allein in dem gediegenen Raum, nachdem er die letzten Arbeiter durch ein kurzes Schnalzen der Finger entfernt hat, betrachtet er das Ganze mit einem prüfenden Blick, etwa wie ein Inspizient, da und dort verstellt er ein Möbel, verteilt die Aschenbecher, versucht, ob sich die Vorhänge auch wirklich ziehen lassen, findet eine Vase ohne eine einzige Blume, spuckt hinein, und noch während eine Garbe von frischen Chrysanthemen aus der besagten Vase emporwächst, hat er sich gewendet, reibt sich das Kinn, nochmals das Gesamte betrachtend, winkt einem Lüster, daß er weiter herunter komme, und dann, nach einem nur aus alter Erinnerung lüsternen Blick in die kleine alte Bettkammer, wo Jenny sich umkleidet, tritt er zum neuen marmornen Kamin, öffnet die Klappe, die sich mit einem kunstreichen Griff aus Messing bedient, und entschwindet durch den Rauchfang...

Stille.

Der erste der Gäste, der hier das Staunen lernt, ist Schopf, der Bäckermeister. Er tupft sich den Schweiß von der Stirn, so hat er sich beeilt, denn man hat ihm nur sagen lassen, Gottlieb sei in der Klemme, es sei etwas passiert. Da hat er seine weiße Schürze losgebunden, er war gerade in der Backstube; nun steht er da in seinen hellen Bäckerhosen, sockenlos, die Schuhe voll Mehl, Hemd ohne Krawatte, die Ärmel gekrempelt, Teig unter dem Ehering – aber von Gottlieb ist nichts zu sehen, und pfeifen, das spürt er sogleich, schickt sich hier nicht; doch ein Mädchen ist auch nicht da, niemand, die Türen öffnen sich von selbst, amerikanisches Modell. Hat nichts mit Wunder zu tun, Technik, das ist alles. So etwas mit Elektrofoto... Schopf, wie gesagt, tupft sich den Schweiß von der Stirne; der Teufel solls holen, so hat er noch in keiner Backstube geschwitzt – und schon öffnet sich die Türe vor dem nächsten Gast: die Bettlerin.

»Sie hier –?«

»Was soll das bedeuten –?«

»Das frage ich mich auch –.«

Natürlich wiederholt sich das bei jedem, der kommt. Der nächste ist Knacks, der Rechtsanwalt, der weniger aus Freundschaft kommt, sondern aus Neugier, übrigens der einzige, der auf einem Spannteppich gehen kann, ohne die Füße besonders zu heben, und sich nicht verdutzen läßt.

»Ich rieche Schwarzhandel –« sagt er.

»Glauben Sie?«

»Kennen wir«, sagt er, indem er die Einrichtung etwas befühlt: »Mit seiner Hände Arbeit hat das noch keiner verdient –.«

Dann das Blumenkind.

»So was«, sagt sie: »So was –.«

Sie strahlt. Übrigens wird alles nur geflüstert, und je zahlreicher die Gäste werden, um so leiser; Getuschel wie vor einem Begräbnis, Achselzucken, Nicken auf Entfernung. Es sind ferner gekommen: Zapf, ein Schulkamerad von Gottlieb, Inhaber einer Tankstelle, und die alte Frau Holle, die Zimmerwirtin von Gottlieb, die auf alles gefaßt war, seit er nicht mehr zu Hause geschlafen hat, auf alles, flüstert sie, aber nicht gerade so... Einen lauten

Ton gibt es erst, als die Türe sich zum letzten Male öffnet, und es erscheint der Ringer im gestreiften Trikot; da rufen sie alle:

»Mensch Meier! –«

Er kommt geradezu aus dem Gefängnis, jawohl, der Gendarm kann es bezeugen. Der Gendarm nämlich, das ist sein neuer Freund; übrigens der gleiche, der damals aus der Nase geblutet hat. Stramm heißt er, ein Herzenskerl, wenn man ihn außerdienstlich kennt; jetzt kommt er außerdienstlich, versteht sich. Und natürlich muß der Ringer erzählen, wie es gewesen ist. Und wieso man ihn hat laufen lassen?

»Kaution«, sagt er.

»Was ist das?« fragt das Blumenkind.

»Freiheit«, sagt der Rechtsanwalt und streichelt dem ahnungslosen Kind das junge Haar: »– Geld.«

Die Freude, daß Meier sich auf freiem Fuße befindet, ist laut und allgemein, einen Augenblick vergessen sie darüber, wo sie stehen; so laut, daß Gottlieb, der Spender solcher Freiheit, zuerst gar nicht bemerkt wird, als er unter der großen Flügeltüre steht: Gottlieb im Frack –

»Freunde«, sagt er in seiner schlichten Art: »da seid ihr ja!«

»Ah!« machen alle.

»Schopf!« sagt er: »Mein Lieber –«

Und so, überströmend von Herzlichkeit, geht Gottlieb auf sie zu, auf seine alten guten Freunde, die ihn mustern. Und Katty, das Blumenkind, tut sogar einen Knicks; Gottlieb lacht sie aus; kein Wort bringt sie über die Lippen.

»Was ist denn los?« sagt Gottlieb: »Was glotzt ihr denn so? Alle stehen; wieso hockt ihr nicht?... Macht keine Flausen, ich bitte euch!... Ich finde es wirklich schön, Kerls, daß ihr gekommen seid! Und das an einem heiligen Montag, mitten aus der Arbeit raus – Zapf!« lacht er erleichtert: »Auch du?«

Und so, wie gesagt, geht er zu jedem, schüttelt ihm die Rechte, wozu er seinerseits, seine Freundschaft deutlicher zu zeigen, beide Hände verwendet. Schon das ist faul, denkt Schopf, der Bäckermeister; sehr faul, wenn es mit einer Hand nicht genügt.

Auch Zapf, der Schulkamerad, ist darüber etwas verlegen; das ist der Händedruck der Gaukler und Pfaffen.

»Setzt euch doch«, sagt Gottlieb: »Jenny wird gleich kommen... Ihr nehmt doch einen Apéritif?« fragt er, dieweil sie sich gehorsam setzen, und damit ja keine Stille entsteht, schwätzt er gleich weiter: »Wie geht es denn immer?«

»Danke.«

»Ja, meine Lieben, wer hätte das gedacht! Damals vor sieben Wochen. Mir kommts wie eine Ewigkeit vor! Dieser Harlekin mit dem bengalischen Furz – und nun ist er doch kein Schwindler gewesen...«

Sie blicken sich verstohlen an.

»Ein Mann, ein Wort!« lacht Gottlieb: »Bouillon mit Mark, Forelle blau. Ihr werdet sehen! Gans, gefüllt mit Kastanien, Spätzli, Preiselbeer, Salat nach Jahreszeit. Fruchtsalat mit Kirsch oder Torte für die Damen, Kaffee, Zigarren. Und Wein, hoffentlich habe ich mich richtig erinnert, Johannisberg und Pommard –.«

Der Ringer haut sich auf den Schenkel.

»Gottlieb«, sagt der bedächtige Bäckermeister: »das alles ist doch nicht dein Ernst?«

»Ein Mann, ein Wort.«

»Was soll das bedeuten –?« fragen sie.

Jetzt kommt Knicks, zum Oberkellner befördert, gefolgt von neun Unterkellnern, jeder mit einem silbernen Tablett. (Kann als Ballett aufgezogen werden). Die Kapelle spielt. Und dann, wie jeder Gast ein köstliches Gläslein hält, die alte Bettlerin und das Blumenkind nicht ausgenommen, sagt Gottlieb mit ehrlichem Bemühen, nicht ganz so feierlich zu werden, wie ihm wirklich ums Herz ist:

»Auf unsere Freundschaft – kipp!«

Also geschieht es.

»Klasse«, sagt der Ringer.

Die Kellner füllen sofort nach... Auch Stramm, der Gendarm, läßt es sich gefallen. Er ist schon bei manchem Schwarzhändler gewesen. Und Knacks, der Doktor, will sogar die Etikette sehen;

das Blumenkind mustert die Garbe von Chrysanthemen; die alte Bettlerin betastet die Vorhänge; Zapf, der Mann von der Tankstelle, schiebt seine verölte Schirmmütze aus der Stirne, wie er es in der Wirtschaft immer macht, und Schopf, noch immer den Lüster musternd mit geistfernem Staunen, kratzt sich unwillkürlich das Brusthaar – kurzum, sie werden freier... Und auch Gottlieb, seinen Frack vergessend, nimmt, kaum hat er das Gläschen hingestellt, seinen linken Fuß in die rechte Hand, ihn übers Knie ziehend: ein Gottlieb, wie jeder ihn kennt, ganz der alte, wenn er bloß nicht so viel von Freundschaft schwätzte.

»Im Ernst«, sagt er: »eure Freundschaft ist mir wertvoller als alle Schätze dieser Welt. Ich habe euch allen das gleiche berichtet: Lieber Schopf, liebe Katty, lieber Zapf, mir ist was zugestoßen, ich brauche dich sehr – und keiner hat mich im Stich gelassen. Ihr seht es selbst! Ihr habt mich gefoppt, nun ja, aber das habe ich schon gewußt, daß ihr zu mir steht, wenns ernst wird – und das ist es halt nun geworden... Ja, deswegen müßt ihr nicht die Augen niederschlagen. Ich bleibe der Alte. Das ist doch klar. Ich habe mich nicht verändert, Jennylein kanns bezeugen, nicht so viel. Das müßt ihr mir schon glauben. Ich bin heute nicht ins Geschäft gegangen, das gebe ich zu. Keiner an meiner Stelle wäre heute ins Geschäft gegangen – aber unter uns, meine ich, da hat sich nichts verändert, das ist doch selbstverständlich, darüber wollen wir doch keine Worte verlieren, denke ich – Wir bleiben die Alten!« sagt er und nimmt das Gläslein: »Trinken wir auf unsere Freundschaft!«

Sie nehmen ihre Gläslein.

»Wieso bist du nicht ins Geschäft gegangen?« fragt der nüchterne Schopf: »Du willst doch nicht sagen –«

»Stoßen wir an!«

»Das mit der Unterschrift –«

»Stoßen wir an!« sagt Gottlieb.

»Und das mit dem Mandarin –«

»Stoßen wir an!«

»Der Mandarin«, fragt das Blumenkind: »der ist wirklich dran gestorben?«

»Der Teufel soll ihn holen«, sagt Gottlieb: »davon wollen wir jetzt nicht reden – trinken wir auf unsre Freundschaft! sage ich, und damit Prost!«

»Prost.«

Endlich ist es soweit, daß Jenny aus der alten kleinen Bettkammer kommt, großartig anzusehen, unwahrscheinlich, aber etwas verzagt; am Rücken bringt sie einen Knopf nicht zu, Gottlieb soll helfen.

»Ihr müßt doch nicht alle aufstehen«, sagt er: »Herrgott nochmal!«

Ein Abendkleid nicht zu beschreiben; Jenny ist eine Dame, nicht wiederzuerkennen als die Jenny vom Fischmarkt, und keiner der Männer, die je durch diese Bettkammer gegangen sind, Kaufleute aller Stufen, Studenten, Familienväter, Arbeitgeber, Arbeitnehmer, keiner würde auch nur wagen, sie unterzuhaken.

»So was!« sagt das Blumenkind.

Und alle bleiben stehen; aufrecht.

»Ich komme gleich«, sagt Jenny. Sie will nur noch die Lippen malen – ein Schrei, so, als wäre sie verbrüht worden, und Jenny, die Dame, liegt auf dem Boden. Gottlieb eilt hinzu, den Anblick ahnend, der die arme Jenny in solche Ohnmacht geworfen hat; sogleich, ohne selber einen Blick hineinzuwerfen, reißt er den Vorhang vor, damit niemand in die Bettkammer sieht, wendet sich, starrt seine Gäste an, blaß wie aus Wachs:

»Was starrt ihr denn so?«

Unterdessen wird das Diner aufgetragen...

»Warum setzt ihr euch nicht?«

Man setzt sich, alle außer Zapf.

»Jenny wird sich gleich erholen –.«

Gottlieb ist seltsam, duldet nicht, daß man sich um die arme Jenny kümmert; wie ein Tollwütiger springt er empor, als Zapf sich nur dem Vorhang nähert, reißt ihn zurück, daß er taumelt, und steht vor der Bettkammer, die weiße Serviette in der Faust.

»Was soll das heißen?« sagt er mit einer nie gehörten Stimme: »Ich habe euch zum Essen eingeladen, nicht um mein Haus zu durchsuchen. Bin ich ein Verbrecher? – Sagen Sie, was Sie denken, Doktor, sagen Sie es rundheraus!«

»Ich? Was?«

»Daß ich ein – Mörder bin...«

»Wer sagt das?«

»Keiner! Keiner! Aber jeder denkt es. Sehe ich doch euren Augen an –«

»Unseren Augen?«

»Heuchler!«

Sagt es und wirft die Serviette hin.

»Gottlieb, Sie tun uns Unrecht. –«

»Heuchler«, wiederholte er: »Hosenscheißer – warum eßt ihr denn nicht? Ihr alle. Auch du, Schopf! Warum rührt ihr euer Mark im Teller herum, und keiner nimmt einen Bissen? Ist es euch zu heiß, was? Oder ist es euch nicht gut genug, was? Oder – glaubt ihr vielleicht, hinter dem Vorhang sitzt eine Leiche –.«

Totenstille.

»Herrgott im Himmel«, sagt er mit grimmigem Vorwurf: »wenn das eure ganze Freundschaft ist!«

»Gottlieb –«

»Was gafft ihr denn alle nach dem Vorhang?«

Schopf nimmt den Löffel.

»Gottlieb hat recht«, sagt er zu den andern, die wie versteinert sind: »wir wollen nicht den Kopf verlieren.«

Der Bäckermeister, besonnen wie immer, will das gute Beispiel geben, indem er den Löffel in die Suppe taucht und mit dem Mahl beginnt; doch er hat den Löffel noch nicht im Mund, als Gottlieb ihn an der Joppe packt:

»Wie meinst du das? Wir wollen nicht den Kopf verlieren. Wie meinst du das? Hm? Heißt das, daß ich es auf euren Kopf abgesehen habe – oder was?«

Gottlieb ist verwirrt, sie verstehen noch gar nicht, was er meint, blicken auf das Mark im Teller und wissen wirklich keine Antwort, nicht einmal ein Verhalten – bis Zapf, der unterdessen an den Vorhang geschlichen ist, einen leisen Schrei tut:

»Verflucht.«

Alle blicken auf ihn.

»Es stimmt«, sagt er tonlos.

»Was?«

»Ich hab sie gesehen.«

»Was?« fragen sie alle.

»Eine Leiche.«

Hiemit, scheint es, ist das festliche Essen schon zu Ende, jedenfalls haben sich alle erhoben; umsonst bettelt Gottlieb:

»Ihr wollt mich verlassen?«

Es ist schließlich Montag, Werktag, jeder ist gekommen, wie man bei einem Hilferuf kommt, aber so viel Zeit haben sie natürlich nicht, das muß Gottlieb schon verstehen; der Bäckermeister hat noch die Wähen im Ofen, und auf die Lehrlinge ist ja kein Verlaß. Auch Knacks, der Rechtsanwalt, hat noch eine Verabredung im Kaffeehaus. Und eine Tankstelle, wo niemand bedient, wie soll man das verantworten? Umsonst spricht Gottlieb mit jedem einzelnen, um ihn zu überzeugen, daß ihnen die Leiche nichts antut; unterdessen hauen alle andern ab – man hört seine Stimme draußen in der Halle:

»Damals auf der Kirmes, ihr Hunde, ihr verdammten, wer hat gesagt, ich soll unterschreiben? Kein langes Geflunker, der Mandarin soll sterben – damals auf der Kirmes – Für wen habe ich es denn getan? – Ihr Hunde, ihr verdammten, ihr elenden...«

Ganz allein, wie er sich im ersten Augenblick vorkommt, ist unser Gottlieb nicht, als er in den verlassenen Raum zurückwankt. Der Harlekin ist auch noch da! Der hockt halb auf dem gedeckten Tisch, einen Fuß auf dem nächsten Stuhl, einen sehr absonderlichen Fuß, wenn man ihn so genauer sieht, und frißt Toast mit Mark; indem er Salz darauf streut, lächelt er:

»So ist das immer mit den kleinen Leuten! Kaum wissen sie, daß eine Leiche hinter dem Vorhang sitzt, schon mundet ihnen das beste Essen nicht mehr – und nachher klagen sie darüber, daß sie ihr Leben lang Kartoffeln fressen...«

Schwupp, hinein mit dem Mark.

»Na ja«, fügt er hinzu: »nun laufen sie natürlich davon und schwatzen es in alle Winde –.«

»Glaubst du?«

»Klar.«

»Wie kann man das verhindern?«

»Nichts leichter als das.«

»Wie?«

Das Lächeln von Leuten, denen man ausgeliefert ist, Gottlieb kennt es, nichts widerlicher als ihre gelassene Art, diese höfliche Art, wie der Harlekin, kaum hat Gottlieb sich eine Zigarette genommen, sein Feuerzeug schnappen läßt, dem Anschein nach ein beflissener Diener, in Wahrheit ein rechnender Folterer.

»Nichts leichter als das –.«

»Aber wie?« fragt Gottlieb: »Wie?«

Der lacht nur:

»Galeere!«

Aber davon will Gottlieb nichts wissen, versteht sich, so einer ist er nicht, Gottlieb Knoll, der nur das Gute will, und schließlich sind es doch seine Freunde. Warum soll er seine Freunde auf die Galeere schicken?

»Freunde«, lacht der Harlekin.

»Es sind meine Freunde!«

»Gewesen.«

Gottlieb kniet:

»Jennylein? Jennylein?«

Noch ist sie nicht bei Bewußtsein.

»Unsinn«, sagt Gottlieb: »wieso sollen sie nicht mehr meine Freunde sein?«

»Weil sie dich fürchten.«

»Fürchten!« sagt Gottlieb: »Was habe ich ihnen denn getan? Wo ich doch nur das Beste will, wo ich sie alle an meine Tafel lade – Wieso fürchten sie mich denn plötzlich? Das ist doch Quatsch. Wieso fürchten?«

»Weil du die Macht hast.«

»Ich will gar keine Macht –«

»Aber du hast sie«, lacht der Harlekin: »Das haben sie gesehen. Und drum fürchten sie dich, drum ist ihnen der Appetit vergangen. Keinen Löffel voll haben sie genommen. Nicht einmal die Bettlerin...«

Gottlieb hat sich erhoben, nachdem er die arme Jenny umsonst gestreichelt hat. Er mag jetzt die Tafel nicht ansehen! Am Fenster steht er, die Hände in den Hosentaschen, Blick auf den Fischmarkt, der menschenleer ist; nur Gendarmen gehen auf und ab, jedes Palais will bewacht sein. Gottlieb schüttelt den Kopf, so lächerlich dünkt ihn der ganze Spuk.

»Macht«, sagt er: »Was heißt Macht?«

»Eine tödliche Unterschrift.«

Pause.

»Hol sie!« sagt Gottlieb, indem er sich entschlossen wendet: »Ich will, daß sie zum Essen kommen. Entweder sind sie meine Freunde und kommen, oder ich schicke sie wirklich auf die Galeere. Sag ihnen das. Ich will, daß sie zum Essen kommen.«

»Schön.«

»Und zwar sofort!«

Bereits hat der Harlekin, beflissen wie er ist, seine Zigarette ausgedrückt, hat auch schon die Klappe im marmornen Kamin geöffnet, als Gottlieb ihn an der Schulter faßt:

»Du wirst sehen, sie kommen!«

»Sicher.«

»Ohne Zögern.«

»Weil sie dich fürchten.«

»Ich werde sie fragen, du, ganz offen werde ich sie fragen, ob sie meine Freunde sind oder nicht.«

»Und sie werden sagen: Ja.«

»Mehr will ich nicht...«

»Ja«, nickt der Harlekin: »aber es ist gelogen. Darüber bist du dir klar? Sie werden lügen, was du willst, sogar schwören, nur damit sie nicht auf die Galeere kommen –«

»Lügen?«

»Das ist die Macht«, lächelt der Harlekin mit einem Zucken der Schulter, mit der Gebärde eines Händlers, der nicht mit sich markten läßt: »Sie wissen, deine Unterschrift ist tödlich, sie fürchten dich, sie hassen dich, aber sie gehorchen dir – das ist die Macht.«

Gottlieb stampft auf den Boden:

»Ich tu ihnen doch nichts!« schreit er voll Vorwurf. Der Harlekin grinst. Und Gottlieb ist dem Weinen nahe: »Sag ihnen, sie sollen mir glauben. Sag ihnen, ich wolle wirklich nur das Gute, Frieden und Freundschaft! Sie sollen mir vertrauen.«

»Leicht gesagt.«

»Ehrenwort! Ehrenwort!«

»Leicht gesagt. Sie wissen, du kannst dich daran halten oder nicht; sie wissen, du hast noch zwei solche Unterschriften –«

»Ich werde sie nie gebrauchen!«

»Leicht gesagt. –«

»Nie! Nie.«

»Und wenn sie dich dazu zwingen?«

Gottlieb hält sich an der Wand.

»Harlekin, was soll ich denn tun –«

»Schick sie auf die Galeere!«

»Meine eigenen Freunde?«

»Du hast keine Freunde mehr.«

»Keine?«

»Außer mir.«

Sagt es und entschwindet durch den Rauchfang…

Als Jenny wieder zu sich kommt, langsam die Augen öffnet, erinnernd, daß es Montag ist, und als sie Gottlieb erkennt, der noch immer nicht auf den Bus gelaufen ist, sondern vor ihr kniet, ist die erste Leistung ihres Bewußtseins, daß sie nach der genauen Zeit fragt.

»Jennylein«, flüstert er: »mach dir keine Sorgen – vor allem keine Gedanken.«

»Du bist so lieb.«

»Nur jetzt keine Gedanken…«

Sie auf das Bett legen, was natürlich das vernünftigste wäre, das kann er leider nicht; auf dem Bett befindet sich ja die Leiche des chinesischen Mandarin. Wenigstens ist der Vorhang gezogen. Jenny liegt auch in seinem Arm nicht übel; ihr Gottlieb ist ein Könner im Zärtlichen, sonst wäre sie nicht sieben Wochen bei Gottlieb verblieben, der mit seinem Lohn gerade die Forderung des Tages erfüllen kann, Miete, Pension, Altersversicherung, Zigaretten, Zahnarzt, Straßenbahn, Kino, aber nicht viel mehr. Jennylein liebt ihn aus purer Liebe, kein Zweifel, und das ist etwas Schönes. Ein Könner im Zärtlichen: auch jetzt küßt er immerzu ihre Augen, damit sie nicht sieht, wo sie sich befinden. Unterdessen erzählt Jenny, was sie Gräßliches geträumt habe: – Montag, Gottlieb in einem Frack, Gesellschaft, eine Leiche im Bett, anzusehen wie Tschau Hing, der dickste Mann der Welt – und so...

»Wie bin ich froh«, sagt Jenny: »daß alles nur ein Traum gewesen ist.«

Aber gelegentlich, obzwar Gottlieb alle verfüglichen Kosungen einsetzt, bemerkt sie natürlich doch, daß er wirklich einen Frack trägt, ein weißes steifes Hemd, Perlenknöpfe, und daß auch sie, die Jenny vom Fischmarkt, in eine Robe gehüllt ist, in ein Vermögen aus Seide, eine Robe, die ihr bisher nur in Filmen vorgekommen ist. Es ist kein Traum. Jennylein sieht es im Spiegel: eine Dame. Einen Augenblick lang, gewiß, findet sie es toll, dreht sich vor dem großen Spiegel, um mit wachsendem Entsetzen zu begreifen, daß sie das selber ist. Sie rührt sich nicht mehr.

»Eine Dame –.«

»Jennylein«, tröstet Gottlieb.

»Eine Dame –.«

Dann, und ihr Schrecken hat wiederum ein durchaus antikes Format, starrt sie auf den befrackten Gottlieb:

»Was hast du aus mir gemacht –?«

Der Harlekin ist wieder da, meldet, daß die Leutchen, wie er sie nennt, sogleich zum Essen erscheinen werden. Ferner bringt er ein Pergament, das er mit ironisch-feierlicher Pose entrollt, ein echtes Pergament voll baumelnder Siegel; die Universität, obzwar noch in keiner Weise bedroht, hat das Bedürfnis, Gottlieb Knoll zum Ehrendoktor zu machen.

»Wie komme ich dazu?« sagt Gottlieb.

»Das ist hier nicht die Frage.«

»Sondern?«

»Wie kommt die Universität dazu –.«

Gottlieb hält das Pergament, hilflos.

»Was soll ich tun?« fragt er.

»Stifte etwas.«

»Was?«

»Die Leiche«, meint der Harlekin: »Für das völkerkundliche Museum, das könnte für unsere Studenten ganz aufschlußreich sein –«

»Leiche?« fragt Jenny: »Leiche?«

Ein Blick von Gottlieb, und der Harlekin versteht. Die Dame hat sich offensichtlich noch nicht an ihren Stand gewöhnt, kommt aus kleinen Verhältnissen. Kommt Zeit, kommt Zynismus! Ein weiteres Schreiben, das der Harlekin vorzulegen hat, ist eine Huldigungsadresse der führenden Schriftsteller, ein Beitrag zum Verhältnis von Stil und Charakter; ihre Huldigung besteht darin, daß sie alles, was jetzt geschehen mag, als Befreiung bezeichnen. Gottlieb weiß wirklich nicht, was er glauben soll. Der Harlekin hält solche Huldigungen, selbst gelogene, nicht für wertlos; es sind Schecks, ausgestellt von Schwindlern, aber ausgestellt auf Kosten von hunderttausend Gläubigen, die eines Tages dafür zahlen werden. Im übrigen: Wer öffentlich lügt, den schont man nicht, auch wenn er heimlich die Wahrheit spricht... Aber davon mag Gottlieb jetzt nichts hören.

»Davon später«, sagt er knapp.

Und dann, siehe da, kommen sie wirklich, die Freunde, die Getreuen, die lieber mit Gottlieb an einem Tisch sitzen, als daß sie auf die Galeere wandern – als erster verbeugt sich Knacks, der Doktor, der es aus besseren Tagen noch weiß, wie man sich in besseren Häusern benimmt; er ist, seiner Verantwortung als Gebildeter bewußt, vorangegangen, gefolgt von den Verschüchterten. Sogar Schopf, der Bäckermeister, und auch Zapf, der Schulgenosse, auch sie versuchen sich in einer kleinen Verbeugung, nicht ohne nach dem Harlekin zu schielen.

»Nehmt Platz«, sagt Gottlieb so leutselig als möglich: »Nehmt Platz!«

Die Suppe ist natürlich kalt, man geht jetzt an den zweiten Gang, Forelle blau, sie stecken sich die Serviette in den Kragen, und der Harlekin macht bereits den Mundschenk, Johannisberger, alles wie versprochen. Gottlieb fragt:

»Wo bleibt unser Ringer?«

Schweigen.

»Meine Lieben«, sagt Gottlieb: »Ihr habt mich vorher im Stich gelassen, aber jetzt seid ihr ja wieder gekommen. Strich darunter! Ich trage nichts nach, das wißt ihr, ihr kennt euren Gottlieb. Und somit: kein Wort mehr davon! – aber wo bleibt der Ringer?«

»Er kommt nicht.«

»Kommt nicht –.«

Gottlieb wird blaß.

»Kommt nicht!« schreit er plötzlich. »Seinetwegen habe ich die verfluchte Unterschrift gegeben. Seinetwegen! – Kommt nicht... Ich habe ja Muskeln, ich lasse mir nichts befehlen! – verstehe, verstehe. Kaum habe ich ihn aus dem Gefängnis befreit – Kommt nicht!«

Und zum Harlekin sagt er:

»Auf die Galeere mit ihm.«

Natürlich springen alle empor –

»Auf die Galeere«, wiederholt Gottlieb mit ruhiger Stimme: »Dort kann er seine Muskeln zeigen.«

Der Harlekin nickt, Gläser füllend.

»Bitte«, sagt Gottlieb, »setzt euch.«

Sie setzen sich, und nachdem Gottlieb mit einem Wink bedeutet hat, daß jetzt Musik am Platze wäre, kommen auch schon, einem Ballett ähnlich, die Kellner mit den blauen Forellen.

»Hoffentlich schmeckt es euch, meine Lieben. Ich möchte, daß ihr zufrieden und fröhlich seid. Oder was habe ich euch denn zuleide getan? daß ihr einfach abhaut, wenn ich ein Bankett gebe? – Doktor, antworten Sie!«

»Ich?«

»Was habe ich Ihnen zuleide getan?«

»Nichts.«

»Und du, Zapf –?«

Alle sagen: nichts.

»Also«, lacht Gottlieb: »dann nehmt euer Glas und laßt uns anstoßen.«

Sofort nehmen alle ihr Glas, erheben sich, nur Gottlieb bleibt sitzen.

»Was denn?« lacht er: »Warum steht ihr denn schon wieder auf. Zum Teufel nochmal! So stoße ich nicht an – Stehen sie auf wie die Hofschranzen! – Sternenhageldonnerwetter, sind wir nicht zusammen in die Schule gegangen? Was soll das heißen, Zapf? Sind wir nicht mit unsern Kesselchen in die gleiche Volksküche gepilgert, haben wir nicht die gleiche Suppe gelöffelt? Ja oder Nein? Ich frage.«

»Haben wir – ja.«

»Und du, mein lieber Schopf! Wie kommt ihr mir denn vor? – Schopf, mein Alter, erinnerst du dich nicht mehr, wie du bei uns zu Haus den Sankt Niklaus gemacht hast? Mensch! und wie ich geschlottert habe, wenn du das große Buch genommen hast, das Sündenbuch. Da ist noch etwas ganz Schlimmes! hat er gesagt. Ich weiß schon, sagte ich, ich weiß schon. So sag es gleich selber! brummte er durch seinen Wattebart. Ein Erstklässler, wollte er sagen, dürfte nicht mehr ins Bett machen. Aber dazu kam er gar nicht. Ich weiß, sagte ich mit roten Ohren, man soll den Schulmädchen nicht unter die Röcke greifen –«

Gottlieb hört sein eigenes Lachen, sonst nichts.

»Ich bitte euch wirklich, meine Lieben, setzt euch. Laßt uns anstoßen, wie wirs immer getan –«

Sie setzen sich.

»– auf unsere alte Freundschaft!«

»Ja«, sagte Schopf: »auf die alte.«

»Prost.«

Eine kurze Weile, nachdem sie getrunken haben, schwätzt Gottlieb noch weiter, Erinnerungen aus dem Quartier, Bubenstreiche; eine kurze Weile, dann unterbricht er sich selbst:

»Warum eßt ihr nichts?«

Antwort:

»Es stinkt nach Leiche.«

Gottlieb springt auf:

»Wer hat das gesagt?«

»Ich sage nur, was jeder riecht. Es stinkt nach Leiche«, sagt Schopf: »das bin ich nicht gewohnt.«

»Das ist nicht wahr!«

»Dann halt nicht.«

»Lach nicht!«

»Hast du selber gesagt, wir sollen lustig sein –«

»Das ist kein Witz, Schopf, das weißt du ganz genau, das ist kein Witz –«

»Sondern die Wahrheit.«

»Es gibt keine Leiche!«

»Dann halt nicht«, lacht Schopf, der Bäckermeister, und fängt zu essen an: »Um so besser, mein Freund, dann schmeckt es mir natürlich auch. Forelle blau! Wo bleibt die zerlassene Butter?«

»Noch mehr?« fragt der Kellner.

»Immerzu, mein lieber Knicks, mir schmeckt alles, wenn es nicht nach Leiche schmeckt«, sagt Schopf, indem er, den Mund voll Forelle, zu Gottlieb blickt: »Warum setzest du dich nicht?«

»Schopf –!«

»Das ist verdammt ungemütlich, weißt du, wenn der Gastgeber selber keinen Appetit hat. So eine Forelle! das erinnert mich ja geradezu an meine Hochzeit. Da bist du ja auch dabeigewesen, Gottlieb – damals, ja, wer hätte das gedacht!«

»Was?«

»Und so ein Weinchen! Wieso trinkt ihr nicht, meine Lieben? Wieso eßt ihr nicht? So einen Fraß, ich sage euch, das seht ihr kein zweites Mal –«

»Was willst du damit sagen?«

»Gottlieb ist mein Freund. Schaut ihn an! Wie er keine Rast und Ruhe hat, wie er dasteht und schaut, ob ihr alle bedient seid. Ist das ein Herzensjunge oder ist das kein Herzensjunge? Wir kennen uns seit zwanzig Jahren, haben uns nie beschwindelt, so ist das mit der Freundschaft. Nie wird ers übelnehmen, wenn ich ein offnes Wort sage!«

»Sag es!« befiehlt Gottlieb.

»Natürlich sag ich es –«

»Sag es!«

»Und ihr werdet sehen, wie er es aufnimmt! Wie nur ein Herzensjunge es aufnimmt. Und wenn er Kaiser von Europa wäre, ich sag es rundheraus: –«

»Sag es!«

»Gottlieb – sage ich – Gottlieb, deine Forelle wird kalt.«

Jetzt nach einem versichernden Blick von Gast zu Gast, lachen sie alle, platzen vor Lachen, bis Gottlieb, rot wie ein Krebs, seinen Teller auf die Tafel schmettert, daß es klirrt.

»Gesindel«, schreit er: »hinterhältiges Gesindel – Ihr, ja, ihr!... Ich werde euch das Lachen schon austreiben, verlaßt euch drauf, ihr Bande, ihr Verräter –!«

Natürlich hat keiner widersprochen, in der Tat, man hat ja nur so geplaudert. Umsonst hat Jenny versucht, ihn von der Unterschrift abzuhalten. Aber schon hat er sie gemacht: auf eine Serviette. Man soll im Jähzorn nie eine Unterschrift geben; Gottlieb weiß es, er meint es auch nur als Drohung; aber die Unterschrift ist gemacht, und er muß die Serviette nur noch in die Luft werfen, damit es sich erfüllt. So steht er da, die Serviette in der Hand, grimmig wie ein verwundetes Tier:

»Ihr glaubt, daß ich euch glaube – wo ich weiß, wie ihr lügt; wo ich es rieche – wie ihr lügt – rieche, wie ihr alle es riecht – Da!« sagt er und reißt den Vorhang auseinander: »Bitte.«

»Oh –.«

»Bitte.«

In der Tat, da sitzt nun die Leiche des chinesischen Mandarin, den die erste Unterschrift getroffen hat, ein Wicht aus lauter Fett und Falten, die Augen verschwinden fast unter den Wulsten, ein widerlicher Anblick, selbst wenn er nicht stinken würde.

»Bitte«, sagt Gottlieb mit der teuflischen Serviette in der Hand: »wer von meinen lieben Freunden und Gästen wagt zu behaupten, er habe in meinem Haus eine Leiche gesehen?«

Schweigen.

»Keiner?« lacht Gottlieb: »Keiner?«

Kommt der Harlekin mit einem Buch, das in Rindsleder gebunden ist, eine Art von Gästebuch, das er aufschlägt und mit graziöser Würde auf den Tisch legt, höflich, nicht gebieterisch, beflissen, aber auf weltmännisch-verhaltene Weise:

»Die verehrten Freunde und Gäste werden gebeten, hier zu unterzeichnen! Daß sie nichts von einer Leiche bemerkt haben. Auch hinter den Vorhängen nichts«, erläutert der Harlekin, fügt mit lässiger Stimme auch das Allzubekannte hinzu, ordnungshalber: »Wer widerspricht, ist tot. Wer unterschreibt, ist frei.«

Schweigen.

»Herr Doktor?« sagt Gottlieb.

Knacks, der Doktor, nimmt langsam seine Füllfeder; er ist kein Träumer mehr, kennt die Historie, die Praxis, die Literatur, weiß, daß wir dem Greuel nicht mit eigner Tat begegnen können, sondern einzig und allein mit Vertrauen in die Metaphysik. Das heißt: er unterschreibt.

»Schopf?« sagt Gottlieb etwas banger.

Schopf, der Bäckermeister, hat keine Füllfeder, aber er braucht sie auch nicht; er nimmt das Buch, betrachtet es kurz, dann zerreißt er es, was nicht ohne weiteres gelingt, aber mit Wut geht es dann doch –

»Was schon«, sagt Schopf: »Du hast wohl den Verstand verloren, Gottlieb, das ist doch nicht dein Ernst. Wenn man die Leiche mit eignen Augen sieht –«

»Du willst nicht unterschreiben?«

»Das ist doch Quatsch –«

»Ja oder nein.«

»Gottlieb, wir sind doch Freunde –«

»Das eben ist die Frage!«

»Aber das heißt doch nicht, daß ich dir recht gebe, wenn du Unrecht tust –«

»Ich kann dich töten, Schopf.«

»Das tust du nicht.«

»Woher weißt du das?« schreit Gottlieb.

»Mensch! wenn man einmal mächtig ist, gewinnt man keine Freunde mehr. Das kannst du dir doch an den Fingern abzählen. Wer sich fürchtet vor dir, das ist doch eine alte Geschichte – Gottlieb, du bist auf der schiefen Ebene…«

Eine Weile hört Gottlieb sich alles an, die Serviette in der Hand, wünschend, es wäre nichts als eine Serviette. Schopf meint es nicht schlecht, das spürt auch Gottlieb; aber was hilft ihm das – jetzt, wo es schon einmal so weit ist – was hilft ihm das: Du sollst nicht, du hättest nicht dürfen! Es braucht kein Schopf zu kommen, um ihm das zu sagen.

»Schweig«, sagt Gottlieb.

»So ist es aber –.«

»Schweig«, sagt Gottlieb: »Oder du bist auf der Stelle tot.«

»Dann bist du erst recht ein Mörder –«

»Schweig! sage ich.«

Schopf schweigt, nicht ohne die andern anzublicken, achselzuckend. Auch wenn sie seinen Blick nicht erwidert haben, sondern beharrlich den Spannteppich mustern, weiß Gottlieb, daß sie einverstanden sind – er wäre es selber an ihrer Stelle – einverstanden gegen ihn, eine Verschwörung, und wenn er es duldet, daß Schopf so redet, dann werden es alle tun, alle, die ganze Stadt, die ganze Welt.

»Ich bitte dich«, sagt Gottlieb mit der überraschenden Ruhe letzter Beherrschung: »unterschreibe, daß du nichts gesehen hast.«

»Aber Gottlieb –.«

»Ich bitte dich, Schopf.«

»Fällt mir nicht ein!«

»Hörst du, ich bitte dich.«

»Idiot! –« lacht Schopf.

Und schon, Gottlieb ist nicht minder verblüfft, fliegt die Serviette in die Luft: Knall, Blitz, man kennt das bereits, und Schopf, der Bäckermeister, liegt auf dem Boden… Das war die zweite Unterschrift.

Die andern, man verarge es ihnen nicht, haben dann ohne Zögern bezeugt daß sie nichts gesehen haben, nichts von einer Leiche, obzwar es nun deren zwei sind – und einen davon, den Bäckermeister, haben sie ein Leben lang gekannt – und dann sind sie davon geschlichen, einer nach dem andern, ohne einander anzusehen, sich immerzu verbeugend, während Gottlieb, kniend vor seinem toten Freund, ihnen sprachlos nachgafft.

»Hunde!« sagt er schließlich: »So verleugnen sie ihn, unseren treuen Schopf – und meinen, daß ich ihnen traue – solchen Hunden!«

Der Harlekin lacht.

»Auf die Galeere mit ihnen!« sagt Gottlieb: »Ich will sie nicht mehr sehen –.«

Und indem er weint:

»Schopf, mein lieber guter Schopf, warum hast du mir das angetan, mein Freund, mein einziger Freund –.«

Gottlieb ist wirklich ergriffen, er schluchzt, er streicht dem Bäckermeister über die Stirne, und da dieser sich nimmer rührt, wird Gottlieb immer kindischer, bittet um Verzeihung, um Verständnis, bittet ihn, wieder aufzustehen und zu atmen... Der Harlekin hat bereits mit den Fingern geschnalzt, und schon erscheint das Ballett der Kellner, um die Leichen abzuräumen.

»Nein!« heult Gottlieb.

»Willst du warten, bis er ebenfalls stinkt?«

Sie tragen ihn weg.

»Madame sind etwas blaß«, lächelt der Harlekin: »Madame sollten sich etwas setzen –.«

Jenny starrt immerzu auf Gottlieb.

»Jennylein –?«

»Mörder«, sagt sie.

»Sag das nicht –«

»Mörder.«

»Jennylein, das ertrag ich nicht –.«

»Mörder.«

»Was soll ich denn tun?«

Ihre Antwort: sie wendet sich zum Gehen –

»Jenny! Ich habe noch eine Unterschrift«, sagt Gottlieb, und das genügt, daß sie stehenbleibt: »Du wirst mich nicht verlassen.«

Jenny schweigt.

»Liebst du mich nicht mehr?«

Sie schweigt.

»Jennylein, zwinge mich nicht zu dieser Unterschrift. Sie trifft den Menschen, den ich am meisten liebe. Zwinge mich nicht. Ich liebe dich, Jennylein, du wirst mich begleiten – auf unsrer Yacht...«

»Ich –?«

»Nicht traurig sein!« lächelt der Harlekin: »Auf der Galeere, Madame, da gibt es Tanz und Musik, Feuerwerk, und wenn sie noch so stöhnen, die Ruderknechte, da oben ist von alledem nichts zu hören. Nicht ein Laut. Wozu gibt es Musik? Und dann der Mond, Madame, der Mond über dem Wasser, überhaupt das Schöne –«

»Sie – Teufel!« sagt Jenny.

»Madame merken das erst jetzt?«

(Hier ist die Geschichte nicht zu Ende, aber das Interesse der Filmgesellschaft, der dieser Entwurf zugedacht war – weswegen ich das Ende nicht verraten möchte, bevor es mir auch abgekauft wird... Nur soviel: das Ende bleibt ebenfalls ganz märchenhaft, also positiv, und zwar spielt es eben auf dieser chinesischen Yacht, die sich auf unserem lieblichen See, das muß ich der Filmgesellschaft zugeben, etwas sonderbar ausnimmt, etwas chinesisch; aber was bleibt unserem Gottlieb anderes als das Leben auf einer solchen Yacht, die für alle andern eine Galeere ist, die Vereinsamung der Mandarine? Es bleibt ihm, wie gesagt, die dritte Unterschrift, die letzte. Eine Seele von Mensch wie ers nun einmal ist, wartet er mit dieser Unterschrift noch einen ganzen dritten Akt lang; denn niemand tötet gern den Menschen, »den er am meisten liebt«. Was ist ein Leben ohne Jenny? So sitzt er denn auf der köstlichen Galeere, spielt Schach mit seinem Harlekin, der ihn mattsetzt, Zug für Zug, sei es mit den Bauern oder mit der Dame. Gottlieb wirft das Schachbrett um, pumps! aber das än-

dert nichts an der wirklichen Lage, die etwa so aussieht: Die Sklaven streiken, ihr Dasein ist so elend, daß der Tod nach und nach nicht mehr ins Gewicht fällt, lieber verhungern sie, die Yacht kommt nicht mehr von der Stelle, vielleicht verhungert auch Gottlieb daran. Das ist ihre Hoffnung. Und der andere Zug, der mit der Dame: Jenny hat es heimlich mit dem Harlekin, ja, sie betrügt ihn also, und zwar nicht wenig, denn sie ist jung, und wer könnte einen Menschen lieben, den man fürchtet? Gottlieb ahnt es übrigens sehr. Man kann alles erzwingen, nur nicht Liebe. Da hilft ihm keine Zauberei; sie haßt ihn, und wie soll er auf die Dauer einen Menschen lieben können, der ihn haßt? Jenny hat auch keine Angst mehr vor seiner Unterschrift; sie ist nicht mehr der Mensch, »den er am meisten liebt«. Er versucht, die streikenden Sklaven zu überreden, Zapf vor allem, seinen früheren Schulgenossen, daß sie ihn doch endlich an ein Ufer rudern; im Augenblick, wo alle Sklaven auf Deck versammelt sind, zieht jemand den Vorhang der Kajüte auseinander: Jenny in den Armen des Harlekins – Gottlieb, und das läßt sich ja nachfühlen, greift zur letzten Unterschrift, Knall, Blitz, und am Boden liegt der Mensch, den er einzig liebt: also er selbst… Ich fände dieses Ende, wie gesagt, sehr positiv. Natürlich ist der Teufel nicht aus der Welt. Aber keiner dieser Ruderer, siehe da, gibt ihm eine Unterschrift. Das wäre das Märchenhafte daran. Im Gegenteil, sie werfen den Harlekin sogar über Bord, gehen gemeinsam an die Ruder, um das Ufer zu erreichen, und singen dazu noch einen Choral, dieweil die Fahne der Freiheit gehißt wird. Ich habe mir auch schon überlegt, wie diese Fahne in meinem Film aussehen müßte. Ich stelle mir vor: ein Mast, sonst nichts, jedes Fahnentuch ist wieder des Teufels. –)

Kampen, Juli 1949

Endlich ein Arbeitszimmer, wie man es sich wünscht: groß und licht, bequem auf eine nüchterne Art, zwei Fenster hinaus auf das Wattenmeer, viel Platz zum Gehen, Tische, wo man Papiere ausbreiten kann, Entwürfe, alte und neue, Briefe, Bücher, Muscheln und Seesterne, Ketten von trockenem Tang – ich bin schon die dritte Woche in diesem lieben Haus – und draußen flötet der Wind, Regen prasselt gegen die Scheiben, die vom Anfall des Windes zittern, Wolken jagen über das Uferlose. Man sitzt und schaut, ganz sich selber ausgesetzt. Hin und wieder kippe ich einen Steinhäger oder zwei; man braucht das bei so viel leerem Himmel. Oder ich greife zum Feldstecher, der auf dem Sims liegt, schaue, ob jemand über die Heide stapft, ein Briefträger, ein Mensch. Das rötliche Gras, büschelweise im Winde wogend, hat das Fliehend-Bleibende von Flammen; anzusehen, als brenne der ganze Hang. Hin und wieder ein britischer Düsenjäger, der über die Insel jault. Viel Raum. Man spürt den Raum, auch wenn man nicht hinausschaut; wenn ich lese oder an der Schreibmaschine sitze oder an dem Pültchen stehe, wie eben in diesem Augenblick, es hört ja nicht auf, das Flöten des Windes, es bleibt das Gefühl, man befinde sich am Rande der Welt. Ein förderliches Gefühl; vieles macht es leichter. Noch habe ich mich keine Minute gelangweilt. Was ich an Menschenwerk sehe: sechs Häuser, weit ins Weite verstreut, jedes einsam, geduckt unter einer Kapuze aus mausgrauem Schilf. Ganz in der Ferne sieht man den Hindenburgdamm. Und natürlich einen Leuchtturm; eine verkehrte Uhr: der Zeiger steht, die Wolken fliehen dahin. Meine Unterhaltung, wenn es nicht die Arbeit ist, sind Ebbe und Flut; das Wattenmeer mit glitzernden oder schäumenden Wellen, dann wieder ist es eine Wüste von Schlick, Möwen stelzen in spiegelnden Tümpeln, ganze Rudel, anzusehen wie ein Feld von weißen Narzissen. Ein Fischerboot sitzt mit schrägem Mast auf dem schwärzlichen Grund, wartend auf die nächste Flut. Am Ufer reitet ein Mädchen mit offenem Haar.

Post: –

Zwei Freunde, Männer von literarischer und theatralischer Erfahrung, schreiben mir auf diese Insel hinaus ihre Meinung über das neue Stück (»Graf Oederland«), das noch im Werden ist. Der eine findet es jedenfalls besser als die früheren Stücke, obzwar er noch dieses und jenes wünscht; der andere findet es jedenfalls schwächer als die früheren Stücke. Wer hat recht? Beide schreiben klug, sachlich, verständlich. Eine Ermutigung zum Weitermachen, eine Ermutigung zum Verzichten. Wem soll ich nun folgen? Beide zusammen haben die Weisheit des Orakels, das im Grunde stets den gleichen Rat gibt, den einzig möglichen, den in freundliches Dunkel verhüllten:

»Entscheide dich selbst.«

Auch heute, trotz Regen, eine Stunde am Strand entlang, schräg in den stoßenden Wind gelehnt. Die Nordsee ist grün, fleckenweise auch violett. In der Ferne, irgendwo hinter dem wässernen Horizont, steht eine silberne Garbe von Sonne. Auf dem Kliff bläst ein Wind wie im Gebirge; man muß sich, um atmen zu können, auf die andere Seite drehen. Die Strandkörbe sind leer. Eine Brandung, wie ich sie noch nie gesehen habe. Ich habe die Schuhe ausgezogen, denn immer wieder kommt eine überraschende Zunge, schäumig wie Seifenwasser, dann sinken die Füße in den rieselnden Sand, am Rand der wässernen Zungen schwabbert der Schaum, Gischt der großen Brecher, er schwabbert eine Weile lang, bis der Wind ihn zerflockt; trocken wie Watte fliegt es davon. Es bleibt ein Saum von zerbrochenen Muscheln und Tang, zuweilen ein Seestern mit den Bewegungen seines blinden Lebens. Auch eine Bombe hat es angeschwemmt, leer, verrostet mit verbogenen Flügeln.

Ein nicht unbedeutender Vorteil: daß man in einem fremden Land nicht meint, man müsse allem gegenüber eine heimatliche Übereinstimmung empfinden. Man erwartet nicht, was es niemals geben kann. Schon das gibt dem fremden Land jedesmal etwas Befreiendes, Erfrischendes, etwas Festliches, was uns dann der Heimat gegenüber oft ungerecht macht. Es sind überall nur wenige, denen man zugetan sein kann. Das Ungerechte: in der Fremde bin ich dankbar für die wenigen, in der Heimat entsetzt über die Menge der andern.

Gestern ist meine liebenswerte Gastgeberin verreist; in Frank-

furt erwartet man Thomas Mann – wie ich den Zeitungen ent-
nehme: mit viel Haß...

(Der Fall, scheint mir, hat etwas Tragisch-Groteskes: ein
deutscher Zeitgenosse, ein Weltmann, dem es vergönnt war, die
Weltachtung der deutschen Sprache durchzuhalten, kommt nach
Deutschland, aber nur wenige schauen ihm ins Gesicht, die andern glotzen auf seine Füße, warten darauf, daß er stolpere. Was
werden sie dabei gewinnen? Eine Emigration ist fruchtbar geworden; das ist für jene, die diese Emigration verhängt haben,
ein leidiger Anblick, und nichts ist begreiflicher als ihr wildes
Bedürfnis, die Fehler dieses Mannes aufzuzeigen. Wer möchte
leugnen, daß er sie hat? Auch die bekannten, von ihm selbst gepflegten, nicht immer mit Ironie gepflegten Anbiederungen an
den alten Goethe, wer würde ihm einen Vorwurf daraus machen,
wenn Thomas Mann nicht sonst so unbequeme Dinge geschrieben und gesprochen hätte? Für viele seiner Landsleute, selbst
wenn sie sein Werk kaum kennen, ist er etwas wie eine Innenfi-
gur geworden; sie lechzen nach Weltachtung, er hat sie, aber sie
können sich nicht mit ihm verbrüdern, ohne daß sie etliches zugeben müßten, was er zu ihrem Unbehagen gesagt hat – so begnügen sich jetzt die meisten mit dem Versuch, ihm die Weltachtung abzukratzen: als könnten sie dabei gewinnen.)

Wie ich in der Nacht nach Hause gehe, traue ich meinen Augen
nicht. Das Haus steht auf dem Hügelchen wie sonst, aber das
ganze flache Vorland ist verschwunden. Der Weg, den ich vor
Stunden noch gegangen bin, ist nicht mehr; die Lattenzäune stehen in nächtlichen Wellen, die der Mond beglänzt, ebenso die
Heuhaufen. Es werde, sagen die Nachbarn, nicht weiter steigen.
Immerhin – ein bißchen Sintflut ist es schon...

Heimat.
Die Summe unsrer Sitten und Unsitten, eine gewisse Gewöhnung, das Gemeinsame einer gleichen Umgebung, all das ist
nicht wertlos. Am gleichen Ufer gespielt zu haben, natürlich hat
es etwas Verbindendes; es für Wesensverwandtschaft anzusehen,

wäre ein Irrtum, der uns früher oder später, indem wir ihn nur als Enttäuschung erleben und nicht als Irrtum erkennen, ungerecht macht. Heimat ist unerläßlich, aber sie ist nicht an Ländereien gebunden. Heimat ist der Mensch, dessen Wesen wir vernehmen und erreichen. Insofern ist sie vielleicht an die Sprache gebunden. Vielleicht; denn in der Sprache allein ist sie ja nicht. Worte verbinden nur, wo unsere Wellenlängen übereinstimmen; das wiederum heißt nicht Einverständnis, das es nirgends so häufig gibt wie unter Wesensfremden, die einander mißdeuten, sondern Erreichbarkeit, und gerade wo man sich unter anderen Bedingungen trifft, erleben wir, durch keine gleichen Gewöhnungen getäuscht, das Verwandte oft um so reiner, um so überraschender und um so dankbarer, um so fruchtbarer.

(Sinn des Reisens.)

Was ich in Deutschland suche: die Weite im Verwandten. Die anderen Größenverhältnisse spiegeln sich immer auch im Menschlichen. Viele tragen hier den Kopf etwas höher, als ihnen zukommt, und verwechseln sich gerne mit der Größe ihrer Anzahl, also mit einer Größe, deren auch die Schafe und die Läuse sich rühmen könnten; doch wo man eine wirkliche Persönlichkeit trifft, ist sie freier als im kleinen Land, unverkürzt, unverstümmelt, unverklemmt, bei gleicher Anlage hat sie meistens eine reichere Entfaltung; überall spürt man den größeren Spielraum – auch im Erfreulichen.

Man badet hier ohne alles, und das ist herrlich, man verwundert sich höchstens, wie selbstverständlich es ist. Heute liegen wir in einer Gruppe, es kommt ein junges Paar, beide im Badkleid, Bekannte, und als sie uns auf dreißig Schritte erkennen, bleiben sie stehen, machen das einzig Geziemende, streifen ihr Badzeug herunter, nehmen es in die linke Hand und kommen zur Begrüßung –.

Beim Lesen:

Es gibt immer weniger Werke, die wir wirklich bewundern können, aber die wirkliche Bewunderung wird immer größer, je

355

länger wir uns selbst versucht haben. Bewunderung: Das könnte mir nie gelingen, und wenn ich siebenmal leben dürfte. Und vor allem, scheint mir, schärft sich der Unterschied zwischen Bewunderung und Achtung; ein Unterschied ohne Übergang. Achtung nenne ich es, wenn der andere, den ich lese, zwar weiter gekommen ist als ich, aber er geht auf der gleichen Ebene, ich werde ihn nicht mehr erreichen, aber es ist nicht unerreichbar von vornherein, er hat im wesentlichen keine anderen Mittel als ich, vielleicht hat er mehr davon, vielleicht nutzt er sie glücklicher, sein Vorsprung sei nicht geleugnet, aber sein Gelingen liegt nicht jenseits meines Begreifens. Das ist die große Mehrzahl der Schriftsteller und Dichter, die man achtet, zuweilen auch beneidet, etwa wie Sportler einander achten oder beneiden, wenn sie unterliegen – Dann aber, und das ist das Erlösende der wirklichen Bewunderung, gibt es solche, die uns von jedem Vergleiche befreien; der Unterschied ist unerbittlich klar: wir gehen – er fliegt...

(Trakl zum Beispiel.)

Von den Fliegenden, denke ich, kann der Fußgänger wenig lernen, was für ihn nicht eine Pose bliebe.

Wanderung nach Keitum. Die ersten Bäume seit Wochen; was wir Landschaft nennen: das grüne Vergessen, daß wir auf einem Gestirn wohnen. Draußen auf den Dünen vergißt man es keinen Augenblick.

Fragwürdig wie alles, was wir treiben, ist auch die Selbstkritik. Ihre Wonne besteht darin, daß ich mich scheinbar über meine Mängel erhebe, indem ich sie ausspreche und ihnen dadurch das Entsetzliche nehme, das zur Veränderung zwingen würde – das Entsetzliche, das mich doch jedesmal wieder einholt, wenn ein andrer sie ausspricht.

Eine Dame mit weißem Haar, namhafte Schauspielerin zu ihrer Zeit, umjubelt in Wien und Berlin, jetzt sitzt sie am Fenster und strickt; ich frage:

»Sie haben auch Kainz gekannt?«

»O ja.«

»Sie haben mit ihm gearbeitet?«

»O ja.«

Eine Weile schweigt sie, weiterstrickend, unschlüsssig, ob sie ihr Leben erzählen mag oder nicht. Jedenfalls hat sie keine Lust, Brosamen zu geben. Nach einer Weile, als ich mich innerlich schon auf den Weg mache, läßt sie die Strickerei doch plötzlich sinken, zum Erzählen entschlossen, aber so, wie es sich für ein erfülltes Leben geziemt: von Anfang bis Ende, gelassen, nicht weitschweifig, aber in einem großen Bogen – und die Stunden vergehen im Nu...

»Das war mein erster Erfolg«, sagt sie, nachdem sie auch das Kostüm, das sie damals getragen, mit inniger Akkuratesse beschrieben und dann mit einem lächelnden Schweigen sozusagen verabschiedet hat: »Am andern Tag meldete sich ein Herr von Hofmannsthal. Was will der? sagte ich, ich war siebzehn Jahre, ein dummes Ding, ich wußte soviel wie nichts. Später war ich oft in Rodaun, er zeigte mir ein Stück, dessen Titelrolle ich spielen sollte. Er saß am Schreibtisch, seine Frau stand in der Ecke, und ich mußte vorlesen. Er wollte es immer wiederhören. Er selber war ja ein Lispler, er schlug mit der Zunge an; wenn er sprach, hatte ich immer das Gefühl, er sabbert. Kurzum, ich sollte also die Elektra spielen. Ich glaube übrigens, er mochte mich sehr, etwas zu sehr. Ich dachte immer: Was will dieser alte Herr von mir! Damals war er knapp über dreißig. Sein Schnurrbart erinnerte mich immer an Seehunde. Später habe ich viele Briefe von ihm bekommen, leider sind sie in Düsseldorf alle verbrannt –.«

Über Wedekind:

»Ein schlechter Darsteller seiner eignen Werke, aber unvergleichlich als Bänkelsänger. Sein Doktor Schön, ich sage Ihnen: unmöglich. Sein Marquis von Keith, das ging noch. Weil er es selber war. Am besten war sein Jack, der Lustmörder. Ein Schauspieler war er nicht, aber ein Dichter –.«

Später hat sie dann doch wieder gestrickt, damit der Nachmittag nicht verloren sei, weitererzählend von Männern und Frauen, unbekümmert um ihren heutigen Ruhm oder ihre Entthronung; sie ändert ihre Liebe so wenig wie eine Mutter, wenn die Welt, die auch nur aus Menschen besteht, ihre Kinder rühmt oder schmäht, und auch ihre Verachtung bleibt unerschüttert... Wedekind, Hofmannsthal, Ibsen, Strindberg, Hauptmann, Gorki, es fallen Namen auf Namen, Kainz, Stanislavsky, Reinhardt, Valentin, Duse, Steinrück, Moissi, Jessner, Bassermann – nehmt alles nur in allem: es war doch eine Zeit, und langsam kann ich ihren Zorn schon verstehen, ihre Verachtung gegenüber den Leutchen, die sie gestern besucht haben.

»So ein Pack«, sagte sie: »so ein Pack.«

Sie ist sogar aufgestanden. »Nein, so ein Pack –.«

Die Lippen gepreßt, hart wie eine Greisin es sein kann, den Kopf schüttelnd, gefaßt, ohne es fassen zu können, was sich heutzutage tut, steht sie an der Fenstertüre, lange wortlos, beleidigt, obschon es sie nichts mehr angeht, über die eigene Person hinaus beleidigt; schließlich steckt sie die gelockerte Spange in ihr weißes Haar, wendet sich und fragt:

»Oder ist das nicht ein Pack?«

Dieselbe Insel, bei Nebel und Regen ganz ins Spukhafte verdämmert, hat plötzlich etwas Antikisches. Eine Luft wie Glas: die Ferne ist fern, aber klar und genau, ungespenstisch, heiter und endlich. Das alles gibt es auch im Norden, die blaue Finsternis des Meeres, das Lichterlohe, daß wir nicht wissen, wohin mit dem Dank für unser Dasein. Ein Tempel, ein dorischer, würde nicht überraschen; es ist aber nur ein gesprengter Bunker. Und dann, unversehens, steht da ein nackter Mensch auf der Düne, ein junger Mann, seine Hände in die Hüften gestützt; auch eine junge Frau, beide braun, herrlich wie am ersten Tag. Einen Augenblick stehen sie vor lauter Himmel. Dann gehen sie weiter über den lichten Sand, Hand in Hand, und plötzlich laufen sie, vom eigenen Übermut gejagt, verschwinden hinter den Büscheln von hohem, dürrem, wehendem Gras...

Gespräch über Ehrlichkeit.

Wenn die Ehrlichkeit darin bestünde, einfach alles zu sagen, es wäre sehr leicht, ehrlich zu sein, aber wertlos, nicht lebbar, alles zerstörend, Tugend auf Kosten der andern. Wo aber beginnt die Lüge? Ich würde sagen: wo wir vorgeben, in diesem Sinne ehrlich zu sein – kein Geheimnis zu haben.

Ehrlich sein: einsam sein.

Endlich einmal zu den Baracken, die man immer von weither sieht. Ein Lager von schlesischen Flüchtlingen. Schmutzwäsche an der Sonne, Kinder, Blechgeschirr, Arbeitslose, Kaninchenstall voll Volksgenossen, ganz abseits wie die mittelalterlichen Siechenhäuser. Nur der Staat reicht ihnen die nötige Nahrung. Man spricht nie von ihnen. Das einzige, was ich bisher gehört habe: sie haben wieder ein Huhn gestohlen! – daneben die Leute im bunten Bademantel, die glänzenden Limousinen, die es auch wieder mit deutschen Nummern gibt... Ferner denke ich an den polnischen Bauer, der uns vor einem Jahr bewirtet hat, den braven, der jetzt auf ihren Feldern pflügt, weil man ihn auch von den seinen vertrieben hat, und der ein genaues Tagebuch führt über seine Arbeit, auch über die Arbeit dieses heutigen Tages, über Saat und Ernte –.

Wem wird er es einmal zeigen müssen?

Denen mit der Limousine?

Wieder einmal Wedekind gelesen, der zu den wirklichen Theatralikern gehört, und Hauptmann. Wie oft beim Anblick ganzer Lebenswerke: was die Größe eines Lebenswerkes entscheidet, ist nicht so sehr die Größe des schöpferischen Vermögens, sondern das Verhältnis zwischen dem schöpferischen und kritischen Vermögen. Bei Hauptmann erscheint das Schöpferische oft ohne jedes Spalier, verwuchert sich in ein Solala, das mancher Mindere sich versagen würde; das Urteil hält nicht Schritt, die Schere des Gärtners kommt nicht nach. Man könnte sich auch die umgekehrte Gefahr denken: das kritische Vermögen ist überwach, voreilig, selbstherrlich, so daß es das Schöpferische, das vorerst immer einer gewissen Schonung bedarf, schon im Keime umbringt. Hier ein fruchtbares Verhältnis zu finden, eine Balance dieser beiden Vermögen, so wie sie einmal gegeben sind, das ist die stete und allereigenste Aufgabe jedes Künstlers, lösbar nur aus der eignen Erfahrung, aus dem aufmerksamen Umgang mit den eignen Bedingungen. In dieser Aufgabe ist er vollkommen einsam. Aller Rat, den wir einem Künstler geben, hilft immer nur seinem kritischen Vermögen. (Ganz abgesehen davon, daß der Ratende im Grunde immer sich selber rät.) Unter Umständen könnte es also richtig sein, daß er dem Rat seiner besten Freunde davonrennt und sich scheut, sie durch eine schlechtere Arbeit zu enttäuschen; gerade diese Arbeit, von den Freunden nur mit Bedauern hingenommen, kann für ihn wertvoller sein als das Bessere, was sie erhofft haben, wertvoller nicht als Werk, aber wertvoller für sein Schaffen, nötig für die Wiederherstellung seiner produktiven Balance. Wie wenig sich die wirklichen Künstler um ihr künstlerisches Prestige kümmern! Ihre erste Sorge ist nicht das Meisterwerk, sondern das Schaffen-Können, das Lebendig-Bleiben, selbst wenn es sie oft unter das errungene Niveau zurückwirft.

Schwimmen in der Brandung! Heute war Flut, so daß wir die Buhnen nicht sahen, die Pfosten, die von bläulich-schwarzen Miesmuscheln ganz überpanzert sind; sogleich ist man blutig. Aber sonst ist es eine Wonne ohnegleichen, fast ohnegleichen, das Springen im Gischt, dort, wo die letzten Wogen sich höhlen und dann zusammenstürzen; oft kommt es wie Lawinen, die verstäuben, und in der Abendsonne sieht es aus, als bade man in purem Messing oder Nickel.

Die Möwen:

Wie sie immer den Kliff entlangsegeln, den Hangwind nutzend, mit beinahe steifen Flügeln, schnell wie ein Pfeil, bis sie sich plötzlich, wie abgeschossen, auf das Wasser fallen lassen, eine Beute fischen, aufwirbelnd vor der nächsten Welle –

Teegespräch in einem gar tadellosen Landhaus, Stil der guten dreißiger Jahre, Klinker, Truhen aus alten Bauerngeschlechtern, Stiche, Geländer aus Schmiedeeisen, Berliner Porzellan, Kamelhaardecken, Rassehunde.

»Die Schweiz hat doch nichts gelitten!«

»Nein«, sage ich.

»Hätte Ihrer Schweiz aber ganz gut getan«, sagt die Dame: »gerade der Schweiz! Leiden ist gesund, wissen Sie –.«

Wir sitzen in einem gar tadellosen Garten, der in den guten dreißiger Jahren, wie ich später höre, manche Uniformen empfangen hat, hohe und höchste, braune und schwarze; die Aussicht ist herrlich; nur ganz am Horizont sieht man die Baracken der schlesischen Flüchtlinge, dieser Opfer eines verbrecherischen Auslandes.

Zur Schriftstellerei:

Vor Jahren habe ich als Architekt eine jener Fabriken besucht, wo unsere glorreichen Uhren gemacht werden; der Eindruck war niederschmetternder als jemals in einer Fabrik, aber noch in keinem Gespräch ist es mir gelungen, gerade dieses Erlebnis, eines der stärksten, dermaßen wiederzugeben, daß es sich auch im Zuhörer herstellte. Es bleibt, ausgesprochen, stets belanglos oder unwirklich, wirklich nur für den Betroffenen, unsäglich wie jedes persönliche Erlebnis – oder richtiger: jedes Erlebnis bleibt im Grunde unsäglich, solange wir hoffen, es ausdrücken zu können mit dem wirklichen Beispiel, das uns betroffen hat. Ausdrücken kann mich nur das Beispiel, das mir so ferne ist wie dem Zuhörer: nämlich das erfundene. Vermitteln kann wesentlich nur das Erdichtete, das Verwandelte, das Umgestaltete, das Gestaltete – weswegen auch das künstlerische Versagen stets mit einem Gefühl von erstickender Einsamkeit verbunden ist.

Wanderung nach List, Wanderdünen, zurück über die Vogelkoje, überall trifft man auf Anlagen der deutschen Luftwaffe.

Um neun Uhr scheint noch die Sonne, die Dämmerung dauert bis Mitternacht, bis sie sich fast unmerklich in Mondhelle verwandelt. Man mag nicht schlafen. Die Regenpfeifer schwärmen auch noch über die Heide. Geruch von Salz, von Tang, von Heu. Die Tümpel des Wattenmeeres gleißen wie Scherben unter dem Mond. Der Leuchtturm, der bei jedem dritten Atemzug meinen warmen Heuhaufen bescheint, hat etwas rührend Arbeitsames in dieser großen Stille. Ein andrer blinkt drüben an der dänischen Küste, aber sehr winzig. In einer Umzäunung weiden zwei Pferde. Oft hält man den Atem an, als müsse jeden Augenblick etwas Unglaubliches geschehen. Ein Pferd hat sich geschüttelt, weiter nichts. Eine erregende, unerlöste Stille, wie sie einem Engel vorausgehen müßte –

Einmal eine Sternschnuppe.

Reminiszenz

Das Teegespräch mit einer braunen Dame – Unter dem Allerlei, was mir dazu einfällt, findet sich die kleine Erinnerung an meine letzten Diensttage, April 1945 in Graubünden. Ich ging oft an die Grenze, unterhielt mich mit den deutschen Wachen; es waren lauter ältere Jahrgänge, zehn Männer, die nicht einverstanden waren, dazu zwei Braune. Einer von den zehn, der ein ungewöhnlich liebes Gesicht mit fast kindlichen Augen hatte, war aus Rothenburg. Sein Ausspruch: Immer wieder kommt der Krieg über unser armes deutsches Volk! Wir betrachteten den Abend und sprachen über den Frühling, über die Vögel, über das Wetter. Er war Familienvater, Katholik, sein Sohn war in Rußland gefallen. Wir vereinbarten, daß ich an dem Tag, wo Rothenburg von den Amerikanern genommen ist, einen bestimmten Stein aus der Mauer reiße. Denn sie konnten nur an die Grenze kommen, wenn sie Dienst hatten. Sie waren froh um Tabak und Nachrichten... Tagsüber hatte ich einen Posten oben im Wald, wo man mit dem Scherenfernrohr das ganze Tal überwachte. Im Morgengrauen sah ich jedesmal den Ausmarsch der Zwangsarbeiter, sah, wie sie die Hände rieben und endlich zur Schaufel griffen, sah die deutschen Wachen, die danebenstanden mit umgehängtem Gewehr und an den Füßen froren, während ich schon die

Sonne hatte. Zu melden gab es wenig; hin und wieder eine feldgraue Limousine, die von Italien nach Österreich eilte, stunden-
lange Kolonnen während der Nacht, tagsüber eine Bäuerin auf
dem Feld. Ich erinnere mich genau an das tiefenlose Bild, das
man im Scherenfernrohr hat, an den lautlosen Film mit den Ge-
sten der Sprechenden, dann wieder ein Wölkchen aus der Pfeife,
gegen zehn Uhr bekamen die Sklaven ihr erstes Frühstück… Am
Abend, wenn ich frei war, ging ich wieder an die Grenze hinunter, hockte auf die Felsen, bis einer mich sah und kam. Einer war
ein Berliner, immer etwas übermunter erzählte er von seinen
Verwandten in der Schweiz, wo es gewiß nicht an Speck und
Butter fehlte. Und Schlagrahm! Noch könnten sie leider nicht
herüberkommen, sagte er, denn die »Beiden« ließen sie nicht aus
den Augen. Auch dieser war von einer rührenden Naivität. Seit
Jahren bewachten sie die fremden Sklaven, die auch Frau und
Kinder haben, sie bewachten sie nicht mit Vergnügen, das
glaubte ich ihnen ohne Zögern, und infolgedessen erschien es ihnen als ein beispielloses Unrecht, wenn sie ihrerseits – wo sie
doch nichts verbrochen hatten – in eine Gefangenschaft geraten
sollten. Ich hielt es für geziemend, zu hören, nicht zu sprechen.
Dabei hörte ich viel von den »Beiden«, die jeden, der muckst,
noch heute umlegen würden. Nur einmal fragte ich: Was macht
ihr mit den beiden, wenn es vorbei ist?

Einer sagte:

»Die soll der Teufel holen –.«

So standen wir da; den Teufel habe ich nicht gesehen, nur die
Männer: jeder mit einem Gewehr und einem Gürtel voll Patronen… Und mit einer Pfeife – Schüsse habe ich nie gehört, das
Tal war still, friedlich, unheimlich, wir drehten an unserem
Scherenfernrohr, um zehn Uhr bekamen die Sklaven wieder ihr
Frühstück, Berlin war erstürmt, Goebbels verstummt, zu hören
war nichts als der schmelzende Schnee, das Tropfen, manchmal
plumpste ein ganzes Kissen von den Tannen herunter, zu sehen
war nichts als das Tal, das Hin und Her der deutschen Wachen,
die Felsen in der Sonne, das Drahtverhau, die vermooste Grenz-
straße. Zu melden: Übergänger aller Art, die es während der

Nacht wagten. Mit der ersten Morgensonne kamen sie dann herunter, und gegen Mittag erreichten sie unseren Posten, hinkend, halb verfroren, zerschunden, meistens Franzosen, einmal zwei Russen. Täglich wurden es mehr. Einmal ein sehr junger Leutnant der Wehrmacht. Ich hätte gerne mit ihm gesprochen; ein schönes kluges Gesicht, ein Jüngling aus gutem Stall. Aber er hatte schon genug aufdringliche Leute um sich. Vor allem erinnere ich mich an zwei junge Burschen aus Belfort, die vor drei Jahren verschleppt worden waren; Neunzehnjährige. Sie waren von Stuttgart gekommen in einem ziemlichen Bogen; beide in den Kleidern, die sie damals in Belfort getragen haben; der eine war ein kränklicher Bursche, ein proletarisches Kind, der andere aus noblem Haus, ein dreister und abgebrühter Gangster, den sie schon zweimal auf der Flucht erwischt hatten. Zum Schluß winkte er ins Tal hinaus: Deutschland, rief er, adieu! Dazu spuckte er in hohem Bogen. An dem Tag, als ein Mann von der Waffen-SS kam, war ich leider auf Urlaub; mein Freund, dem ich vertraue, schilderte ihn als einen Entsetzten, jedenfalls hatte er viel erzählt, und meine Kameraden schilderten mit glänzender Übereinstimmung, wie die Ausrottung eines ukrainischen Dorfes vor sich geht. Wir wußten damals schon viel; endlich berichtete einer, der dabei gewesen war . . . Eines Morgens, als ich wieder an dem Scherenfernrohr saß, traute ich meinen Augen nicht: auf der Straße, wo wir bisher nur die deutschen Posten und manchmal eine alte Bäuerin erblickt hatten, erschienen sie in ganzen Kohorten, Zwangsarbeiter, die ohne Bewachung marschierten. Ich richtete das Fernrohr auf die Brücke; die deutschen Wachen waren bereits dabei, die Spanischen Reiter abzuziehen. Die Kohorte ging über die Brücke, die in den vergangenen Jahren so mancher einzelne hätte überschreiten wollen, und nicht wenige haben es versucht, aber die meisten hat irgendwo eine Salve erreicht. Die Kohorte ging wirklich über die Brücke, und obschon auf unsrer Seite niemand war, winkten sie mit Mützen und Tüchern. Ich nahm das Telefon und meldete: Friede. Das war leider verfrüht, aber in der Tat kamen immer neue Kohorten, nach meiner Ablösung ging ich an die Grenze hinunter. Viele sangen, vor allem die Franzosen. Auch Frauen waren dabei, eine junge Holländerin. Dazwischen Kriegsgefangene, Gesichter aus allen Völkern. Natürlich hatten wir alle Zigaretten gekauft, die es in dem kleinen Wirtshaus gab, und verteilten, soweit der Vorrat reichte; da sie kein Feuer hatten, gab es sich von selbst, daß man immer wieder ein einzelnes Gesicht ganz aus der Nähe sah. Die meisten hatten das Bedürfnis, etwas zu sagen:

»Ik – finf Jahr!«

Andere versuchten klarzumachen, wie viele Kinder sie hatten. Einer mit geschorenem Kopf, dessen Sprache ich nicht einmal erraten konnte, umarmte mich, küßte mich, wie mich einmal ein griechischer Bauer geküßt hat, und heulte vor Freude... Daneben standen die deutschen Wachen, der Berliner, der Rothenburger, der schwieg, während der andere sehr leutselig winkte:

»Gute Reise, viel Glück, gute Reise!«

Kurz darauf wurden wir versetzt. An der italienischen Grenze war es nicht minder rege. Am Ofenpaß erstellten wir Baracken für die Flüchtlinge, andere waren auf Patrouille. Selten kamen sie allein zurück. Besonders genau erinnere ich mich an einen Deutschen in Zivil, elend, hungrig, müde, denn in der Höhe lag noch viel Schnee, nachtsüber gefroren und harsch, tagsüber weich, so daß man bis zu den Hüften einsank. Wir setzten ihn an den Ofen, der unsere kleine Baracke wärmte. Suppe essend, die er nötig hatte, versicherte er, daß er nur nach Haus wollte, nach Köln, wo er für Frau und Kinder sorgen müßte, und alles war sehr begreiflich, sehr nachfühlbar, nur lag es nicht an uns, ob unser »Ländle« ihn aufnahm oder nicht. Wir warteten über zwei Stunden. Unser Korporal, ein Quatschkopf auf der ganzen Linie, gab ihm Zigaretten, zuerst einzelne, dann ein ganzes Päcklein, verbunden mit einem Eigenlob unsrer Güte, das zum Ausspucken war. Schließlich wies ich den Schwätzer zurecht, leider erfolglos, denn der arme Kölner unterstützte ihn mit beflissener Schmeichelei, als könnte dieser an der fälligen Entscheidung irgend etwas ändern. Die beiden waren sich ebenbürtig. Eine Wendung dieses leidigen Gespräches brachte erst eine illustrierte Zeitung, die zufällig auf dem Tisch lag. Ob er sie anschauen dürfte, fragte er höflich, er hätte seit Wochen keine Zeitung mehr gesehen. Es war eine alte. Die Leiche des erschossenen Duce, anzusehen wie eine umgekippte Statue. Er betrachtete es wortlos, blätterte weiter. Bilder von Warschau, schreckliche. Der Mann war sehr betroffen, schob die Zeitung weg und versuchte zu schweigen; erst nach einer Weile, als ich es nicht mehr erwartete, sagte er:

»Wenn eure Zeitungen solche Bilder bringen, wundert es mich nicht, daß man uns haßt.«

Dazu fiel mir nichts ein.

»Das glaube ich nicht«, sagte er versöhnlicher: »das machen Deutsche nicht. Ich bin selber bei der Wehrmacht gewesen – Nein!« sagte er mit einem entschiedenen Kopfschütteln und mit dem Ton eines Menschen, der allein zuständig ist: »Wie sie die Juden umgelegt haben damals in Riga und später in Rußland, das habe ich selber gesehen – aber das, nein, das glaube ich nicht! Unmenschen sind wir nicht.«

Damals habe ich kein Tagebuch geführt, doch diesen Satz habe ich mir aufgeschrieben. Später kam der Befehl, der Mann müsse wieder zurück. Er wurde sehr bleich. Während ich, da die Ablösung an mir war, Helm und Gewehr nahm, fluchte er natürlicherweise über unser Land, über Humanität und so. Der Weg war schmal; er stapfte voran, ich hinterher. Gesprochen haben wir wenig. Gerne hätte ich vieles gefragt, es ging aber schon äußerlich nicht. Ich hatte das Gefühl, als wären wir zu dritt: er und ich und ein geladenes Gewehr. Ich ging etwa zehn Meter hinter ihm. Er hatte den Rockkragen aufgestülpt, die Hände in den Hosentaschen. Ein sonniger Nachmittag; zuweilen dachte ich an die Wälder von Riga, und er kam mir wie ein erfahrener Mann vor, einer, der geschossen hat; ich dagegen hatte bisher nur auf Scheiben geschossen. Eine deutliche Herablassung, die er mir gegenüber hatte, kam vielleicht aus dieser Gegend; das Gewehr und ich hatten zusammen etwas Lächerliches, ich empfand es selbst. Wir hatten etwa eine Stunde zu gehen. Zuerst durch die Schlucht, wo der Schnee wie Porzellan aussah; der Mann fror wie ein Hund. Später durch offenen Wald; Sonne, Spuren von Ski, Stille, ein gefrorener Wasserfall, Spuren von Hasen, ein dunkelblauer Himmel, dazu das lichte Gold der besonnten Felsen. Einmal rauchten wir zusammen eine Zigarette. Er versicherte mir, daß er es anderswo schon schaffen würde, und zwar noch in dieser Nacht. Er hatte ein schmales, etwas schiefes Gesicht mit hellen Augen; ihr Blick war ebenso wach wie unbestimmt. Ich war froh, daß er nicht die Uniform trug. Gelegentlich gingen wir weiter; er lächelte. Ich glaube mich nicht zu täuschen, wenn ich es als ein Lächeln von gemeiner Verächtlichkeit bezeichne. Es war, als spürte er meine Unsicherheit; ich wußte nicht, was ich ihm zutraute, was nicht, und jedenfalls nahm er mich für den Dummen. In der Tat hatte ich alles andere als das Gefühl, der Überlegene zu sein. Das Gewehr gehörte eigentlich zu ihm; ein dummer Zufall hatte die Rollen vertauscht. Dabei blieb es. An der Grenze wollte er nur wissen, wie spät es wäre…

»Vier Uhr«, sagte ich.

»Na ja«, sagte er –

Wir verzichteten beiderseits darauf, etwas wie eine Floskel zu sagen; während ich damit beschäftigt war, meine Mütze über die Ohren zu ziehen, stapfte er weiter hinunter auf die andere Seite, es war ein kleines Päßlein, eine völlig menschenleere Gegend. Ich wartete noch etwa eine Stunde. Wenigstens in unserem Abschnitt, und hier mußte jeder durch die Schlucht hinunter, sahen wir ihn nicht mehr. Dafür andere. Unsere Baracken waren bald überfüllt, die Erschöpften fuhr man mit Lastwagen hinunter nach Zernez, besonders die Frauen und Kinder, die übrigen pilgerten zu Fuß, Grüppchen um Grüppchen. Auch hier gab es etliche, die sangen. Der Krieg war zu Ende, die Kapitulation war unterschrieben. Übrigens war fast allen, die ich habe sprechen können, eins gemeinsam: das Verlangen nach jenen Dingen, die so gerne der Verachtung ausgesetzt sind, nach dem Zuhause, nach der Familie, nach der Arbeit. Ich hatte damals gerade infolge dieser Begegnungen eine unschwärmerische Zuversicht, daß der Friede zu machen sei. Als letzte hatte ich eine deutsche Gruppe zu bewachen, Zöllner in Uniform, die sich bitterlich über die italienischen Partisanen beschwerten; nämlich man hatte ihnen sämtliche Uhren abgenommen. Andere klagten über ihre Füße und unsere mangelhafte Organisation, denn wir mußten sie im Regen draußen warten lassen. Ihnen zugeteilt, da ebenfalls ein Deutscher, war ein Mann in Zivil, ein schweigsamer Mensch, der sich lange abseits hielt; später platzte er, nannte sie eine dämliche Bande, dann Bluthunde, schließlich hielt er ihnen vor, wie sie die italienische Bevölkerung behandelt hätten und so weiter. Er selber, zeigte sich, war ein Deserteur. Die Szene war grausig; denn es war noch keineswegs sicher, ob sie nicht selbander über die Grenze zurück mußten. Je mehr die Uniformen schwiegen, um so offener packte der andere aus. Zum Glück mußten sie nicht zurück. Zu Hause, meinte er später, würde er mit denen schon fertig. Beim Abmarsch ging er mit sichtlichem Abstand. Ich mußte sie noch einige Kilometer begleiten. Er war ein Münchner; auf dem Marsch erzählte er noch weiter, was er auf dem Herzen hatte. Aber zu Hause, versicherte er, zu Hause würde man mit denen schon fertig. Meinerseits hatte ich mich nicht einzumischen. Ich begleitete sie bis zum nächsten Posten, wortlos, nicht gleichgültig –.

Westerland

Wieder einmal Zeitungen gelesen:
»Wiederbewaffnung Deutschlands –?«
(Durch Amerika.)

Kampen, August 1949

Was wir erleben können: Erwartung oder Erinnerung. Ihr Schnittpunkt, die Gegenwart, ist als solche kaum erlebbar: weswegen es selten gelingt, eine Landschaft zu beschreiben, solange man sie vor Augen hat. Zwar versuche ich es jedesmal wieder; das Ergebnis ist stets das gleiche: Krampf. Es steht auch gar kein echtes Bedürfnis dahinter. Solange ich alldies vor Augen habe, wozu soll ich es beschreiben? Jetzt ist Sehenszeit.

Ganz überspitzt: wer ein Schafott besteigt, erlebt die Angst vor dem Beil, nicht das Beil. Und wenn einer auf dem Schafott begnadigt worden ist, dürfen wir kaum annehmen, daß der Mann nichts erlebt habe. Noch kein Mensch hat seinen Tod erlebt; jeder erlebt die Todesangst, die Erwartung –

»Wir, die wir den Krieg erlebt haben –«

(Abgesehen von allem übrigen, was sich zu diesem immer wiederkehrenden Ausspruch sagen ließe, ist es komisch, wenn ein Mensch sich mit seinem Erlebnis brüstet: statt daß er uns zeigt, was das Erlebnis aus ihm gemacht hat – oder was er aus seinem Erlebnis gemacht hat.)

Verwechslung zweier Begriffe: erleben und dabei sein.

Das weitaus meiste, was Menschen erleben, liegt wohl im Bereich der Ahnung; schon der andere Bereich der Erlebbarkeit, die Erinnerung ist viel kleiner. Wäre es nicht so, gäbe es überhaupt keine Dichter, nur Reporter, und es gäbe vor allem auch keine Leser. Was tut denn der Leser, indem er ein Buch aufschlägt? Er verläßt sein Dabeisein, da es ihn nicht erfüllt; er begibt sich in den Bereich seiner Ahnung: um etwas zu erleben.

Hamburg, September 1949

Ausfahrt in der Morgenfrühe, Nebel über den Sandbänken, später die blanke Bläue über der offenen See. Ein paar Stunden ohne Küste. Gegen Abend fahren wir die Elbe hinauf; Parade der ausfahrenden Dampfer, jeder mit einer Schleppe von braunem Rauch. Möwen, Bojen, Leuchttürme. Und dann, je näher wir dem Hafen kommen, das Gewirr der Kranen, Schlepper, Kutter, Maste aller Art und aller Größen, Baggerschiffe, eine schwimmende Ruine aus Rost, Yachten, blank und spielerisch, Takelwerk, Fabriken dahinter und Schuppen ohne Zahl, Schlote, Gasometer, alles hat die gleiche verölte Schwärze, ob Eisen oder

Stein oder Holz – Menschenwelt: Güterzüge, Brücken, Straßenbahnen, Schleusen, Lastwagen, Flugzeuge, eine Milchstraße von
Glühbirnen... Jetzt ein Gewitter über der Alster, anzusehen wie
das Schlußfeuerwerk eines Sommers, das mit Donnern nicht
spart, oft in nächster Nähe schmetternd, daß man meint, nachher
müßte man taub sein, dazu das Rauschen und Tosen in den Wip-
feln einer alten Allee, Regen jagt mit klatschenden Fahnen über
Dächer und Terrassen und See, über den Straßen schwebt es wie
weißlicher Nebel, ein Schleier von Spritzern; nebenan die Ruine
einer Villa, im Nächtlichen schimmernd wie andere Villen; dann
aber, sooft ein Blitz sie durchzuckt, sieht man, daß sie keine
Stockwerke mehr hat, und die Fassade erscheint wie eine
schwarze Larve; dazu das übermütige Gurgeln aus einer über-
laufenden Dachtraufe.

Unterwegs

Nationalistisch: wenn ich die Forderung, die meine Nation an
mich stellt, allen anderen Forderungen überordne und einen anderen Maßstab als den Vorteil meiner Sippe nicht anerkenne;
wenn ich sittliche Gebote, zum Beispiel christliche, zwar im
Munde führe und sogar vertrete, solange meine Nation nichts
dagegen hat, aber nie und nimmer, wenn sich diese Gebote einmal gegen meine Nation richten; wenn ich zu jeder Tat bereit
bin, selbst wenn sie nach meinen sittlichen Begriffen ein Verbrechen ist, und wenn ich sie dennoch mit Stolz, mindestens mit
Gehorsam verrichte, um ein guter Hottentotte zu sein; wenn ich
nichts Höheres kenne als meinen Trieb und vor diesem auf die
Knie falle, indem ich meinen Trieb, ins Millionenfache meiner
Nation vergrößert, für etwas Geistiges halte, für das Geistige
schlechthin, dem alles und endlich auch sein Gewissen aufzuop-
fern rühmlich ist, tugendhaft – kurzum, wenn ich ein Nihilist
bin: ohne den Mut dazu.

Wenn der Unselige, der mich gestern besucht hat, ein Mann, dessen Geliebte es mit einem andern versucht, wenn er ganz sicher sein könnte, daß die Gespräche eines andern, die Küsse eines andern, die zärtlichen Einfälle eines andern, die Umarmung eines andern niemals an die seinen heranreichen, wäre er nicht etwas gelassener?

Eifersucht als Angst vor dem Vergleich.

Was hätte ich sagen können? Eine Trauer kann man teilen, eine Eifersucht nicht. Ich höre zu und denke: Was willst du eigentlich? Du erhebst Anspruch auf einen Sieg ohne Wettstreit, verzweifelt, daß es überhaupt zum Wettstreit kommt. Du redest von Treue, weißt aber genau, daß du nicht ihre Treue willst, sondern ihre Liebe. Du redest von Betrug, und dabei schreibt sie ganz offen, ganz ehrlich, daß sie mit Ihm verreist ist – Was, mein Freund, willst du eigentlich?

Man will geliebt sein.

Nur in der Eifersucht vergessen wir zuweilen, daß Liebe nicht zu fordern ist, daß auch unsere eigene Liebe, oder was wir so nennen, aufhört, ernsthaft zu sein, sobald wir daraus einen Anspruch ableiten...

Wie ist es möglich, daß sich die Eifersucht, wie es denn öfter vorkommt, sogar auf Tote beziehen kann, die mindestens als leibliche Gestalt nicht wiederkommen können?

Nur aus Angst vor dem Vergleich.

Ferner weiß jeder, daß er für die Frau, der er in Eifersucht gegenübertritt, alles andere als gewinnend ist. Seine Eifersucht, offensichtliche Angst vor dem Vergleich, ist für sie nicht selten die erste Ermunterung, sich umzusehen, Vergleiche anzustellen. Sie wittert plötzlich seine Schwäche. Sie blüht geradezu unter seiner Eifersucht – mit Recht findet er sie schöner als je! – blüht in neuer unwillkürlicher Hoffnung, daß ihre Liebe (denn warum hätte er sonst solche Angst?) offenbar noch ganz andere Erfüllungen erfahren könnte...

Männer, die ihrer Kraft und Herrlichkeit sehr sicher sind, wirklich sicher, und Weiber, die ihres Zaubers sicher sind, so sicher, daß sie beispielsweise nicht jedem Erfolg ihres Zaubers nachgeben müssen, sieht man selten im Zustand der Eifersucht. Dabei fehlt es auch ihnen nicht an Anlaß! Aber sie haben keinen Grund zur Angst, und zwar kennen sie den Verlust, die brennende Wunde, die keiner Liebe erspart bleibt, doch kommen sie sich darum nicht lächerlich vor, nicht verhöhnt, nicht minderwertig. Sie tragen es, nehmen es nicht als Niederlage, sowenig wie das Sterben eine Niederlage ist, machen kein Geheul über Untreue, und die Frau, der sie eines Tages nicht mehr genügen, beschimpfen sie nicht als Hure, was sowieso meistens ein falsches, unpassendes Wort ist –

Der Raub der Sabinerinnen – welcher gesunde und einigermaßen aufrichtige Mensch, Mann oder Weib, ist nicht auf seiten der Räuber? Umsonst besinne ich mich auf ein Kunstwerk, das uns die armen Sabiner zeigte, um uns zu erschüttern.

Und die Tugend?

Sabiner, die sich auf die Tugend ihrer Sabinerinnen verlassen müssen, tun uns leid, selbst wenn die Tugend hält. Sie sind Inhaber ihrer Weiber, gesetzlich geschützt, von Staat und Kirche versichert gegen jeden Vergleich, und damit sollen sie nun glücklich sein: bis die Räuber über den Berg kommen, bis die Welt es hören wird, wie die Sabinerinnen jauchzen, wenn ihre Tugend endlich nichts dagegen vermag, daß sie in den Armen der Stärkeren liegen.

Oh, die Angst vor diesem Jauchzen!

Die Sprache schon meint es nicht gut, wenn sie vom Gehörnten redet oder vom Hahnrei, ein besseres Wort hat sie nicht, und es ist kein Zufall, daß die Eifersucht, wie bitter sie auch in Wahrheit schmeckt, so viele Possen füllt. Immer droht ihr das Lächerliche. Sogar Kleist, der Tragiker, muß es in eine Komödie wenden, wenn er den Amphitryon zeigt, der immerhin von einem Zeus betrogen wird. Offenbar ist die Eifersucht, obschon sie Entsetzliches anzurichten vermag, nicht eine eigentlich tragische Leidenschaft, da ihr irgendwo das Anrecht fehlt, das letzte, das ihr die Größe gäbe –

Othello?

Was uns an Othello erschüttert, ist nicht seine Eifersucht als solche, sondern sein Irrtum: er mordet ein Weib, das ihn über alles liebt, und wenn dieser Irrtum nicht wäre, wenn seine Eifersucht stimmte und seine Frau es wirklich mit dem venezianischen Offizier hätte, fiele seine ganze Raserei (ohne daß man ein Wort daran ändern müßte) unweigerlich ins Komische; er wäre ein Hahnrei, nichts weiter, lächerlich mitsamt seinem Mord.

Warum übrigens ein Mohr?

Othello oder Der Mohr von Venedig, heißt der ganze Titel. Othello ist in erster Linie nicht ein Eifersüchtiger, sondern ein Mohr, also ein Mensch aus verachteter Rasse. Sein persönlicher Erfolg, den er soeben errungen hat, ändert nichts an seinem verwundeten Selbstvertrauen. Man achtet ihn zwar: obschon er ein Mohr ist. Es bleibt das Obschon, das er spürt, es bleibt seine andere Haut. Er leidet an seinem Anderssein; hier wurzelt die Tragödie, scheint mir, und so entwickelt sie sich auch. Noch handelt es sich nicht um Eifersucht; aber hinter allem, wie ein Schatten, steht jenes Gefühl von Minderwert, und der Mohr ist ehrgeizig, wie wir es alle sein müssen in dem Grad, als wir Mohren sind. Der einzige, der dafür eine Nase hat und die Wunde wittert, ist der verwundete Jago, dessen erste Worte, soviel ich mich erinnere, Worte eines verletzten Ehrgeizes sind. Er wie kein andrer weiß, wie er den erfolgreichen Mohren vernichten kann: durch seine eigne Mohrenangst, seine Angst vor dem Minderwert. Mit diesem Gefühl muß Jago arbeiten, wenn er sich rächen will, und das will er ja. Das allgemeinste Gefühl von Minderwert, das wir alle kennen, ist die Eifersucht, und der Griff auf beide Tasten, den Shakespeare hier macht, ist ungeheuer. Er deutet das eine mit dem andern. Das besondere, scheinbar fremde Schicksal eines Mannes, der eine andere Haut oder eine andere Nase hat, wird uns erlebbar, indem es in einer verwandten Leidenschaft gipfelt, die uns bekannt ist; die Eifersucht wird beispielhaft für die allgemeinere Angst vor dem Minderwert, die Angst vor dem Vergleich, die Angst, daß man das schwarze Schaf sei –.

Wenn Othello kein Mohr wäre?

Man könnte es versuchen – um festzustellen, daß das Stück zusammenbricht, daß es seine wesentliche Metapher verliert; um einzusehen, daß der Eifersüchtige immer ein Mohr ist.

Café Odeon

Rußland hat ebenfalls die Atombombe.

Nochmals Eifersucht

Einmal habe ich die Eifersucht bis zum Rande erlebt, gräßlich, habe eine Waffe gekauft und im Wald, nach einem zehnstündigen Marsch, Probeschüsse veranstaltet. Bisher kannte ich nur das Schießen mit Gewehr und Haubitze; dagegen hatte die Handwaffe etwas Flinkes, Lustiges, Persönliches, etwas Sportliches. Im übrigen war es mir natürlich sehr ernst. Es war November, Vollmond, Nebel über den Feldern. Um Mitternacht, bevor die Wirtschaften geschlossen würden, betrank ich mich nochmals in einem Dorf, wanderte dann weiter, bis ich vor Erschöpfung erbrechen mußte. Das war im Morgengrauen. Etwas leichter war mir schon, leichter als in all den vergangenen Wochen, deren Abende ich oft als Wachposten verbracht hatte. Ich wusch mich an einem kalten Brunnen auf offenem Feld, das Lächerliche war mir sehr bewußt, dennoch war das Ganze, worüber man nach Jahren ein etwas billiges Lächeln hat, alles andere als eine Schnurre. Nüchtern in jedem Sinn, zu müde für jede Pose, entsicherte ich nochmals die erprobte Waffe, ging weiter auf der morgengrauen Straße, bis ich etwas Lebendiges erspähte, eine Krähe, die auf einem elektrischen Mast hockte. Ich schoß. Die Krähe, aufflatternd, verließ die Isolatoren, deren einen ich, nach dem Geklirr zu schließen, getroffen hatte, und landete nach einer kurzen Schleife, als ginge die Geschichte sie nichts an, gelassen auf einem kleinen kahlen Birnbaum, näher als zuvor. Ich schoß. Die Krähe, aufflatternd wie zuvor, taumelte auf den Acker. Also getroffen. Als ich hinzutrat, flatterte sie neuerdings mit wilden Schlägen, flog, als wäre nichts gewesen, mindestens hundert Meter, bis sie in die Weiden eines angrenzenden Sumpfes taumelte. Ich stapfte auch dorthin. Stacheldraht, Gräben, Umwege. Meine Schuhe waren Lehmklumpen, meine Hosen klatschnaß, bis ich das Biest, das immer wieder einmal auf dem Boden umherwirbelte, endlich hatte, so, daß ich meinen Fuß auf seinen verschmutzten Flügel setzen und ihm die dritte Patrone geben konnte, die letzte, die ich hatte. Auf der Landstraße erschien der erste Radfahrer, ein Arbeiter mit Rucksack. Damit war die Geschichte erledigt. Indem ich die tote Krähe, die, an den Flügelspitzen ergriffen, eine überraschende Spannweite zeigte, ihrem Totsein überließ und auf die Straße zurückstapfte, erinnerte ich mich zwar sofort wieder an die Geschichte; aber sie erschien bereits in großer Ferne, nicht von heute, eine Erinnerung. Den Mann, dem sie plötzlich den Vorzug gegeben, habe ich nicht gekannt; ich wußte nur, daß er erheblich älter war... Ein nächstes Mal, könnte ich mir denken, wird er erheblich jünger sein... Jedenfalls wird er immer eine Eigenschaft haben, die wir ihm um nichts in der Welt streitig machen können und es wird immer, wenn es so weit ist, ein satanischer Schmerz sein.

Wenn es so weit ist: wenn der Blick zweier Augen, der Glanz eines vertrauten Gesichtes, den du jahrelang auf dich bezogen hast, plötzlich einem andern gilt; genau so. Ihre Hand, die dem andern in die Haare greift, du kennst sie. Es ist nur ein Scherz, ein Spiel, aber du kennst es. Gemeinsames und Vertrautes, jenseits des Sagbaren, sind an dieser Hand, und plötzlich siehst du es von außen, ihr Spiel, fühlend, daß es für ihre Hand wohl keinen Unterschied macht, wessen Haar sie verzaust, und daß alles, was du als euer Letzteigenes empfunden hast, auch ohne dich geht; genau so. Obschon du es aus Erfahrung weißt, wie auswechselbar der Liebespartner ist, bestürzt es dich. Nicht allein daß es nicht weitergeht, es bestürzt dich ein Verdacht, alles Gewesene betreffend, ein höhnisches Gefühl von Einsamkeit, so als wäre sie (du denkst sie auch schon ohne Namen) niemals bei dir gewesen, nur bei deinem Haar, bei deinem Geschlecht, das dich plötzlich ekelt, und als hätte sie dich, sooft sie deinen Namen nannte, jedesmal betrogen...

Anderseits weißt du genau:

Auch sie ist nicht die einzigmögliche Partnerin deiner Liebe. Wäre sie nicht gewesen, hättest du deine Liebe an einer anderen erfahren. Im übrigen kennst du, was niemanden angeht, nur dich: deine Träume, die das Auswechselbare bis zum völlig Gesichtlosen treiben, und wenn du nicht ganz verlogen bist, kannst du dir nicht verhehlen, daß alles, was man gemeinsam erlebt und als ein Letzt-Gemeinsames empfunden hat, auch ohne sie gegangen wäre; genau so. Nämlich so, wie es dir überhaupt möglich ist, und vielleicht, siehe da, ist es gar nicht jenes Auswechselbare, was im Augenblick, da ihre Hand in das andere Haar greift, einen so satanischen Stich gibt, im Gegenteil, es ist die Angst, daß es für ihre Hand vielleicht doch einen Unterschied macht. Keine Rede davon: Ihr seid nicht auswechselbar, du und er. Das Geschlecht, das allen gemeinsame, hat viele Provinzen, und du bist eine davon. Du kannst nicht über deine Grenzen hinaus, aber sie. Auch sie kann nicht über die ihren hinaus, gewiß, aber über deine; wie du über die ihren. Hast du nicht gewußt, daß wir alle begrenzt sind? Dieses Bewußtsein ist bitter schon im stillen, schon unter zwei Augen. Nun hast du das Gefühl wie jeder, dessen Grenzen überschritten werden und dadurch sozusagen gezeigt, das Gefühl, daß sie dich an den Pranger stellt. Daher bleibt es nicht bei der Trauer, hinzu kommt die Wut, die Wut der Scham, die den Eifersüchtigen oft gemein macht, rachsüchtig und dumm, die Angst, minderwertig zu sein. Plötzlich, in der Tat, kannst du es selber nicht mehr glauben, daß sie dich wirklich geliebt habe. Sie hat dich aber wirklich geliebt. Dich! – aber du, wie gesagt, bist nicht alles, was in der Liebe möglich ist...

Auch er nicht!

Auch sie nicht!

Niemand!

Daran müssen wir uns schon gewöhnen, denke ich, um nicht lächerlich zu werden, nicht verlogen zu werden, um nicht die Liebe schlechthin zu erwürgen –.

Arles, Oktober 1949

Avignon, Nîmes, Arles – man hält sich an Monumente, schön, aber einmal setzt man sich, bestellt einen Wein, schaut auf die Straßen hinaus: Städte als Gesicht unseres Menschseins. In fremden Städten, ohne den Schutz einer Gewöhnung, spürt man es krasser; vor allem, wenn es nicht die eigene Sprache ist, die ringsum gesprochen wird... Wozu das alles?... Ich stecke mir eine Zigarette an, es könnte auch eine ganz andere Stadt sein, man sitzt immer vor dem Rätsel eines Ameisenhaufens. Frage nicht wozu! Sie gehen halt hin und her, weil sie leben. Sie leben einfach. Schön. Das heißt, viele leben auch nicht schön, beispielsweise in Gassen, die ewiglich nach Ausguß stinken, aber das riechen sie nicht, Gewöhnung ist alles, jedenfalls leben sie, sie gehen oder sitzen, sie plaudern zusammen, und einer kommt gerade von der Jagd aus der Camargue, stellt die Flinte an die Mauer, bestellt einen Kaffee und erzählt von den Mücken, die ihn behindert haben. Möchte ich dieser Jäger sein? Oder sonst ein Bürger von Arles, beispielsweise der zweifellos sehr angesehene Herr zur Linken? Ich pfeife auf sein Ansehen, auf das Ansehen in Arles. Komisch. Wieso soll ein Ansehen anderswo tröstlicher sein, wesentlicher... Der Kellner bringt unseren Wein, Vin du pays – Culture, beginnend bei Agriculture, und dann, nach einigen Jahrtausenden voll Historie, eine Stadt wie diese oder andere, Autobusse, Läden voll bunter Flaschen, ein Anblick, der mich vor Verzückung jedesmal zum Verweilen zwingt, Weine, Liköre, Flaschen aller erdenklichen Arten, die beseligende Fülle des Unnötigen. Länder des Weines und der Muße, der Kultur, Muße und Wohlleben als unerläßliche Voraussetzung aller Kultur. Ein Laden voll Gemüse und Gefisch, ein Laden voll spielerischer Spirituosen, ein Laden voll Bücher, voilà, das ist unser Weg: vom Bedürfnis zum Spiel, vom Materiellen zum Spirituellen, vom Tierischen zum Menschlichen, vom Sein zum Bewußtsein… Aber wie schmal ist das Klima, wo dieses Lebewesen, dem wir angehören, hat entstehen können! Einige Küsten sind es, einige Flußläufe – dann, einmal entstanden, geht es natürlich weiter; es erobert sich Räume, wo es nie entstanden wäre, wo das Klima natürlicherweise keine Kultur gestattet, mindestens sie nicht begünstigt; aber unser Lebewesen richtet sie ein. Gegen das natürliche Klima. Es erschafft sich den Spielraum auch dort, wo die Natur ihn nicht schenkt. Durch Technik. Pont du Gard. Durch Errichtung einer außernatürlichen Welt, die ihm günstig ist: – Städte… Bei der Einfahrt in ihre Bahnhöfe, besonders wenn es Nacht ist und die Geleise glänzen im Regen, es flimmern die Lichter von hunderttausend Zimmern, oder bei der Ankunft in einem Hafen wie Genua oder Marseille oder Hamburg, in dieser Märchenwelt von menschlichen Errichtungen, von Schloten und Speichern und Kranen: wie unglaublich ist das Gebilde einer menschlichen Stadt, wie rätselhaft-außernatürlich, wie künstlich und müßig und kühn, wie bestürzend, wenn das Lebewesen gestorben ist und nur sein Gehäuse übrigbleibt, seine Verkrustung – etwas wie diese Arenen, die wir gestern und heute besucht haben… Ein deutscher Bildhauer, zornig über eine gewisse nordische Gegend, hat neulich gesagt: Was wollen Sie, mein Lieber, hier sind die Römer nie gewesen! Ich will ihm diese Karte schikken, die Arena von Nîmes. Hier sind sie gewesen, die Römer, und hat er nicht recht? Auch wenn sie keine großen Künstler waren, wir verdanken diesen Legionären so viel, als man den Technikern nur verdanken kann: sie roden den Urwald, sie überbrükken den Fluß, sie wässern das Land, sie errichten die Muße, sie pflanzen die Rebe, sie erweitern den Raum, wo der Mensch entstehen kann –

Die Muße!

Was ihre Arenen betrifft, verwundert mich am meisten, welche Riesenarbeit sich dieses Lebewesen macht, um sich zu unterhalten, um in seiner eroberten Muße nicht zu verzweifeln. Welche Bastion gegen die Langeweile! Und wie fleißig das gewölbt ist, wie unwitzig, wie massenhaft, wie römisch! Alles Römische: von Athen aus gesehen, hat etwas Russisches: von Paris aus gesehen... Eine Stunde lang haben wir auf der obersten Stufe gesessen. Nichts als Stein und Stille und Sonne; der Himmel der Provence, endlich hat er wieder einmal die Bläue seines Ruhmes! Ich habe mir die zwanzigtausend Legionäre vorgestellt, wie sie in dieser Arena sitzen, brüllend über einen Faustkampf, ein Lebewesen mit vierzigtausend Füßen, die zusammen viele tausend Meilen gegangen sind, ein Lebewesen mit vierzigtausend Händen, die hundert Brücken gewölbt haben, als Krönung aber haben sie diese Arena gewölbt, alles zusammen eine unsägliche Arbeit, bis unser Lebewesen wenigstens für einige Stunden auf seine Rechnung kommt: zu sehen, wie einer den andern in die Fresse haut... Manchmal stelle ich es mir schrecklich vor, diesem Lebewesen anzugehören; auch wenn ich zuweilen auf die andere Seite blicke, hinunter in die Gassen der Lebenden, auf die Balkone mit grauer Wäsche, die Höfe, die Fenster voll Finsternis, die Karren auf der Straße, die Kisten, die Gebärden der Handelnden, das Hin und Her, die Hunde, die Abfälle, die Kinder, die zerschlissenen Stores, die Katzen, das Gezänk eines Weibes, die Unzahl der Dinge –

»Schau es nur an«, sagt der Engel: »So ist das Leben der Menschen – hier und überall, heute und immer.«

Ich schaue.

»Möchtest du ein Mensch sein?«

Ich zögere.

»Wenn ich nicht geboren wäre«, sage ich höflich: »– nein.«

Mein Engel lächelt.

»Du bist aber geboren!«

»Ich weiß«, sage ich: »Und drum hange ich auch so am Leben –«

Ich hange am Leben, das ist wahr, auch wenn es mir manchmal

verleidet ist. Manchmal mitten am Tag, so, daß ich Wein trinke; mitten auf einer Reise, um die ich mich beneiden sollte. Mit den malerischen Reizen, die unsere abendländische Verlotterung haben kann, tröste sich, wer kann! Manchmal ist es mir einfach verleidet, dieses Überall von Ruinen, von alten und neuen, das wanzenhafte Gewimmel der Menschen im stinkenden Abfall ihrer Jahrhunderte. Ob es dann eine römische Arena ist oder ein Palast von verwittertem Mittelalter oder eine gesprengte Eisenbahnbrücke, kaputt ist kaputt! Etwas Ganzes möchte ich sehen, nicht Reste oder Teile oder Ansätze eines Ganzen, sondern etwas Ganzes, soweit ich sehe, nicht Landschaft, sondern Menschenwerk, Menschenwelt ohne Schaden, ohne Zerfall, ohne Verlotterung und Verlumpung, ohne Verwesung, ohne die penetrante Fratze der Vergängnis... Nicht einmal um die Kinder, die da im Schutte spielen, ist Hoffnung, Gloriole der Zukunft; sie werden zur Schule gehen und erwachsen werden, gewiß, aber nicht anders als die Erwachsenen von jetzt; hin und wieder werden sie die Marseillaise singen, gewiß, die Inbrunst und Hoffnung ihrer Ahnen: Le jour de gloire est arrivé! – Wir haben den Zug verpaßt, sonst wären wir jetzt in Marseille; wir haben Zeit, Constanze und ich, Zeit wie die Männer, die drüben auf den Bänken hocken, die Arme auf der gußeisernen Lehne, das Kinn auf den Armen. Was sie machen? Sie schauen auf die Straße. Es ist Donnerstag. Einmal kommt ein Begräbnis, ein kleiner Menschenzug, voran ein weißer Priester und ein Meßknabe, ein schwarzer Wagen mit gemaltem Silber, dahinter eine Witwe und etwas Gefolge im geduldigen Schritt. Da stehen sie auf, die Männer gegenüber, und ziehen ihre Mützen. Und irgendwo über den Dächern bimmelt eine Glocke. Der Mistral wirbelt das Laub. Kurz darauf ein Lastwagen mit jungen Burschen, die etwas feiern, wir haben sie schon vorher getroffen, betrunken und grölend; ein Lastwagen mit sieben Trikoloren. Vorbei. Die Luft ist wie ein Gespinst aus Glas, spröde und herbstlich, heiter, man sieht die Nähe des Meeres. Die Totenglocke bimmelt noch immer. Einmal ein kleiner Esel, der langsam einen girrenden Karren zieht, einen Zweiräder, traumhaft langsam; auf einem Bündel von Heu sitzt eine krumme, uralte Greisin, anzusehen wie die Historie in Person, immerzu überholt von hupenden Autobussen. Und dann, kurz darauf, zwei schlendernde Soldaten: zwei Schwarze – Leben ohne Zerfall, Gegenwart ohne Schaden, zwei Kinder der Zukunft...

Skizze

Heinrich Gottlieb Schinz, Rechtsanwalt, Vater von vier gesunden Kindern, deren ältestes sich bald verheiratet, ist sechsundfünfzig Jahre alt, als ihm eines Tages, wie er es nennt, der Geist begegnet... Schinz, wie der Name schon sagt, ist Sohn aus gutem Haus; das Verlangen, dem Geist zu begegnen, hat er schon als Jüngling; er spielt Klavier und macht mehrere Reisen als Student. Paris, Rom, Florenz, Sizilien. Später London, Berlin, München, wo er ein Jahr verbringt. Er schwankt zwischen Kunstgeschichte und Naturwissenschaft; sein Beruf als Rechtsanwalt, teilweise eine Entscheidung seines Vaters, der ebenfalls ein namhafter Rechtsanwalt gewesen ist, bringt ihm bald die üblichen Erfolge, Ehe und Ehrenämter, darunter auch solche von wirklicher, von mehr als gesellschaftlicher Bedeutung: Winterhilfe, Denkmalpflege, Umschulung für Flüchtlinge, Kunstverein und so weiter... Seine Begegnung mit dem Geist ist keineswegs unbemerkt geblieben, einige Wochen gehört sie sogar zum Gespräch in den Straßenbahnen; die Außenwelt, sofern man eine mittelgroße Stadt so bezeichnen will, sieht es allerdings als klinischen Fall, rätselhaft auch so, aufsehenerregend auch so, erschütternd auch so, aber für die Außenwelt ohne jede Folge.

Eines Sonntagmorgens, es schneit, ist Schinz, wie er das seit Jahren zu tun pflegt, in den Wald gegangen, begleitet von seinem Hund, gesundheitshalber. Aufgewachsen in dieser Gegend, wo schon das großväterliche Haus gestanden hat, kennt er den Wald wie sein Leben. Auch der Hund kennt ihn; eine Dogge. Sein Erstaunen, als die vertraute Lichtung sich nicht einstellt, ist nicht gering, aber durchaus gelassen. Eine Weile bleibt er einfach stehen, ebenso der Hund mit schwitzender Zunge; es schneit, aber nicht so mächtig, daß Schinz deswegen den Weg verfehlt hat. Der Weg ist durchaus sichtbar, nur die Lichtung nicht. Die Dogge muß sich gedulden, bis Schinz sich ein Zigarillo angezündet hat; wie er das gerne macht in Augenblicken, wo er nicht weiter weiß, sei es als Rechtsanwalt oder früher als Major. Ein Zigarillo gibt Ruhe. Es ist jederzeit möglich, daß Bäume verschwinden, ganze Gruppen, ein halber Wald; aber daß eine Lichtung verschwindet, ist nicht anzunehmen. Das kommt, sagt sich Schinz, allenfalls in der Poesie vor; wenn ein Dichter dartun möchte, daß auf märchenhafte Weise viel Zeit vergangen ist oder etwas dieser Art. Schinz ist belesen. Weitergehend, um die Dogge nicht länger warten zu lassen, denkt er so das eine und andere, sein Zigarillo rauchend; irgendwann wird die verdammte Lichtung schon kommen. Auch er hat sich einmal in der Poesie versucht; kein Grund, deswegen zu lächeln. Wie gesagt: das Verlangen, dem Geist zu begegnen, hat er schon als Jüngling gekannt. Dann die Zeit mit der Naturwissenschaft; eine schöne Zeit, Schinz denkt gerne daran, Mikroskop und so. Das eine und andere ist auch geblieben, nicht bloß gewisse Kenntnisse, die etwas verwischt sein mögen, aber eine gewisse Art, den Kindern zu zeigen, wie das Holz aussieht unter der Lupe, und zu erklären, wieso das Wasser von den Wurzeln emporsteigt in die Zweige. Doch all dies hören die Kinder jetzt in der Schule; Schinz hat die Lupe, auch wenn er allein ist. Und dann die Kunstgeschichte bei Wölfflin; damals in München. Auch eine gute Zeit, Schinz denkt gerne daran; im Kunstverein ist er zuweilen der einzige, der nicht faselt; das hat ihm der alte Wölfflin mit einer einzigen Blamage beigebracht, und kurz darauf hat er auch die Kunstgeschichte verlassen. Das eine und andere ist dennoch geblieben; Dürer und so. Die Welt, wenn man eine mittelgroße Stadt so bezeichnen will, hat wohl nicht unrecht, wenn sie Heinrich Gottlieb Schinz als einen geistigen Menschen betrachtet: obschon er seinerseits, das ist bemerkenswert, nie von Geist redet; er meidet dieses Wort, als hasse er es, umgeht es auf alle Arten, oft auf sehr witzige Art, als wäre es etwas Unanständiges, mindestens ist er in seiner Gegend sehr zurückhaltend, im Grunde nicht ohne Ahnung, daß der Geist, der wirkliche, etwas durchaus Fürchterliches ist, etwas Erdbebenhaftes, das man nicht rufen soll, etwas Katastrophales, das alles Vorhandene über den Haufen wirft, etwas Tödliches, wenn man ihm nicht durch außerordentliche Gaben gewachsen ist –.

Die Lichtung ist nicht gekommen.

Fünf Uhr abends, und Schinz ist zum Mittagessen erwartet worden, dämmert es, daß man bald überhaupt nichts mehr sieht. Schinz sitzt auf einem gefällten Stamm, froh, Spuren menschlicher Arbeit zu sehen; ein gewisses Bangen hat ihn doch beschlichen. Vor ihm die Dogge, keuchend, irgendwie entsetzt und verwirrt. Wie die Hunde vor einem Erdbeben! denkt Schinz. Zigarillos hat er keine mehr. Es schneit ohne Unterlaß. Stille; das Keuchen der Dogge, das nur dazu da ist, daß die Stille zwischen den Stämmen noch dichter wird. Einmal fällt Schnee von einer Tanne, ganz in der Nähe, aber lautlos. So muß es sein, wenn man taub ist. Dann macht Schinz, was bei belesenen Leuten vorkommt: er leistet sich den Witz, seine Lage literarisch zu sehen; die Dämmerung, die unfaßbare Zeit, die Stille zwischen den Stämmen, die Dogge, das alles ist sehr poetisch, irgendwie bekannt, und auch die Angst, plötzlich taub zu sein, ist nicht ohne Hintergründiges. Schinz ist sehr bewußt; er pfeift nicht, aber der kleine Witz, seine Lage literarisch zu nehmen, ist nichts anderes, als wenn ein Junge in den Keller gehen muß und dazu pfeift. Auch das ist ihm bewußt. Er schlägt den nassen Schnee von seinem Hut, entschlossen, aufzustehen und weiterzugehen. Wohin? Die Dogge sieht, wie der Herr einen gebrochenen Ast nimmt, einen Knebel; sie winselt vor Hoffnung, der Herr werde ihn werfen, sie läuft umsonst. Einmal, ganz unwillkürlich, schlägt er mit dem Knebel gegen einen Stamm. Nicht aus Angst, taub zu sein! Nur so. Wie es hallt: dumpf, fast ohne Ton, obschon er immer kräftiger schlägt, bis der Knebel zerbricht. Einen Ton, der wirklich trägt, hat es nicht gegeben. Das macht natürlich der Schnee. Alles wie Watte. Wieso sollte ein Mensch plötzlich taub werden? Er nimmt die Dogge an die Leine. Es gibt nichts als Gehen. Und vor allem sagt sich Schinz: Nicht sich selber verrückt machen. Das hat schon gar keinen Sinn. Jeder Wald hat irgendwo ein Ende! Und im übrigen sind sie immer noch auf einem Weg, Schinz und die Dogge, deren Knurren ihm anzeigt, daß jemand kommt. Von hinten. Nur jetzt nicht denken: Das ist der Geist. Die Dogge bellt, so daß er die Leine schon kräftiger fassen muß. Ein Mann im Lodenmantel, vielleicht ein Förster, ein Holzfäller, ein Naturfreund und Sonntagsgänger, der die Menge meidet, überholt ihn –

»Erlauben Sie«, sagt Schinz –

Obschon ihm der Schweiß auf der Stirn steht, ist er ganz ruhig, froh, seine eigene Stimme zu hören, die nach dem Weg in die Stadt fragt; dabei muß er die bellende Dogge halten, ist nicht imstande, den Fremden näher anzusehen.

»Sie haben sich verirrt?«

»Ja«, lacht Schinz: »das ist mir in meinem Leben noch nicht vorgekommen –.«

Schinz hört selber, wie ungeheuerlich das tönt: ein Mensch, der sich in seinem Leben noch nie verirrt habe! und fügt hinzu:

»Dabei kenne ich diesen Wald wie mich selbst.«

Die Dogge kann sich nicht beruhigen.

»Wo wollen Sie denn hin?«

»In die Stadt«, sagt Schinz: »wo ich herkomme –.«

Der Förster betrachtet die Dogge.

»Wo ich herkomme«, sagt Schinz noch einmal: »Bevor es Nacht ist.«

Die Dogge, springend wie gegen einen Einbrecher, reißt ihn fast um, so, daß Schinz kaum zum vernünftigen Sprechen kommt. Sie benimmt sich wirklich wie ein Biest, die verdammte Dogge, dann merkt man erst, was für ein Riesentier das ist. Zum Glück zeigt der Förster keine Angst, nur Interesse. Im übrigen, was den Weg in die Stadt betrifft, sagt der Förster, was Schinz sich selber hätte sagen können:

»Warum gehen Sie nicht einfach zurück?«

»Auf dem gleichen Weg –?«

Eigentlich wahr, denkt Schinz.

»Oder wenn Sie mit mir kommen wollen, ich weiß ja nicht, in der Strecke kommt es aufs gleiche heraus – so oder so...«

Schinz muß sich entscheiden.

»Sehr freundlich von Ihnen –.«

»Wie Sie wollen.«

Unterwegs, Schinz hat sich für das Vorwärts entschieden, ist die Dogge wieder ganz manierlich. Der Mann ist wirklich ein Förster. Sie sprechen über Doggen. Alles ganz alltäglich; warum sollte es anders sein! Natürlich reden sie nicht immerzu. Es gibt solche Holzwege, die im Kreis herumführen, um den Wald zu erschließen. Schinz ist zum Umsinken müde, aber zufrieden, auf Stunden kommt es ihm nicht mehr an, wenn er nur in die Stadt kommt. Das Literarische, das Hintergründige in dem Gedanken, daß er auf einem anderen Weg in die Stadt zurückkomme, Gedanken, die er in schweigsamen Viertelstunden vornimmt, das alles hat wenig Bestand, sobald der Mann im Lodenmantel, der im Dunkeln immer unsichtbarer wird, seinen Mund aufmacht; er redet wirklich nicht wie ein Geist. Einmal flucht er auf den Staat, obschon er bei diesem angestellt ist; Ärgerliches mit einem Konsortium. Es schneit immer noch. Ein andermal plaudern sie über Zellulose, wobei Schinz einige naturwissenschaftliche Kenntnisse verrät, die den Förster auf falsche Vermutungen bringen, so, daß Schinz sich genötigt fühlt, seinen wirklichen Beruf zu nennen.

»Rechtsanwalt sind Sie?«

»Ja«.

»Hm.«

»Warum nicht?«

Der Förster erzählt ihm einen Fall: so und so, etwas umständlich erzählt, so daß Schinz hin und wieder versucht, nach Art von Fachleuten einzugreifen, um allzu Bekanntes abzukürzen. Ein Fall wie tausend Fälle. Der Förster läßt sich seine umständliche Darstellung aber nicht nehmen.

»Nein«, widerspricht er: »der Mann hat nicht gestohlen, das sage ich nicht, der Mann war in schwerer Not, denn eines Tages –«

»Und dann hat er gestohlen.«

»Nein.«

»Aber Sie sagen doch –«

»Nein«, wiederholt er mit der zähen Beharrlichkeit gewisser einfacher Leute, die keine Nerven haben und etwas langsam denken: »Ich sage, der Mann war in schwerer Not, denn eines Tages –«

Schinz ist nicht an seinem Schreibtisch, sondern im Wald; er hat keine andere Wahl, als zuzuhören, seine große Dogge an der Leine. Kein Telefon, das ihr Gespräch unterbricht, keine Mamsell, die hereinkommt und dem Doktor einen deutlichen Vorwand bringt, um aufzustehen, nichts von alledem; Schinz muß zuhören. Von städtischen Lichtern ist noch immer nichts zu sehen. Der Fall ist nicht blöd, zugegeben, aber keineswegs ungewöhnlich, und es ist für Schinz nicht einzusehen, warum er alles in solcher Umständlichkeit anzuhören hat. Hin und wieder, wenn sie vor einer Gabelung ihres Weges stehen, verstummt das Gespräch; Schinz ist sich bewußt, daß er den Förster braucht. Mindestens bis zu den ersten Laternen. Es bleibt ihm nichts, als die Geschichte weiter anzuhören. Nicht daß der Mann keinen fachmännischen Einwand duldete! Schinz kann jederzeit sagen, wie er die Sache ansieht; der Förster fällt ihm nicht in die Rede, aber auch nicht aus der eigenen heraus.

»Verstehe!« sagt er nicht unhöflich: »Aber so war es nicht, das können Sie natürlich nicht wissen; eines Tages nämlich –«

Einmal sagt Schinz:

»Sie entschuldigen!«

Er kann nicht mehr anders, muß auf die Seite treten, wo er an einem Stamm etwas verrichtet. Die Dogge schnuppert, der Förster wartet, der Schnee fällt lautlos zwischen den Stämmen.

»Ich komme nach!« ruft Schinz.

Stille… Um die Pause zu verlängern, bringt er nicht nur seine Kleider in Ordnung, gelassener als sonst, er nimmt den Hut, um den Schnee abzuschütteln, sogar den Mantel, den er zum selben Zweck auszieht. Er sucht in sämtlichen Taschen, ob er nicht doch ein Zigarillo findet. Umsonst. Endlich wieder in Ordnung, bewußtermaßen mit einem neuen Gespräch gewappnet, stapft er auf den Weg zurück; der Schnee ist schon tief, die Hosenstöße platschnaß.

»Da sind Sie ja!« sagt Schinz erleichtert und aufgeräumt: »Als wir Buben waren, wissen Sie, da haben wir in diesem Wald einmal Räuber gespielt; da ist mir doch einmal das Folgende passiert –«

Der Förster hört zu.

»Im Hemd!« schließt der Erzähler: »Im Hemd stand ich da, sage und schreibe, und so mußte ich zurück in die Stadt.«

Sie lachen.

»Dieser Förster«, sagt Schinz nach einigen Schritten: »vielleicht waren Sie das!«

»Vielleicht.«

Schweigen.

»Und dann«, sagt die Stimme des Försters: »dann ging diese Geschichte natürlich weiter; wie gesagt, der Mann war in schwerer Not, er hatte keine Wahl, wie Sie selber zugeben, eines Tages hat er das Fahrrad gestohlen, und jetzt ging es natürlich los, eines Tages werde ich als Zeuge gerufen –«

Das ist von Schinz der letzte Versuch gewesen, dieser Geschichte mit dem Fahrrad auszuweichen. Eine kleine, aber umständliche, eine alltägliche, eine verzwackte, aber wirkliche Geschichte … Es ist, als sie endlich zu den ersten Laternen kommen, beinahe Mitternacht. In der Stadt ist der Schnee nicht geblieben, lauter Nässe, die Flocken sinken aus den städtischen Bogenlampen, eine Limousine fährt durch spritzende Tümpel, kein Mensch, zum Glück gibt es noch eine Straßenbahn, eine letzte, so daß Schinz, was der Förster hoffentlich begreift, sich nicht lange verabschieden kann. Hinein mit dem Hund! Drinnen grüßt Schinz mit dem triefenden Hut, ohne den Förster im Dunkeln zu sehen –.

»So ein Wetter!« sagt er.

Der Schaffner gibt keine Antwort, nur zwei Karten, eine für Schinz und eine für den Riesenhund, der auf der Plattform steht, dieweil Schinz sich gerne gesetzt hat... Im Licht ist alles wie nie gewesen!...

Natürlich hat Schinz keine Schlüssel, wenn er mit dem Hund einen Morgenbummel macht. Aber Bimba, versteht sich, hat ohnehin nicht geschlafen; sie ist außer sich.

»Nicht einmal ein Anruf!« sagt sie.

Sein einziger Wunsch: ins Badzimmer, bevor sie fragt, wo er gewesen sei. Sie wird es nicht glauben. Er gähnt; etwas mehr als unwillkürlich; um nicht sprechen zu müssen.

»Wo bist du denn gewesen?«

Keine Antwort; er zieht die Schuhe aus, im Grunde zufrieden, daß er wieder zu Hause ist, ärgerlich nur, um jetzt nicht gefragt zu werden. Umsonst! Bimba kennt ihn, weiß, daß er keine Auskunft geben will; kein Gespräch, sondern ein heißes Bad. Bimba läßt es einlaufen, ihrerseits ärgerlich, immerhin holt sie ein frisches Frottiertuch, legt es wortlos hin, ärgerlich über solchen Männerkniff: Ich habe Ärger, laßt mich in Ruhe! Auch der Hund, der im Office frißt, trieft vor Nässe. Die Kinder schlafen bereits, ebenso das Dienstmädchen.

»Wieso willst du nichts essen?« sagt Bimba: »Ich mache einen Tee, Eier, kaltes Fleisch ist auch noch da –.«

»Danke.«

Bimba sieht ihn an.

»Gottlieb, was ist mit dir?«

»Nichts«, sagt er: »Müde –.«

Das Bad ist voll.

»Danke«, sagt er –

Einmal gibt sie ihm einen Kuß, um zu wissen, ob er getrunken hat. Keine Spur. Schinz gibt den Kuß zurück, um endlich baden zu dürfen.

»Du hast ja Fieber?«

»Unsinn«, sagt er.

»Bestimmt hast du Fieber!«

»Komm«, sagt er: »Laß mich –.«

»Warum kannst du nicht sagen, wo du den ganzen Tag gewesen bist? Verstehe ich nicht. Nicht einmal ein Anruf! Ich sitze den ganzen Tag, rege mich auf wie eine Irrsinnige – und du kommst um Mitternacht, wo wir seit dem Mittagessen warten, und sagst nicht einmal, wo du gewesen bist.«

»Im Wald!« schreit er.

Türe zu!... Hoffentlich sind die Kinder nicht erwacht, es ist sehr unbeherrscht gewesen, sehr unschinzisch. Dreiviertel Stunden dauert das Bad. Als Schinz herauskommt, rosig und wie neugeboren, sitzt Bimba mit verheulten Augen.

»Was ist denn los?«

»Rühr mich nicht an!« sagt sie.

Bald zwei Uhr; es wäre wunderbar, jetzt schlafen zu können, wenn Bimba nicht weinen würde. Eine Frau von vierundvierzig Jahren, Mutter von vier gesunden Kindern, deren ältestes demnächst heiraten wird, schluchzt mit zitternden Schultern! nur weil der Gatte sich erlaubt hat, einen Sonntag lang sich im Wald zu verirren.

»Bimba«, sagt er – und streicht ihr immer noch schönes Haar: »Morgen ist Montag!«

»Bitte, geh schlafen.«

»Ich bin wirklich im Wald gewesen –«

»Wenn das wieder losgeht!« weint sie.

»Was?«

»Warum lügst du?« sagt sie plötzlich ohne Tränen: »Wenn es ein Frauenzimmer ist, warum sagst du es nicht?«

Pause.

»Es ist kein Frauenzimmer.«

Pause.

»Und wenn!« schreit er plötzlich: »Ich habe gelogen, ja, ich habe gelogen! Ein Leben lang habe ich gelogen———«

Bimba versteht kein Wort, eine Viertelstunde geht er hin und her, Heinrich Gottlieb Schinz, der nicht getrunken hat, das weiß sie; hin und her, schreiend, um so lauter schreiend, je mehr sie ihn dämpfen will, Dinge redend, die keinen Sinn haben, die alles auf den Kopf stellen, aber wirklich alles, kein Glaube bleibt an seinem gewohnten Ort, kein Wort, das gestern noch gegolten,

ein Leben lang gegolten hat – Vielleicht hat er wirklich Fieber…
Anders kann Bimba es nicht erklären, sein wirres Geschrei,
Bimba sagt fast nichts; nur einmal:

»Gottlieb, ich bin nicht taub.«

Bimba hat ihn noch nie so erlebt.

Am andern Morgen, wie gesagt, es ist Montag, Arbeitstag, die
Kinder müssen ins Gymnasium, frühstücken im Stehen, die
Mappe unter dem Arm, obschon Schinz diese Schlamperei nicht
haben will – am andern Morgen, als Schinz und seine Bimba zusammen frühstücken, scheint alles wieder in Ordnung; kein
Wort über die nächtliche Szene; Bimba im Morgenrock, der ihr
besonders schmeichelt, röstet die Brote wie immer am Montag,
wenn das frische Brot noch nicht da ist; Schinz überfliegt die
Morgenzeitung, indem er es ganz seinen Händen überläßt, das
Ei zu köpfen, kurzum, die Gewöhnung: – alle Worte stehen wieder an ihrem Ort… Von Fieber kann nicht die Rede sein, Schinz
hat sich gemessen.

»Gott sei Dank«, sagt Bimba: »du hättest dich zu Tode erkälten können.«

Sie glaubt jetzt an den Wald.

»Jedenfalls werden wir dich am Nachmittag wieder messen!«
meint sie: »Die Anita hat eine wirkliche Erkältung erwischt.«

(Anita heißt die Dogge.)

Der Montag vergeht wie gewöhnlich, die laufenden Geschäfte
bringen nichts Besonderes, Schinz fühlt sich durchaus in Ordnung, so daß sie die Karten für den »Rosenkavalier« nicht zu-
rückgeben. Nach dem Theater, alles wie gewohnt, trinken sie ein
Glas Wein; Bimba im schwarzen Pelz. Sie ist besonders zärtlich
zu ihm, unwillkürlich, etwa wie zu einem Kranken. Schinz
merkt es mehr als sie: etwas Behütendes, etwas auch von einer
Mutter, welche die Leute nicht will merken lassen, daß ihr Kind
ein fallendes Weh hat. Da er sich tadellos fühlt, kränkt es ihn
nicht; immerhin bemerkt er es, hofft, sie werde diese etwas rührende Art bald wieder verlieren. Nicht Bimbas eigentliche Art!
Doch sagen will er nichts. Mein Liebes, müßte er etwa sagen, ich

bin nicht verrückt! Draußen auf der Straße kauft Schinz eine Zeitung, alles wie gewohnt; als er zum Wagen zurückkommt, sitzt Bimba bereits am Steuer. Sie möchte wieder einmal fahren! Schinz schweigt.

»Sonst verlerne ich es«, sagt sie.

Auf der Heimfahrt redet Schinz kein einziges Wort, das ist selten bei ihm, aber auch schon dagewesen. Immerhin sagt Bimba:

»Was ist mit dir, Gottlieb?«

»Was soll denn sein.«

»Bist so still!«

»Nichts«, sagt er: »Müde –.«

»Die Steinhofer war doch herrlich!«

»Sehr.«

»Sie ist reifer geworden«, sagt Bimba: »Oder findest du nicht?«

Keine Antwort.

»Ich fand sie herrlich.«

Wenn das so weitergeht, denkt Schinz, wird es eine Hölle. Wenn was weitergeht? Das weiß er nicht. Aber eine Hölle; das ist sicher... Er schließt die Garage, während Bimba, obschon es regnet, auf der Treppe wartet.

»Geh doch schon!« ruft er.

Sie wartet. Er, plötzlich am Rande seiner Beherrschung, reißt nochmals die Garage auf, macht Licht, öffnet den Wagen.

»Was ist denn los?« ruft Bimba.

Schinz hat die Zeitung vergessen.

»Geh schon!« ruft er –

Aber Bimba wartet, sie ist sogar einige Stufen heruntergekommen, als habe sie Angst, Schinz könnte den Wagen nehmen und nochmals wegfahren. In den Wald, zu der Geliebten in den Wald! denkt er, läßt sich außerordentlich Zeit, bis er die Garage wieder geschlossen hat. Sie wartet wie eine Krankenwärterin! denkt er...

Das ist der Montag gewesen.

Ebenso der Dienstag, der Mittwoch, der Donnerstag... am Donnerstag hat Schinz einen neuen Fall, einen ziemlich gewöhnlichen: Anklage auf Diebstahl. Nicht Diebstahl eines Fahrrades! Auch Schinz hat sogleich daran gedacht, etwas literarisch wie er nun einmal ist; überrascht hätte es ihn nicht, wenn es die Geschichte gewesen wäre, die der Förster so umständlich erzählt hat. Aber so ist das Leben ja nicht, so witzig, so vorlaut. Gestohlen wurde nicht ein Fahrrad, sondern ein Wagen, ein Citroën. Schinz hört sich die Geschichte an, eine umständliche, aber alltägliche, eine verzwackte, aber wirkliche Geschichte. Er ist bereit, die Sache zu führen, wie er es von jeher getan hat, nämlich gewissenhaft; er tut nichts anderes als sonst; er sucht das Recht; er stellt die Sache hin, wie er sie sieht – und der Skandal ist da!

(Sein erster Skandal.)

Heinrich Gottlieb Schinz, Rechtsanwalt, Sohn eines namhaften Rechtsanwaltes, ein bekannter und überall geschätzter Mann in einer mittelgroßen Stadt, Vater von vier gesunden Kindern, die das Gymnasium besuchen oder bereits überstanden haben, Heinrich Gottlieb Schinz steht im Gericht, dem er drei Jahrzehnte lang alle Ehre gemacht hat, und sagt:

»Nein! Der Mann hat nicht gestohlen, nicht mehr gestohlen als der Herr, dem dieser Wagen gehört, der Mann war in schwerer Not, denn eines Tages –«

»Nein! der Mann hat nicht gestohlen –.«

Es ist später ein geflügeltes Wort geworden, das einzige, das Schinz auf dieser Erde hinterlassen hat... Andere Witze, die man zur Zeit dieses ersten kleinen Skandales hören kann, sind nicht überpersönlich genug, um die Zeit zu überdauern; einer davon geht so:

»Wissen Sie das Neueste?«

»Was denn?«

»Schinz ist nicht mehr Rechtsanwalt.«

»Sondern?«

»Linksanwalt.«

Darüber hat mehr als einer gelacht, sogar Schinz – nur Bimba nicht, die das Ganze durch einen Anruf erfahren hat; etwa in dem Ton: Was ist los mit Ihrem verehrten Herrn Gemahl? Nicht umsonst ist Bimba auf alles gefaßt gewesen. Seit dem nächtlichen Ausbruch an jenem Sonntag. Die Nachricht empfindet sie fast wie eine Entspannung. Wenn es nur das ist! Peinlich genug, da es natürlich in der Zeitung steht. Schinz liest es beim Frühstück, nicht gleichgültig, aber auch nicht erregt.

»Das stimmt nicht«, sagt er nur.

Ein sehr gemeiner Bericht.

»Ich werde ihnen sofort schreiben«, sagt er, indem er seine Hauszeitung hinlegt und sich Kaffee eingießt: »das müssen sie richtigstellen.«

Nach zwei Tagen kommt seine Einsendung zurück, was ihn ordentlich betrifft. Wieder beim Frühstück. Bimba ist noch im Badezimmer, als er die Post bekommt. Er steckt das Kuvert in die Tasche seines Morgenrockes, bevor Bimba kommt.

»Weißt du«, sagt Bimba: »du solltest doch zu einem Arzt gehen –.«

Doch! sagt sie; weil sie im stillen schon seit Wochen daran gedacht hat. Schinz merkt mehr als sie. Und was sie gedacht hat: Nervenarzt. O ja! Um nicht zu sagen: Irrenarzt... Er löffelt sein Ei; eine halbe Stunde später erbricht er es wieder, tut aber alles, daß Bimba es nicht merkt.

»Wo gehst du hin?«

Keine Antwort.

An diesem Morgen geht Schinz zu seinem Freund, der allerdings nicht vom Fach ist, aber ein wirklicher Freund, eigentlich der einzige, wenn auch die Freundschaft etwas einseitig ist; für Schinz bedeutet sie mehr als für den andern. Er ist Musiker. Ein lieber Mensch, der etwas gerne recht gibt. Schinz weiß: Es heißt nicht viel, wenn Alexis dir recht gibt! Es heißt, daß er eine Sympathie zu dir hat. Aber darum geht es jetzt nicht. Alexis ist Emigrant, das ist wichtig; ein Fremdling. Als Zeuge ohne volles Gewicht; er hat sich halt daran gewöhnt. Alexis ist froh, wenn er geduldet ist; er liebt es nicht, sich einzumischen. Aber ein feiner

Mensch, einer von den wenigen. Für Schinz würde es sich nur darum handeln, daß Alexis die beiden Texte liest, den Bericht in der Zeitung und seine eigene Einsendung. Um dann zu sagen, ob er die Einsendung richtig findet oder verfehlt, anmaßend, übertrieben. Nur keine Übertreibung!

»Ich brauche deinen Rat.«

Alexis liegt noch im Bett.

»Ich habe einen kleinen Skandal –.«

»Ich weiß.«

»Nun ist folgendes –«

Telefon, Alexis nimmt es ab. Schinz wartet, erhebt sich etwas unrastig, tritt ans Fenster, um eine Zigarette zu rauchen... Bimba will wissen, ob ihr Mann vielleicht bei Alexis ist – Eine Minute später, ohne seine Sache vorzubringen, ist Schinz wieder gegangen, unhaltbar wie ein launischer Junge; ein Mann von sechsundfünfzig Jahren, Doktor Schinz, Rechtsanwalt, Vorstand des Kunstvereins.

Alexis ruft Bimba an:

»Was habt ihr denn?« fragt er.

Bimba weint...

So geht das weiter, alles etwas komisch, etwas kleinlich, etwas übertrieben. Schinz ist auf die Zeitung gegangen; man kennt sich gesellschaftlich, und die Leute müssen ihn empfangen, tun es auch, alles nicht unfreundlich, aber es gelingt ihnen nicht, Schinz zu überzeugen, daß seine Einsendung, um nur davon zu reden, unmöglich ist.

»Nein! der Mann hat nicht gestohlen –.«

Die Herren sehen einander nur an, schweigen, wie die arme Bimba geschwiegen hat, als Schinz damals hin und her gegangen ist, Dinge redend, die alles auf den Kopf stellen, aber wirklich alles, kein Glaube bleibt an seinem gewohnten Ort, kein Wort, das ein Leben lang gegolten hat...

»Gut«, sagt der Schriftleiter: »bleiben wir bei der Sache! Sie beharren also darauf, daß wir Ihre Einsendung veröffentlichen –«

»Ja.«

»Herr Doktor«, sagt der Herr: »darauf kann ich Ihnen nur eines sagen: ich bin bereit, aber ich warne Sie.«

Schinz, von dem zweifellos menschlichen Ton berührt, hat seine Einsendung nochmals zur Hand genommen, obschon er ihren Text nachgerade kennt. Der Herr hält es für seine menschliche Pflicht, Schinz zu warnen; er wiederholt das noch einige Male. Schinz will natürlich nicht starrsinnig sein. Eine Pose des Mutes? Der Herr hält es gar nicht für Mut, wenn Schinz daran festhält, sondern für Irrsinn; er sagt es gelinder: Fauxpas. Auch Schinz hält es nicht für Mut; die Einsendung sagt wirklich nichts, was ihm nicht selbstverständlich ist. Nicht so: Euch will ich es einmal sagen, ich, Heinrich Gottlieb Schinz! Sondern ganz simpel: Warum soll ich verschweigen, was ich finde? Als einer von Mut redete, hat es ihm fast Angst gemacht; aber er kann nichts Mutiges daran finden.

»Wie Sie wollen«, sagt der Herr –

Seine Einsendung bleibt also da.

»Und ohne jeden Strich?«

»Ja«, sagt Schinz: »es sind ja kaum anderthalb Seiten –.«

Schinz, seine Mappe in der linken Hand, hat sich verabschiedet, wie er es gewohnt ist, höflich, Auge in Auge; sie schauen ihn an wie einen, der an die Front geht... Am andern Morgen, wie er wieder beim Frühstück sitzt, ist die Einsendung erschienen. Oben auf der zweiten Seite, sehr sichtbar, versehen mit einem kurzen Nachwörtlein, worin die Schriftleitung, wie sie behauptet, es dem Leser überläßt, seine Meinung über einen solchen Rechtsanwalt zu bilden. Das ist das erste, was Schinz überfliegt. Dann liest er den eigenen Text, etwas bange, ob sie wirklich nichts verstümmelt haben. Das nicht; aber es ist, als würden die Lettern, gewohnt das genaue Gegenteil auszusagen, sich weigern, seinen Sinn wiederzugeben. Zum ersten Male, Schinz erbleicht von Zeile zu Zeile, zum allerersten Male merkt er, daß etwas geschehen ist, daß er sich verwandelt hat, daß das Selbstverständliche, was er zu sagen hat, im Widerspruch steht zu aller Umgebung, in einem endgültigen und unversöhnbaren Widerspruch. Darum die Warnung? Jetzt erst, gleichsam erwachend, bemerkt er auch den Titel, den sie darüber gesetzt haben: »Nein! Der Mann hat nicht gestohlen...«

In diesem Augenblick weiß Schinz, daß er erledigt ist; allermindestens als Rechtsanwalt; allermindestens in dieser Stadt.

Der Rest ist wie ein böser Traum. Er ist bald erzählt, glaube ich, die Entscheidung ist gefallen damals im Wald, als er mit dem Förster gegangen ist, vorwärts statt rückwärts. Er kam aus seiner Stadt, er wollte in seine Stadt. Die Dogge, die schöne Anita, ist kurz darauf eingegangen; jeder Hund geht einmal ein; Schinz hat sich sehr gewehrt, diesem natürlichen Hundetod irgend etwas beizumessen, aber betroffen hat es ihn doch; es ist ihm, als habe er seinen letzten Zeugen verloren, seinen letzten Begleiter; eines Tages sieht Schinz sich an der Grenze, allein, anders als früher, wenn er nach Paris gereist ist, nach Rom, nach Florenz, nach London, nach München; ohne Gepäck, ziemlich unrasiert steht er in einem kleinen kahlen Raum, wo er sich ausziehen muß, ausziehen bis aufs Hemd – Schinz zögert, als könne er es nicht glauben, aber der Kommissar wiederholt es:

»Bis aufs Hemd.«

Jede Tasche wird untersucht, nicht grob, aber unbarmherzig. Schinz hat keine Ahnung, was sie suchen. Er ist nicht über einen Bach geschwommen, nicht über nächtliche Äcker gekrochen; er ist mit der Bahn gefahren. Ohne Gepäck. Vielleicht hat das ihn verdächtig gemacht. Sein Paß ist gültig, auch wenn man ihn gegen das grellste Licht hält. Waffen hat er nicht, auch keine Goldbarren, nicht einmal Schriftstücke, nichts, was aus seinen Unterhosen herausfällt. Aber verdächtig ist verdächtig. Schinz versucht, ruhig zu sein, nichts zu sagen. Die andern, die ihn betasten, sagen ebenfalls nichts. Körper eines älteren Mannes, das ist alles, was sie finden. Auch zwischen den Schuhsohlen, die trotz seiner ehrenwörtlichen Versicherung aufgetrennt worden sind, ist nichts. Schinz kann sich wieder ankleiden. Der Kommissar, seinen Paß in der Hand, verläßt die kahle Zelle; der Gendarm bleibt. Durch einen Türspalt sieht Schinz, wie die anderen Reisenden eben ihre geprüften oder ungeprüften Koffer wieder ver-

schließen, Herren und Damen, Pelze, Hutschachteln, die Träger
nehmen die bunten Colis.

»Wenn Sie so freundlich wären«, sagt Schinz: »die Türe zu
schließen –.«

Der Gendarm gibt einen Fußtritt.

»Nur die Ruhe!« sagt er: »Den Zug bekommen Sie sowieso
nicht mehr.«

»Wieso nicht?«

Der Gendarm trägt ein Gewehr.

»Wieso nicht?« fragt Schinz –

Der Gendarm könnte sein Sohn sein.

»Fertig?«

Das fragt nicht der Gendarm, sondern ein dritter, der die Tür
wieder geöffnet hat, um sie wieder nicht ganz zu schließen; herein und hinaus – Fertig? nichts weiter als das: Fertig?... Schinz
bemüht sich, nicht zu hassen; das ist ihr Dienst, sagt er sich, ein
widerlicher Dienst, mitten in der Nacht eine Uniform anziehen
und auf die verspäteten Züge warten, Leute sehen, die ans Meer
fahren oder ins Gebirge, Leute untersuchen, die daran schuld
sind, daß man solchen Dienst überhaupt machen muß. Schinz
bemüht sich, seine mißhandelten Schuhe anzuziehen und nicht
zu hassen. Ein älterer Mann wie er, im Augenblick nicht gerade
gepflegt, Hosen mit Hosenträgern, Hemd ohne Kragen, dazu
das grünliche Licht, Schinz begreift, daß er hier nicht die Formen
erwarten kann, welche die Herren auf der Zeitung noch gewahrt
haben, bevor sie den Titel wählten:

»Nein! Der Mann hat nicht gestohlen...«

Man wird sehr rasch bekannt.

»Nehmen Sie Platz«, sagt der Kommissar, als Schinz, seinen
Mantel auf dem Arm, vor dem Tisch steht und wieder eine Krawatte trägt: »Bitte, nehmen Sie Platz.«

Schinz bleibt stehen.

»Ich möchte Sie darauf aufmerksam machen«, sagt er: »daß
mein Zug in vier Minuten weiterfährt.«

»Das geht mich nichts an.«

Pause.

»Meinetwegen bleiben Sie stehen.«

Schinz setzt sich, es hat keinen Sinn, die Leute vor den Kopf zu stoßen; das ist ihr Dienst, ein widerlicher Dienst.

»Schinz, Heinrich Gottlieb –.«

»Ja.«

»Doktor jur.«

»Ja.«

»Rechtsanwalt –.«

»Ja«, sagt Schinz; es fehlt jetzt nur noch, denkt er, daß der Hornochse mir vorliest, wieviel Zentimeter ich habe.

»Geboren –«

»Ja!«

Draußen hört man das Gepaff der Lokomotive, bereit, jeden Augenblick abzufahren; Schinz beißt auf die Lippen, der Hornochse blättert im Paß, als hätte er noch keinen gesehen.

»Wo fahren Sie hin?«

»Hinaus«, sagt Schinz.

»Ich frage, wo Sie hinfahren.«

»Ich sage: Hinaus.«

Pause.

»Ich frage Sie zum letzten Mal.«

Schinz hat Mühe, nicht zu hassen, alle zu hassen in diesem Einzigen, der da hockt, seinen Paß in der Hand, zu hassen, zu hassen... Nicht die Nerven verlieren! denkt er: Ich muß hinaus, ich muß, ich kann es nicht aushalten, Unrecht zu sehen und zu schweigen, Zeitungen zu lesen, die das Gegenteil sagen, Menschen zu sehen, die mich wie einen armen Kranken behandeln, wie ein Kind mit einem fallenden Weh, zu fühlen, wie sie Angst haben vor meinem nächsten Fauxpas, diese mütterliche Sorge, ich könnte unseren Wagen auf ein Trottoir fahren, diesen freundschaftlichen Rat, ich solle nicht so viel rauchen und mich nicht in eine Sache hineinsteigern, das Schweigen, wenn ich mich erkläre, die unausgesprochene Hoffnung, daß ich endlich zu einem Nervenarzt gehe, ich halte es nicht mehr aus, ich muß hinaus! – und noch ist der Zug nicht abgefahren, die paffende Lokomotive, die zum Platzen voll Dampf ist...

»Wo fahren Sie hin?«

»Das geht Sie einen Dreck an!«

Schinz ist aufgesprungen.

»Bitte«, sagt der Kommissar –

»Das geht Sie einen Dreck!« schreit Schinz: »Das geht Sie einen Dreck an!«

Schreien ist so unschinzisch, er merkt es jedesmal, bereut es jedesmal, nicht weil der Hornochse ihn jetzt strafen wird, bereut es, weil es ihm nicht liegt... Gottlieb, hat Bimba damals gesagt, ich bin nicht taub – Und ob sie taub sind! Alle sind sie taub! Sie hören, daß man schreit, aber nicht, was man schreit. Das ist es! Natürlich sind sie taub, sonst würden sie sich selber nicht aushalten, sie würden eingehen wie die Dogge, weil sie es gehört haben und nicht sagen können, wie die Dogge! denkt er, während der Kommissar sich ebenfalls erhebt und trocken lächelt:

»Bitte. Sie können gehen.«

Den Paß hat er in die Schublade geworfen, die Schublade schließt er ab, den Schlüssel steckt er in die hintere Hosentasche, die Fülle seines Arsches zeigend – Schinz hat begriffen, nimmt seinen Mantel, geht hinaus, doch kommt er nicht weit, bis der junge Gendarm ihn einholt.

»Sie sollen zurückkommen.«

»Warum?«

»Sie sollen zurückkommen.«

Schinz geht zurück; der Kommissar steht, ein Pfeife anzündend, so daß er eine Weile nicht sprechen kann; dann sagt er:

»Schließen Sie die Türe wie ein anständiger Mensch, Herr Doktor.«

Schinz schluckt. Der Kommissar raucht, bereits anderweitig beschäftigt. Schinz schließt die Türe wie ein anständiger Mensch... Drei Uhr morgens, es regnet wieder in Strömen, geht er schwarz über die Grenze, Heinrich Gottlieb Schinz, Rechtsanwalt, ein Mann ohne Papiere.

Bimba weint.

Die Kinder schämen sich im Gymnasium.

Einige Nächte sieht sich Schinz, wie er in Stadeln übernachtet, nie ganz schlafend, wachsam, solange er sich im Grenzgebiet befindet. So ungefähr, denkt er, ist Alexis über unsere Grenze gekommen, der Emigrant, der als Zeuge kein volles Gewicht hat; man ist sehr rasch ein Emigrant. Man ist ansässig, wie man ansässiger nicht sein kann, hat einen Stammbaum und ein Haus; plötzlich ist man ein Emigrant. Das ist schon öfter vorgekommen! Man sieht die Dinge etwas anders, als die andern sie lehren; man kann nichts dafür, daß die Zeitungen das Gegenteil schreiben... Eines Tages melden sie, daß Schinz geschnappt worden ist, nämlich auf der andern Seite. Er soll, wie der behördliche Ausdruck lautet, abgeschoben werden. Abgeschoben! Für die Familie ein nicht ausdenkbarer Schlag. Nur Bimba hält sich großartig; sie ist alt geworden, hat fast keinen Umgang. Nicht daß die Menschen sie meiden! So sind die Menschen ja auch wieder nicht; nur Bimba hält sie nicht aus, nicht einmal ihr Schweigen. Sie verteidigt nicht alles, was Schinz gesagt und getan hat; etwa sein lächerlicher Zank mit der Zeitung; aber der Fall mit dem Wagen, ja, das findet auch Bimba, daß der Mann, je öfter sie darüber nachdenkt, und zwar allein, nicht gestohlen hat. Komisch, wie anders man sieht, wenn einmal der gewohnte Umgang etwas nachläßt! Und wie er nachläßt, wenn man anders sieht; das ist dann nicht mehr komisch, Bimba ist sehr alt geworden. –

Wieder sitzt da ein Kommissar:

»Schinz, Heinrich Gottlieb –?«

Schinz schweigt.

»Doktor jur.«

Schinz schweigt.

»Rechtsanwalt!« sagt der Kommissar, der diesmal keinen Paß hält, sondern einen Steckbrief, und fährt fort: »Warum leben Sie unter einem falschen Namen?«

Schinz schweigt.

»Sie haben die Grenze schwarz überschritten. Ihr eigenes Land hat Ihnen die Papiere entzogen –«

»Das ist nicht wahr!«

»Sie haben also die Grenze nicht überschritten?« sagt der

Kommissar nicht ohne Stolz auf die zwingende Führung des Verhörs: »Sie befinden sich also nicht in diesem Land?«

»Man hat mir keine Papiere entzogen.«

»Wieso haben Sie denn keine?«

Schinz, sich fürs erste mit einem kurzen hämischen Lachen begnügend, nimmt ein Taschentuch heraus, ein sehr ungewaschenes, wie es bei einem Schinz höchstens noch in der Bubenzeit hat vorkommen können, grau und verwurstelt, feucht, widerlich; dann sagt er:

»Das ist eine lange Geschichte –«

Bald erinnert er sich selber nicht mehr!

»Damit geben Sie also zu«, sagt der Kommissar: »daß Sie nicht Bernauer heißen, sondern Schinz – Heinrich Gottlieb, Rechtsanwalt?«

»Ja.«

Schinz schneuzt sich; es brauchte keine spiegelnde Fensterscheibe, damit er weiß, wie er aussieht! Kein Geld für frische Hemden, einige Nächte in den Wartesälen dritter Klasse, Verlust der Bügelfalten, einige Nächte im Freien, kein warmes Wasser. Seife von öffentlichen Aborten, ein Mantel, der sozusagen zu deiner Wohnung geworden ist, und das Kostüm eines Verdächtigen ist da. Verlasse dich nicht auf dein Gesicht, auf die Züge deines Gesichtes! Vergiß den Rosenkavalier, vergiß den Kunstverein, vergiß die Denkmalpflege; Kenntnisse dienen nur noch dazu, dich restlos verdächtig zu machen. Ein Mann wie du, der ein Haus hat und einen Wagen, warum hast du deine Stadt verlassen? Warum hast du es nötig, Bernauer zu heißen?... Das Protokoll, das erste von vielen kommenden, kannst du unterzeichnen, wenn es fertig ist; es sind da noch einige Fragen.

»Herr Doktor«, sagt der Kommissar, das noch bescheidene Dossier öffnend, und sein Ton, wenn er Doktor sagt, ist nicht etwa höhnisch, sondern durchaus achtungsvoll, da der gewöhnliche Landstreicher nun entlarvt ist als ernsthafter Fund: »Sie haben Verbindungen zu einem gewissen Becker?«

Schinz stutzt.

»Becker, Alexis, Emigrant.«

Schinz schweigt.

»Ja oder nein?«

Schinz schweigt.

»Bitte«, lächelt der Kommissar: »vielleicht erinnern Sie sich, wenn ich Ihnen das Bild zeige –.«

Schinz hat das Gefühl, rot zu werden.

»Das Bild ist allerdings alt«, sagt der Kommissar: »Ihr Freund trägt keinen Schnurrbart mehr, soviel wir wissen.«

Schinz schweigt.

»Ich will Sie nicht überrumpeln, Herr Doktor, Sie werden Zeit genug haben, sich alles zu überlegen«, sagt der Kommissar mit dem fast kollegialen Ton von Todfeinden, die ihre Spielregeln kennen: »Ferner kennen Sie sehr wahrscheinlich einen gewissen Marini...«

»Marini?«

»Francesco Marini.«

»Nein –«

»Oder Stepanow.«

»Stepanow?«

»Ossip Stepanow.«

»Nein!«

»Oder Espinel.«

»Nein!« sagt Schinz.

»Roderigo Espinel.«

»Nein!« sagt Schinz.

»Seine Namen tun nichts zu Sache«, sagt der Kommissar: »Aber wenn Sie ihn kennen, erinnern Sie sich an sein Gesicht – ein sehr markantes Gesicht, das hat noch keiner vergessen, der ihn einmal gesehen hat.«

Und damit gibt er das Foto:

»Ein fertiger Christuskopf!«

Schinz erbleicht...

»Sie erinnern sich, Herr Doktor?«

Schinz hält das Foto: der Förster, der Lodenmantel – Man will mich wahnsinnig machen, denkt er, man will mich wahnsinnig machen! – Er steht in dem Lodenmantel, ein Förster am Sonntag, der sich vor seine Stämme stellt und eine Aufnahme machen läßt, etwas verlegen, ein schlechtes Foto, aber deutlich, ein dilettantisches Foto. Schinz legt es auf den Tisch zurück, unwillkürlich und etwas rasch, so, als verbrenne es seine Finger oder als wäre es schwer wie ein Stein... Der Kommissar hat sich unterdessen eine Zigarette genommen, zündet an; jetzt sagt er:

»Kennen Sie den Menschen?«

Die Zelle, die Schinz bekommt, ist ganz ordentlich. Sie hat sogar Sonne, ein etwas hochgelegenes Fenster, so daß man nichts von der Welt sieht, nur einen Kamin, nämlich wenn Schinz auf seiner Pritsche steht. Die Pritsche ist hart, aber sauber, nicht unwürdig. Drei Uhr mittags verschwindet die Sonne; kurz danach hört man eine Turmuhr. Schinz findet es schon viel, daß er nicht gegen eine Mauer sieht, womöglich noch eine Schattenmauer, sondern gegen den Himmel. Seine Zelle ist offenbar im obersten Stockwerk; jedenfalls hört man oft das Geflatter der Tauben, hin und wieder schwirrt eine vor dem Gitter vorbei. Manchmal ist Schinz ganz heiter: Man muß halt nicht über die Grenze schleichen! sagt er sich. Die Zelle ist klein; es erinnert ihn an das bekannte Kloster in Fiesole. Überhaupt die Erinnerungen! Seine erste Angst, als er an dieser Stelle sitzt: Jetzt nicht den Glauben an deine Unschuld verlieren! Das Foto mit dem Förster, sagt er sich, ist eine Hysterie gewesen; er hat es ja kaum wirklich betrachtet; er ist erschrocken und hat es weggelegt. Erschrocken über einen Lodenmantel, wie es Tausende gibt! Das Gesicht, sagt Schinz sich mit Recht, hat er damals gar nicht so deutlich gesehen; es war ja schon Dämmerung, dann sogar Nacht. Laß dich nicht irrsinnig machen! Und wenn schon, denkt er ein anderes Mal, wenn er es wirklich gewesen wäre: was habe ich verbrochen? Ich habe ihn gesehen, gut, ich habe mit ihm geplaudert, gut, vor allem hat er geplaudert. Was weiter? sagt Schinz, indem er plötzlich in seinem Hin und Her wieder stehenbleibt: Was geht dieser Marini mich an oder dieser Stepanow oder wie er heißt? Dann legt er sich auf die Pritsche: Man will mich irrsinnig machen, sagt er sich ziemlich gelassen, man will mich irrsinnig machen. Draußen hört man das Gackern von Hühnern. Irgendwie schön. Ein Fenster voll Himmel; das Gitter davor ist nicht so schlimm; Schinz hat ja keine Absicht, hinunterzuspringen in den Tod oder hinauszufliegen über die Kamine. Einmal, denkt er, wird ein Gericht stattfinden. Hin und wieder hört man auch das Hupen von Wagen, aber ziemlich ferne; jenseits von Bäumen, jenseits eines Hofes oder so. Das ganze Gebäude, wer weiß, war vielleicht einmal ein Kloster; Schinz hat auf seinen Reisen so viele alte Klöster besucht, sich manchmal vorzustellen versucht: Wenn du in einer solchen Zelle leben müßtest? und dann ist Bimba gekommen, begeistert von einem Kreuzgang, man ist hinuntergegangen, hat Fresken bewundert, langsam ist man hinausgegangen, Sonne auf einer Piazza, gegenüber ein kleines Ristorante. Die Fresken: Sebastiano mit den Pfeilen im Leib, ein Kindermord zu Bethlehem, ein Christophorus, die drei bekannten Kreuze auf Golgatha, viel bittere Geschichten, aber schön. Wölfflin fällt ihm ein! Und so weiter. Zum Glück sind die Kinder schon groß. Manchmal steht Schinz einfach an der Wand, die Arme an der Wand, den Kopf in den Armen, so daß er nichts sieht; mit offenen Augen. Der Himmel ist zum Verzweifeln. Schlafen geht nicht. Träume machen alles so maßlos. Einmal wird das Essen kommen. Dann wird es sich zeigen! ob es Gendarmen sind oder Wärterinnen, Gefängnis oder Irrenhaus. Das ist seine einzige Angst. Wenn du nirgends auf der Welt ein voller Zeuge mehr bist. Als sie kommen, die Schritte, nimmt er den Kopf nicht von der Wand; die Türe geht auf, Schinz bleibt so, die Türe geht zu. Schinz schaut: ein Geschirr ist da, ein blechernes, aber sauber, Kartoffelsuppe und Brot, ein etwas komisches Gefäß mit frischem Wasser ... Wochen wie Jahre, Jahre wie Wochen, Verhöre, die sich wörtlich wiederholen, Namen, die Schinz nicht kennt, hin und wieder ist er durchdrungen vom Bewußtsein, daß alles nur ein Traum ist, aber das ändert nichts daran; sooft er erwacht, sieht er das Gitter vor dem Himmel, und jeden Morgen, wenn es grau wird, hört er, wie die Hähne krähen –.

Endlich ist es soweit.

Eines Tages sieht sich Schinz, wie er es von Bildern kennt, in

Hemd und Hose und mit einem kleinen Strick um die Handgelenke. Er ist nicht allein. Sie stehen in einem Schulhaushof, Kies, die Kastanien blühen mit weißen und roten Kerzen. Stunden ohne Ahnung. Die Soldaten, die sie bewachen, tragen eine Uniform, die Schinz noch nie gesehen hat; die Historie, scheint es, hat sich wieder einmal gewendet, die Mützen sind anders, der Schnitt der Hosen, anders ist auch die Art, das Gewehr zu tragen. Es ist schon ziemlich hell, aber vor Sonnenaufgang. Was Schinz, übrigens der einzige Deutschsprechende in seiner Gruppe, mehr beschäftigt als die unbekannten Uniformen, ist der kleine Hühnerhof des Hauswartes, wo er zum ersten Male die beiden bekannten Hähne sieht, die er jeden Morgen gehört hat! noch haben sie nicht gekräht... Auf der Treppe der Turnhalle erscheint ein Mann ohne Uniform, ein ziemlich junger Bursche, der eine Armbinde trägt; eine Liste verlesend:

»Stepanow, Ossip.«

»Hier.«

»Becker, Alexis.«

»Hier.«

»Schinz, Heinrich Gottlieb.«

»Hier.«

Die übrigen blicken auf den Kies. Je ein Soldat führt die eben Gerufenen aus ihrer Gruppe. Hinüber in die Turnhalle, die immer noch, obschon es tagt, hell erleuchtet ist. Natürlich wird nicht gekreuzigt, sondern erhängt. Die Vorrichtung ist lächerlich einfach, fast schulbubenhaft; drei Ringseile sind heruntergelassen, daran je ein ziemlich dünner Strick mit einer Schlaufe. Darunter je ein flüchtig genagelter Holzblock mit drei Stufen. Schinz denkt: Das kann aber nicht euer Ernst sein! ohne sich jedoch eine Hoffnung zu machen, daß es deswegen nicht stattfinden werde. Auch darüber ist Schinz sich klar, daß er nie mehr erfahren wird, worin sein Verbrechen eigentlich bestanden hat. Irgendwie spielt es wirklich keine Rolle; so weit ist er schon gekommen. Wieder vergeht eine Weile. Die drei Gerufenen sind so gestellt, daß sie sich den Rücken zuwenden, einander nicht sprechen und nicht sehen können. Schinz sieht einen Tisch, gemacht aus zwei Hürden und einem Brett, darauf ein Eisenstab, zwei Handschuhe, wie die Schweißer sie haben, drei kleine Schnappzangen, ein Bunsenbrenner, ein vielfach verglühter Draht, das genügt, damit läßt sich foltern, soviel man nur will. Eine Uniform spricht mit einer Art von Arzt, der mehrmals die Achseln zuckt. Dann, da die beiden offenbar zu keinem Ende kommen, wendet sich die Uniform, drei Fotos in der Hand; jeder wird nochmals mit seinem Foto verglichen. Dann kommt der junge Bursche mit der Armbinde, weist ihnen die Plätze an. Links Becker, Stepanow in der Mitte, rechts Schinz. Die Schlaufe sollen sie sich selber um den Hals legen – es ist wirklich der Förster. Er sagt:

»Warum haben Sie mich verraten?«

Schinz hat keine Stimme.

»Warum haben Sie mich verraten?«

Der Förster hilft ihm, vorwurfslos, so wie er dem armen Bekker schon geholfen hat, so, als wäre er schon unzählige Male gehängt worden, er selber. Schinz schaut ihn an und sagt:

»Ich verstehe kein Wort.«

Der Förster lächelt.

»Ich habe Sie nicht angesprochen, Herr Doktor, Sie haben mich angesprochen, Sie haben mich nach dem Weg gefragt –.«

»Nein«, sagt Schinz.

»Tragen wir es.«

Da, sein Christus-Gesicht vor Augen, kann Schinz es nicht ertragen, schreit, als könne er daran erwachen, schreit, wie ein Mensch nur schreien kann, schreit:

»Nein! Nein! Nein!«

Das ist das letzte Mal gewesen, daß Schinz seine eigene Stimme gehört hat––– Erwacht, schweißüberströmt, die eigene Hand an seinem Hals, der unversehrt ist, merkt er es nicht sogleich, Bimba streicht ihm die Stirne, Bimba ist alt, Bimba lächelt, der Arzt steht am Fußende des Bettes, Bimba bewegt die Lippen, aber sie sagt kein Wort, auch der Arzt bewegt die Lippen, aber niemand sagt ein Wort. Schinz ist taub. Als er es weiß, schließt er die Augen; als müßte, wenn er sie dann abermals aufmacht, alles verändert sein. Nichts ist verändert, sie bewegen die Lippen. Als er es sagen will, daß er sie nicht mehr hören kann, merkt er, daß er auch stumm ist.

Schinz hat nach diesem Ereignis noch sieben Jahre gelebt, ohne seine Vaterstadt zu verlassen. Mit dreiundsechzig Jahren stirbt er eines natürlichen Todes. Und nicht ohne Ansehen. Sein sonderbarer Fauxpas ist zwar nicht vergessen worden, aber verziehen; man hat den taubstummen Herrn auch auf der Straße immer zuvorkommend begrüßt; die Außenwelt, ausgenommen Bimba, hat das Ganze, wie schon gesagt, durchaus als einen klinischen Fall betrachtet, aufsehenerregend auch so, erschütternd auch so, aber für die Außenwelt ohne jede Folge.

Im Büro

Die vergangene Woche bringt ohne eine Bemühung meinerseits – ich habe mich öfter in diesem Sinn bemüht, aber immer erfolglos – zwei neue Aufträge; ein Landhaus und ein kleines Strandbad.

Café Odeon

Der Zufall ganz allgemein: was uns zufällt ohne unsere Voraussicht, ohne unseren bewußten Willen. Schon der Zufall, wie zwei Menschen sich kennenlernen, wird oft als Fügung empfunden; dabei, man weiß es, kann dieser Zufall ganz lächerlich sein: ein Mann hat seinen Hut verwechselt, geht in die Garderobe zurück und obendrein, infolge seiner kleinen Verwirrung, tritt er auch noch einer jungen Dame auf die Füße, was beiden leid tut, so leid, daß sie miteinander ins Gespräch kommen, und die Folge ist eine Ehe mit drei oder fünf Kindern. Eines Tages denkt jedes von ihnen: Was wäre aus meinem Leben geworden ohne jene Verwechslung der Hüte?

Der Fall ist vielleicht für die meisten, die sonst nichts glauben können, die einzige Art von Wunder, dem sie sich unterwerfen.

Auch wer ein Tagebuch schreibt, glaubt er nicht an den Zufall, der ihm die Fragen stellt, die Bilder liefert, und jeder Mensch, der im Gespräch erzählt, was ihm über den Weg gekommen ist, glaubt er im Grunde nicht, daß es in einem Zusammenhang stehe, was immer ihm begegnet? Dabei wäre es kaum nötig, daß wir, um die Macht des Zufalls zu deuten und dadurch erträglich zu machen, schon den lieben Gott bemühen; es genügte die Vorstellung, daß immer und überall, wo wir leben, alles vorhanden ist: für mich aber, wo immer ich gehe und stehe, ist es nicht das vorhandene Alles, was mein Verhalten bestimmt, sondern das Mögliche, jener Teil des Vorhandenen, den ich sehen und hören kann. An allem übrigen, und wenn es noch so vorhanden ist, leben wir vorbei. Wir haben keine Antenne dafür; jedenfalls jetzt nicht; vielleicht später. Das Verblüffende, das Erregende jedes Zufalls besteht darin, daß wir unser eigenes Gesicht erkennen; der Zufall zeigt mir, wofür ich zur Zeit ein Auge habe, und ich höre, wofür ich eine Antenne habe. Ohne dieses einfache Vertrauen, daß uns nichts erreicht, was uns nichts angeht, und daß uns nichts verwandeln kann, wenn wir uns nicht verwandelt haben, wie könnte man über die Straße gehen, ohne in den Irrsinn zu wandeln? Natürlich läßt sich denken, daß wir unser mögliches Gesicht, unser mögliches Gehör nicht immer offen haben, will sagen, daß es noch manche Zufälle gäbe, die wir übersehen und überhören, obschon sie zu uns gehören; aber wir erleben keine, die nicht zu uns gehören. Am Ende ist es immer das Fälligste, was uns zufällt.

Die Folge

1946

Zeittafel